De schaakmachine

Robert Löhr

De schaakmachine

Karakter Uitgevers B.V.

Oorspronkelijke titel: Der Schachautomat
© 2005 by Piper Verlag GmbH, München
Vertaling: Henriëtte van Weerdt-Schellekens
© 2006 Karakter Uitgevers B.V., Uithoorn
Omslag: Studio Jan de Boer

ISBN 90 6112 085 3
NUR 342

Tweede druk, juli 2006

Neuenburg 1783

Onderweg van Wenen naar Parijs maakte Wolfgang von Kempelen met zijn gezin een tussenstop in Neuenburg en op 11 maart 1783 gaf hij in de herberg op de markt een demonstratie van zijn legendarische schaakmachine: een in Turkse gewaden gehulde androïde die kon schaken. De Zwitsers bereidden Kempelen en zijn Turk bepaald geen hartelijke ontvangst. Per slot van rekening hadden de machinebouwers in het vorstendom Neuenburg de reputatie de beste ter wereld te zijn. En nu kwam er een hoge functionaris van het koninklijk hof uit de Hongaarse provincie – zo'n ambtenaartje dat geen klokken maakte om er de kost mee te verdienen maar slechts uit liefhebberij – die erin was geslaagd zijn machine te leren denken. Een intelligente machine. Een apparaat dat uit veren, raderen, snoeren en cilinders bestond en dat in het koninklijke spel nagenoeg al zijn menselijke tegenstanders had verslagen. In vergelijking met de bijzondere schaakmachine van Kempelen waren de machinerieën uit Neuenburg slechts buitenproportionele speelklokken, triviaal vermaak voor schatrijke edelen.

Alle wrok ten spijt was de zaal waar de schaakmachine zou worden gedemonstreerd tot de laatste plaats uitverkocht. Wie geen zitplaats had weten te bemachtigen moest achter de rijen stoelen blijven staan om naar het schouwspel te kijken. De Neuenburgers wilden zien hoe dit wonder van techniek werkte. Stiekem hoopten ze dat Kempelen een bedrieger was en dat ze de briljantste uitvinding van de eeuw met hun kundige blikken zouden kunnen ontmaskeren als een simpele goocheltruc. Maar Kempelen beschaamde hun hoop. Toen hij aan het begin van de demonstratie met een zelfbewuste glimlach het binnenwerk van het apparaat liet zien, kwam er uitsluitend een raderwerk tevoorschijn; en toen dat werd opgewonden en de schaakturk begon te spelen, deed hij dat onmiskenbaar met de bewegingen van een machine. De chauvinisten moesten erkennen dat Kempelen niet minder dan een mechanisch genie was.

In een beschamend korte tijd versloeg de Turk zijn eerste twee tegenstanders, de burgemeester en de voorzitter van de plaatselijke schaaksociëteit. Vervolgens vroeg Kempelen om een vrijwilliger voor de derde en laatste partij van die dag. Er verstreken enkele ogenblikken, maar uiteindelijk meldde zich iemand. Kempelen en zijn publiek zochten naar de vrijwilliger, maar pas toen deze tussen de hagen achteruitwijkende toeschouwers tevoorschijn kwam, was hij te zien – want de man was zo klein dat hij maar net tot boven de heupen van de aanwezigen reikte. Wolfgang von Kempelen deed een stap naar achteren en zocht met zijn ene hand steun aan het schaaktafeltje. Hij schrok zichtbaar bij de aanblik van de dwergengestalte en verbleekte alsof hij een geest zag.

Ook Gottfried Neumann – want zo heette de dwerg – was klokkenmaker en hij was speciaal vanuit het nabijgelegen La Chaux-de-Fonds naar Neuenburg gereisd om de schaakmachine te zien spelen. De dwerg had zwart haar met een paar zilvergrijze plukken, dat in zijn nek tot een Pruisische vlecht was gevlochten, en al even kastanjebruine ogen als de schaakturk. Hij keek streng uit zijn ogen. Zijn voorhoofd leek van nature te fronsen en de zwarte wenkbrauwen wekten de indruk al sinds zijn geboorte te zijn samengetrokken. Hij had het postuur van een zesjarig jongetje, alleen was hij duidelijk steviger gebouwd; alsof er te veel lijf in te weinig huid zat. Hij was gekleed in een donkergroene justaucorps, die op zijn speciale maat was gemaakt, en om zijn hals droeg hij een zijden sjaaltje.

In de zaal weerklonk gemompel toen Neumann op Kempelen af liep. Niemand van de toeschouwers had Neumann ooit zien schaken. In de hoop de machine misschien toch nog tot remise te dwingen vroeg de voorzitter van de schaaksociëteit om andere vrijwilligers die de naam hadden goede schakers te zijn, maar het publiek begon zo hard te sissen dat hij weer moest gaan zitten. De Turk had bewezen onoverwinnelijk te zijn – maar de partij tussen een machine en een dwerg stond in elk geval garant voor een boeiend schouwspel.

Kempelen schoof de stoel niet aan, wat hij bij de voorgangers van de dwerg wel had gedaan. Neumann zat evenals zij aan een tafeltje apart met een eigen schaakbord. Zo had het publiek het volle zicht op de Turk. Kempelen wachtte tot de dwerg was gaan zitten, schraapte vervolgens zijn keel en verzocht om stilte en aandacht. Met opgetrokken schouders en met zijn handpalmen als een kind om de zitting geklemd bekeek Neumann ondertussen het schaakbord en de zestien rode schaakstukken voor zich met een blik alsof hij iets dergelijks nog nooit had gezien.

Kempelens assistent draaide aan de slinger van de schaakmachine en knarsend en krakend zette het raderwerk zich in beweging. Het hoofd van de Turk kwam omhoog, zijn linkerarm bewoog naar het schaakbord en met drie vingers bracht de machine een pion naar voren – dezelfde opening als bij de voorgaande partijen. De assistent deed dezelfde zet op Neumanns schaakbord, maar de dwerg reageerde niet. Hij keek niet eens op. Hij bleef maar naar elk van zijn stukken zitten staren alsof het al lang doodgewaande kennissen waren. Het publiek werd onrustig.

Wolfgang von Kempelen stond juist op het punt iets te zeggen toen Neumann zich eindelijk verroerde: hij zette zijn koningspion twee velden naar voren en bood daarmee de witte pion van de Turk het hoofd.

Venetië 1769

Op een naamloze ochtend in november 1769 was Tibor Scardanelli met geronnen bloed op zijn gezwollen gezicht en een stekende hoofdpijn ontwaakt in een gevangeniscel zonder raampje. In het halfduister zocht hij tevergeefs naar een kroes water. De alcoholgeur die uit zijn lompen opsteeg, maakte hem onpasselijk. Hij liet zich op zijn strobed vallen en zocht met zijn rug steun tegen de koude, loden wand. Kennelijk moesten bepaalde ervaringen uit zijn leven – het bedrog, de beroving, de afranseling, de gevangenisstraf, de honger – zich herhalen.

De dwerg had de avond tevoren in een taveerne enkele partijen geschaakt om geld en hij had de winst van zijn eerste partijen aan brandewijn besteed in plaats van aan een fatsoenlijke maaltijd. Hij was zodoende al dronken toen de jonge koopman hem uitdaagde om een partij te spelen met twee gulden als inzet. Tibor had geen enkele moeite met zijn tegenstander, maar toen hij bukte om een munt op te rapen die op de grond gevallen was, zette de Venetiaan een dame die allang geslagen was, op het schaakbord terug. Tibor protesteerde maar de koopman hield voet bij stuk – tot grote vreugde van zijn metgezellen. Uiteindelijk bood hij de dwerg remise aan en nam onder luid gelach van de toeschouwers zijn inzet terug. De alcohol had Tibor beneveld: hij greep naar de hand van de koopman waarin zijn geld zat. Tijdens het gebakkelei vielen hij en de Venetiaan op de grond. Tibor was aan de winnende hand totdat een metgezel van de koopman de kruik brandewijn op zijn hoofd stuksloeg. Tibor bleef bij bewustzijn, ook toen de Venetianen hem om beurten een pak slaag gaven. Daarna droegen ze hem over aan de carabinieri en verklaarden dat de dwerg hen bij het schaken had bedrogen en hen vervolgens had aangevallen en bestolen. De carabinieri brachten hem daarop naar de dichtstbijzijnde gevangenis, de kerkers onder de loden daken van het dogepaleis. Ze hadden Tibor zowel zijn weinige geld als zijn schaakbord afgenomen, maar de medaille met de afbeelding van de madonna hing in elk geval nog op zijn borst. Hij omklemde hem met beide handen en smeekte de moeder Gods hem uit deze gevangenis te bevrijden.

Hij had zijn gebed nog niet beëindigd of de deur van zijn cel werd opengemaakt en de cipier liet een edelman binnen. De man was ongeveer tien jaar ouder dan Tibor, had donkerbruin haar en een hoekig gezicht met kalende inhammen aan de slapen. Hij was volgens de laatste mode gekleed, zonder het fatterige uiterlijk van de Venetianen te hebben geïmiteerd: een nootbruine geklede jas met kanten manchetten en een broek van dezelfde kleur waarvan de pijpen in hoge rijlaarzen staken; daaroverheen hing een zwarte mantel. Op het hoofd droeg hij een steek die nat was van de regen, en aan zijn gordel hing een degen. Hij leek in niets een Italiaan. Tibor herinnerde zich dat hij hem de avond tevoren onder de gasten van de taveerne had gezien. De edelman had in zijn ene hand een kruik water en een korst brood en in zijn andere hand een schitterend bewerkt reisschaakspel. De gevangenbewaarder zette een kandelaber voor hem neer en een taboeret, waarop hij ging zitten. Water, brood en zijn steek legde de man naast Tibors strozak neer en zonder een woord te zeggen klapte hij het schaakbord op de vloer open en begon de stukken erop te plaatsen. Toen de gevangenbewaarder weer was weggegaan en de celdeur achter zich had gesloten, kon Tibor het zwijgen niet langer verdragen en richtte hij het woord tot de man tegenover zich.

'Wat wilt u van me?'

'Spreek je Duits? Daar ben ik blij om.' Hij nam een zakhorloge uit zijn vestzak, klapte het open en legde het naast het schaakbord. 'Ik wil een partij met je spelen. Als je erin slaagt me binnen een kwartier te verslaan, betaal ik de boete voor je en ben je een vrij man.'

'En als ik verlies?'

'Wanneer je verliest,' antwoordde de man nadat hij het laatste schaakstuk op het bord had gezet, 'zou dat een teleurstelling voor me zijn... en dan moet je vergeten dat je me ooit hebt ontmoet. Maar als ik je een goede raad mag geven: versla me, want een andere mogelijkheid om hier uit te komen is er niet. Sinds chevalier Casanova zijn er hier wel wat tralies bij gekomen.'

Terwijl hij die woorden sprak, pakte de onbekende zijn paard en zette het over de pionnen naar voren. Tibor keek naar het schaakbord en zag dat een van zijn stukken ontbrak: de rode dame. Hij keek op en de edelman anticipeerde al op zijn vraag. Hij tikte op zijn vestzakje, waar de dame in zat.

'Mét de dame zou het ál te gemakkelijk zijn.'

'Maar hoe moet ik zonder dame...'

'Dat laat ik aan jou over.'

Tibor deed zijn eerste zet. Zijn tegenspeler reageerde onmiddellijk. Tibor deed snel vijf zetten voordat hij voor het eerst even tijd had om zich met het water en het brood bezig te houden. De edelman speelde aanvallend. Erop belust om te profiteren van zijn gunstige stelling en Tibors stukken te decimeren, zette hij een aantal pionnen ver in de stelling van Tibor. Maar die hield stand. Zijn tegenspeler nam steeds langer de tijd om na te denken.

'Uw denkpauzes kosten mij tijd,' protesteerde Tibor toen er op het zakhorloge vijf minuten waren verstreken.

'Dan moet jij des te sneller spelen.'

En Tibor speelde sneller: hij sprong over de witte pionnen heen en dreef de koning in het nauw. Vijf minuten later was het Tibor wel duidelijk dat hij ging winnen. Zijn tegenstander knikte, legde zelf zijn koning om en ging wat achterover zitten op zijn taboeret.

'Geeft u op?' vroeg Tibor.

'Ik breek het spel af. Je weet zelf dat ik niet meer kan winnen. Dus kan ik jouw laatste vijf minuten in gevangenschap ook nuttiger besteden. Mijn gelukwensen, je hebt slim gespeeld.' Hij reikte Tibor de hand. 'Ik ben Wolfgang baron von Kempelen uit Preßburg.'

'Tibor Scardanelli, uit Provesano.'

'Aangenaam. Ik wil je een voorstel doen, Tibor. Daarvoor moet ik je wat achtergronden vertellen. Ik heb een betrekking als hoge functionaris aan het hof van Hare Majesteit, keizerin Maria Theresia van Oostenrijk en Hongarije. Sinds ik bij haar aan het hof werkzaam ben, heeft ze tal van taken aan mij toevertrouwd, die ik alle tot haar grote tevredenheid heb vervuld. Dat waren echter allemaal taken die ook door andere goede mannen hadden kunnen worden uitgevoerd. Ik wil evenwel een buitengewone prestatie leveren. Iets waardoor ik mij in haar ogen boven anderen verhef... en dat mij wellicht onsterfelijk maakt. Kun je me volgen?'

Wolfgang von Kempelen wachtte tot Tibor knikte en ging toen verder. 'Enkele weken geleden gaf de Franse natuurkundige Pelletier enkele van zijn experimenten aan het hof ten beste: aardigheidjes met magnetisme, trucjes met vliegende spijkers en munten die als door een onzichtbare hand geduwd over een vel papier bewegen; haren die opeens te berge rijzen en meer van dergelijke dingen. Dokter Mesmer weet met zijn kennis van het magnetisme al mensen te genezen... en dan komt die goochelende Fransman en berooft mij met zijn kunstjes van mijn kostbare tijd – en die van de keizerin. Maria Theresia vroeg me direct na de voorstelling wat ik van Jean Pelletier vond en ik heb er geen doekjes om gewonden: ik vertelde haar dat de wetenschap al veel verder was en dat ik, die in tegenstelling tot Pelletier niet eens aan de academie heb gestudeerd, in staat was haar een experiment te tonen waarbij datgene wat Pelletier had vertoond, als een verzameling goocheltrucs zou verbleken. Dat wekte natuurlijk haar nieuwsgierigheid. Ze heeft me aan mijn woord gehouden... en me een halfjaar van al mijn functies ontheven om dat experiment voor te bereiden.'

'Wat voor een experiment?'

'Dat wist ik destijds zelf nog niet. Ik had me echter voorgenomen een bijzondere machine te maken. Ik ben niet alleen een hoge hoffunctionaris, moet je weten; ik beschik ook over kennis op het gebied van de werktuigbouw. Aanvankelijk was ik van plan voor de keizerin een machine te bouwen die kan spreken.'

'Maar dat kan niet,' wierp Tibor onwillekeurig tegen.

Baron Von Kempelen glimlachte en schudde het hoofd op een manier alsof vóór Tibor al velen dezelfde reactie hadden vertoond. 'Natuurlijk kan dat. Ik zal voor de wereld een apparaat bouwen dat even duidelijk spreekt als een mens, en nog wel in alle talen van deze wereld. Een halfjaar is echter voor zulke titanenarbeid te kort; dat heb ik wel ingezien. Er is niet eens genoeg tijd om alle benodigde materialen bij elkaar te krijgen en ze te testen. En een keizerin laat je niet wachten. Daarom ben ik van plan een andere machine te bouwen.' Kempelen pakte de rode dame uit zijn vestzakje en zette haar bij de andere schaakstukken. 'Een schaakmachine.'

Kempelen genoot van Tibors vragende blik en sprak toen snel verder: 'Een apparaat dat zelfstandig kan schaken. Een machine die kan denken.'

'Dat kan niet.'

Kempelen lachte, terwijl hij uit zijn vest een vel papier nam dat hij openvouwde. 'Dat heb je zojuist al gezegd. En deze keer heb je inderdaad gelijk. Een machine zal nooit kunnen schaken. In theorie zou het kunnen, maar in de praktijk...'

Hij reikte Tibor het papier aan. Het was de schets van iemand die aan een tafel zat; of liever gezegd aan een latafel met dichte deurtjes. De beide armen lagen op het tafelblad en daartussenin bevond zich een schaakbord.

'Zo gaat de machine eruitzien,' legde Kempelen uit. 'En omdat hij niet op eigen kracht kan functioneren, heeft hij een stel mensenhersenen nodig.'

Tibor huiverde bij die gedachte en Kempelen begon weer te lachen. 'Wees maar niet bang. Ik ben niet van plan om iemands schedel open te zagen. Wat ik bedoel is dat iemand de machine van binnenuit moet gaan bedienen.' Kempelen legde zijn vinger op de gesloten latafel.

En op dit moment werd Tibor duidelijk waarom de Hongaarse baron hem had gezocht en zijn gangen was nagegaan, waarom hij hier was en zo vriendelijk tegen hem deed en vooral waarom hij bereid was voor zijn vrijlating te betalen. Kempelen sloeg zijn armen over elkaar. Tibor schudde het hoofd, lang voordat hij antwoord gaf.

'Daar werk ik niet aan mee.'

In een sussend gebaar hief Kempelen zijn handen op. 'Rustig aan, rustig aan. We hebben nog niet eens over de voorwaarden onderhandeld.'

'Wat voor voorwaarden? Dit is bedrog.'

'Het is precies even veel of even weinig bedrog als een stuk ijzer magnetisch maken en dan zeggen dat er van "magische aantrekkingskracht" sprake is.'

'"Gij zult geen onwaarheid spreken."'

'Gij zult ook niet om geld spelen, als je met alle geweld met de bijbel bij me aan wilt komen.'

'De mensen zullen de machine onderzoeken en alles onthullen.'

'Onderzoeken wel, ja. Maar ze zullen niets vinden. Dat zal míjn taak zijn.'

Tibor was nog steeds niet overtuigd, maar er vielen hem geen andere argumenten in.

'Eén demonstratie voor de keizerin,' zei Kempelen, 'en dan vernietig ik deze machine weer. Zelfs sensatie is tegenwoordig nog maar een kort leven beschoren. Ik hoef slechts één keer indruk te maken op Maria Theresia, dan heb ik alles bereikt wat ik wil. Dan zal ze mijn andere plannen steunen. En tegen de tijd dat ik mijn eerste spraakmachine alsnog ten tonele voer, zal de schaakmachine allang vergeten zijn.'

Tibor bekeek de schets van de machine.

'Luister wat mijn aanbod behelst: je krijgt een genereus loon en bovendien een riant onderkomen en een uitstekende verzorging tot aan de demonstratie. En je zult voor de ogen van de keizerin schaken, misschien zelfs tegen haar. Dat kunnen niet veel mensen over zichzelf beweren.'

'Het lukt nooit.'

'En laten we nu eens aannemen dat het inderdaad mislukt: wat heb jij dan te vrezen? Mij zullen ze misschien berispen, maar jij? Jij kunt dan je loon behouden en de plaats poetsen. Jij kunt er alleen maar beter van worden.'

Tibor zweeg even en keek toen op het zakhorloge. De tijd was om. 'Als ik het niet doe... betaalt u dan ook niet voor mijn vrijlating?'

'Natuurlijk wel. Ik heb je mijn woord gegeven. Precies zoals ik je mijn woord erop geef dat onze schaakmachine een ongekend succes zal zijn.'

Tibor vouwde de schets zorgvuldig op en gaf hem terug. 'Hartelijk dank. Maar ik wil geen bedrieger zijn.'

Kempelen keek Tibor recht in de ogen tot deze zijn blik afwendde. Toen pas pakte hij het papier weer aan.

'Jammer,' zei Kempelen en begon de schaakstukken weer op te bergen. 'Je mist de unieke kans om aan een groots gebeuren deel te nemen.'

Nog op de trappen van het dogepaleis nam Wolfgang von Kempelen kort afscheid en deelde Tibor voor alle zekerheid mee in welke herberg hij logeerde. Tibor keek hem na toen hij over het San Marcoplein verdween. De Hongaar wekte de indruk dat Tibor slechts een van de vele kandidaten voor deze merkwaardige taak was geweest.

Het was weer gaan regenen; een koude, aanhoudende novemberregen. Via de verlaten stegen liep Tibor terug naar de taveerne aan de Rio San Canciano, waar de waard en diens beide schenkmeiden nog aan het opruimen waren. De waard was niet blij toen hij de onruststoker weer zag. Hij vertelde hem dat de koopman zich Tibors inleg en diens schaakspel bij wijze van aandenken had toegeëigend. Toen Tibor naar de naam en het adres van de Venetiaan informeerde, zette de waard hem de deur uit.

Buiten voor de taveerne bleef Tibor besluiteloos in de regen staan totdat de beide schenkmeiden hun hoofd uit de deuropening staken. Ze zouden Tibor de naam en het adres geven, zei een van de twee. Bij wijze van tegenprestatie wilden ze echter een blik op zijn geslachtsorgaan werpen, want ze hadden de avond tevoren al gespeculeerd of het werkelijk waar was dat dwergen een grotere roede hadden dan gewone mannen. Tibor was sprakeloos, maar hij had geen keus. Zonder zijn gereedschap, het schaakspel, kon hij niets beginnen. Hij vergewiste zich ervan dat ze alleen waren en ontblootte zijn geslacht toen heel even. De schenkmeiden barstten verrukt in lachen uit en Tibor kreeg het adres.

De rest van de dag hield Tibor de wacht tegenover het palazzo. Binnen de kortste keren was hij doorweekt van de regen. Maar dit weer had als voordeel dat de burgers – en vooral de carabinieri – gehaast voorbijliepen en geen notitie van hem namen. Onder zijn capuchon wekte hij de indruk een verdwaald kind te zijn.

Tibor moest geduld hebben tot het avond was. Toen kwam de koopman het huis uit. Hij droeg een zwarte cape over zijn veelkleurige geklede jas en had een pluimhoed op tegen de regen. Tibor volgde hem op gepaste afstand. Het zoete parfum van de Venetiaan verspreidde ondanks de regen een zo sterke geur dat Tibor hem zelfs met een blinddoek om niet zou zijn kwijtgeraakt. Toen ze langs enkele huizenblokken gelopen waren, zorgde Tibor dat de koopman hem in het vizier kreeg. Deze was verrast toen hij de dwerg zag en tastte naar het gevest van zijn degen om zich ervan te vergewissen dat hij het wapen om had. Hij bleef niet staan en het kostte Tibor moeite hem bij te houden.

'Verdwijn uit mijn ogen, gedrocht.'

'Ik wil mijn inzet en mijn schaakspel terug.'

'Ik weet niet hoe jij uit de loden cellen hebt weten te komen, maar ik kan er in een handomdraai voor zorgen dat je daar weer terechtkomt.'

'Ú hoort in de kerker thuis! Geef me mijn schaakspel!'

De koopman deed een greep onder zijn cape en haalde Tibors schaakspel tevoorschijn. 'Dit hier?'

Tibor stak zijn hand ernaar uit maar de Venetiaan trok het naar zich toe zodat Tibor er niet bij kon. 'Ik ga nu een paar partijen spelen met mijn geliefde. We hebben zelf ook wel schaakspellen, een van tin en een heel duur exemplaar met marmeren schaakstukken, maar dit hier,' hij zwaaide Tibors haveloze schaakspel in de rondte zodat de stukken binnenin tegen elkaar rammelden, 'geeft het allemaal op de een of andere manier een landelijk cachet. Iets persoonlijks.'

'Ik heb geen andere middelen van bestaan dan dit spel.'

De koopman stak het spel weer onder zijn cape. 'Des te beter.'

Tibor trok aan de cape van de man. Met één snelle beweging had de Venetiaan zich losgerukt, zijn degen getrokken en deze op de keel van Tibor gezet. 'Elke estheet zal me dankbaar zijn wanneer ik jou doodsteek. Geef me er dus geen reden toe.'

Tibor hief zijn handen sussend in de hoogte. De Venetiaan stak de degen in de schede terug en verwijderde zich lachend.

Toen de Venetiaan kort voor het einde van de nacht het huis van zijn geliefde verliet om dezelfde weg terug te nemen, had Tibor acht uur de tijd gehad om zich voor te stellen hoe die twee in een warm vertrek — te midden van uitgelezen spijzen en wijnen en gezeten op zijden kussens — dilettantisch zaten te schaken, daarna de liefde bedreven en zich steeds opnieuw vrolijk maakten over de doorweekte dwerg, die intussen met natte kleren en zonder dak boven het hoofd intens verlangde naar zijn armoedige schaakbord. Tibor had zich voorbereid: op de weg die de Venetiaan moest nemen om thuis te komen had hij zich in een smalle steeg langs het kanaal tussen het bouwmateriaal voor een huis in aanbouw verschanst. Hij had een touw gevonden en het losse einde daarvan aan een mand vol bakstenen bevestigd, die aan de rand van het kanaal stond.

Toen de koopman kwam aanlopen, trok Tibor het touw strak. Zijn vijand viel op de grond en onmiddellijk zat Tibor boven op hem om zijn handen op zijn rug vast te binden. Tibor had nog nooit iets gestolen; hij wilde slechts terughebben wat hem toebehoorde. Toen de koopman begreep wat er gebeurde, schreeuwde hij om hulp. Tibor drukte zijn hand op diens mond. Met zijn vrije hand rukte de dwerg het schaakspel onder de cape tevoorschijn. Maar op dat moment bracht de Venetiaan zijn lichaam plotseling omhoog en wierp Tibor van zijn rug af. Het schaakspel viel open op de grond. De schaakstukken belandden her en der op het plaveisel, enkele plonsden in het kanaal.

De Venetiaan was sneller dan Tibor. Omdat zijn armen nog steeds waren vastgebonden, gaf hij Tibor een harde schop. De dwerg kwam met zijn rug zo hard tegen de mand met de bakstenen terecht dat deze over de rand in het daaronder gelegen kanaal viel. Het touw trok strak en de koopman werd aan zijn boeien over het trottoir gesleurd. Hij schreeuwde van ontzetting toen hij door het gewicht van de bakstenen het kanaal in werd getrokken. Tibor stond in de weg en werd eveneens het water in gesleurd.

Nauwelijks was Tibor in het water beland of hij begon al als een hond zwembewegingen te maken. Een geweldige trap van de koopman raakte hem onder water. Tibors kleren hadden zich in minder dan geen tijd vol water gezogen en trokken hem de diepte in. Hij stootte met zijn hoofd tegen een muur en trok zich daarlangs naar boven. Nadat hij weer aan de oppervlakte was gekomen, spuugde hij het kwalijk smakende kanaalwater uit en klampte zich vast aan een vooruitstekend deel van de muur.

Pas nadat hij enkele keren had ademgehaald, viel hem op dat de koopman niet boven water was gekomen zoals hij – en tevens besefte hij: stenen en touw hielden hem op de bodem. Tibor keek roerloos toe hoe de golven geleidelijk tot rust kwamen en er minder luchtbelletjes naar de oppervlakte kwamen. Een laatste reeks belletjes knapte uiteen op het wateroppervlak, toen keerde de stilte weer, slechts onderbroken door Tibors hijgende ademhaling.

Langs de muur werkte Tibor zich naar de dichtstbijzijnde ladder. Onderweg stootte hij met zijn voet tegen het hoofd van de verdronken man. Die aanraking bracht pure ontzetting bij hem teweeg en hij verwachtte ieder moment dat het lijk hem zou grijpen en de diepte in trekken. In paniek greep hij naar de sporten van de ladder en hees zich uit het water.

Toen Tibor weer vaste grond onder zijn voeten had, staarde hij op het zwarte water van het kanaal neer. Hij meende een rat aan de oppervlakte te zien zwemmen, maar het was slechts een van zijn schaakstukken. Bij de tegenoverliggende muur dreef als een kleurige eend de malle pluimhoed van de Venetiaan, verder was er niets meer van hem te zien. Gejaagd griste Tibor enkele van zijn schaakstukken bijeen, maar het schaakspel was niet compleet. In zijn haast gooide hij het hele spel in het water en realiseerde zich te laat dat zowel het schaakbord als de bijbehorende stukken zouden blijven drijven. Toen rende hij weg.

[16]

De dichtstbijzijnde kerk was de San Giovanni Elemosinario, maar de deuren waren niet open te krijgen. Ook de San Polo en de San Stae waren afgesloten. Door de lege ruimten tussen twee palazzi zag Tibor het morgenrood. De zon was voor hem het oog van God en daarvoor moest Tibor zich tot elke prijs verstoppen. Hij wilde pas weer in het daglicht verschijnen nadat hij zijn afgrijselijke daad voor een altaar had bekend.

Eindelijk week de eikenhouten deur van de San Maria Gloriosa onder de druk van zijn handen en Tibor slaakte een zucht van verlichting toen hij als enige in de kerk stond. De geur van kaarsenwas en wierook bracht hem tot rust. Hij doopte zijn hand in het wijwater en bevochtigde zijn natte voorhoofd. Via de zijbeuk liep hij regelrecht naar het Maria-altaar omdat hij de aanblik van Jezus aan het kruis op dit moment niet kon verdragen; de gekluisterde heiland deed hem te veel denken aan hoe de Venetiaan er nu in het kanaal waarschijnlijk uit zou zien.

Voor de treurende madonna viel Tibor op zijn knieën, had berouw en bad. Zo af en toe keek hij op en iedere keer scheen het hem toe dat Maria een beetje begrijpender glimlachte. Nu de spanning enigszins van hem af viel, begon Tibor te beven van de kou. De koude kroop vanaf de stenen tegels omhoog in zijn natte kleren en algauw rilde hij over heel zijn lijf. Hij wou maar dat hij in de warme armen van de moeder Gods vertoefde; daar waar het naakte kindje Jezus lag. Maar het was goed dat hij moest lijden: hij had zojuist een mens vermoord.

Zelfs tijdens de oorlog was Tibor gevrijwaard gebleven van die zonde. Nadat hij als veertienjarige van de boerderij van zijn ouders, uit zijn geboortedorp Provesano en uit de republiek Venetië was verdreven omdat de buren voorgaven dat de gnoom de meisjes in het dorp lastigviel, werd hij nabij Udine opgenomen door een langstrekkend regiment Oostenrijkse dragonders. De soldaten waren onderweg naar het noorden om de roofzuchtige Pruisen met geweld Silezië te ontnemen en Tibor werd als laarzenpoetser en mascotte gerekruteerd.

Zodoende raakte hij in het voorjaar van 1759 in de Zevenjarige Oorlog verzeild, die destijds al drie jaar woedde. De laarzenpoetser reisde met zijn regiment via Wenen en Praag mee naar Silezië en de dragonders schreven de nederlaag van de Pruisische troepen bij Kunersdorf toe aan het feit dat hij hun geluk bracht. Tibor was erbij toen Berlijn

werd bezet en had het niet slecht in de legerplaatsen en de bezette steden. Hij leerde Duits, mocht zich een speciaal uniformpje laten aan-
meten, kreeg overvloedig de kost en nam af en toe deel aan de zuippar-
tijen van de soldaten.

Het geluk liet de Oostenrijkers in november 1760 echter in de steek.
Tijdens de slag bij Torgau werd Tibors regiment door de Pruisen in de
pan gehakt. Hoewel hij niet bij de feitelijke gevechten betrokken was,
werd de laarzenpoetser door een kogel uit een musket in zijn dijbeen
geraakt en hij kwam daardoor in de nachtelijke terugtocht niet ver.
Bereden soldaten namen hem gevangen. Omdat de Pruisische kurassiers ruim de helft van hun eigen bataljon op het slagveld hadden verloren, zonnen ze op wraak. De dwerg was een unieke krijgsbuit en het
zou zonde zijn hem snel te fusilleren. Dus haalden de Pruisen de pe-
kelvis uit een proviandvat en stopten Tibor erin, spijkerden het deksel
erop en wierpen de ongelukkige in de Elbe.

Twee dagen en twee nachten zat Tibor in het vat opgesloten. Hij kon
zich niet verroeren, laat staan ontkomen. De diepe schotwond in zijn
dijbeen was slechts gebrekkig verbonden en via een kier tussen de duigen sijpelde er wat ijzig koud water uit de Elbe naar binnen. Wilde hij
niet verdrinken dan moest Tibor het lek naar boven keren of afdek-
ken. Het vat was voor Tibor zowel een gevangenis als een reddings-
boot, want hij kon niet zwemmen. De allesoverheersende vislucht
wekte aanvankelijk braakneigingen bij hem op, maar na twee dagen
likte hij uitgehongerd de pekel van de duigen. De verzwakte dwerg
schreeuwde zo lang om hulp tot zijn stem het begaf. Toen dacht hij opeens aan de Mariamedaille om zijn nek; hij zocht zijn heil in het gebed
en zwoer moeder Maria nooit meer te zullen drinken als ze hem uit
deze drijvende kerker zou bevrijden. Zes uur nadien deed hij haar de
gelofte van kuisheid en weer drie uur later beloofde hij haar plechtig
in het klooster te zullen intreden.

Wanneer hij nog een uur zou hebben gewacht, zou hij ook zonder
die gelofte zijn gered, want het vat was inmiddels bij Wittenberg aangekomen. Uitgerekend daar visten enkele veerlieden Tibor uit de
Elbe en bevrijdden hem uit het vat; en uitgerekend hier, in de stad
van Luther, viel hij op de grond, overdekte deze met kussen en sta-
melde katholieke dankgebeden – alsof een gepekelde, naar vis stin-
kende dwerg in een bebloed dragonderuniform als schouwspel nog niet
merkwaardig genoeg was.

Tibor werd gevangengezet, zijn wond werd verzorgd en zijn kwalijk riekende uniform werd verbrand. Hij kwam spoedig op krachten en werd al even snel ook ongeduldig: hij had de maagd Maria zijn woord gegeven en wilde zijn belofte zo gauw mogelijk in daden omzetten. Tibor moest drie maanden geduld hebben voordat hij werd vrijgelaten. De oorlog woedde nog wel in volle omvang, maar als gevangene kostte hij de Pruisen meer dan hij de Oostenrijkers van nut kon zijn. Eenmaal op vrije voeten sloot Tibor zich aan bij een groep kermisklanten die onderweg was naar Polen. Dat was de kortste weg terug naar rooms-katholiek territorium.

Toen klokgelui Tibor uit zijn godvruchtige overpeinzingen wekte, was de steen onder zijn knieën donker geworden van het water uit het kanaal. Enkele vroege kerkgangers zaten in een groepje in de banken en voor de biechtstoel. Tibor stak een kaars op voor de dode, sprak een gebed voor diens zielenrust en ging op weg naar de herberg van Wolfgang von Kempelen.

De Hongaarse baron was echter al vertrokken. Terwijl Tibor nog pogingen deed om zijn gevoel van paniek te onderdrukken, voegde de portier eraan toe dat Kempelen nog bij een glasblazer op het Venetiaanse eiland Murano langs wilde gaan alvorens de thuisreis te aanvaarden.

Tibor voer naar Murano en werd in weerwil van zijn haveloze voorkomen onmiddellijk naar het atelier van signore Coppola gebracht. Een dienaar vergezelde hem door de glasblazerij naar een deur, waarop hij driemaal klopte. Terwijl het tweetal op een signaal van binnen wachtte, nam de dienaar Tibor in ogenschouw of liever gezegd: een van zijn ogen bekeek Tibor, want zijn andere oog bleef strak op de deur gericht, alsof het een eigen leven leidde. En dat was niet alles; want een van de ogen was bruin en het andere groen. Tibor overwoog even om weer rechtsomkeert te maken, toen iemand hen vanuit het atelier verzocht binnen te komen. Vervolgens deed de loensende dienaar de deur voor Tibor open.

Het atelier van Coppola leek op de werkplaats van een alchemist, alleen stonden hier de verschillende glazen, distilleerkolven en fiolen zelf centraal en niet de inhoud ervan. Aan de enige lege tafel midden in het kleine vertrek zaten Wolfgang von Kempelen en tegenover hem Coppola, een zwaarlijvige man zonder kin met een lederen schootsvel voor. Tussen hen in op de tafel stond een platte cassette. Kempelen scheen niet erg verrast te zijn over het weerzien met Tibor.

'Je komt precies op het juiste moment,' verwelkomde hij hem. 'Ga zitten.'

Coppola gebaarde met zijn hoofd in de richting van een krukje dat Tibor naast Kempelen zette. De meester-glasblazer sprak niet en hij leek zich ook nauwelijks te storen aan Tibors ongewone lichaamsbouw. Hij keek hem echter een keer zo doordringend aan dat Tibor met zijn ogen moest knipperen en zijn blik moest afwenden.

Met een handbeweging gebaarde Kempelen de dikbuikige Venetiaan om verder te gaan. Coppola draaide de cassette om zodat het slot zich voor Kempelen en Tibor bevond en opende hem met een plechtig gebaar. In de cassette lagen, in roodzijden oogkassen, twaalf oogappels – zes paar ogen – en alle pupillen waren op Tibor gericht. Van schrik sloeg Tibor een kruis. Kempelen barstte in schaterlachen uit en Coppola lachte op schorre toon mee.

'Schitterend!' prees Kempelen de glasblazer in onberispelijk Italiaans. 'Een beter bewijs voor uw werk kunt u zich nauwelijks wensen.'

Coppola trok een van zijn stoffen handschoenen aan, pakte een diepblauw oog uit zijn zijden oogkas en legde het voor Kempelen op een doekje neer. Kempelen pakte het oog wat minder behoedzaam op en draaide het zo rond in zijn hand dat de pupil telkens tussen zijn vingers door keek. Toen legde hij het oog weer naast zijn pendant op de zijde, maar zo gedraaid dat het levenloze paar ogen nu ontzettend loenste. Coppola reikte Kempelen nog meer ogen aan.

Tibor begreep dat het om glazen ogen ging en niet om de geprepareerde oogappels van lijken, zoals hij aanvankelijk had verondersteld. Daarvan werd de aanblik van de zes paar ogen echter nauwelijks draaglijker.

Toen Kempelen genoeg had gezien, vroeg hij aan Tibor: 'En, welke van die ogen moeten de jouwe worden?'

'De mijne...?'

'De machine. Welke zou je daarvoor kiezen?'

Tibor wees naar de loensende blauwe glazen bollen. Snuivend betuigde Coppola zijn instemming, maar Kempelen schudde het hoofd. 'Een Turk met blauwe ogen? Dan zal de keizerin werkelijk het gevoel hebben dat ze wordt bedrogen.'

Wolfgang von Kempelen wilde snel naar Preßburg terug, en daar kon Tibor het alleen maar mee eens zijn. Vroeg of laat zou een gondel tegen het lichaam van de koopman aan varen en dan zouden ze naar de dwerg gaan zoeken. Kempelen vroeg niet waarom Tibor zo snel van mening was veranderd. Op het vasteland, in Mestre, kocht hij nieuwe kleren voor hem en ze stapten in een calèche.

De volgende dag kreeg Tibor plotseling een zware griep. Kempelen verzorgde de zieke met medicamenten en dekens, maar hij onderbrak de reis niet. Hij gebruikte die tijd om met Tibor over de condities van hun overeenkomst te onderhandelen. Kempelen stelde een weekloon van vijf gulden voor, gratis kost en inwoning plus een gratificatie van vijftig gulden wanneer de demonstratie voor de keizerin succes zou hebben. Tibor was dermate overweldigd door die getallen dat het niet eens in hem opkwam om er ook nog over te marchanderen.

De laatste keer dat Tibor een vaste betrekking had gehad, was in de zomer van 1761 in het Poolse klooster Obra, waar hij vanuit Pruisen naartoe was gevlucht. Hij werkte er als tuinman, leerde er lezen en schrijven en dankte God, Jezus Christus en vooral de heilige moeder Gods dagelijks voor de beschermende muren van het klooster. Monnik werd hij niet, maar dat had hij de heilige moeder ook nooit beloofd.

Tibors tijd in het klooster duurde echter niet eeuwig, slechts vier jaar. Een groepje novicen wijdde zich in weerwil van de verboden van de abt hartstochtelijk aan het schaakspel en ook Tibor werd in het spel der koningen ingewijd. Een van de novicen legde de dwerg de regels uit en van meet af aan won Tibor elke partij tegen al zijn tegenstanders. Het leek onbegrijpelijk dat hij nooit eerder had geschaakt. In de loop van de weken werd hij een attractie: hoe langer hoe meer monniken werden deelgenoot gemaakt van het geheime schaakgenootschap, speelden tegen het pas ontdekte schaakgenie en verloren van hem. De dwerg genoot van de waardering van de broeders, totdat een slechte verliezer de abt erop attent maakte dat er binnen de muren van zijn klooster een kansspel werd gespeeld. Voor de kwestie moest een zondebok worden gevonden en de keuze viel op Tibor. De novicen bezwoeren als één man dat de dwerg hen tot het spel had verleid. Dus moest hij Obra verlaten. Hij kreeg zijn loon uitbetaald en hij kreeg het schaakspel mee, want – zo hadden de novicen de abt wijsgemaakt – hij was uiteindelijk degene die dat het klooster had binnengesmokkeld.

In het najaar van 1765 stond Tibor dus weer op straat en omdat het een koude herfst was, besloot hij naar het zuiden te trekken. Zijn terugtocht naar de republiek Venetië duurde nog eens drie jaar. Het schaakspel had hem zijn betrekking in het klooster gekost, nu moest hij ervan leven. In taveernes verdiende hij onderweg zijn geld met de inleg van zijn tegenstanders. Dikwijls speelde hij ook om een beloning in natura: hier een maaltijd, daar een overnachting of een plaatsje in de postkoets. Hij zou in de steden beslist meer hebben kunnen verdienen, maar hij meed alle grotere plaatsen. Het was al vervelend genoeg wanneer een heel dorp zich aan hem vergaapte.

De schaker baarde met zijn kleine gestalte in de dorpen veel opzien, maar geliefd was hij nergens; vooral niet nadat hij de burgers geld afhandig had weten te maken. Troost voor de vijandige bejegening zocht Tibor in het gebed tot de madonna en bij elke schrijn langs de weg en bij elk kapelletje nam hij ruim de tijd. Maar niet altijd was de verre moeder Gods bij Tibor en dat leidde ertoe dat hij nog een andere, veel concretere bron van troost ontdekte: de brandewijn. Omdat hij, wanneer hij niet onderweg was, toch al de meeste tijd in herbergen doorbracht, was de weg naar de sterkedrank niet lang. Op de grens naar de republiek Venetië werd de dronken Tibor 's nachts op straat door dorpsbewoners die hij de dag ervoor ruim veertig gulden afhandig had gemaakt, in elkaar geslagen en beroofd.

In de zomer van 1769 kwam de vierentwintigjarige dwerg terug in zijn vaderland – te voet, in lompen gekleed, als dronkaard. Enkele maanden later vertrok hij weer – in een koets, fatsoenlijk gekleed en met zijn beurs vol munten.

In de namiddag van Sint-Nicolaasdag bereikten Wolfgang baron von Kempelen en Tibor Scardanelli hun reisdoel. Kort voordat ze aan de oever van de Donau kwamen – op de andere oever lag Preßburg – liet Kempelen de koets op een heuvel stoppen. Het sneeuwde zachtjes, maar de vlokken smolten zodra ze de grond raakten.

Nadat Tibor had geürineerd, monsterde hij de stad. Vergeleken met Venetië maakte Preßburg een bijna saaie indruk: een keurige stad die zich buiten haar stadsmuren had uitgebreid, op de voorgrond de hutten van de vissers en veerlieden, achter de stad wijngaarden. Enkel de St.-Martinuskathedraal met zijn groene kerktoren sprong in het oog. Links ervan verhief zich de heuvel, waarop als een omgekeerde tafel de plompe burcht lag, met zijn vier hoektorens als tafelpoten naar de grijze lucht uitgestrekt.

Langs Preßburg stroomde de Donau traag in zijn bedding, in tweeën gedeeld door een eiland er middenin. Kempelen kwam naar Tibor toe en wees op een pontonbrug die de beide oevers met elkaar verbond. 'Zie je dat? Die brug drijft. Wanneer er schepen door willen, worden de twee helften van de brug van elkaar losgemaakt en daarna weer aan elkaar bevestigd.'

'Een drijvende brug?'

'Ja, precies. Een bijzonder bouwsel, nietwaar? En nu moet je me vragen wie die brug gebouwd heeft.'

'Wie heeft die brug gebouwd?'

'Wolfgang von Kempelen. En wie een drijvende brug over de grootste rivier van Europa bouwt, die zal er ook nog wel in slagen een dwerg in een meubel te verstoppen.' Kempelen knielde naast Tibor neer en legde een hand op diens schouder. 'Kijk maar eens goed naar de stad, want je zult er de komende maanden weinig van te zien krijgen.'

'Hoezo?'

'Heel eenvoudig: omdat geen Preßburger jou ooit te zien mag krijgen.'

'Wat?'

'Een klein uitgevallen schaakgenie woont in huize Kempelen en een paar maanden later demonstreert de baron een schaakmachine. Denk je niet dat de een of ander daar zo zijn conclusies uit zou trekken?'

Tibor bekeek de St.-Martinuskathedraal. Hij zou graag het madonnabeeld in de dom hebben willen zien.

'Het spijt me, maar dat zijn mijn voorwaarden. Ik heb veel meer te verliezen dan jij, vergeet dat nooit.' Kempelen gaf Tibor een bemoedigend tikje op zijn rug. 'Maar maak je geen zorgen, mijn huis is een stad op zichzelf. Het zal je daar aan niets ontbreken.' Kempelen stond weer op, klopte het zand van zijn knieën en liep naar de koets terug. Als een lakei hield hij het portier voor Tibor open en maakte een kleine buiging.

'Alsjeblieft: je eerste training in verstoppertje spelen.'

Tibor besteeg de calèche en even later staken ze via Kempelens pontonbrug de rivier over.

Preßburg, Donaustraat

Huize Kempelen lag niet ver van de Lorenzer Poort buiten de stadsmuren, op de plaats waar de Klemensstraat op de Donaustraat uitkwam. Het huis telde drie verdiepingen en in tegenstelling tot de aangrenzende huizen waren niet alleen de vensters op de begane grond
maar ook die op de eerste verdieping van tralies voorzien. Het was al
donker en zodoende zag niemand de dwergengestalte uit de koets
stappen en het huis binnengaan. Ze hadden de vestibule nog maar
nauwelijks betreden of Kempelen verzocht Tibor alvast naar de werkplaats op de bovenste verdieping te gaan. Tibor liep via het zwakver-
lichte trappenhuis naar boven en deed onderweg de sjaal, muts en de
dikke mantel uit die Kempelen voor hem had gekocht. Aan de wanden
hingen portretten en landkaarten en op de eerste verdieping het wa-
penschild van de familie – een boom boven een kroon. Op de bovenste
verdieping opende Tibor de porte-brisée die toegang gaf tot de werkplaats van de baron.
Het vertrek waar Tibor de komende maanden bijna elk uur dat hij
wakker was zou doorbrengen, was ongeveer acht passen lang en zes
passen breed. Aan de linkerzijde werd de muur onderbroken door drie
hoge ramen; en omdat de gordijnen opzij waren getrokken, viel er wat
licht van de straatlantaarns in de werkplaats. In de rechterwand en aan
de voorzijde bevonden zich twee deuren, die toegang gaven tot daarachter gelegen vertrekken. In de eikenhouten kasten stonden talloze
boeken, het merendeel achter glazen deurtjes om ze te beschermen
tegen het stof in de werkplaats. Op twee tafels en een werkbank lag
her en der schrijnwerkers-, slotenmakers- en klokkenmakersgereedschap: hoekmaten, schaven, zagen, hamers, boren, beitels, graveer-
stiften, steekbeitels, scharen, messen, sleutels, schroefklemmen, ras-
pen en vooral veel vijlen en tangen in alle denkbare formaten; verder
nog instrumenten die Tibor nog nooit had gezien en ten slotte ver-

grootglazen en spiegels waarin het zwakke licht werd gereflecteerd dat van de straat binnenviel. Onder de tafels en tegen de muren lagen materialen opgeslagen: planken en latten, verfstoffen, metaaldraad, dikke en dunne koorden, ijzeren pennen en spijkers, dunne platen metaal en de meest uiteenlopende soorten textiel. Op plaatsen waar geen meubels stonden, werden de gobelins bijna zonder uitzondering aan het gezicht onttrokken door kopergravures en tekeningen. De meeste schetsen waren constructietekeningen waar Tibor niets van begreep, maar in het halfduister onderscheidde hij ook enkele meer concrete tekeningen die hem deden denken aan de schets die Wolfgang von Kempelen hem in de gevangeniscel in Venetië had laten zien.

Dat alles nam Tibor echter slechts vanuit zijn ooghoeken waar. Wat van meet af aan zijn volle aandacht in beslag nam, was het voorwerp midden in het vertrek dat bedekt met een laken op de terugkeer van zijn schepper wachtte: uit de contouren onder de stof maakte Tibor op dat het de schaakmachine was. Hij kon een hoofd onderscheiden en schouders en het schaaktafeltje ervoor. Behoedzaam liep Tibor naar de machine toe, zoals iemand die op een lijk af stapt; en met dezelfde gebaren waarmee iemand een lijkwade wegtrekt, haalde Tibor het laken weg.

De aanblik joeg een huivering over zijn rug. De schaker, die met over elkaar geslagen benen op een taboeret achter het tafeltje zat – of de schaakster, want aan deze kunstmatige mens was het geslacht nog niet te zien –, was niets meer dan een misvormd skelet. De borst en de rug lagen open en onthulden in plaats van ribben en spieren latten en touwen; de linkerarm eindigde vlak voor de pols, alsof de hand was afgehakt, en uit de stomp staken drie dikke kabels die in het niets eindigden. Het vreselijkst was echter het gezicht van de schaker of liever gezegd zijn hoofd, want van een gezicht was absoluut geen sprake. Op de plaats waar een mond had moeten zitten, zat het uiteinde van een buis en in plaats van de ogen waren de uiteinden van twee dunne koordjes te zien, als nutteloos geworden oogzenuwen. De hersenpan in de schaduw achter de oogholten was leeg. Tibor was zo gebiologeerd door de aanblik van dit houten misbaksel dat hij lange tijd vergat een kruis te slaan.

Opeens ging de deur open die Tibor achter zich had dichtgedaan en een man – niet Kempelen – kwam met een olielamp in zijn hand binnen. Moest Tibor zich voor hem verstoppen? Omdat Tibors hoofd nauwelijks boven het blad van het schaaktafeltje uit kwam, zag de man hem niet. Met zijn rug naar Tibor toe gekeerd ontstak hij alle olielampen in het vertrek. Hij was slank, zijn ongekamde donkerblonde haren vielen bijna voor zijn ogen, hij droeg een bril en zijn handen staken in handschoenen waarvan de vingers waren afgeknipt. Hij was vermoedelijk ongeveer even oud als Tibor. Een vloerplank kraakte onder Tibors gewicht. De man draaide zich met een ruk om en ontdekte de dwerg. Bij die aanblik schrok hij zozeer dat hij met zijn vrije hand naar zijn hart greep en een vloek slaakte.

Een zwijgend moment lang stonden de beide mannen elkaar onderzoekend op te nemen, vervolgens verspreidde zich een glimlach over het gezicht van de man, die overging in een schaterlach waar maar geen einde aan wilde komen.

'Fantastisch,' zei de man nadat hij tot bedaren was gekomen. 'Dit is met recht een... een kleine sensatie.' Om dat grapje moest hij opnieuw lachen, tot Kempelen arriveerde.

'Hebben jullie al kennis met elkaar gemaakt? Tibor, dit is Jakob, mijn assistent. Jakob, dit is Tibor Scardanelli uit Provesano.' Met tegenzin nam Tibor de uitgestoken hand aan. De assistent schudde hem stevig de hand.

'Jullie zullen veel tijd samen doorbrengen,' zei Kempelen. 'Jakob helpt me de schaker vorm te geven. Hij heeft de schaaktafel getimmerd, nu gaat hij ook de Turk maken.'

'De Turk?'

'Ja. Aanvankelijk wilden we dat onze machine een jongedame werd, een lieftallig ding met een huid van porselein en een japon van zijde, maar we zijn van gedachten veranderd.' Kempelen legde zijn ene hand op de schouder van de onvoltooide androïde. 'Dit wordt geen knappe mademoiselle, maar een grimmige muzelman. Een Saraceen, de schrik van de kruisvaarders, de moordenaar van christenkinderen, die alleen verantwoording verschuldigd is aan zichzelf en Allah. Daarmee willen we onze tegenstanders een beetje intimideren. En het schaakspel stamt uiteindelijk uit het morgenland. Wie zou het dus beter beheersen dan een oosterling?'

Jakob maakte aanstalten om de mantel van Tibor aan te nemen. 'Genoeg gepraat. Ik wil zien of de hersenen in de schedel passen.'

'Nu niet, Jakob. We hebben een lange reis achter de rug en we zullen onze gast maar niet van de ene kleine ruimte in de andere persen. Breng hem naar zijn kamer.'

Jakob vergezelde Tibor naar een kleine kamer aan een gang achter de rechterdeur. De kamer was voorzien van het hoogstnodige, een bed, een tafel, een stoel, een lampetkom en een klein raam dat op de binnenplaats uitkeek maar dat zo hoog zat dat zelfs iemand van normaal postuur op zijn tenen moest gaan staan om erbij te kunnen. Kempelens assistent voorzag Tibor van beddengoed en een nachtspiegel en even later kwam Kempelen zelf binnen met een dienblad met de broodmaaltijd voor Tibor: wat roggebrood met ham, hete thee en twee glazen. Terwijl ze thee dronken, vertelde Kempelen Tibor wat meer over het huis.

'Hier in huis wonen mijn vrouw en mijn kind en verder nog drie bedienden. Binnenkort zal ik je aan mijn vrouw voorstellen, mijn bedienden zul je nauwelijks zien. Om mijn assistent maak ik me geen zorgen, maar de dienstbode en de kokkin zijn simpele zielen en het zijn vrouwen, en helaas heeft het schone geslacht nu niet direct de naam een geheim te kunnen bewaren. Ze mogen dus niets van jouw aanwezigheid merken. Ze hebben opdracht mijn verdieping alleen te betreden wanneer ze daar toestemming voor hebben gekregen en in de werkplaats mogen ze helemaal niet komen, en dus zul je hen hierboven ook helemaal niet aantreffen. Als je een bad wilt nemen of je gevoeg wilt doen, dan zul je dat in de nachtelijke uren moeten doen. Mocht je iets nodig hebben, vraag het dan eerst aan Jakob. Hij woont op het kasteelterrein, maar dikwijls slaapt hij in de werkplaats wanneer het laat wordt. Ik ben niet bang voor spionnen maar juist de simpele mensen in Preßburg, de boeren, de huisbedienden, de nietsnutten, hebben een slechte eigenschap: hun nieuwsgierigheid. Alleen hun bijgelovigheid is nog erger.' Kempelen nam een slok thee. 'Het spijt me dat ik je zoveel geboden moet opleggen maar dit is nu eenmaal een ambitieus plan en ik kan het me niet permitteren te falen. Een kleine slordigheid is al voldoende om alles teniet te doen.'

Tibor knikte.

'Ben je tevreden over je kamer? Heb je nog iets nodig?'

'Een crucifix.'

Kempelen glimlachte. 'Komt in orde.' Toen stond hij op. 'Welterusten, Tibor. Ik verheug me op onze samenwerking. Ik ben ervan overtuigd dat het voor ons beiden zeer gunstig is dat we elkaar hebben ontmoet.'

'Ja. Welterusten, signore Kempelen.'

Toen het de volgende dag licht was geworden, kon Tibor de machine uitgebreid bekijken. Het schaaktafeltje – of liever gezegd de latafel – waaraan de androïde zat, was amper twee el breed en één en een kwart el diep en hoog. Aan de vier poten waren wieltjes bevestigd. Aan de voorzijde bevonden zich drie deurtjes: aan de linkerzijde een enkel deurtje en rechts twee vleugeldeurtjes. Onder de deurtjes bevond zich over de hele breedte van het tafeltje een lange lade. Zowel de lade als de deurtjes waren voorzien van een slot. Aan de achterzijde van het tafeltje bevonden zich eveneens twee afsluitbare deurtjes aan weerszijden van de schaker, beide duidelijk kleiner dan die aan de voorzijde. De taboeret waar de androïde op zat, zat aan de voorkant aan het schaaktafeltje vast. Het tafeltje was van notenhout vervaardigd, de panelen van de deurtjes waren met wortelhout gefineerd. Het blad van het schaaktafeltje werd op de tafel geschoven en kon alleen vanaf de voorkant, van de androïde af, weer worden weggetrokken. Midden op het tafelblad bevond zich een vierkante uitsparing: daar zou binnenkort het schaakbord in worden gezet dat nu nog op een van de werktafels stond. Toen Jakob en Kempelen het tafelblad voorzichtig van het tafeltje af schoven en alle vijf de deurtjes openden, had Tibor een onbelemmerd zicht op het binnenwerk van de machine. De bodem was geheel gestoffeerd met groen vilt. Evenals de deurtjes aan de voorzijde was ook het interieur in twee compartimenten verdeeld, waarbij het linkercompartiment eenderde van de ruimte besloeg en het rechterdeel de resterende tweederde. Een houten schot scheidde de beide segmenten volledig van elkaar. Het rechtercompartiment was leeg, afgezien van twee messing bogen die aan onderdelen van een sextant deden denken.

Het mechaniek van de machine bevond zich in het linker, het kleinste compartiment: helemaal onderaan stond een cilinder waar op onregelmatige afstanden pennen uitstaken. Boven de cilinder was een kam geplaatst die uit elf metalen staven bestond. Die konden naar Tibor vermoedde, door de pennen in willekeurige volgorde worden weggeduwd of aangetikt, zoals de snaren van een klavichord of een cembalo. Hij had iets dergelijks al eens eerder gezien, alleen in een veel kleiner formaat, bij een speeldoos: wanneer je aan een slinger draaide, roteerde het cilindertje mee en sloegen de pennen tegen metalen naaldjes van verschillende lengte en regen de aldus voortgebrachte klanken zich aaneen tot een melodie.

Kempelen liet Jakob het mechaniek opwinden. De assistent stak een slinger in een gat aan de linkerkant van het tafeltje en draaide deze enige keren rond. De cilinder begon langzaam te draaien, maar ook de wirwar van tandwielen en springveren van verschillende grootte die zich achter de cilinder en de kam daarboven bevond, zette zich in beweging. Oplettend bekeek Tibor het mechaniek, in de verwachting dat er iets zou gaan geschieden, maar afgezien van het voortdurende bewegen van de raderen gebeurde er niets.

'Wat doet dit mechaniek?' vroeg Tibor toen hij er beleefdheidshalve lang genoeg naar had gekeken.

'Het maakt geluid,' antwoordde de assistent voordat Kempelen iets kon zeggen.

'Jakob heeft gelijk,' bevestigde Kempelen. 'Dit mechaniek is uitsluitend bedoeld om eruit te zien als een gecompliceerd mechaniek en om ook als zodanig te klinken. Omdat jij al het werk zult doen, is de machinerie alleen ter verfraaiing bedoeld. Afleiding.'

'Misleiding,' corrigeerde Jakob hem.

De impertinentie van de assistent verraste Tibor, maar Kempelen nam hem deze opnieuw niet kwalijk. 'Of gewoon misleiding, ja, zo kun je het ook stellen.'

Tibor keek opnieuw naar de schaakmachine. Hij was klein van stuk, maar niet zo klein dat hij nog ergens in het schaaktafeltje zou passen – laat staan dat hij zich ook nog zou kunnen bewegen. Het grote compartiment aan de rechterzijde zou wellicht groot genoeg zijn geweest wanneer de messing bogen daar niet hadden gezeten.

Kempelen was Tibors vraag voor. 'En nu begint de toverkunst.'

Jakob stak zijn hand in het tafeltje en schoof het tussenschot tussen de beide compartimenten opzij – want het was niet één schot, maar twee halve schotten en op die manier werden de beide ruimten plotseling met elkaar verbonden. En dat was nog niet alles: nu klapte Jakob een met vilt bespannen klep opzij die op de bodem van het rechtercompartiment lag. De laatste bedrieglijke kunstgreep was ten slotte de lade onder de drie deurtjes, want deze was slechts half zo diep als het tafeltje, zodat er, nadat de dubbele bodem was verwijderd, nog ongeveer tien duim extra diepte ontstond.

Jakob bracht Tibor een krukje en ondersteund door de beide anderen klom hij in de machine en ging links achter het mechaniek zitten, met zijn benen languit in de loze ruimte die achter de halve lade overbleef.

Er was voldoende ruimte. Tibor stootte nergens tegenaan, zelfs niet tegen het mechaniek naast zijn rechterschouder. Het leek wel alsof Wolfgang von Kempelen deze machine precies op de juiste maat voor hem had gemaakt. Op het gezicht van de uitvinder was onmiskenbaar een uitdrukking van trots te lezen.

'Maar hoe moet ik nu schaken?' vroeg Tibor. 'Ik kan me amper verroeren.'

Links van Tibor, op de plaats waar de androïde zat, bevond zich een plank in het schot. Kempelen maakte een palletje los en de plank klapte naar beneden tot op Tibors schoot. Door de zo ontstane opening kon Tibor in het binnenste van de houten mensengestalte kijken. Kempelen trok een messing staaf uit de buik van de androïde, bracht deze naar de plaat op Tibors buik en bewoog hem daar enkele keren heen en weer. De linkerarm van de Turk bewoog mee.

'Dit is een pantograaf,' legde hij uit. 'Een tekenaap. Iedere beweging die jij hier beneden met deze staaf maakt, voert de Turk daarboven in het groot uit. Nu kan hij alleen nog maar zijn arm bewegen, maar binnenkort krijgt hij een hand en dan zal hij de schaakstukken ook kunnen pakken.'

'En hoe kan ik op het schaakbord kijken?'

Kempelen zoog door zijn opeengeklemde tanden lucht naar binnen. 'Dat probleem moeten we nog oplossen. Ik heb daar echter al enkele ideeën over.'

'En hoe kan ik de schaakstukken...'

'We hebben nog vier maanden de tijd, Tibor. Tegen die tijd hebben we wel een antwoord gevonden op al je vragen.' Kempelen en Jakob tilden het tafelblad op, dat ze terzijde hadden gelegd. 'Nu zullen we je eerst maar eens in duisternis hullen.'

De beide mannen schoven het blad op het tafeltje. Jakob deed alle deurtjes dicht. Heel even had Tibor het gevoel dat hij op de bodem van een vierkante put zat, want via de uitsparing midden in het tafelblad viel nog licht naar binnen – maar toen zette Kempelen het schaakbord op zijn plaats en werd het aardedonker. De geluiden van buiten drongen gedempt tot hem door. Vooral hoorde Tibor echter zichzelf ademen.

'En nu gaan we blindemannetje spelen,' hoorde hij Jakob zeggen en toen kwam het schaaktafeltje in beweging. Jakob liet het op de wieltjes om zijn as draaien.

[30]

Het geschommel riep bij Tibor geheel onverhoeds de herinnering op aan de twee dagen dat hij in de Elbe had gedreven, opgesloten in een houten vat, niet verwachtend dat hij zou worden gered. Onwillekeurig balde hij zijn vuisten. Zijn hart klopte in zijn keel en zijn hoofd voelde aan alsof het met elke hartenklop opzwol en weer inkromp. Het suizen van het bloed in zijn oren klonk als de bruisende rivier. Het schot aan zijn linkerkant en het mechaniek rechts van hem leken opeens in beweging te komen alsof ze hem tussen zich in wilden vermorzelen; alsof de puntige tanden van de tandwielen hem zouden gaan verscheuren. Hij kreeg ademnood en het rook sterk naar hout en olie. Tibor wilde beleefd vragen of het tafelblad weer kon worden weggeschoven, maar zodra hij zijn mond opendeed, schreeuwde hij; hij schreeuwde om hulp, eerst in het Duits, vervolgens in het Italiaans. Hij had de houten planken gezien waarvan het schaaktafeltje was vervaardigd en hij wist dat die zo dik waren dat hij zich er onmogelijk uit zou kunnen bevrijden. Als hij geen hulp van buiten kreeg, zat hij levend opgesloten in een doodskist, en zou hij op de wanden kunnen trommelen tot hij stikte, van dorst omkwam of zijn verstand verloor.

Toen Jakob en Kempelen het tafelblad hadden weggehaald en Tibor aan zijn armen uit de machine trokken, was hij doornat van het zweet en zo bleek als het onvoltooide gezicht van de androïde. Kempelen bracht hem een beker water en Jakob gaf hem een handdoek. De dwerg voelde zich nog kleiner toen hij op een stoel gezeten het zweet van zich af wiste, terwijl Kempelen en diens assistent van boven af op hem neerkeken.

'Heb je iets voor me verzwegen?' vroeg Wolfgang von Kempelen ten slotte nadat Tibor zijn beker had leeggedronken.

'Nee. Het kwam door de duisternis.'

'Ik zorg dat je een kaars krijgt.'

'Ik wen er wel aan. Dat beloof ik.'

Kempelen knikte maar hield zijn ogen op Tibor gericht. Jakob begon alweer te gnuiven. 'Een dwerg die bang is in het donker. Hoe is het mogelijk! Bij jullie in de mijnen is het toch ook aardedonker, of niet?' Daarmee zat de werkdag er voor Tibor op en hij trok zich terug op zijn kamer. Kempelen gaf hem een klein schaakbord mee en alle schaakboeken die hij bezat – *Schach- oder Königs-Spiel* van Selenus, *Kunststück des Schachspiels* van rabbi Ibn Ezra, Stamma's *Essai sur le jeu des échecs* en een kopie van diens *Schachspiel-Geheimnisse*, natuurlijk Philidors beroemde werk *Kunst im Schachspiel ein Meister zu werden* en ten slotte, vers van de pers meegenomen uit Venetië, *Il giuoco incomparabile degli scacchi* – en gelastte hem deze de komende weken te bestuderen teneinde zijn spel te vervolmaken. Tibor had wel van die boeken gehoord maar er nog nooit een onder ogen gehad. En nu had hij er in één klap zomaar zes. Hij legde het boek van de jood onderop en sloeg eerst Stamma open. Hij probeerde de inhoud met behulp van zijn moedertaal te ontcijferen; dat ging echter uiterst moeizaam en uiteindelijk raakte hij geheel uit zijn concentratie toen hij zich voorstelde hoe Kempelen en zijn boosaardige assistent bespraken of hij, Tibor, wel de juiste man was voor de eerste demonstratie met de schaakmachine voor Hare Majesteit de keizerin. Dat hij zelf zo zijn twijfels had bij het hele plan, daar was eigenlijk geen verandering in gekomen, maar het beviel hem niet dat ook anderen hun twijfels over hem zouden kunnen hebben.

's Middags werd Tibor verzocht naar de eerste verdieping te komen om in de salon kennis te maken met Kempelens echtgenote Anna Maria en zijn dochter Mária Teréz. Anna Maria von Kempelen was een slanke, bekoorlijke brunette, maar de voortdurende wantrouwige uitdrukking op haar gezicht deed afbreuk aan de schoonheid van haar gelaatstrekken. Ze hield de hele tijd het kind in haar armen, ook als het sliep, en Tibor had de indruk dat ze dat uitsluitend deed om hem geen hand te hoeven geven. Kempelen had koffie en koek laten klaarzetten en zo zat Tibor daar peperkoek te eten en echte koffie met room te drinken uit een vliesdun porseleinen kopje, terwijl Kempelen geen moment een pijnlijke stilte liet vallen: hij was voortdurend aan het woord, probeerde Anna Maria's belangstelling voor Tibor te wekken en omgekeerd, vertelde wat over Tibors avonturen en de tijd die Anna Maria als gezelschapsdame had doorgebracht bij gravin Erdödy – maar zijn opgeruimde conversatie wierp geen vruchten af. Op alles wat haar man vertelde, reageerde Anna Maria met hooguit één woordje. Toen Tibor zo moedig was om zijn waardering uit te spreken voor de smakelijke adventskoek, legde ze in weinig woorden en zonder hem aan te kijken uit dat niet zij die had gebakken, maar haar kokkin Katarina. Het werd echter heel vervelend toen Kempelen het vertrek uit ging om een nieuwe portie peperkoek te halen. Een hele minuut lang spraken ze geen van beiden een stom woord; al die tijd had Tibor een portret van de keizerin bekeken, naar de ademhaling van het slapende kind en de pendule van een staande klok geluisterd en vurig gehoopt dat Kempelen eindelijk uit de keuken terug zou komen. Na een halfuur maakte Kempelen een einde aan de koffievisite met de woorden: 'We moeten weer aan het werk'. Tibor hoopte dat hij Anna Maria nooit meer zou hoeven te zien en wanneer zij het voor het zeggen had gehad, zou hij haar inderdaad ook nooit meer hebben gezien. Hij had geen idee of ze hem onuitstaanbaar vond of alleen de rol die hij in het bedrog met de schaakmachine speelde. Waarschijnlijk van allebei wat.

In de dagen voor het kerstfeest trachtten de drie mannen een mogelijkheid te vinden om Tibor op het schaakbord te laten kijken. Ze probeerden het met een halfdoorzichtig schaakbord en een periscoop in de romp van de Turk, maar beide oplossingen voldeden niet. De werkplaats kon niet voldoende worden verwarmd, zodat de drie mannen tijdens het werk hun mantel aan hadden en handschoenen droegen. Tijdens rustpozen ging Tibor voor een van de vensters naar de Donaustraat daar beneden zitten kijken, waar de bewoners van Preßburg door de sneeuw liepen; boeren en vissers die op weg waren naar de markt, edellieden op paarden en in rijtuigen, kolenbranders met hun sleden volgeladen met kolen en brandhout, ambachtslieden en huisbedienden; allemaal mensen die Tibor nooit zou ontmoeten. Hij kon hen wel zien maar zij hem niet, en dat beviel hem best.
Wolfgang von Kempelen was vaak de deur uit. Hoewel de keizerin hem had ontheven van zijn functies, waren er nog tal van verplichtingen waar hij wel bij aanwezig moest zijn. Verscheidene keren per week moest hij naar de Koninklijke Hongaarse Thesaurie. Tibor zou liever de mogelijkheid hebben gehad om zich op die momenten in zijn kamer terug te trekken om de boeken te lezen die Kempelen hem had gegeven en de daarin beschreven magistrale partijen na te spelen – maar het werk aan de schaakmachine had prioriteit; en dus moest hij samenwerken met Jakob, wiens gezelschap hij als een al even grote beproeving ervoer als dat van Anna Maria.
Toen ze samen aan het oefenen waren met de pantograaf, zong Jakob zoals zo vaak een van zijn ranzige liedjes.

De paus die leeft zeer welgesteld, hij leeft van al zijn aflaatgeld.
Hij drinkt de allerbeste wijn, daarom wou ik de paus wel zijn.
Maar nee, die zielige bandiet, een lief jong meisje kust hem niet,
In bed is hij alleen, dat zwijn, dus wil ik toch de paus niet zijn!

De sultan doet gewoon zijn zin, een groot paleis daar woont hij in
Vol schone joffers mooi en rein, ik wou ook wel de sultan zijn.
Maar nee, hij is een arme man, hij leeft volgens zijn alkoran,
Hij drinkt nooit eens een druppel wijn, dus wil ik toch geen sultan
zijn.

't Geluk van een van beiden is voor mij iets wat ik nimmer mis,
Maar waarom kiezen met veel pijn, 'k wil beurt'lings paus én sultan
zijn.
Dus meisje, geef me gauw een kus, want nu ben ik de sultanus,
Snel, dierb're broeder, een glas wijn opdat ik ook de paus kan zijn!

'Weet je,' zei Jakob vervolgens, 'het is toch eigenaardig dat jij nooit,
nog in geen honderd jaar, schaakgrootmeester zult worden.'
'Waarom niet?' vroeg Tibor wantrouwend.
'Heb je wel eens in de spiegel gekeken?' vroeg Jacob en hij schoot al bij
voorbaat in de lach. 'Schaakgrootmeester? Alleen al puur fysiek is dat
een onmogelijkheid!'
Terwijl Jakob lachte, werd Tibor zo woedend dat hij Jakob de arm van
de Turk in het gezicht sloeg toen hij daar net overheen gebogen stond.
De bril van de assistent viel in de openstaande machine en Jakob greep
naar zijn neus. Toen hij zijn hand weer terugtrok, kleefde er bloed aan.
Met een ongelovige uitdrukking op zijn gezicht, wiste Jakob het bloed
uit zijn neusgaten en keek ernaar.
'Heb je dat gezien?' vroeg hij verontwaardigd.
Tibor zette zich schrap want hij ging ervan uit dat de assistent hem te
lijf zou gaan. Hij mocht dan klein van stuk zijn, hij was wel sterk en hij
had al tegenstanders van heel ander kaliber kleingekregen.
Jakob verroerde zich echter niet. 'Hij heeft me geslagen!' Hij richtte
het woord rechtstreeks tot de androïde en schreeuwde hem toe. 'Ik
ben jouw schepper, jij ondankbaar ding! Hoe haal je het in je hoofd
om je vader te lijf te gaan? Als dat nog eens gebeurt, maak ik brandhout van je.' Toen barstte hij in zijn gebruikelijke lachen uit.

[34]

Een dergelijke reactie was wel het laatste wat Tibor had verwacht. Jakob gaf de Turk nog een tik tegen de onbedekte achterkant van zijn hoofd en wiste het bloed van zijn gezicht. Toen ging hij weer aan het werk alsof er niets was gebeurd. Tibor was geheel uit het veld geslagen.

Op de plank die in de machine op Tibors schoot lag, werd nog dezelfde dag een schaakbord bevestigd waarop Tibor de partij kon naspelen die boven zijn hoofd op het schaaktafeltje werd gespeeld. Wolfgang von Kempelen kwam op het idee dat schaakbord te gebruiken als een schaal om de positie te bepalen van de hand van de machine: hij stelde de tekenaap zo af dat wanneer Tibor binnen in de machine het uiteinde van de pantograaf boven een bepaald veld hield, de hand van de Turk boven het overeenkomstige veld zweefde. Omdat de pantograaf inmiddels ook de vingers van de Turk kon bewegen, was Tibor in staat om schaakstukken boven op het schaaktafeltje te pakken en te verzetten. Het enige nadeel van die oplossing was dat hij zijn schaakbord van opzij moest bekijken: net als op het schaakbord voor de androïde een verdieping hoger, stonden de schaakstukken aan zijn linker- en rechterkant opgesteld. Vooralsnog was Tibor niet in staat in een hoek van negentig graden te denken. En hoewel hij toch wel ieder spel won, wende hij maar langzaam aan die andere manier van denken; bovendien kreeg hij er hoofdpijn van.

De sneeuwbuien van de vorige dagen maakten plaats voor een nevelige, windstille kou; en op 22 december werd het laken weer over de schaakmachine gelegd. 'We hebben hard genoeg gewerkt, laten we onszelf en de machine een week rust gunnen.'

Toen Kempelen in zijn werkkamer was, nam Jakob afscheid van Tibor. 'Een goed feest gewenst. Je zult je wel dood vervelen. Ik hoop dat de boeken in elk geval prettig gezelschap voor je zullen zijn.'

'Ga jij bij je familie Kerstmis vieren?'

'Geen van beide. Mijn ouders zijn ofwel in Praag of dood of allebei. En het is voor mij geen feest.'

'Waarom niet?'

'Dat heeft met mijn religie te maken.'

Tibor fronste zijn wenkbrauwen. 'Ben je soms luthers?'

Jakob hief sussend zijn handen op. 'God bewaar me, nee! Ik ben joods.'

De assistent genoot ervan dat Tibor geen woord kon uitbrengen en klopte hem op zijn schouders. 'We zien elkaar in het nieuwe jaar weer. Ik zou je in de tussentijd graag willen uitnodigen voor een glas glühwein, maar we weten allebei dat je niet weg mag uit deze heilige hallen.'

Toen Jakob vertrokken was, wendde Tibor zich tot Kempelen. 'Is hij joods?'

'Ja.'

'Maar hij is blond.'

'Niet alle joden hebben zwart haar, een bochel en een haviksneus, mijn beste.'

'Waarom hebt u me dat niet verteld?'

'Zou dat iets hebben veranderd?' Voordat Tibor daar iets op kon antwoorden, vervolgde Kempelen: 'Het kan mij niet schelen welke godsdienst hij aanhangt. Al was hij moslim of brahmaan of al geloofde hij in de grote Manitou, dat zou helemaal niets veranderen aan het feit dat hij een uitmuntende houtsnijder en schrijnwerker is. En bovendien heb je het aan de joden te danken dat je van het schaken je beroep hebt kunnen maken. Als de joden er niet waren geweest, zouden we namelijk vandaag de dag nog steeds met dobbelstenen schaken of helemaal niet meer.'

Jakob verraste Tibor niet slechts met het feit dat hij joods was maar ook met een geschenk, dat Kempelen hem op de middag voor Kerstmis overhandigde. Het was een houten schaakstuk dat Jakob voor Tibor had gesneden – een wit paard met een dwerg op zijn rug wiens gezicht erg op dat van Tibor leek. Het schaakstuk was niet tot in de puntjes afgewerkt, maar Jakob moest er toch zeker een of twee uur aan hebben zitten werken. Tibor bekeek het paard en zijn berijder heel goed, maar hij kon er geen spot in ontdekken of iets wat typisch joods was.

Het geschenk van Kempelen was aanzienlijk kostbaarder: het was het reisschaakspel waarmee ze in Venetië voor het eerst samen hadden geschaakt – met inbegrip van de rode dame die Kempelen hem toen had onthouden.

Kempelen nodigde Tibor uit het feest samen met hen te vieren; deze bedankte hem voor de uitnodiging maar nam deze niet aan. Hij wilde de echtelijke vrede tussen Kempelen en Anna Maria niet verder op de proef stellen. Op kerstavond ging Kempelen met zijn gezin de deur uit om in de St.-Martinuskathedraal naar de nachtmis te gaan. Daar zou

Tibor wel graag met hen mee naartoe zijn gegaan. Al meer dan een maand was hij in geen enkele kerk geweest, had hij niet gebiecht en geen sacramenten ontvangen. Tibor bleef alleen in huis en zat in gebed voor zijn eenvoudige crucifix totdat het klokgelui van de kerken om middernacht door de straten van de stad weerklonk.

Wat de jood had voorspeld kwam inderdaad uit: Tibor verveelde zich en hunkerde naar gezelschap, wat voor gezelschap dan ook – zelfs aan iemand als Jakob zou hij de voorkeur hebben gegeven boven de eenzaamheid. Hij las weinig en schaakte helemaal niet, want hij wilde in elk geval enkele dagen niet aan het schaakspel denken dat een tegennatuurlijke kwartslag gedraaid voor hem stond. In plaats daarvan sliep hij meer dan nodig was.

Drie dagen na Kerstmis werd hij door het gehuil van een kind uit zijn middagslaap gewekt. Tibor kwam overeind in zijn bed en wachtte of het geluid opnieuw zou weerklinken. Je kon het niet echt huilen noemen, het was eerder een soort gekraai, een welhaast dierlijk geluid, dat noch in toonhoogte noch in kracht enige variatie vertoonde. Alsof iemand een kind mishandelde dat automatisch huilde zonder echt pijn te hebben. Dat kon alleen Teréz zijn. Tibor sprong zijn bed uit, verliet zijn kamer en liep op de kreten af; deze kwamen klaarblijkelijk uit Kempelens werkkamer; Tibor liep de werkplaats door en duwde zonder kloppen de deur open, die op een kier stond.

Kempelens werkkamer was een stuk kleiner dan de werkplaats; rechts en links stonden kasten en midden in de kamer bevond zich een secretaire die zo was neergezet dat degene die zat te schrijven, met zijn rug naar het daglicht zat. Naast de deur hing een landkaart van Europa en een schilderij waarop Maria Theresia tijdens haar kroning was afgebeeld. Tegen de muur stond een degen in een versierde schede. Op de secretaire stond te midden van allerlei schrijfgerei een buste van kleurig beschilderd gips: een half mensenhoofd dat eruitzag alsof het met een zwaard doormidden was gekliefd. Daardoor was de binnenkant te zien: je kon de schedel zien, de hersenen, de tanden en de neus- en keelholte, twee grote ruimten die uitkwamen in een smalle pijp die via de hals naar beneden liep. De tong was niet lang en plat, maar een vleesklomp. Maar hoe afzichtelijk dit gietmodel ook was, de kreten kwamen daar niet vandaan. Ze kwamen van een voorwerpje dat Wolfgang von Kempelen in zijn handen hield: twee kommetjes die als een halfopen walnoot op elkaar lagen en waar een door Kempelen bediende blaasbalg lucht doorheen blies. Ergens in die kommetjes moest zich een tong bevinden waar de luchtstroom overheen streek en die het doordringende geluid voortbracht. Tibors verblufte blik scheen Kempelen te amuseren.

'Goedemorgen,' zei hij toen hij Tibors slaperige gezicht zag.

'Wat is dat?' vroeg Tibor.

'Mijn spraakmachine. Of althans het begin ervan. De a. Ik wilde toch nog een beetje verder werken aan deze machine. Ik heb het er in Venetië met je over gehad, weet je dat niet meer? Dit hier is nog maar één klank,' Kempelen liet de kreet nogmaals weerklinken, 'maar op een goede dag zal ik een groot aantal klanken kunnen voortbrengen, lettergrepen, die ik vervolgens achter elkaar ga zetten zoals orgelpijpen; als je ze dan in een bepaalde volgorde bespeelt, praat de machine met je. Een spraakmachine.'

'Maar waar dient het voor?'

'Ja, waar dient het voor. Dat is helaas de bekrompenheid die jij met een heleboel tijdgenoten gemeen hebt. Een spraakmachine, mijn beste, is veel nuttiger dan een machine die kan schaken. Stel je alleen al eens voor dat stommen opeens weer kunnen spreken! De sprakelozen krijgen een stem! Dat zou een enorme stap vooruit zijn!'

Kempelen hield op toen hij in de gaten kreeg dat Tibor het niet met hem eens was. 'Hoe is het met je? Heb je genoeg te lezen? Pak wat je wilt, ik heb een grote bibliotheek. En jij hebt vakantie. Lees dus gerust maar eens een boek dat helemaal niets met schaken van doen heeft.'

'Ik kan niet meer lezen. De letters dansen nu al voor mijn ogen.'

'Aha. Waar kan ik je dan een plezier mee doen?'

'Ik wil graag naar buiten.'

'Aha, tja.' Kempelen keerde zich naar het raam en keek naar buiten, naar de binnenplaats van het gebouw, alsof daar te zien zou zijn waarom Tibor zo graag het huis uit wilde. Het was vroeg in de middag. Er hing een grijze mist in de lucht en de duisternis zou algauw invallen. Kempelen trommelde met zijn vingers op het tafelblad. Toen pakte hij een sleutel uit een lade rechts van hem, stak hem in de zak van zijn frak en stond op.

'Kom, we gaan. Kleed je warm aan, ik heb gisteren een ijsschots in de Donau zien drijven met twee passagiers erop, twee rillende eenden.'

Ze liepen naar de binnenplaats en vervolgens via de koetspoort de straat op. Kempelen zette Tibor een capuchon op die zijn gezicht bijna geheel verborg en vroeg hem zijn hand te pakken.

'Denkt u soms dat ik van plan ben om weg te lopen?' vroeg Tibor verontwaardigd.

Kempelen lachte. 'Nee. Ik wil alleen de indruk wekken dat ik met een kind aan het wandelen ben. Ik heb je al eerder gezegd dat geen enkele inwoner van Preßburg mag zien dat Wolfgang von Kempelen een dwerg in huis heeft.'

Hand in hand sloegen ze samen de Donaustraat in, weg uit de stad. Kempelen had zich geen zorgen hoeven maken; in de snijdende kou waren er maar weinig mensen op de been en die wilden graag gauw naar hun warme huis en besteedden geen aandacht aan het ongelijke tweetal. Tussen de huizen aan zijn rechterhand zag Tibor de altijd zo trage Donau voorbijstromen en toen hij zich omdraaide, zag hij de stadsmuur, de torenspitsen van de kerken en de imposante burcht daarachter. Er stond zo weinig wind dat de talloze rookpluimen loodrecht opstegen naar de grijze lucht en dat het gekras van de kraaien die er traag klapwiekend tussen rondcirkelden, goed te horen was.

Toen hadden ze het doel van hun wandeling bereikt: het grote Andreaskerkhof, waar de doden op een dag als deze het rijk alleen hadden. Kempelen zag dat ze alleen waren en liet Tibors hand los. Dat het doel van Tibors eerste en waarschijnlijk ook laatste uitstapje uitgerekend de dodenakker van de stad moest zijn, stelde hem enigszins teleur. Hij zou de voorkeur hebben gegeven aan een markt, een feest of een wandeling door het stadscentrum. Gretig zoog hij de koude lucht naar binnen, bekeek de in dit seizoen kale planten en bomen en las de opschriften op de zerken en grafstenen. De hele begraafplaats lag nog onder een sneeuwdek dat onder zijn laarzen knisperde. De beide mannen spraken niet.

Toen Tibor de naam VON KEMPELEN las, bleef zijn metgezel staan. Kempelen had Tibor naar zijn familiegraf gebracht, een klein mausoleum in de vorm van een tempel, aan alle zijden omgeven door klimop; de uiteinden van de blaadjes kwamen hier en daar uit de sneeuw tevoorschijn. Op het timpaan stond een engel met uitgespreide armen, het witte marmer was door de regen in de loop van de jaren zwart geworden. De beide vensters zonder glas en de deur waren van tralies voorzien. Kempelen nam de sleutel uit de zak van zijn jas en opende de getraliede deur. Zonder een woord te zeggen liet hij Tibor voorgaan.

Het was nauw in de tombe en de geluiden echoden er net zomin als in de schaakmachine wanneer die afgesloten was. In het schemerdonker las Tibor de namen, de geboorte- en sterfdata die met gouden letters in de steen waren aangebracht. Kempelen had zijn steek afgezet. Hij raapte de droge bladeren die naar binnen waren gewaaid van de grond. Tibor las de naam ANDREAS JOHANN CHRISTOPH VON KEMPELEN.

'Uw vader?'

'Nee, mijn vader is Engelbert, die ligt hier. Andreas was mijn oudste broer. Hij is gestorven toen ik achttien was. Hij was net benoemd als de persoonlijke leraar van de jonge keizer toen hij door longtering werd geveld.'

Kempelen deed een stap naar rechts, waar de gouden letters een diepere glans hadden en er nieuwer uitzagen: FRANCZISKA VON KEMPELEN GEBOREN PIANI, GESTORVEN IN 1757.

'Francziska. Mijn eerste vrouw. Ze is nog geen twee maanden na ons huwelijk gestorven, denk je dat eens in. De pokken.'

'Wat erg.' Tibor vond het nog des te erger toen hij onmiddellijk voor zijn geestesoog zag hoeveel charmanter Francziska moest zijn geweest in vergelijking met de huidige mevrouw Von Kempelen.

'Misschien heb je dikwijls veel verdriet gehad omdat je zo weinig vrienden hebt en omdat je familie je heeft verstoten,' zei Kempelen. 'Maar wie geen dierbaren heeft, kan ze ook niet verliezen. Vergeet dat niet.'

Kempelen knielde neer alsof hij ging bidden, want de laatste drie namen waren vlak bij de grond aangebracht: JULIANNA, MARIE-ANNA en ANDREAS CHRISTIAN VON KEMPELEN. Bij alle drie was het jaar van hun geboorte tevens het jaar waarin ze gestorven waren: 1763, 1764, 1766. Met zijn vrije hand veegde Kempelen het stof weg dat op de letters lag.

'De kleine Andreas. Vernoemd naar zijn overleden oom. Misschien was dat al een slecht voorteken. Hij is op kerstavond geboren, kon drie dagen lang nauwelijks ademen en stierf zodra het feest voorbij was. Vandaag vijf jaar geleden.'

Tibor wilde soortgelijke wijze en troostende woorden spreken als Kempelen zojuist, maar hij kon niet op iets dergelijks komen. Kempelen zweeg; zijn ogen waren nu niet meer strak op de letters gevestigd maar op een punt ver daarachter. De dode bladeren in zijn hand knisperden.

'Ik heb het,' zei hij na lange tijd. Tibor keek hem aan. 'Ik heb een idee hoe je de schaakstukken ook van binnenuit kunt zien.' Hij ging staan, gooide de bladeren naar buiten, zette zijn steek weer op en klopte het vuil van zijn handschoenen. 'Laten we maar naar huis gaan. Mijn vrouw heeft cacao gekocht. Ik zal haar vragen warme chocolademelk voor ons te maken.'

Zodra het nieuwe jaar was aangebroken en Jakob weer terug was, legde Kempelen uit wat hij had bedacht: je hoefde het schaakbord helemaal niet te zien. Het volstond als je wist welk stuk verplaatst was. Hij was daarom van plan om elk schaakstuk te voorzien van een sterke magneet en aan de onderzijde van het schaakbord iets te maken wat door die magneet werd aangetrokken of naar beneden geduwd als het schaakstuk werd verplaatst.

'Dat helpt niet,' vond Jakob. 'Dan ziet Tibor toch alleen welk stuk wordt verplaatst. Maar niet waarheen.'

'Denk nou eens na, domoor. De magneet wordt onder een ander veld weer aangetrokken. Tibor hoeft niets anders te doen dan goed naar het schaakbord kijken.'

De rust tijdens de kerstdagen had de drie mannen goedgedaan. Ze werkten energieker dan in het oude jaar en zelfs op Kempelen hadden Jakobs grapjes een aanstekelijke uitwerking. 'Uiteindelijk treden we dus toch weer in de sporen van die Franse charlatan wanneer we bij de keizerin komen. Want ook onze machine functioneert slechts als er magneten in verstopt zitten.'

Ze sloegen in de onderkant van elk van de vierenzestig velden een messing nagel waarop een ijzeren schijfje was bevestigd waar in het midden een gat in was geboord. Wanneer de magneet op het veld werd gezet, trok deze het metalen schijfje aan; als de magneet werd weggehaald, viel het schijfje weer op de nagelkop.

Kempelen stuurde zijn huisknecht Branislav naar Wenen om identieke magneten te kopen. Drie dagen later kwam Branislav terug met een kist staafmagneten, in stro gepakt om ze tijdens de reis te beschermen tegen de trillingen, en Jakob en Tibor hadden zowel de grootst mogelijke moeite als dolle pret bij het lospeuteren van de ijzeren staven die muurvast waren vastgeklemd. De magneten bleken een perfect functionerende oplossing te zijn en zelfs wanneer Tibor eens een keer niet zag welk metalen schijfje was opgetild of naar beneden gevallen, kon hij met behulp van zijn eigen schaakbord de plaats van de schaakstukken reconstrueren. Het systeem van Philippe Stamma volgend werden de horizontale velden zowel op Tibors schaakbord als op dat van de androïde gemerkt met de letters a tot h en de verticale velden met de getallen 1 tot 8.

Daarmee hadden ze alle belangrijke hindernissen genomen. Nu ze niet meer aan de stangen en kabels in de androïde hoefden te komen, kon Jakob hem een huid en een gezicht geven. Als eerste bevestigde hij de twee bruine glazen ogen die Kempelen bij signore Coppola in Venetië had gekocht in de schedel; dat deed hij zo dat Tibor ze kon laten draaien wanneer hij aan een bepaald snoertje trok. Het resultaat was verbluffend. Zodra Tibor de glazen ogen liet bewegen, scheen de androïde werkelijk een levend wezen te zijn; dan leek het precies alsof hij nauwgezet in de gaten hield wat de tegenstander deed. Ook het hoofd kon Tibor, na wat knutselwerk van Kempelen, naar voren en achteren laten bewegen.

Vervolgens kreeg Jakob opdracht om zestien rode en zestien witte schaakstukken te maken en in elk daarvan een staafmagneet te verwerken. De assistent tekende verscheidene ontwerpen van mogelijke schaakstukken, maar tot zijn teleurstelling koos Kempelen een klassiek, nogal plomp model dat voldoende ruimte bood om er de magneet in te verstoppen: 'Het is niet de bedoeling dat we het schaakspel opnieuw uitvinden,' had hij tegen Jakob gezegd, 'maar wel de schaker.' Dus ging Jakob aan het werk en nogal ontstemd vervaardigde hij op de draaibank de tweeëndertig schaakstukken.

Ondertussen leerde Tibor onder Kempelens leiding hoe hij met de machine moest omgaan: hoe hij met behulp van de tekenaap de schaakstukken moest pakken, naar een ander veld bewegen en weer loslaten, hoe hij kon zien welke zet de tegenstander deed, hoe hij diens schaakstukken kon slaan en af en toe de ogen van de androïde kon laten draaien. Het werk vergde zijn opperste concentratie en grote behendigheid en Tibor durfde zich niet voor te stellen hoe het zou zijn wanneer hij ook nog een partij schaak zou moeten spelen, en dan nog wel tegen een gelijkwaardige tegenstander. Hoewel alle vijf de deurtjes van de machine tijdens het oefenen openstonden en het heel januari koud bleef, stapte Tibor telkens bezweet uit de machine.

Op het eind van de maand werden de deurtjes van de latafel gesloten. Tibor moest het van nu af aan met kaarslicht zien te redden. Dat gaf wel voldoende licht maar de nauwe ruimte stond binnen de kortste keren vol rook en Tibor begon te hoesten. Er moest nog een schoorsteen in komen. Hiervoor verzonnen ze een onconventionele oplossing: omdat er in het tafeltje toch al een opening was die rechtstreeks in het lichaam van de androïde uitkwam, zaagde Jakob een gat in diens schedel dat als afvoerpijp voor de rook fungeerde. De fez die ze de Turk sowieso wilden opzetten, zou niet alleen het gat aan het gezicht onttrekken maar bovendien de kaarsenrook filteren en er daarmee voor zorgen dat deze niet als zodanig te herkennen was.

Tijdens een van hun oefensessies – Anna Maria was die dag op bezoek bij de familie van haar zwager, Kempelens broer Nepomuk – kregen de drie mannen onverwacht bezoek: voordat Branislav haar dat kon verhinderen, duwde een vrouw de deur naar de werkplaats open.
'Dus hier verstop je je,' zei ze met een Hongaars accent. Ze had zwart haar dat in krullen tot op haar schouders viel en ze droeg onder een bontmantel een wijnrode, met brokaat afgezette japon die zo strak ingeregen was dat de aanzet van haar borsten er overheen golfde. Zo had Tibor zich in zijn fantasie de geliefde van de Venetiaanse koopman voorgesteld met wie deze zijn laatste nacht had doorgebracht. Haar parfum, dat naar appelen geurde, drong algauw Tibors neus binnen – hoewel hij in het schaaktafeltje zat en het deurtje voor het mechaniek het enige was dat openstond. Tibor was in het donker daarachter aan de blikken van de vrouw onttrokken en om te voorkomen dat ze hem alsnog in het oog zou krijgen, blies hij snel de kaars uit. De rook van de nagloeiende kaarsenpit verdreef de geur van haar parfum.
'Ibolya,' zei Kempelen zonder een spoor van enthousiasme. 'Wat een verrassing.'
De vrouw bleef stilstaan, terwijl Branislav, Kempelens huisknecht, achter haar rug met gebaren duidelijk maakte dat hij haar niet had kunnen tegenhouden. Kempelen stuurde Branislav weg nadat deze haar bontmantel en mof had aangenomen. Ondertussen dwaalden de ogen van de Hongaarse van Jakob – die haar met 'barones' begroette – naar de Turk en daar bleven ze op rusten.
'Is dat hem? Hij is prachtig.'
Ze kwam zo dicht bij de schaakmachine dat Tibor alleen haar japon nog zag. Voordat ze bij het tafeltje was, ging Kempelen ervoor staan en deed met een nonchalant gebaar de deur voor Tibors neus dicht.
'Wat kan ik voor je doen?' vroeg Kempelen. 'Zoals je je zeker wel zult

kunnen voorstellen, heb ik helaas heel weinig tijd.'
'Ik heb een verrassing voor je.'
'Laten we even naar mijn werkkamer gaan.'
Tibor hoorde hun voetstappen wegsterven en de deur van de werk-
kamer achter hen dichtgaan.
'Wat dat voor verrassing is, kan ik me wel voorstellen,' zei Jakob.
'Een barones?' vroeg Tibor.
Jakob deed de achterste klep bij Tibor open en keek naar binnen. 'Doe
nou niet meteen zo onderdanig, Tibor. Barones Jesenák is het school-
voorbeeld van het feit dat de adel aan dezelfde instincten onderhevig is
als elk keuterboertje.'
'Wat komt ze hier doen?'
'Wat ze op dit ogenblik doet, weet ik niet maar ik kan me wel voorstel-
len waarom ze gekomen is. Postscriptum: het is zeker geen toeval dat
Anna Maria vandaag niet thuis is.'

Het Banaat

Wolfgang von Kempelen wordt op 23 januari 1734 geboren, de jongste van drie zoons. Zijn vader, Engelbert Kempelen, tolcommies bij het gemeentelijke *Dreißigstamt*, gaat dankzij zijn huwelijk met Te-réz Spindler, de dochter van de toenmalige burgemeester, en door de adellijke titel die hem door keizer Karel VI vanwege zijn verdiensten wordt verleend, in Preßburg tot de hogere kringen behoren.

Kempelens oudste broer Andreas studeert filosofie en rechtsweten-schappen, is als secretaris van de ambassadeur in Constantinopel werkzaam en neemt als ritmeester deel aan de Silezische oorlog. Een longaandoening maakt dat hij zijn benoeming als huisleraar van kroonprins Joseph misloopt, en ook de geneeskrachtige zwavelbron-nen van Pozzuoli kunnen niet voorkomen dat hij op jeugdige leeftijd overlijdt.

Nepomuk von Kempelen, Wolfgangs andere broer, dient eveneens in het leger en wordt tot kolonel bevorderd. De keizerlijke familie haalt de banden met hem nog verder aan wanneer hij in Preßburg directeur wordt van de griffie van hertog Albert von Sachsen-Teschen. Zijn vriendschapsband met hertog Albert, de stadhouder van Hongarije, is zo hecht dat ze samen toetreden tot vrijmetselaarsloge *Zur Rein-heit*.

Wolfgang, de jongste zoon, studeert eveneens filosofie en rechten, aanvankelijk in Raab en later in Wenen. Na afloop van een reis naar Italië treedt de eenentwintigjarige Wolfgang in dienst bij Maria Theresia en boekt meteen na zijn benoeming een indrukwekkend resultaat: in buitengewoon korte tijd vertaalt hij het wetboek van de keizerin uit het Latijn in het Duits. Maria Theresia is zo onder de in-druk van die prestatie dat ze hem persoonlijk tot ambtenaar bij de Koninklijke Hongaarse Thesaurie in Preßburg benoemt.

In de zomer van 1757 wordt Kempelen vanwege zijn verdiensten benoemd tot secretaris van de thesaurie. Zo snel als hij op de maatschappelijke ladder opklimt, zo snel gaat het ook in zijn privé-leven, want Kempelen trouwt diezelfde zomer met Francziska Piani, de kamenierster van groothertogin Maria Ludovika. Maar twee maanden later al wordt Francziska ziek en overlijdt aan de pokken. Het duurt lang voordat Kempelen over de klap heen is. Hij stort zich helemaal op zijn werk.

Een jaar later komt er een nieuwe vrouw in zijn leven: Ibolya barones Jesenák, geboren barones Andrássy, die begeleid door haar broer János vanuit Tyrnau naar Preßburg is gereisd om in het huwelijk te treden met Károly baron Jesenák, de thesaurier van de koning, die dubbel zo oud is als zij. Het huwelijk is harmonisch maar niet gelukkig; Ibolya blijft kinderloos, Károly is vanwege zijn positie als thesaurier vaker op reis dan thuis in Preßburg. De amper twintigjarige Ibolya begint zich te vervelen en zoekt verstrooiing in de talloze ontvangsten en bals die Preßburg te bieden heeft. Tijdens de afwezigheid van haar echtgenoot begint ze een affaire, vervolgens een tweede en een derde met Nepomuk von Kempelen. Wanneer Nepomuk genoeg heeft van haar, stelt hij zijn broer aan haar voor en zijn opzet slaagt: Ibolya vat een hartstochtelijke liefde op voor Wolfgang von Kempelen – de intelligente, keurige weduwnaar die zo gereserveerd en toch zo onvermoeibaar en roerend om het overlijden van zijn vrouw rouwt, die weliswaar van lage adel is maar voor wie de hele wereld open lijkt te liggen. Ibolya vertelt haar man over de talloze talenten van Kempelen en Jesenák verspreidt die loftuitingen in Wenen. Kort daarna wordt Kempelen tot lid van de Koninklijke Raad bevorderd en tijdens de eerstvolgende soiree onthult Ibolya hem aan wie hij die onverwachte promotie te danken heeft. Kempelen neemt het risico en begint een verhouding met de barones; en hij heeft er alleen maar profijt van: eindelijk komt hij Francziska's dood te boven, de nietsvermoedende baron Jesenák wordt zijn beschermheer en degenen die van zijn liaison met Ibolya op de hoogte zijn, hebben stilzwijgend respect voor hem en houden het geheim voor zich zoals in die tijd de gewoonte is. Zelfs hertog Albert, die gewoonlijk uitsluitend zakelijke gesprekken met Kempelen voert, laat zich door hem de pikante details betreffende de warmbloedige Hongaarse barones uit de doeken doen.

Kempelen weet echter dat zijn verhouding met een getrouwde vrouw geen toekomst heeft en op de lange termijn gevaarlijk voor hem zou kunnen worden en met wederzijds goedvinden beëindigen de twee gelieven hun amoureuze tête-à-têtes. Na een rouwperiode van vijf jaar gaat Kempelen op zoek naar een nieuwe vrouw en op aanbeveling van aartshertogin Christine huwt hij Anna Maria Gobelius, de gezelschapsdame van gravin Erdödy. Vergeleken met Ibolya komen de meeste vrouwen Kempelen preuts voor; dat is ook het geval met Anna Maria: hun huwelijk wordt steeds gekenmerkt door respect en beleefdheid maar nooit door hartstocht. En ook hun wens om een gezin te stichten gaat niet in vervulling: de eerste drie kinderen die Anna Maria haar echtgenoot schenkt, sterven kort na hun geboorte.

In 1765 wordt Kempelen benoemd als gevolmachtigde voor kolonisatieaangelegenheden in het Banaat. Als zodanig houdt hij samen met Weense collega's toezicht op de kolonisatie van het gebied tussen de Morasch, de Theiß, de Donau en Transsylvanië door boeren en mijnwerkers uit Zwaben, Beieren, Hessen, Thüringen, Luxemburg, Lotharingen, de Elzas en de Kurpfalz die daar voor Oostenrijk de grond moeten ontginnen en bodemschatten moeten winnen. In kleine gehuchtjes worden Duitse landverhuizers gevestigd, dorpen worden uitgebreid tot stadjes en er worden nieuwe dorpen gesticht. Binnen vijf jaar vestigen zich veertigduizend mensen in het Banaat, waaronder niet alleen achtenswaardige mensen: tweemaal per jaar worden er via het 'Temeschburger watertransport' sujetten naar het Banaat gebracht die in hun eigen land niet meer gewenst zijn, zoals landlopers, stropers, smokkelaars of losbandige vrouwspersonen. Kempelen moet in allerlei geschillen bemiddelen, onderhandse schikkingen verifiëren en rechtspreken, en zijn nuchtere uitspraken leveren hem het respect op van alle bevolkingsgroepen. Zijn onkreukbaarheid is in deze landstreek een novum. De illegaliteit tiert welig in het Banaat en meer dan eens moeten Kempelen en zijn metgezellen zich tegen rovers teweerstellen die telkens opnieuw vanuit hun schuilplaatsen in de Karpaten op rooftocht gaan in de vlakten. Kempelen verhindert dat de schurken ter plekke worden opgeknoopt of doodgeschoten en persoonlijk verbindt hij hun wonden om hen behouden voor de rechter te kunnen brengen. Over de problemen en successen van de kolonisatie brengt Kempelen geregeld verslag uit aan de krijgsraad aan het hof.

Kempelen schrijft vanuit het ongeorganiseerde Banaat reisverslagen, die in de *Preßburger Zeitung* worden gepubliceerd. Daardoor komt hij in contact met de uitgever van het weekblad, Karl Gottlieb Windisch, met wie hij later bevriend raakt. Deze vriendschap blijft ook bestaan wanneer Windisch van eenvoudig raadsheer wordt gekozen tot lid van het stadsbestuur, compagniescommandant en uiteindelijk burgemeester van de stad Preßburg. Als zodanig bestuurt hij zevenentwintigduizend inwoners, onder wie vijfhonderd edelen, zevenhonderd geestelijken en tweeduizend joden. Ongeveer de helft van de bewoners van Preßburg bestaat uit Duitsers, de andere helft bestaat uit Slowaken en Hongaren – de adel bestaat voor het grootste deel uit Hongaren.

Terwijl de kolonisatie van het Banaat vordert en de keizerlijke wetten worden ingevoerd, wordt Kempelen benoemd tot *director salinaris*. In die hoedanigheid is hij belast met het toezicht op de zoutmijnen in Hongarije. Hij geeft leiding aan een dienst met meer dan honderd medewerkers, een dienst waar zijn vader vroeger als eenvoudig beambte voor had gewerkt. Het kleine beetje vrije tijd dat hem met een zo verantwoordelijke functie nog rest, gebruikt de edelman om zich te bekwamen in de mechanica en hydraulica. Die studie heeft grote prioriteit voor hem want die stelt hem in staat om te begrijpen hoe de machines in de zoutmijnen werken en ze zonodig te verbeteren. Maar algauw vat hij ook belangstelling op voor automaten, hij leest boeken van en over Regiomontanus, Schlottheim, Leibniz, De Vaucanson en Knaus en richt op de bovenste verdieping van zijn huis een werkplaats in. Wanneer hij tijdens een dorpsfeest naar een doedelzakspeler luistert en merkt hoeveel de klanken van het instrument van een kinderstem weg hebben, komt hij voor het eerst op de gedachte om een spraakmachine te construeren.

In 1768 sterft Károly baron Jesenák. Ibolya gaat vervolgens bij haar broer János Andrássy wonen. Ze rouwt niet lang en begint weer avances te maken naar Wolfgang von Kempelen. Haar pogingen zijn echter vergeefs want in mei 1768 wordt Mária Teréz von Kempelen geboren – en ze blijft in leven. De geboorte van hun dochter maakt de band tussen Wolfgang en Anna Maria von Kempelen hechter dan deze ooit eerder in hun huwelijk was geweest.

In september van het daaropvolgende jaar brengt Kempelen in Wenen voor het laatst verslag uit over de kolonisatie van het Banaat. De keizerin is tevreden over Kempelens werk en verzoekt hem, min of meer als beloning voor alle moeite, om een poos aan het hof in Wenen te blijven.

Wolfgang von Kempelen betrekt een huis in de voorstad Alsergrund. Wanneer de Franse geleerde Jean Pelletier zijn opwachting maakt in paleis Schönbrunn in Wenen, is Kempelen ook aanwezig en als Maria Theresia meteen na de demonstratie en het daverende applaus zegt dat ze het zo jammer vindt dat het altijd buitenlanders zijn, en nooit eens Oostenrijkers, die de wereld versteld doen staan met hun nieuwe uitvindingen en experimenten vraagt Kempelen het woord. Hij belooft de keizerin dat hij binnen zes maanden een experiment zal presenteren dat dat van Pelletier in de schaduw zal stellen. De hovelingen in Wenen ruiken een schandaal, want die Kempelen, die daar zomaar het woord heeft genomen, is wel een hoge ambtenaar maar nog altijd een lage edele; bovendien is hij uit de provincie afkomstig – en tot nu toe heeft hij geen naam gemaakt als wetenschapper. Maria Theresia luistert echter naar hem, ontheft hem hiervoor ook nog voor een half jaar van zijn taken en looft een beloning van honderd gouden soevereinen uit als hij erin slaagt om Pelletiers wetenschappelijke toverkunst inderdaad in de schaduw te stellen.

Kempelen weet dat zowel zijn kundigheid als de tijd die hem ter beschikking staat tekortschiet om een spraakmachine te construeren. Maar beide zijn voldoende om een schijnautomaat te maken. Hij is van plan een schaakmachine te construeren. Hij herinnert zich een verhaal van zijn vriend Georg Stegmüller, een apotheker, die op een van zijn reizen in het keizerrijk in een dorpsherberg in Steinbrück een dwerg heeft gezien die met schaken van drie inwoners geld wist te winnen. Wanneer je een klein mens, een jongen of een meisje in een machine zou kunnen verstoppen en dan ook nog enkele partijen won, dan was applaus verzekerd.

Terwijl Kempelen de automaat vervaardigt, ziet hij in dat zijn schaakmachine niet slechts enkele maar alle partijen moet winnen. Hij moet die rondzwervende dwerg zien te vinden die Stegmüller destijds heeft zien schaken, hoe onmogelijk dat ook mag lijken. Dus reist hij spoorslags naar Steinbrück, vraagt iedereen naar de dwerg en gaat zijn gangen na. Veel mensen kunnen zich de dwerg met zijn reisschaakbord nog herinneren en zo kan Kempelen Tibors spoor naar Venetië volgen, waar hij hem in november in de loden kerkers van het dogepaleis vindt, zogezegd klaar om afgehaald te worden.

Wolfgang von Kempelen had de keizerin bewezen dat hij een bekwaam en loyaal ambtenaar was. Nu zou hij haar laten zien dat hij

nog meer capaciteiten had. En daarvoor had hij noch baron noch barones Jesenák nodig.

Kempelen stond geleund tegen zijn secretaire Ibolya's geschenk aan
alle kanten te bekijken. Het was een boekje met een vertelling in
dichtvorm van Wieland. De barones zat tegenover hem op een stoel
en sloeg hem met stralende ogen gade.
'Hartelijke gelukwensen met je verjaardag, Farkas. En veel succes met
je machine.'
'Dank je. Je weet natuurlijk dat ik overmorgen pas jarig ben.'
Ibolya glimlachte. 'Precies zoals ik ook weet dat je vrouw me beslist
niet op de koffie met gebak zal vragen. Ik wilde je zien zonder dat er
iemand bij is. Geef jouw Jakob de rest van de dag vrij, dan hebben
wij tweetjes het rijk alleen.'
'Dat gaat niet. Ik moet echt aan het werk.'
'Jij moet altijd werken.'
'Het spijt me.'
Ibolya zuchtte. 'Farkas, ik voel me zo melancholiek. Wil je daar nu
echt niets aan doen?'
'Dat komt door het weer. Drink maar een glas warme Tokayerwijn.'
'Wat een gruwelijk advies is dat. Je bent een lomperd want je weet niet
hoe het hoort. En raad eens wat ik heb gedronken voordat ik in de
koets gestapt ben.'
Ibolya barones Jesenák stond op, liep naar Kempelen toe, bracht haar
gezicht dicht bij het zijne, stak haar kin omhoog zodat haar mond ter
hoogte van zijn neus kwam en ademde nauwelijks merkbaar uit. Haar
adem rook enigszins naar Tokayer en het was alsof Kempelen zijn
neus boven een beker warm water met wijn hield.
'Heerlijk,' zei hij slechts.
'Ik zal eens naar die dikke keizerin van je gaan en haar vertellen wat
voor een afschuwelijke man je bent en dan zal ze jou verplichten tot
herendiensten in die zoutmijnen van je of je in elk geval verbannen
naar de Zuidzee, als ambassadeur bij de menseneters. Dat ga ik doen.'
'Daar acht ik je ook nog toe in staat.'
De Hongaarse legde haar hand op zijn dijbeen. 'Nee. Dat zou ik nooit
doen. Ik zal haar blijven vertellen dat je een zeer getalenteerd man
bent en dat zelfs de moeilijkste taken bij jou in goede handen zijn.'
Ze begon met haar vingertoppen op en neer te wrijven, toen kromde

ze haar vingers tot klauwen zodat een van haar nagels in de stof van zijn broek bleef haken. Ze kuste hem en ook haar kus smaakte naar zoete wijn. Hij hield zijn handen op het blad van de secretaire. Ibolya liet hem los en wiste met haar duim haar lippenrood van zijn lippen. 'Het is zo droevig. Ik begrijp je wel. Wij zijn als de twee koningskinderen. Ben jij getrouwd, dan ben ik het niet; eerst ben jij weduwnaar en ben ik getrouwd, en nu is het omgekeerd. Het is om wanhopig van te worden.'

Kempelen knikte slechts.

'Zal het ooit weer zo worden als het geweest is?'

'Nee. Zo zeker niet; maar als de schaakmachine klaar is, heb ik weer meer tijd.'

'Meer tijd. Maar ook meer tijd voor mij?'

'We zien elkaar in Wenen, Ibolya. Ik verheug me er al op.'

Kempelen vergezelde haar terug naar de werkplaats en gelastte Branislav om haar bontmantel te halen. Ibolya nam afscheid van Jakob en bekeek de Turk opnieuw met onverholen bewondering. Bij de huisdeur nam Kempelen met een handkus afscheid van haar, vervolgens liep hij naar de werkplaats terug. Jakob had Tibor intussen uit het schaaktafeltje geholpen en getweeën stonden ze voor het venster toe te kijken hoe de barones in haar fraaie koets stapte. Er lag een verwijtende blik in Kempelens ogen toen hij het tweetal voor het raam naar beneden zag staan gapen. Mocht hij zich voor Jakob en Tibor generen voor hetgeen er was voorgevallen, dan liet hij dat niet blijken.

De generale repetitie, de eerste partij schaak van de schaakmachine, vond kort daarna plaats en Dorottya, de Slowaakse dienstbode van huize Kempelen, kwam de eer toe als eerste mens tegen de door Tibor bediende machine te mogen spelen. Tibor zat al in het tafeltje toen Kempelen Dorottya op de benedenverdieping ging halen. Tibor hoorde Jakob verscheidene keren om de machine lopen. Toen bleef de assistent staan en zei op luide toon onbegrijpelijke woorden: '*Shem hamephorasch! Aemaeth!*' De stem leek opeens niet meer aan Jakob toe te behoren.

'Wat ben je daar aan het doen?' vroeg Tibor.

'*Aemaeth! Aemaeth! Leef!*'

'Hou daarmee op!'

'Val me niet in de rede, sterveling,' waarschuwde Jakob hem met een keelstem. 'Als je de zeven formules van het leven onderbreekt, kan rabbi Jakob de man van hout en linnen nimmer tot leven wekken.'

'Hou onmiddellijk op, anders kom ik eruit en dan zorg ik wel dat je ophoudt!'

'Je kunt er niet uit, was je dat al vergeten? Je kunt wel zingen, mijn vogeltje, maar vliegen kun je niet,' zei Jakob met zijn gewone stem.

'Zo, al klaar. De materie leeft.'

'Nietwaar.'

'Welles, gifkikker van een dwerg die je bent. En hou nou je gemak, de dienstbode kan elk moment binnenkomen. Zeg weinig, doe veel.'

Tibor hoorde hoe Jakob een hand op het blad van het tafeltje legde en er met zijn vingers op trommelde. 'Een fenomeen,' vond hij na een poosje, 'een mohammedaan met de hersenen van een christen en een joodse ziel.'

'Ze zouden je moeten opsluiten.'

'Nee, jou zouden ze moeten opsluiten. Ik ben een jood, mij moeten ze verbranden.'

Het werk aan de Turk zat erop. Jakob had op de draaibank de tweeëndertig rode en witte schaakstukken gemaakt met in elk exemplaar een magneet en samen hadden ze de Turk van kleren voorzien. De androïde droeg een bruin gestreept overhemd van Turkse zijde zonder boord en daaroverheen een kaftan met halflange mouwen. De hele kraag en de mouwen van de roodzijden kaftan waren met wit bont afgezet, wat de Turk een welhaast majesteitelijke aanblik verleende. De handen van de Turk waren in witte handschoenen gestoken die zo lang waren dat er geen stukje huid van de armen te zien was. Omdat de drie grijpvingers van de linkerhand ook in rust al een onooglijke klauw vormden, hadden ze tussen die vingers van de Turk een oriëntaalse tabakspijp met een steel van meer dan een el lang geplaatst, die Jakob bij een uitdrager in de Jodensteeg op de kop had getikt. Zo werd de indruk gewekt dat de kromme vingers een functie hadden, ook als de Turk in ruste was. Ter bescherming van het gevoelige mechanisme in de vingers rustte de hand met pijp en al op een roodfluwelen kussen totdat de machine in werking werd gesteld en zowel het kussen als de pijp werden verwijderd. De broek was een pofbroek van indigokleurig linnen, de houten voeten van de Turk staken in al even houten pantoffels met opstaande schoenpunten, die Kempelen net als de glazen ogen uit Venetië had meegebracht. Op zijn hoofd droeg de Turk een witte tulband die om een rode fez zat. De fez was van verscheidene lagen vilt gemaakt, waardoor de kaarsenrook werd gefilterd voordat deze naar buiten kwam.

Het grootste deel van zijn tijd had Jakob aan het hoofd van de Turk besteed – papier-maché over een houten schedel – en het gezicht was verschillende keren veranderd. De neus was groter geworden, de wangen hoekiger, de mond smaller, de snor puntiger – na elke ingreep keek de Turk strenger, vijandiger. De laatste ingreep was dat Kempelen Jakob vroeg de uiteinden van de wenkbrauwen wat omhoog te laten wijzen, zodat de indruk werd gewekt dat de androïde boos was op zijn tegenstander. Kempelen was buitengewoon tevreden over het resultaat; Jakob wees er af en toe op dat hij, bij God, meer plezier zou hebben gehad aan een knap vrouwspersoon als schaakster.

Kempelen kwam met Dorottya en Anna Maria terug. De oude Dorottya kwam met kleine stapjes de werkplaats in. De Turk was zo neergezet dat hij haar recht aankeek en Kempelen moest haar vragen om door te lopen, zozeer was ze geïntimideerd door de blik waarmee de Turk haar aanstaarde.

'*Mesdames*, ik presenteer u: de schakende machine,' zei Kempelen, nu helemaal opgaand in zijn rol als conferencier.

De Slowaakse keek met een mengeling van nieuwsgierigheid en angst naar de machine. Kempelen liep om het apparaat heen en draaide de slinger, die zich naast het mechanisme aan de zijkant van de machine bevond, enkele keren rond. Door het hout heen was te horen dat het raderwerk zachtjes in beweging kwam. De linkerarm van de Turk kwam omhoog en bewoog zich over het schaakbord totdat de hand de witte pion voor de koning had bereikt. Daar stopte de arm. De duim, wijsvinger en middelvinger gingen gelijktijdig open, de hand zakte naar de bovenkant van de pion, vervolgens sloten de vingers zich, grepen de pion onder de kop vast, tilden hem op en zetten hem twee velden verder weer neer. Na gedane arbeid zwenkte de arm weer naar links om naast het schaakbord tot rust te komen.

Dorottya had met open mond naar het schouwspel staan kijken.

Kempelen gaf haar een duwtje. 'Nu ben jij aan zet, Dorottya.'

Dorottya schudde het hoofd. 'Nee, heer. Dat wil ik niet.'

'Och, kom nou. Kijk, hij wacht tot jij een zet doet.'

'Ik ken het spel niet.'

'Dan wordt het de hoogste tijd dat je het leert. Het is een buitengewoon opwindend tijdverdrijf.' Kempelen liep met Dorottya mee naar het schaaktafeltje en wees op de rij rode pionnen. 'Je kunt bijvoorbeeld een van deze kleine stukken een of twee velden naar voren zetten.'

Eindelijk nam Dorottya een pion aan de zijkant en zette hem een veld naar voren, terwijl ze de handen van de Turk scherp in het oog hield alsof het risico bestond dat ze opeens naar voren zouden vliegen en haar zouden beetpakken. Ze deed een stap naar achteren en snuffelde. 'Brandt er hier een kaars?'

'Nee,' zei Kempelen slechts.

De androïde hief opnieuw zijn arm op en wilde het paard aan de rechterkant verzetten, maar hij kreeg het schaakstuk niet goed te pakken. Het stuk viel om terwijl de arm doorbewoog.

'Stop,' beval Kempelen. 'Je hebt het stuk niet goed gepakt.'

Kempelen zette het paard weer rechtop, terwijl ze binnen in de schaakmachine Tibor duidelijk konden horen bewegen.

Anna Maria kuchte om op de faux pas te attenderen. Dorottya op haar beurt dacht dat Kempelen met de machine praatte en dat de machine hem kon verstaan; ze sloeg een kruis en mompelde iets in haar moedertaal. Tibor kreeg het paard ook bij zijn tweede poging niet te pakken en daarop brak Kempelen het spel af.

'Stop maar.' De Turk legde zijn arm naast het schaakbord neer. 'Dorottya, je kunt wel gaan. Hartelijk dank voor je hulp.'

Dorottya knikte, verliet de werkplaats zichtbaar opgelucht en deed de deur achter zich dicht.

'Nou, die heeft de komende dagen heel wat te vertellen,' vond Jakob lachend. 'Op de markt zal zij in het middelpunt van de belangstelling staan. Dit wordt het gesprek van de dag.'

'Wie willen jullie hiermee bedotten?' vroeg Anna Maria streng. 'De keizerin van Oostenrijk, Hongarije en de Oostenrijkse Nederlanden benevens de hele hofhouding? Nou, veel succes ermee.'

Jakob schoof het tafelblad weg en hielp Tibor uit de machine.

'Het lukt nooit,' beweerde de dwerg. 'Ik heb het u wel gezegd. Ik heb het u in Venetië al gezegd.'

'Kennelijk schijn je erop gebrand te zijn om mij te bewijzen dat het mislukt,' antwoordde Kempelen bars. 'En met een dergelijke instelling gaat het inderdaad mislukken, dat ben ik volkomen met je eens.'

'De dwerg heeft gelijk,' vond Anna Maria. 'En als je dan al niet naar mij wilt luisteren, luister dan in elk geval naar hem. Zeg alles maar af bij de keizerin, ze zal er zeker begrip voor hebben. Begraaf die Turk en neem gewoon je echte werk weer op.'

'Dat is ronduit onacceptabel. We hebben nog ruim drie weken. Jakob, haal pen en papier; we gaan ideeën inventariseren over wat ons nog te doen staat.'

Anna Maria, wier voorstel daarmee van de hand gewezen was, snoof hoorbaar. Kempelen draaide zich naar haar om. 'Wil je ons alsjeblieft excuseren?'

Ze keek hulpzoekend naar Jakob, de enige die zijn mening nog niet had gegeven, en toen die bleef zwijgen, liep ze met kloeke passen de kamer uit en gooide de deur achter zich dicht.

Kempelen dicteerde Jakob het lijstje van problemen die nog moesten worden opgelost: *primo* Tibors trefzekerheid, *secundo* de geur van de brandende kaars en ten slotte *tertio* de geluiden van binnen uit het tafeltje die alles zouden kunnen verraden. 'Laten we nu ideeën bedenken, hoe buitenissig die ook mogen zijn. Tibor, je bent van harte uitgenodigd om mee te doen, tenzij het je niet mocht interesseren omdat je denkt dat het toch geen kans van slagen heeft. In dat geval hoeft het uiteraard niet.'

Tibor schudde bereidwillig zijn hoofd. 'Nee, ik help wel mee.'

'Goed. Laten we maar beginnen met de kaars.'

'We zouden een olielamp kunnen gebruiken,' stelde Jakob voor.

'Die ruikt niet minder sterk. Alleen anders.'

'En als we de klep aan de achterkant nu eens openlieten?'

'Dan moet er altijd iets over de achterkant van de machine hangen. Maar ik wil dat de machine van alle kanten te zien is, dat hij op elk moment kan worden omgedraaid.'

'Dan moet Tibor in het donker schaken. En zich op de tast behelpen.'

'Dat kan ik niet,' erkende Tibor bedeesd.

'Wat kun je niet? Op de tast werken?'

'Ik kan niet blind schaken. Ik heb dat geprobeerd, maar ik kan het niet. Ik moet het bord en de schaakstukken zien.'

Kempelen maakte met een gebaar duidelijk dat hij Tibors weigering accepteerde. Maar Jakob had nog meer ideeën. 'Dan parfumeren we de machine. Met Arabische reukwerken. We omgeven onze Turk met een zo sterke geur van muskus en sandelhout dat geen mens de kaars nog ruikt.' Toen hij de sceptische blik van Kempelen zag, wierp hij slechts tegen: 'Hoe buitenissig ook.'

Tibor had het gevoel dat hij nu eindelijk ook eens met een eigen voorstel moest komen. 'We spelen immers 's avonds. Waarom zetten we niet simpelweg een extra kandelaar op het tafeltje? Dan vraagt geen mens zich af waarom er zo'n kaarslucht hangt.'

Kempelen en Jakob keken elkaar aan. Kempelen glimlachte en zonder een woord te zeggen streepte Jakob 'kaars' op het lijstje door. Kempelen klopte Tibor op zijn schouder. 'Zo mag ik het horen, Tibor. Simpel maar effectief. Aan een zo voor de hand liggende oplossing denken wij al helemaal niet meer. Ga zo voort.'

Het volgende probleem waar ze zich over bogen, waren de geluiden. Jakob stelde voor in het binnenwerk van de machine een extra laag vilt aan te brengen bij wijze van isolatiemateriaal om daarmee het geluid van Tibors bewegingen te dempen; en Kempelen nam zich voor het mechaniek, dat wel functioneerde maar nergens toe diende, dusdanig in te stellen dat het zou gaan ratelen en rammelen zodra het was opgewonden. Dat zou niet alleen de geluiden overstemmen die door Tibor werden veroorzaakt, maar ook nog de indruk versterken dat de Turk door een imposant raderwerk in beweging werd gebracht.

'Zou dat volstaan?' vroeg Kempelen. 'We spelen niet alleen voor een stel onnozele halzen die zich alleen al door de draaiende ogen van de Turk laten verblinden. Er zullen geleerde heren bij aanwezig zijn, wetenschappers, wellicht zelfs werktuigbouwkundigen. Hun zal geen enkel detail ontgaan, zelfs het kleinste geluidje niet.'

Jakob vertelde dat een goochelaar die hij vorig jaar op de jaarmarkt had gezien, de aandacht van zijn toeschouwers voortdurend afleidde met de hand waarmee hij nou juist niet iets liet verdwijnen of verschijnen. Als de magiër bijvoorbeeld een doekje liet verdwijnen door het in de gesloten vuist van zijn rechterhand te duwen, dan liet hij meteen daarna met een weids gebaar zijn lege rechterhand zien, terwijl hij het doekje in zijn linkerhand ongezien achter zijn rug liet verdwijnen.

'Moet ik soms een dansje opvoeren om de aandacht op mezelf te richten?' vroeg Kempelen.

'Ja. Of ik trek een opvallend kostuum aan. Of ik zet een schitterende hoed op. Of nee! Ik weet nog iets veel beters: we zorgen voor twee haremvrouwen, rechtstreeks uit de Oriënt, schaars gekleed, met een sluier voor hun gezicht, en dan laten we hen om de Turk heen draaien als twee katten om een schaal valeriaan.' Jakob kneep zijn ogen tot spleetjes en balde zijn handen, zo opgewonden werd hij bij het idee.

'Dan worden we nog verdachter. En bovendien ben ik geen kermis-klant maar een wetenschapper. Hoewel, die hoed van je zou ik graag eens hebben gezien.'

'En ik die haremvrouwen.'

'Goed, laten we dat idee maar in gedachten houden. Misschien kun-nen we het nog op een andere... serieuzere manier gebruiken.'

Nu resteerde als laatste de kwestie van het feilloos bedienen van de pantograaf door Tibor. Tibor beloofde de komende weken net zo lang te oefenen tot hij feilloos met de hand van de Turk overweg kon, ook al zou het tot diep in de nacht zijn. Tibor wilde Wolfgang von Kempe-len niet opnieuw teleurstellen. Hij was alleen even vergeten wat er voor de edelman op het spel stond.

Neuenburg: in de middag

De schaakpartij was vroeg in de middag begonnen en sindsdien was er
ruim een uur verstreken. Buiten viel de schemering in en het begon
donker te worden in de zaal. De kaarsen die op het tafeltje voor de androïde waren neergezet, waren nu nodig om het verloop van de zetten
te kunnen blijven volgen. Zo nu en dan, bijvoorbeeld wanneer Kempelens assistent van het ene schaakbord naar het andere liep om op het
andere bord dezelfde zet te doen, of wanneer de ramen even werden
opengezet om wat frisse winterlucht binnen te laten, bewogen de
groenzijden gewaden van de Turk in een zuchtje wind; voor het overige zat hij er al even onbeweeglijk bij als Gottfried Neumann. Kempelen bleef met zijn armen op zijn rug gevouwen wat naar achteren
staan, maar in zijn ogen lag een andere blik dan tijdens de voorgaande
partijen: zijn ogen waren niet op het publiek maar strak op de dwerg
gericht.
Aanvankelijk had het er alle schijn van dat de partij op een ontgoocheling zou uitdraaien: Neumann speelde tergend langzaam en nam zelfs
voor de simpelste zetten verscheidene minuten bedenktijd, hoewel hij
slechts de zetten van de Turk in spiegelbeeld had herhaald: het opspe-
len en slaan van de pionnen, de korte rokade, de toren naar het vrijge-
komen veld van de koning. Pas na een twaalftal zetten begon de partij
een eigen karakter te krijgen. Neumann speelde weliswaar niet sneller, maar wel eigenzinnig en agressief. Met zijn loper bedreigde hij
de witte stukken en tien zetten later hadden ze een flinke slagenwisse-
ling achter de rug, waarbij beide spelers drie pionnen en vier stukken
hadden moeten ruilen. Het spel van de machine was nog steeds sterker
dan dat van de mens, dat werd nog steeds door niemand ontkend, en
de voorzitter van de schaaksociëteit werd niet moe zijn omgeving daar
op fluistertoon op te wijzen – maar voor het eerst die dag werd hij in
het defensief gedrongen en dat was al sensationeel genoeg. De partij

werd echt spannend. Na elke zet rekten de Neuenburgers hun nek om te kunnen zien hoe de partij er nu voorstond. Degenen die met vooruitziende blik zelf een schaakspel hadden meegenomen, waarop ze de partij op schoot op de voet konden volgen, mochten zich gelukkig prijzen.

Na de vierentwintigste zet kwam het raderwerk van de machine voor de tweede keer tot stilstand, maar deze keer wond de assistent het niet opnieuw op. Kempelen deed een stap naar voren en verontschuldigde zich; hij zei dat hij de partij nu helaas moest afbreken, omdat de machine aan een pauze toe was, en dat hij bereid was de vrijwilliger namens de Turk en als waardering voor zijn prestatie remise te gunnen. Er rezen protesten. De Neuenburgers wilden zien hoe deze partij afliep en namen geen genoegen met een weinigzeggend voortijdig gelijkspel. Kempelen stak sussend zijn handen in de lucht. Hij bedankte het publiek voor de massale belangstelling voor zijn uitvinding, maar stelde dat hij er al voor de voorstelling op had gewezen dat hij de partijen uiterlijk na een uur zou afbreken als ze niet al eerder afgelopen waren. Bovendien, zo zei hij, moest hij de volgende morgen doorreizen naar Parijs; want de koning en koningin van Frankrijk kon hij onmogelijk laten wachten. En ten slotte, voegde hij er met een glimlach aan toe, moest de machine bijkomen, want dat was 'ook maar een mens'.

Daarop kwamen de Neuenburgers tot bedaren. De eerste bezoekers stonden al op van hun stoel toen Jean-Frédéric Carmaux, de eigenaar van de lakenweverij, tegenwierp: 'Mijnheer Von Kempelen, met alle respect voor de nachtrust van uw machine, maar hoe moeten we vannacht de slaap vatten met die onvoltooide partij in ons hoofd? Wind uw Turk weer op en laat hem de partij uitspelen, ik betaal u er veertig taler voor.'

De mensen in de zaal applaudisseerden, maar Kempelen schudde zacht het hoofd. 'Nee, dank u voor uw aanbod, monsieur, maar dat kan niet.'

Carmaux liet zich niet kleinkrijgen. Hij inspecteerde zijn beurs en zei toen: 'Zestig taler? En een paar stuivers? Meer heb ik met de beste wil van de wereld niet bij me.'

Er werd gelachen. Toen Kempelen ook op dit aanbod niet inging, nam de beroemde automatenbouwer Henri-Louis Jaquet-Droz het woord. 'Ik doe er veertig taler bij, dat is dan samen honderd.'

Wederom werd er geapplaudisseerd. De mensen draaiden zich om naar de jonge Jaquet-Droz. Carmaux keek van hem naar Kempelen, die nog steeds niet van plan was zich gewonnen te geven. Nu traden een derde, een vierde en een vijfde persoon naar voren; elke verhoging van de inzet werd geprezen en lokte bijval uit, er werd doorgeboden alsof het een veiling betrof, tot uiteindelijk honderdvijftig taler was geboden – een veel hoger bedrag dan het totale entreegeld van de voorstelling. Kempelen keek bijna hulpzoekend naar zijn assistent, die echter slechts radeloos zijn schouders ophaalde. Ze fluisterden even met elkaar. Kempelen leek voet bij stuk te willen houden, toen Neumann – die heel het stormachtige loven en bieden vanachter zijn schaakbord had zitten aankijken – als een schoolkind zijn hand opstak en zei: 'Ik wil graag doorspelen. Ik bied er vijftig taler voor.'

Het rumoer verstomde. De ogen van Kempelen en alle anderen werden op Neumann gericht. Vijftig taler was voor Carmaux al een grote som geld, voor de kleine klokkenmaker moest het een vermogen zijn. Tweehonderd taler was in elk geval voldoende om Kempelen ertoe te bewegen te blijven. 'Goed dan, messieurs, hoe zou ik hier nee op kunnen zeggen. Ik geef me gewonnen,' zei hij. 'Maar mijn machine zal de partij voortzetten.' Op een teken van hem wond zijn assistent het raderwerk weer op en in de zaal keerde de rust weer. '*Merci bien* voor uw gewaardeerde belangstelling. En moge de beste winnen.'

Twee bedienden ontstaken kaarsen in de zaal en Kempelens assistent verving de opgebrande kaarsen in de kandelaar op het schaaktafeltje door nieuwe exemplaren. De vlammetjes werden weerkaatst in de schijnbaar vochtige glazen ogen van de Turk, waardoor de levenloze machine nog meer de indruk wekte een levend wezen te zijn. Met drie vingers greep hij zijn overgebleven toren.

Schönbrunn

Op 6 maart 1770, een dinsdag, vertrokken ze naar Wenen met de Turk; de vrijdag daarop zouden ze deze in paleis Schönbrunn presenteren. De androïde werd met de taboeret van het schaaktafeltje afgeschroefd en afzonderlijk naar de binnenplaats gedragen. Ze werden daarbij geholpen door Branislav, de huisknecht van Kempelen, die Tibor weliswaar enkele keren uit het raampje van zijn kamer had gezien maar met wie hij nooit persoonlijk had kennisgemaakt. Het werd hem wel duidelijk dat Kempelen een goede keuze had gemaakt met de breedgebouwde Slowaak, want Branislav was sterk, niet erg spraakzaam en zo onverschillig dat hij zelfs Tibor, de dwerg, geen tweede blik waardig keurde. Dat was Tibor tot nu toe slechts zelden overkomen. Toen de bediende samen met Jakob de machine naar beneden droeg, bedacht Tibor opeens dat Branislav zelf wel een machine leek, die zwijgend en zonder morren alles deed wat hem werd opgedragen. Jakob had geregeld dat er een tweespan klaarstond, waar niet alleen de machine op werd gepakt – goed beschermd tegen de trillingen die het vervoer over hobbelige wegen met zich meebracht – maar ook alle bagage, met name de kleding en de pruiken van Kempelen. Op die wagen moest ook Tibor zich verstoppen totdat ze op de straatweg waren die naar Wenen leidde. Branislav zou met hen meereizen naar Wenen en samen met Jakob op de bok zitten, terwijl Kempelen op een zwart paard naast de wagen reed. Katarina, de kokkin van huize Kempelen, had voor de reizigers leeftocht klaargemaakt: koude pasteien, appels, brood en kaas. Anna Maria liet zich bij het afscheid van een opvallend hartelijke kant zien, want ze omhelsde haar echtgenoot keer op keer en wenste hem veel succes bij de demonstratie.
Zodra ze de Donau overgestoken waren, stond Tibor erop om zijn beschermde plekje in de wagen te ruilen met Jacobs plaats en zelf op de bok te gaan zitten, hoewel er een druilerige motregen viel. Hij hulde

zich in dekens en gaf zijn ogen volop de kost in het volstrekt niet op-
zienbarende vlakke landschap met de grijze lucht daarboven, de
braakliggende akkers en de bleekrode heide, waaruit hier en daar een
kale boom oprees. Tijdens zijn langdurige, omslachtige voetreis van
Polen naar Venetië was Tibor ervan overtuigd geweest dat hij die ein-
deloze straatwegen haatte en dat ze wat hem betrof slechts een noodzakelijk kwaad tussen twee droge, warme herbergen waren, maar na
drie droge, warme maanden in huize Kempelen was hij zielsgelukkig
dat hij ze weer zag.

Die avond kwamen ze in Wenen aan en namen ze hun intrek in Kempelens appartement in het *Dreifaltigkeitshaus* in de Weense voorstad
Alsergrund. De hele woensdag en donderdag oefenden ze. Kempelen
kwam met een kunstgreep op de proppen die was bedoeld om het geheim van de schaakturk nog extra te verhullen: hij had een kistje van
kersenhout getimmerd, ongeveer anderhalve span lang en breed en
twee span hoog. Kempelen zette het kistje op een tafel naast de
schaakmachine en Tibor en Jakob vergaapten zich eraan.

'Wat zit erin?' vroeg Tibor.

'Dat verklap ik jullie niet,' zei Kempelen. 'Maar het zal de aandacht
van de mensen van de Turk afleiden.'

'Het is geen haremvrouw. Het is een...' Jakob probeerde de juiste
woorden te vinden, '... een kistje. Eerder het tegenovergestelde dus.'

'Met een heleboel glitter en glans zou het er immers te dik bovenop
liggen. Dit simpele kistje is daarentegen zo onopvallend dat het daardoor juist weer opvalt. En alle toeschouwers zullen zich afvragen: wat
zou daar in godsnaam achter zitten?'

'Wat zit erachter?' vroeg Tibor.

'Dat vertel ik niet!' antwoordde Kempelen met een gezicht dat een
binnenpretje verried. 'Maar Tibors nieuwsgierigheid maakt wel duidelijk dat het werkt! Het maakt absoluut niet uit wat er in dit kistje
zit; voor hetzelfde geld zou er helemaal niets in kunnen zitten.'

Tibor en Jakob keken elkaar aan. Geen van beiden konden ze Kempelens enthousiasme navoelen. 'Is het dan leeg?' vroeg Tibor.

Kempelen glimlachte. 'Als je me er nog één keer iets over vraagt, ben
je ontslagen.'

Kempelen kreeg bezoek van twee adjudanten van de keizerin, die
enerzijds waren gekomen om hem succes te wensen met het experiment en anderzijds om met hem te bespreken hoe het experiment in

zijn werk zou gaan en hoe het in het ceremonieel kon worden inge-
past. Toen ze weer weg waren, vertelde Kempelen zijn medewerkers
wie er voor de demonstratie waren uitgenodigd en besprak het proto-
col met hen: 'Tegen de middag worden we door vier dragonders van
Hare Majesteit afgehaald en naar Schönbrunn geëscorteerd,' vatte
hij samen. 'De presentatie zal in de Grote Galerij plaatsvinden, maar
voordien kunnen we de machine in een aangrenzend vertrekje neerzetten, waar we niet zullen worden gestoord. Jakob, we moeten voldoende water voor Tibor hebben, ook in de machine, want het zou
wel eens warm kunnen worden – en een po voor het geval hij zijn gevoeg moet doen.'
'Zouden ze het geloven?' vroeg Tibor voor de zoveelste keer.
'*Mundus vult decipi,*' zei Kempelen. 'De wereld wil bedrogen worden.
Ze zullen het geloven omdat ze het willen geloven.'

Ze wachtten in het Chinese kabinet tot het tijd was voor hun optreden. Door de geornamenteerde deuren kon je het geroezemoes vanuit
de ernaast gelegen Grote Galerij horen, begeleid door een kamerorkest dat *alla turca*-muziek van Haydn speelde. Vijf lakeien hadden
zich bij Kempelen in het kleine, ovale vertrek gevoegd: twee om de
deuren te openen en te sluiten; twee om de schaakmachine de zaal in
te duwen en een om Wolfgang von Kempelen en zijn uitvinding offi-
cieel aan te kondigen. Terwijl een van hen bij de deur op signalen vanuit de zaal bleef letten, stonden de overige vier zachtjes met elkaar te
kletsen en ze lieten zich door de aanwezigheid van Kempelen en Jakob
niet van hun stuk brengen. Een van hen stond gedroogde vruchten te
eten, een ander stond de rij knopen van zijn livrei dicht te maken, een
derde wreef zijn schoenen over zijn culotte om het leer te laten glan-
zen. Zo af en toe wierpen ze steelse blikken op de machine, die midden
in de zwart met gouden salon stond, tot op enkele duim van de vloer
bedekt met een linnen laken. En onder dat laken, achter het hout en
het vilt zat Tibor, nu al tot in elke vezel van zijn lichaam gespannen,
zijn uiterste best te doen om muisstil te zijn. Telkens opnieuw controleerde hij of het schaakbord goed stond, of de pantograaf naar behoren
functioneerde en vooral of de kaarsenpit in orde was. Want als het
licht om wat voor reden dan ook zou uitgaan, was hij verloren.
Kempelen was gekleed in een lichtblauwe frak met ingeweven satijnen
banen. Met uitzondering van zijn schoenen was de rest van zijn ornaat

wit: de omslagen van de mouwen, de kraag, het vest en de jabot daaronder, de broek en ten slotte de zijden kousen – alsof hij met zijn kledij duidelijk wilde maken dat er, als er bij zijn experiment magie in het
spel was, toch uitsluitend sprake was van witte magie. Kempelens
hoofd was bedekt met een korte pruik. Tibor was van mening dat alleen een scepter nog ontbrak om hem een koninklijk aanzien te verlenen. Nu pas had Tibor in de gaten dat hij slechts één Kempelen kende:
de Kempelen in zijn eigen huis en de werkplaats, zijn Kempelen, die
weliswaar nooit slordige maar wel gemakkelijke kleding droeg, een
ruimvallende lange broek, en die zijn mouwen tot boven de ellebogen
opstroopte als hij het warm kreeg; gewoon de Kempelen die aan het
einde van een lange werkdag precies zo naar zweet rook als Tibor –
maar aan het hof zag Wolfgang von Kempelen er blijkbaar zo uit als
nu. Dit was de hoveling Kempelen, dezelfde inborst maar in een ander
omhulsel. Tibor had hem en Jakob benijd om hun prachtige kledij.
Zelf droeg hij als hij in de machine zat slechts een linnen hemd, een
kniebroek en kousen; zelfs van het dragen van schoenen had hij afgezien om zonder geluid te maken snel van plaats te kunnen veranderen.
Jakob had zich van meet af aan niet op zijn gemak gevoeld in zijn kostuum. Kempelen had voor de demonstratie een lichtgele justaucorps
met bloemenpatroon voor hem gekocht. Volgens Jakob zag de stof eruit alsof iemand 'op een wei vol madeliefjes had staan pissen'. Jakob
had fel maar tevergeefs tegengestribbeld toen hij rouge op moest en
zijn gezicht moest poederen. Herhaaldelijk zette hij zijn zwarte staart-
pruik af om op zijn hoofd te krabben, wat nog extra moeilijk was omdat hij handschoenen droeg.
'Doe je dat ook wanneer je je keppeltje op hebt?' vroeg Kempelen hem
zachtjes en daarna zette Jakob de pruik niet meer af.
In de Grote Galerij stierf de muziek weg, gevolgd door een beleefd applaus. De lakei bij de deur knipte met zijn vingers, waarop de andere
vier hun positie innamen en in de houding gingen staan. Ze hoorden
de keizerin enkele woorden zeggen. Opnieuw weerklonk er applaus.
Daarna duwden twee lakeien de porte-brisée open en schreed de stoet
de Grote Galerij binnen: als eerste de heraut, daarachter Kempelen
zelf, de schaakmachine, die door twee lakeien werd voortgeduwd, en
als laatste Jakob, die gespeeld voorzichtig het kistje droeg, alsof het
de Hongaarse kroonjuwelen bevatte. Het tochtte een beetje en daardoor werd het laken tegen het gelaat van de Turk aan gedrukt zodat

diens neus, voorhoofd en tulband duidelijk te onderscheiden waren. Alleen al deze kleinigheid bracht een zacht geroezemoes teweeg. Voor de keizerin, die midden in de zaal op een troon gezeten was, bleef de heraut staan wachten tot de heren achter hem zijn voorbeeld hadden gevolgd en kondigde toen met luide stem aan: '*Votre honoré Majesté, mesdames et messieurs*: Johann Wolfgang chevalier de Kempelen de Pázmánd en zijn experiment.'

Kempelen maakte een lange, diepe buiging. Op de achtergrond kwamen twee lakeien met een tafeltje waarop Jakob het kistje neerzette, terwijl twee andere lakeien de deur naar het Chinese kabinet weer dichtdeden. Toen Kempelen opkeek, glimlachte Maria Theresia en hij beantwoordde haar glimlach. De keizerin was sinds hun laatste ontmoeting nog gezetter geworden, hetgeen haar echter eerder nog meer gezag en waardigheid verleende dan dat het er afbreuk aan deed. Haar voluptueuze vormen waren gehuld in een zwarte japon – ten teken van haar voortdurende rouw om haar gestorven gemaal – met een klein wit kanten accent aan de mouwen en het decolleté. Om haar hals droeg ze een collier van zwart onyx en op de witte lokken van haar pruik stond een minuscule diadeem – een zeer bescheiden symbool om haar verheven positie te accentueren. Bij het uitademen waren er rimpels in haar decolleté te zien, maar wanneer ze glimlachte, leek ze leeftijdloos.

'*Cher* Kempelen,' waren haar eerste woorden, 'thans een halfjaar geleden stond gij op deze zelfde plaats en hebt gij verkondigd dat ge erin zoudt slagen ons met een experiment te verbazen. Nu zijt gij wederom hier opdat wij u aan uw woord kunnen houden.'

'Ik dank Uwe Majesteit voor het vertrouwen waarmee gij mij hier ontvangt en voor de kostbare tijd die gij mij in uw goedheid wilt schenken,' antwoordde Kempelen met krachtige stem. 'Mijn experiment, hetwelk ik hier voor de eerste keer *en public* presenteer, is slechts een kleinigheid, een bescheiden prestatie in vergelijking met de verworvenheden van de huidige wetenschappen; in het bijzonder die van de talloze eminente geleerden die dankzij de genereuze ondersteuning door Uwe Majesteit hier aan het hof werkzaam zijn en de wereld verbazen met hun ontdekkingen en uitvindingen.' Op dit ogenblik draaide Kempelen zich abrupt om en gebaarde de zaal in in de richting van de gezichten van Gerard van Swieten, het hoofd van de Medische School in Wenen, Friedrich Knaus, als werktuigbouwkundige aan het hof verbonden, Abbé Marcy, directeur van het

Natuurkundig Kabinet aan het hof, en de jezuïet Maximilian Hell, hoogleraar in de astronomie. De vier heren dankten hem met een nauwelijks zichtbaar knikje voor zijn vleiende opmerking. 'Maar mocht Uwe Majesteit zo goedgunstig zijn om mij na mijn *présentation* enig applaus of een vriendelijk woord te beurt te laten vallen, dan zouden het werk van al die maanden, de tegenslagen en de teleurstellingen uit mijn herinnering gebannen zijn. Mocht mijn experiment ook slechts in zeer geringe mate bijdragen tot het vergroten van de faam van uw regentschap en die van uw rijk, dan ben ik, zo waarlijk helpe mij God almachtig, een overgelukkig mens.'

'En dan zoudt gij honderd *souverains d'or* rijker zijn, wanneer ik mij onze afspraak correct herinner.'

Maria Theresia keek de kring genodigden rond en er ging een beleefd gelach door de zaal totdat het de spiegels en vensters had bereikt.

'Al waren het duizend soevereinen,' zei Kempelen, 'de onbetaalbare bijval van Uwe Majesteit is hetgeen ik nog vuriger wens.'

Hij bekroonde zijn betoon van eerbied aan zijn vorstin met nog een buiging. Maria Theresia knikte in de richting van de machine.

'Stelt gij onze nieuwsgierigheid niet langer op de proef, waarde Kempelen. Ontsluier uw geheim.'

Twee lakeien maakten zich op om het laken te verwijderen, maar Kempelen was hen voor. Hij pakte het laken bij twee punten vast en trok het met een zwierig gebaar – hij leek welhaast een danser – van het object dat er voordien door aan het oog was onttrokken. Gelijktijdig riep hij uit: 'De schaakmachine!'

Een fractie van een moment bleef het stil in de zaal, toen beseften de toeschouwers wat Kempelen had onthuld. De aanwezigen wisselden fluisterend hun eerste indrukken uit en een groot aantal waaiers werd geopend om hun eigenaressen met een vleugje koelte te verfrissen. Nu drongen ook de aanwezigen op de achterste rijen naar voren of gingen op hun tenen staan om de machine te zien. Een enkeling keek gewoon in een van de spiegels die het beeld van de Turk weerkaatsten.

'Een machine,' zei de keizerin op een toon waaruit niet viel op te maken of het een vraag of een constatering was.

'Een machine,' bevestigde Kempelen nadat hij zich weer naar Hare Hoogheid had gewend. 'En daarin lijkt door te klinken "slechts een machine". Want een machine, een automaat, is waarlijk niets nieuws; een machine is onvoldoende reden om de kostbare tijd van Uwe

Majesteit en de aanwezige *mesdames et messieurs* in beslag te nemen.' Kempelen had tijdens het spreken het laken nog steeds in zijn handen. 'We kennen allerlei machines: machines die rijden of lopen; machines die schellenboom, orgel, fluit, schalmei, trompet of trommel spelen; mechanische schildpadden, zwanen, kreeften en beren en zelfs mechanische mopshondjes – of de al even natuurgetrouwe als beminnelijke eenden van monsieur De Vaucanson, die in staat zijn hun havervlokken te eten, te verteren en – *mes pardons* – uit te scheiden.' Enkele dames giechelden zedig. 'En niet te vergeten het tot nu toe opmerkelijkste exemplaar van deze nieuwe soort: een machine die de kunst van het schrijven machtig is, vervaardigd door de werktuigbouwkundige van Uwe Majesteit, Friedrich Knaus.'

Friedrich Knaus deed een pas naar voren en nam met een knikje het beleefde applaus in ontvangst. Hoewel zijn groene justaucorps en zijn pruik beslist chiquer waren dan die van Kempelen, pasten de afzonderlijke delen zo slecht bij elkaar dat hij er desondanks armoedig uitzag – een indruk die nog werd versterkt door zijn lange, magere gezicht met de naar voren stekende jukbeenderen. Met zijn donkerbruine ogen keek hij Kempelen waakzaam aan, alsof hij al vermoedde wat er nu ging volgen.

'Uw Alles Schrijvende Wondermachine, monsieur Knaus, was destijds een meesterwerk. Maar schrijven is één ding. Wat zoudt gij nu echter zeggen wanneer ik u een machine zou tonen die niet in staat is om te schrijven, maar veeleer om...' Kempelen stak zijn wijsvinger in de hoogte en keek Maria Theresia strak aan, '... te denken!'

Met voldoening nam Kempelen nota van het gefluister dat op zijn woorden volgde maar hield zijn ogen op de keizerin gevestigd.

'Wel, wat zoudt gij daarop zeggen, Knaus?' vroeg ze.

Knaus glimlachte beleefd naar Kempelen. 'Ik zou u uitmaken voor een dwaas, neemt gij me deze opmerking alstublieft niet kwalijk. Machines kunnen een heleboel en zullen nog heel veel leren – maar denken, dat nooit.'

'Mijn machine zal u het tegendeel bewijzen. Deze machine zal op grond van zijn volmaakte mechaniek elk van zijn menselijke uitdagers verslaan – en wel in het moeilijkste van alle spelen, het spel der koningen, het schaken. Ik kwam op het idee voor dit experiment na een partij schaak die Uwe Keizerlijke Hoogheid zich tot mijn vreugde ooit verwaardigde met mij te spelen.'

[67]

'Heb ik toen soms als een machine gespeeld? Of zag ik er zo uit?' vroeg de keizerin tot algemene hilariteit.

'Volstrekt niet. Maar zelfs als dat het geval zou zijn geweest; nadat gij mijn machine hebt zien spelen, zou een dergelijk oordeel u slechts tot eer strekken. Wie van u is moedig genoeg om mijn mechanische Turk het hoofd te bieden en zijn uitdaging aan te nemen?'

Kempelen keek om zich heen in de Grote Galerij, maar geen van de aanwezigen liet van zich horen of kwam naar voren. Een groot aantal van hen was gekomen in de hoop er getuige van te zijn dat Kempelen die avond zou falen en zijn grootsprakige belofte niet waar zou kunnen maken; geen van hen wilde zich nu tot slippendrager voor Kempelens triomf laten maken. Jakob zette een stoel bij het schaaktafeltje, tegenover de Turk.

'Knaus, waarom speelt gij niet?' vroeg de keizerin. 'Gij zijt een voortreffelijk schaker voorzover ik weet en bovendien zijt gij vertrouwd met machines.'

Niet alleen de mondhoeken van Knaus maar ook die van Kempelen hadden even onmerkbaar getrild toen de keuze van de keizerin op de hofwerktuigbouwkundige was gevallen. Nu maakte Knaus een buiging voor haar en zei: 'Dat zou te veel eer zijn, Uwe Majesteit. Mijn aanleg voor het schaakspel is meer dan onvolmaakt en ik wil de bezoekers niet vervelen met mijn onbeholpen zetten.'

'Stel u niet zo aan. De mensheid is uitgedaagd door deze houten Turk; nu is het aan u om voor de mensheid op te komen.'

Friedrich Knaus knikte en nam plaats op de stoel aan het schaaktafeltje, die Kempelen voor hem aanschoof. Vervolgens liep Kempelen naar de slinger en draaide die enkele keren stevig rond tot de veer niet strakker scheen te kunnen worden aangespannen. Jakob verwijderde ondertussen het roodfluwelen kussen en de pijp uit de hand van de Turk.

'De machine zal de eerste zet doen,' kondigde Kempelen aan en nog voordat de machine in beweging kwam, deden Kempelen en Jakob een stap naar achteren tot bij het tweede tafeltje, waarop het kersenhouten kistje stond, en daar bleven ze staan tot de partij was afgelopen.

Het mechaniek begon te ratelen en onder de verbaasde blikken van de toeschouwers kwam de houten arm van de Turk omhoog, boog over het schaakbord, kwam naar beneden boven de koningspion en zette deze twee velden naar voren naar het midden van het speelveld. Het spel was nog niet gevaarlijk en Friedrich Knaus keek niet naar het schaakbord maar naar de Turk en diens bewegingen. Toen zette hij zijn rode pion precies tegenover de witte pion. Hoewel dit geen ongebruikelijke zet was, ontlaadde de spanning van de toeschouwers zich in een kort applaus voor deze eerste volledige zet in de strijd tussen mens en machine.

De Turk zette een pion rechts naast de eerste. Knaus keek buitengewoon goed naar de schaakstukken en toen hij geen valstrik kon ontdekken, sloeg hij de witte pion met zijn eigen pion en nam hem van het schaakbord af. Ook met deze eerste geslagen pion van de machine oogstte hij applaus. Friedrich Knaus veroorloofde zich enige ijdelheid, keek even op en glimlachte naar het publiek. Hij zag op dat moment echter ook dat deze zet het humeur van Wolfgang von Kempelen niet had kunnen verstoren. Hij had zich geen stap van zijn kistje verwijderd en had zelfs deelgenomen aan het applaus.

De Turk tilde intussen zijn paard over de rij pionnen heen.

Tibor moest zijn hoofd helemaal achter in zijn nek leggen om de onderkant van het schaakbord te kunnen zien. Zijn nek deed nu al pijn maar hij moest zorgen dat hij precies zag welke zet zijn tegenstander deed. Het metalen schijfje onder g7 viel met een zacht gerinkel op de nagelkop; het schijfje onder g5 werd omhooggetrokken. Zijn tegenstander had een pion verzet. Tibor speelde de zet na op het schaakbord op zijn schoot. Vervolgens tilde hij het uiteinde van de pantograaf op en schoof hem over het schaakbord tot boven f1. Hij kneep het handvat samen en daardoor openden de vingers van de Turk zich. Toen liet hij de pantograaf zakken tot deze niet verder kon en liet het handvat langzaam los. Nu had hij de loper vast. Opnieuw tilde hij de pantograaf op, liet hem over het halve schaakbord bewegen en zette hem op dezelfde manier op c4 neer. Het gerinkel van het metalen schijfje boven hem vertelde hem dat hij de loper goed te pakken had gekregen. Tot besluit deed hij dezelfde zet op zijn eigen schaakbord. Zijn tegenstander ging met zijn loper eveneens tot de aanval over. Zijn spel leverde nog steeds niet veel verrassingen op, maar hoe goed hij echt was, zou Tibor pas na de eerste tien tot twaalf zetten te weten komen. Kempelen had het mechaniek zo luid afgesteld dat het kabaal aanvankelijk een kwelling voor Tibor was; het leek wel of ze hem in een torenklok hadden ingesloten. Intussen was hij echter aan het lawaai gewend geraakt, meer dan dat zelfs: hij was blij dat hij vanwege het mechaniek amper kon horen wat er buiten de machine gebeurde, want dat zou hem alleen maar van zijn taken hebben afgeleid. Alleen wanneer hij zijn oor heel dicht tegen de wand hield, kon hij horen wat er buiten werd gezegd. Door de kieren en sleutelgaten kwam een heel klein beetje lucht binnen; die lucht werd door Tibor en de kaars verbruikt. De kaars had een mooie, rustige, rechte vlam, die slechts eventjes danste wanneer Tibor zich bewoog. Het roet steeg omhoog; soms verdween de walm zoals de bedoeling was via het lijf en het hoofd van de androïde naar buiten, soms bleef hij onder het blad van het tafeltje hangen en zette zich daar af. Als Tibor nog maar net in de machine zat, rook het er altijd naar hout, vilt, metaal en olie, maar al gauw werd de lucht van de brandende kaars overheersend. Zelfs zijn eigen zweet kon hij dan niet meer ruiken.

Na nog twee zetten had Tibor voor het eerst genoeg tijd om ook de ogen van de Turk te laten bewegen. Hij stak zijn hand in het onderlijf van de androïde en trok verscheidene keren aan de beide koorden waarmee hij de kunstmatige oogzenuwen van de Turk kon bedienen. Het gemurmel van de toeschouwers drong zelfs door het hout heen en Tibor moest inwendig gniffelen omdat de mensen zo lichtgelovig waren dat ze zich lieten beetnemen door zoiets simpels. Kempelen had Tibor gelast alles te laten zien waartoe de machine in staat was en Tibor deed wat hem was opgedragen. Toen de tweede rode loper op Tibors speelhelft kwam, voerde hij een korte rokade uit. Hij was licht teleurgesteld dat hij met dit kunststukje geen applaus oogstte. Tibor nam een slok water uit de waterzak die hij in een uitholling had opgeborgen en wachtte op de dans van de metalen schijfjes boven zijn hoofd.

Mettertijd ging het gerammel en geratel van het mechaniek trager klinken en uiteindelijk kwam de machine helemaal tot zwijgen. Tibor wist het zo te arrangeren dat hij precies op het moment waarop de tandwielen tot stilstand kwamen, een zet deed; hij liet de arm van de Turk halverwege hangen en voltooide de zet niet – zodat de indruk ontstond dat de machine stilstond, net als een klok waarvan de springveer niet meer opgewonden is. Omdat het nu stil was in de machine, kon Tibor duidelijk horen hoe het gezelschap in de zaal op gedempte toon begon te discussiëren – blijkbaar over de vraag of Kempelens uitvinding defect was geraakt – maar toen vertelde Kempelen het publiek wat er aan de hand was en verzocht hij Jakob de machine weer op te winden. Jakob draaide aan de slinger en vervolgens begonnen de raderen weer rond te draaien en zette het geratel weer onverminderd hard in. Tibor beëindigde de zet.

Bij de tiende zet klapte de val dicht die Tibor had gezet: hij offerde zijn dame, die door zijn tegenstander met een loper werd geslagen. Hij hoorde het applaus van de toeschouwers toen zijn tegenstander de dame van het bord nam en stelde zich voor hoe hij vol eigendunk in het rond keek, misschien zijn hand ophief om de loftuitingen in ontvangst te nemen. Maar in dat geval had hij te vroeg gejuicht: hij was nu zijn rode loper kwijt en de rode koning was nu nog wat minder beschermd. Met zijn paard zette Tibor de koning schaak. Toen stak hij zijn hand opnieuw in het lijf van de Turk; deze keer niet om diens ogen te bewegen maar om met zijn hoofd te knikken. Buiten in de zaal zou Kempelen die beweging nu aan het publiek uitleggen: wanneer de Turk eenmaal knikte, betekende dat schaak, tweemaal knikken betekende dame staat schaak en driemaal knikken ten slotte betekende schaakmat.

Daarmee begon het eindspel, dat voor Tibors tegenstander niet zo aangenaam verliep. Tibor sloeg de rode dame en joeg de koning van zijn tegenstander vervolgens met zijn lopers en paarden het hele bord over, bracht en passant de rode schaakstukken grote verliezen toe, knikte met zijn hoofd en liet tijdens de denkpauzes zijn ogen rollen. Algauw was duidelijk dat wit zou gaan winnen, maar rood wilde zich simpelweg niet gewonnen geven; op de vlucht voor zijn achtervolgers sprong hij met zijn koning van het ene naar het andere veld en weer terug – tot hij uiteindelijk mat stond. Eenentwintig zetten. Tibor liet de pantograaf zakken en trok driemaal aan het koord dat aan het hoofd was bevestigd, alsof het een klokkentouw was. Toen drukte hij zijn oor heel stevig tegen de wand om maar niets van het hartstochtelijke applaus te hoeven missen dat na afloop van de partij losbarstte. Alle spanning viel van Tibor af en maakte plaats voor een gelukzalig gevoel alsof hij in een tobbe warm water stapte. Kempelen vergrendelde het mechaniek door er vlak bij de slinger een pin in te steken. Des te meer kon Tibor nu horen; het applaus, het bravogeroep, zelfs de bijna toonloze manier waarop Kempelen het publiek bedankte.

Wolfgang von Kempelen zag hoe bezweet Friedrich Knaus was; vanonder zijn pruik liep er een dun straaltje over zijn slaap en toen hij hem de hand schudde, voelde deze klam aan. Knaus zou stellig het liefst snel weer zijn plaats tussen de overige toeschouwers hebben ingenomen, maar Kempelen liet hem niet gaan: het beeld van de geniale machine werd pas vervolmaakt door de eerste verliezer – en die eerste verliezer was nu eenmaal Knaus, al hadden ze beiden liever gehad dat het iemand anders was geweest. Toen Kempelen eindelijk de hand van Knaus losliet, maakte hij een buiging voor hem en verzocht het gezelschap om een nadrukkelijk applaus voor de hofwerktuigbouwkundige, die het had aangedurfd om het tegen de machine op te nemen – en die zich door diezelfde machine in eenentwintig zetten had laten verslaan. Knaus beantwoordde die opmerking met een glimlach als van een boer met kiespijn. Kempelen keek het publiek rond om te zien of er bekenden getuige waren geweest van zijn triomf. In het gedrang ontwaarde hij zijn broer Nepomuk en het gezicht van Ibolya Jesenák, die naast haar broer János stond en Kempelen trots toewuifde. Enkele genodigden wendden hun hoofd af toen Kempelen zijn ogen op hen richtte, blijkbaar vrezend dat zijn blik hen, zoals Medusa in de oude mythologie, in steen kon veranderen, of liever gezegd in een levenloze machine.

Nadat het applaus was verstomd, nam de keizerin het woord. 'Cher Kempelen, gij ziet hoe *enthousiasmés* wij zijn. Deze intelligente machine... dit wonder van vernuft stelt zelfs de meest gedurfde meesterstukken van de klokkenmakers uit Neuchâtel in de schaduw. Gij hebt ons niet te veel beloofd. Wat zegt gij ervan, Knaus?'

'Waarlijk een wonder van vernuft,' bevestigde Knaus. 'Men zou welhaast geloven dat hier tovenarij in het spel is. Ik zou maar al te graag... maar nee, verontschuldig mij, ik ben veel te nieuwsgierig.'

'Spreek gerust uit wat ge op het hart hebt.'

'Wel, Uwe Majesteit, wanneer het niet te veel moeite is voor de waarde baron Von Kempelen,' en bij deze woorden keek hij Kempelen recht in de ogen, 'zou ik maar al te gaarne een blik op het inwendige van deze ongelooflijke machine willen werpen, waar zich ongetwijfeld haar ziel bevindt die mij zojuist heeft verslagen.'

Het was volstrekt duidelijk waar Knaus op uit was. Heel even week de glimlach van het gezicht van Kempelen. Het werd stil in de zaal. Kempelen keek naar de keizerin. 'Welaan, Kempelen. Laat zijn wens in vervulling gaan.'

Friedrich Knaus glimlachte nu weer ontspannen. Kempelen liep naar de machine en pakte een sleutel uit de zak van zijn jas.

Inmiddels had Tibor de kaars gedoofd en zijn schaakbord met alle stukken weggeruimd. Vervolgens was hij het grootste compartiment in geglipt en had hij het verschuifbare schot achter zich dichtgedaan. Toen Kempelen het linkerdeurtje openmaakte, was Tibor dus allang weg en was alleen het mechaniek te zien.

'Dit is het raderwerk dat de machine begiftigt met leven en verstand,' legde Kempelen uit. Vervolgens opende hij het tegenovergelegen deurtje aan de achterzijde en het licht dat tussen de tandwielen, veren en cilinders door viel, bewees dat de ruimte verder leeg was. Om dat nog extra te staven, nam Kempelen de kaars van het tafeltje en hield die in de loze ruimte achter het mechaniek, waar Tibor zojuist nog had gezeten. De nieuwsgierige toeschouwers bukten of knielden neer om van weerszijden in de machine te kunnen kijken.

Nu sloot Kempelen het deurtje aan de achterzijde af, liep weer naar de voorkant en trok de lade zo ver mogelijk uit. Daarin bevonden zich twee schaakborden compleet met schaakstukken 'bij wijze van reserve', zoals Kempelen uitlegde. Van de tijd die Kempelen nodig had gehad om de lade te openen, had Tibor gebruiktgemaakt om het schot weer te openen, in de ruimte achter het mechaniek te kruipen en het schot te sluiten. Zijn benen lagen onder de met vilt bespannen plank die de dubbele bodem vormde. Het voorste deurtje dat uitzicht gaf op het mechaniek, stond nog steeds open, maar het was zo donker in de ruimte daarachter en de tandwielen, die verder nergens toe dienden, zaten zo dicht opeen dat Tibor niet te zien was.

Tot besluit zette Kempelen de beide vleugeldeurtjes en het deurtje rechtsachter open, zodat het lege compartiment duidelijk te zien was. 'Hier is zelfs nog wat extra ruimte voor het geval ik de Turk wil leren dammen of tarot wil leren spelen.'

Het gezelschap was overtuigd: de lade was uitgetrokken en vier van de vijf deurtjes stonden open – in dat latafeltje kon geen mens zich verstoppen, zelfs een kind niet. Alleen Friedrich Knaus onderwierp de ruimte tussen het tafeltje en de vloer nog aan een nader onderzoek.

'Ik zie dat de heer Knaus nog niet geheel en al overtuigd is. Ik verzeker u echter dat er geen geheime gang naar beneden is.' Om dat te bewijzen draaiden Kempelen en Jakob de machine eenmaal om zijn as en schoven hem een paar passen van zijn plaats en weer terug.

[73]

'En wat bevindt zich in dit kistje, als ik vragen mag?' informeerde Knaus en wees op het kersenhouten kistje.

'Dat moogt gij wel vragen, monsieur Knaus, maar ik moet u het antwoord helaas schuldig blijven. Want een enkel geheimpje wil ik voor mezelf houden, wanneer gij mij dat toestaat.'

'Staat gij hem dat alstublieft toe,' sprak de keizerin tot haar hofwerktuigbouwkundige.

'Voorzeker, Uwe Majesteit. Desondanks ben ik ervan overtuigd dat machines niet kunnen denken, er moet dus...'

'Wees nu niet zo halsstarrig, beste Knaus. Gij hebt immers gezien dat de Turk een levenloze pop is.' De toon waarop de keizerin deze woorden sprak, maakte duidelijk dat tegenspraak niet zou worden geduld en Knaus maakte braaf een buiging.

Op een teken van de keizerin brachten lakeien verversingen voor het gezelschap – wijn en zoetigheden op zilveren dienbladen – en het kamerorkest begon weer te spelen. Enkele genodigden schaarden zich om de machine, waarvan de deurtjes nog steeds openstonden, en om het mysterieuze kistje. Jakob bewaakte ze beide, beantwoordde de vragen beleefd en dankte voor de loftuitingen.

Een van de eersten die Kempelen kwam gelukwensen was Nepomuk von Kempelen. Nepomuk, die een stuk forser van gestalte was en die gekleed was in een stijlvol meerdelig bruin kostuum met zijn rood-wit-rode sjerp daaroverheen, begroette zijn broer met een handdruk en pakte hem gelijktijdig joviaal bij zijn nek. 'Altijd wanneer je denkt dat de gebroeders Kempelen nu wel alles hebben bereikt wat in hun vermogen ligt, doet een van ons beiden er nog een schepje bovenop. Mijn allerdiepste respect, Wolf. Hé, man!'

Nepomuk hield een lakei staande door hem bij zijn rokpand vast te pakken en nam twee glazen wijn van zijn dienblad. Een ervan reikte hij zijn broer aan.

'Op de familie Von Kempelen. Moge zij ook in de toekomst de wereld versteld doen staan.'

'Op ons.'

'Jammer dat vader dit niet meer kan meemaken.'

Nepomuk nam snel een slok en keek toen naar de machine. 'Anna Maria heeft een maand geleden nog luidkeels over die schaker gelamenteerd en was toen van mening dat je jezelf daarmee vreselijk voor schut zou zetten.'

'Je kent haar toch. Het is niet voor het eerst dat ze slapende honden wakker maakt.' Tijdens het hele gesprek liet Kempelen zijn ogen door de zaal glijden voor het geval iemand van plan zou zijn hem aan te spreken.

'Ik vind je Turk zonder meer schitterend. Alleen zijn woeste gelaat al is voortreffelijk gelukt. Die jood van je is een tweede Phidias. Je moet me op een rustig moment absoluut eens uitleggen wat voor boerenbedrog daar achter steekt. Knaus, die verkalkte ouwe Zwaab, zou er zijn rechterarm voor over hebben om het te horen.'

'Jij krijgt het voor minder te horen.'

'Of nee, wacht even, ik wil het helemaal niet horen; laat me liever onwetend sterven; je weet dat ik het haat om te worden ontgoocheld. Hou je glas vast en je broeksknopen dicht; daar komt onze nimf aan.'

Ibolya baande zich een weg door het gezelschap, waarbij ze haar rosékleurige hoepelrok schijnbaar onopzettelijk tegen de kuiten van de mannen liet tikken, die zich vervolgens naar haar omdraaiden. Haar lichtgroene keurslijf was voorzien van een diep, vierkant decolleté zodat elke ademtocht af te lezen was aan het zwoegen van haar witgepoederde borst. Ze had rouge op haar wangen en een mouche net boven haar rode mond. Ze had een torenhoge pruik op waarin veren, zijden bloemen en linten waren verwerkt. Om haar pols droeg ze een waaier en een buideltasje. Ze glimlachte betoverend.

'Nepomuk,' zei ze ter begroeting en de aangesprokene nam haar hand, bracht deze naar zijn lippen en drukte een kus op de kanten handschoen.

'Ibolya. Je ziet eruit als de lente zelf.'

'Ik voel me ook jong als de lente.'

'Zo ruik je ook.'

'Hou daarmee op,' zei ze en gaf Nepomuk, die aan haar schouder wilde ruiken, een tikje met haar waaier. Vervolgens wendde ze zich tot zijn broer. 'Farkas, ik ben trots op je.'

Ook Wolfgang von Kempelen gaf haar een handkus. 'Dank je. Maar noem me hier alsjeblieft niet Farkas maar Wolfgang.'

'Waarom niet?'

'We zijn hier niet in Preßburg maar in Wenen. Hier hoor je Duits te spreken.'

Ibolya trok een geveinsd gegriefd mondje en keek naar Nepomuk. 'Kempelen Farkas uit Pozsony wil geen Hongaar meer zijn.'

Nepomuk lachte en sloeg zijn arm om Ibolya's taille. 'Kempelen Farkas is nu een beroemd man, Ibolya. De keizerin heeft voor Kempelen Farkas geapplaudisseerd.'

Kempelen maakte een afwerend gebaar. 'Ja, steken jullie maar de draak met me.'

Ibolya nam een grote slok wijn uit Nepomuks glas, iets te veel en wiste de druppel voorzichtig met de rug van haar hand van haar kin. János baron Andrássy voegde zich bij het drietal en begroette de gebroeders Kempelen met een buiging. Heel even vertrok zijn gezicht omdat de hand van Nepomuk nog steeds op Ibolya's rug lag en daarop trok Nepomuk zijn hand terug. Andrássy's teint was evenals die van zijn zus wat donkerder. Hij droeg als enige in de Grote Galerij – met uitzondering van de Turk – een snor: een zwarte knevel met spitse punten. Andrássy was gekleed in het luitenantsuniform van de huzaren: een donkergroene dolman met gele knopen, een rode broek en hoge laarzen; zijn pelisse hing opengeslagen over zijn linkerschouder. Aan zijn riem hing zijn officierssabel met de sabeltas van zijn regiment.

'Gij moet me beloven,' verzocht hij Kempelen, 'dat ge me op de lijst zet. Ik wil beslist een partij tegen die Turk spelen en hem laten zien dat een huzaar zich niet over het slagveld laat jagen zoals die idiote klokkenmaker van Hare Majesteit.'

'Ik ben ervan overtuigd dat de machine bloed en olie zou zweten wanneer hij tegen u in het strijdperk zou moeten treden, baron. Maar ik vrees dat er niet nog meer partijen zullen volgen. Ik ben eigenlijk voornemens de machine na vanavond weer te demonteren en me met andere projecten te gaan bezighouden.'

Terwijl Andrássy nog protesteerde, kwam een adjudant van de keizerin naar Kempelen toe en fluisterde hem iets in het oor. 'Excusez-moi,' zei Kempelen. 'Maar Hare Majesteit verzoekt me om een onderhoud.'

'O, Hare Majesteit behoor je niet te laten wachten,' vond Nepomuk. 'Vooruit, schiet op.'

'Veel succes,' voegde Ibolya er snel aan toe en Andrássy knikte hem toe.

Terwijl hij naar de keizerin liep, genoot Kempelen van de afgunstige blikken van de hovelingen. Aan haar zijde stond nu Friedrich Knaus, die zijn voorhoofd met een zijden zakdoek bette. Kempelen maakte een buiging voor de keizerin en knikte Knaus toe.

'*Mon cher* Kempelen, ik sprak juist met Knaus over uw onvergelijke-
lijke uitvinding,' zei Maria Theresia. 'En wij waren het erover eens,
dat gij uw honderd gouden soevereinen meer dan verdiend hebt.
N'est-ce pas, Knaus?'
'Voorwaar. Een denkende machine – wie zou dat ooit hebben gedacht?
Ik vermag het nog steeds niet te geloven.'
'Waarom hebt gij nooit gezegd welke verborgen talenten ge bezit? Al
die jaren draag ik u onbeduidende bestuurtaken op en dan vindt gij in
een zeer korte tijdspanne dit wonder van vernuft uit.'
'Ik wilde er pas mee in de openbaarheid treden wanneer de machine
geen tekortkomingen meer vertoonde, Uwe Majesteit.'
'En zegt mij eens, wat zijt gij nu voornemens te gaan doen?'
'Ik ben voornemens in de schoot van het onbeduidende bestuursappa-
raat terug te keren,' antwoordde Kempelen glimlachend, 'en daarnaast
aan andere uitvindingen te gaan werken, voorzover de tijd dat toelaat.'
'Kunt gij ons verklappen wat ge in uw hoofd hebt?'
De keizerin wierp even een blik op Knaus, die met zijn handen op zijn
rug en met een glimlach op zijn gezicht geplakt naar de conversatie
stond te luisteren. 'Natuurlijk kan hij dat. Gij zijt per slot van rekening de keizerin.'
'Wel, ik wil een sprekende machine construeren. Een apparaat dat
evenals ieder mens van vlees en bloed de taal machtig is. Elke taal.'
'*C'est drôle*. Knaus, gij had toch ook ooit het plan opgevat een sprekende machine te construeren. Wat is daarvan terechtgekomen?'
'Het... project moest... worden uitgesteld. Te veel andere verplichtingen, Uwe Majesteit, in het Natuurkundig Kabinet.'
'Wellicht kunt ge daarover samen eens van gedachten wisselen en de
resultaten van de een vergelijken met die van de ander. Gezamenlijk
zou een dergelijke onderneming beslist sneller te verwezenlijken zijn,
n'est-ce pas?'
De beide mannen knikten plichtmatig, maar gaven geen antwoord.
'Neemt gij die prachtige schaker toch nog eens opnieuw in ogenschouw,' zei de keizerin tegen Knaus.
'Dat is niet nodig. Ik heb hem daarstraks genoegzaam kunnen bekijken.'
'Ik bedoelde daarmee: gij zijt geëxcuseerd.'
Een zenuwtrekje verried dat Friedrich Knaus besefte dat hij een faux
pas had gemaakt. Vervolgens boog hij voor de keizerin en Kempelen,

maar zijn glimlach was al verdwenen voordat hij zich geheel had omgedraaid.

'Wat heeft iedereen toch met spraakmachines?' vroeg Maria Theresia. 'Met permissie, er wordt toch al meer dan genoeg gesproken door de mensen op deze wereld, waarom moeten machines nu ook al leren spreken? Zwijgmachines, soms zou ik willen dat die bestonden! Denkers, dat is wat we nodig hebben; we moeten meer denkers *comme il faut* hebben zoals uw fameuze Turk.' Wolfgang von Kempelen zweeg. 'Maar ik ben ervan overtuigd dat uw spraakmachine al een even groot wonder van vernuft zou zijn als de schaker. Misschien beschik ik simpelweg niet meer over een voldoende vooruitziende blik en ben ik ook niet jong genoeg meer om echt te beseffen hoe vernieuwend dit is '

'Uwe Majesteit!' protesteerde Kempelen, maar ze smoorde zijn protest door haar hand op te heffen.

'Geen valse beleefdheden, Kempelen. Dat is uw stijl niet.' Maria Theresia keek de zaal rond en haar blik viel op Knaus, die met stijve passen rond de machine drentelde, nog steeds met zijn handen op zijn rug en een starre blik in zijn ogen; hij leek wel een reiger die langs een weiland op zoek is naar kikkers. 'À propos, Knaus is ook de jongste niet meer.'

'Hij heeft buitengewone dingen gepresteerd.'

'Tien jaar geleden voor het laatst.' De keizerin gebaarde Kempelen dat hij een stap dichterbij moest komen en vroeg hem toen wat zachter: 'Zoudt gij eventueel belangstelling hebben voor de positie van hofwerktuigbouwkundige? Ik zou u hier graag aan het hof willen hebben en Knaus zou wellicht dankbaar zijn wanneer ik hem van zijn taken zou ontheffen.'

'Dat is al te veel eer, Uwe Hoogheid.'

'Laat gij die vleierij maar achterwege.' De keizerin legde haar pafferige hand op Kempelens onderarm en gaf er een kneepje in. 'Gij weet waartoe ge in staat zijt en ik weet dat ook. En ik weet bovendien dat die functie u zou bevallen.'

'Uwe Majesteit moet echter niet vergeten dat ik mij nog van andere belangrijke taken moet kwijten.'

'Land koloniseren en zoutmijnen controleren? Dat kunnen anderen evengoed doen. Gij zijt voor iets hogers voorbestemd. Maar neemt gij het maar rustig in overweging.'

'Dat zal ik doen, Uwe Majesteit.'

'Dit mag echter in geen geval het laatste optreden van de schaakmachine zijn geweest. Ik wil dat gij dit wonder van vernuft overal in mijn rijk vertoont en dat ook buitenlanders zien waartoe wij in staat zijn. Keert naar Preßburg terug en vertoont hem daar. Reduceert gij uw overige taken tot een minimum; gij hebt mijn toestemming. Uw bezoldiging zal vanzelfsprekend dezelfde blijven. En komt gij binnen niet al te lange tijd weer naar Wenen, want ik wil zelf dolgraag een keer tegen de Turk in het strijdperk treden.'

'Wat een eer. En wat zou dat een bijzonder gebeuren zijn.'

'*En effet.*'

'En mijn spraakmachine?'

'Wanneer te eniger tijd niemand meer belang stelt in uw schaakmachine... dan, mijn beste Kempelen, verrast gij ons met uw spraakmachine.' Kempelen maakte een buiging. 'En begeeft u nu weer onder de mensen. Gij hebt nu wel genoeg met een onaantrekkelijke oude matrone gekeuveld – gaat gij nu maar de loftuitingen van de knappe jonge dames in ontvangst nemen.' Ze keek Kempelen niet meer aan maar ging moeizaam verzitten op de troon, waarbij ze theatraal kreunde om te accentueren dat ze een bejaarde vrouw was.

Nepomuk von Kempelen had zich intussen van het gezelschap van Ibolya ontdaan en stond nu met andere vrouwen te praten; en baron Andrássy was in een politiek gesprek met een groepje landgenoten verdiept. Ibolya zwierf doelloos door de zaal en ruilde af en toe bij een lakei een leeggedronken glas tegen een vol. Als haar blik die van een man kruiste, schonk ze hem een glimlach en hij glimlachte terug, maar geen van de heren begon een praatje met haar. Uiteindelijk ging Ibolya voor een van de talloze spiegels kijken of haar keurs en haar pruik nog goed zaten. Een van de zijden bloemen was losgeraakt uit de hoge toren van haar op haar hoofd en hing wat verlept naar beneden. Ibolya stak hem weer vast.

Plotseling voelde ze dat er iemand naar haar stond te kijken; iemand achter haar. Ze draaide zich niet om maar keek in plaats daarvan in de spiegel. Snel nam ze de rij witte hoofden achter zich op, maar de meeste genodigden zag ze uitsluitend van achteren en de rest keek in een andere richting. Pas toen Ibolya een beetje beter zocht, zag ze de ogen van de Turk, die haar strak aankeken. Toen onttrok de rug van de hofwerktuigbouwkundige haar aan zijn blikken.

Ibolya liep bij de spiegel weg en ging rechtstreeks op de schaakmachine af. Inmiddels was het gedrang daar wat geluwd. De deurtjes aan de voorkant van het schaaktafeltje stonden nog steeds allemaal open om de toeschouwers een goed zicht op het binnenwerk van de machine te gunnen en de witte stukken op het schaakbord stonden nog steeds in de positie waarin ze de rode koning van Knaus schaakmat hadden gezet. Ongeveer twee passen voor de Turk bleef Ibolya staan. En nog steeds keek hij haar met zijn glanzende bruine ogen aan. Ibolya beantwoordde zijn blik en nam tegelijkertijd de omgeving van die ogen eens goed in zich op: de zware wenkbrauwen en de trotse snor, de hoekige wangen en ten slotte de glanzende donkere huid. Af en toe bracht een zuchtje tocht het zijden hemd om de brede schouders van de Turk in beweging en dan was het net of hij ademde. Het was merkwaardig: de Turk was een machine tussen een heleboel mensen en toch kwam hij menselijker over dan alle anderen hier bij elkaar. Ibolya moest onwillekeurig met haar ogen knipperen en dat leek wel een nederlaag, een vorm van onderwerping; want de Turk hield zijn ogen onverstoorbaar open.

Pas toen het barones Jesenák opviel dat Jakob naar haar stond te kijken, ontwaakte ze uit de betovering. Aan de druk van haar keurs merkte ze dat ze sneller ademde. Jakob glimlachte haar toe, trots op het feit dat ze belang stelde in wat hij had gemaakt. Beschaamd over het moment van wegdromen bij de aanblik van een pop glimlachte ze terug, sloeg haar ogen neer en verdween vervolgens tussen de aanwezigen om een nieuw glas te halen.

Jakob keek haar na. Toen merkte hij dat Knaus, die de machine tot zoeven heel zorgvuldig had staan onderzoeken, opeens verdwenen was. Jakob zocht hem en trof hem op zijn knieën voor het open deurtje aan met zijn ene hand al in het mechaniek.

'Alstublieft, monsieur, niet aanraken!'

Knaus meesmuilde. 'Als iemand verstand heeft van dit soort dingen, ben ik het wel. Ik zal hem geen haar, of liever gezegd, geen tandwiel krenken.'

'Desondanks moet ik u verzoeken...'

Knaus knikte, trok zijn hand uit het raderwerk terug en veegde zijn vingers, waar wat olie op was blijven zitten, aan zijn zakdoek af. 'Bent u de tovenaarsleerling?'

'De assistent van mijnheer Von Kempelen, ja.'

'En verantwoordelijk voor... toch zeker niet voor het bewaken van de pop?'

'Nee. Ik heb mijn steentje bijgedragen aan het schrijnwerk.'

Knaus streek met zijn schone hand over het donkere notenhout van het schaaktafeltje. 'Een goede, nee, een excellente prestatie. U bent buitengewoon getalenteerd.'

'Dank u.'

'U weet dat ik de leiding heb over het Natuurkundig Kabinet. Daar kunnen we altijd capabele mensen gebruiken.'

'Ik heb geen opleiding genoten.'

'Heeft Wolfgang von Kempelen dan wel een opleiding tot instrument-maker gevolgd? Nee! Desondanks weet hij ons allen te verrassen met een mechaniek dat blijkbaar alle ons bekende en nog onbekende wet-ten van de instrumentmakerij buiten werking stelt.' Knaus spreidde beide handen naar de schaakturk uit. In zijn woorden had onmisken-baar een ironische klank gelegen.

'Ik heb toch al werk.'

'Ja, dat weet ik. In Preßburg. Wenen is wel wat welgestelder dan de provincie, mijn beste man.'

'Dank u beleefd! Maar ik ben heel tevreden met mijn werk en daarom ben ik voornemens in Preßburg te blijven.'

Friedrich Knaus zuchtte alsof hij niet in staat was geweest een onwe-tende van het verkeerde pad af te houden. 'Goed, die beslissing is aan u. Mocht u zich ooit bedenken, dan kunt u altijd bij mij terecht. Komt u rustig eens een keer bij me langs in het hofkabinet wanneer u weer in Wenen bent.' Knaus nam zijn rode koning van het schaakbord en zette hem bij de rest van de geslagen schaakstukken. Toen dempte hij zijn stem en voegde eraan toe: 'Hoor eens: als er iets aan deze zo-genaamde machine niet pluis is – en daar ga ik van uit, zoveel verstand heb ik er wel van – dan ben ik de eerste die het zal ontdekken. En dan krijgt de keizerin het te horen en moge God dan degenen genadig zijn die het hebben gewaagd om haar en haar gehele hofhouding om de tuin te leiden en het koninkrijk voor schut te zetten, en dat geldt niet alleen voor de uitvinder zelf, maar voor iedereen die eraan meege-werkt heeft. Knoopt u dat maar goed in uw oren en vertel het voor mijn part ook maar aan die opschepperige patroon van u.' Knaus wachtte even totdat zijn woorden goed tot Jakob waren doorgedron-gen, toen keerde hij zich van hem en de schaakmachine af en richtte zijn aandacht weer op de vrouw die hem vergezelde, een jonge vrouw in een Turks gewaad.

Hoe zachtjes Knaus zijn laatste woorden ook had uitgesproken, Tibor had de boodschap opgevangen. Tibor zou Kempelen vragen het deurtje vóór het mechaniek niet meer open te laten staan. Hij had het leuk gevonden iets te kunnen volgen van wat er in aansluiting op de demonstratie allemaal was voorgevallen; al die benen en rokken die zijn kleine uitkijkpost waren gepasseerd, al die gezichten die een kijkje hadden genomen in zijn holletje en die hem soms recht in de ogen hadden gekeken zonder hem in het duister te kunnen ontwaren, het doen en laten van het gezelschap verderop in de zaal, al die heerlijke geuren van de dames en heren – en niet in de laatste plaats alle loftuitingen die de genodigden hadden geuit over de Turk en de briljante manier waarop deze had geschaakt. Maar toen het lange, magere gezicht van Knaus voor de opening verscheen, schrok Tibor, en toen de werktuigbouwkundige ook nog zijn hand in het mechaniek had gestoken, dacht Tibor dat het afgelopen was met hen en dat Knaus hem uit de machine zou sleuren als een slak uit zijn huisje.

En Tibor had barones Jesenák weer gezien. Ze was even knap als de eerste keer, ofschoon hij de eenvoudigere japon die ze toen had gedragen, mooier vond. Hij had haar voorzover dat mogelijk was gadegeslagen, had gezien hoe ze zich met een glas in haar hand door de Grote Galerij bewoog. Toen ze voor een van de spiegels stond en Tibor haar spiegelbeeld in de gouden lijst zag, leek het wel of hij naar een schilderij keek. En toen ze de machine naderde, rook hij haar parfum weer: de zoete geur van appelen.

Het was ver na middernacht toen de drie mannen in het *Dreifaltigkeitshaus* terugkwamen, maar alle drie waren ze klaarwakker. Tibors zweet was allang weer opgedroogd. Jakob had de pruik van zijn hoofd gerukt en krabde zich nu uitgebreid met zijn vingernagels over zijn hoofdhuid. Zijn vochtige haar zat in de war en stond steil overeind en de moet van de pruik lag als een rode diadeem om zijn hoofd. Zijn gele justaucorps had hij uitgetrokken. Terwijl hij het poeder en het zweet van zijn gezicht waste, kwam Wolfgang von Kempelen de kamer weer in, met zijn pruik in zijn ene hand en een fles champagne in de andere. 'Laten we klinken op de "grootste uitvinding van de eeuw"!' riep hij uit. 'De woorden van de graaf van Cobenzl.'

'De eeuw is nog lang niet afgelopen,' corrigeerde Jakob. 'Wie weet wat er de komende dertig jaar nog allemaal wordt uitgevonden.'

Zonder commentaar overhandigde Kempelen de fles aan Jakob en ging opnieuw de kamer uit om glazen te halen. Toen Jakob de fles openmaakte, borrelde er een klein beetje champagne op zijn hand. Hij draaide zich om naar de androïde.

'Ik doop je met de naam,' hulpzoekend keek hij naar Tibor, maar er schoot hem geen enkele naam te binnen, nog afgezien van het feit dat hij helemaal niet wilde helpen bij het dopen van een machine door een jood. 'Pasja.' Jakob besprenkelde het hoofd van de Turk met de champagne die hij op zijn vingers had. 'Niet erg origineel, ik weet het. Maar hij zit daar zo onbewogen ten troon als een oude pasja.' Jakob knikte in de richting van de deur en fluisterde: 'Hij zal jouw contract wel willen verlengen.'

'Kempelen?'

'Ja. Laat je niet te grazen nemen. Zonder jou is hij nergens. Verkoop jezelf dus niet onder de prijs, hoor je?'

'En jij?'

'Mijn werk zit er op. In geval van nood kan hij het zonder mij stellen. Zonder jou niet.'

'Maar ik kan toch niet...' begon Tibor, maar Kempelen kwam al terug met de glazen en hij slikte de rest van zijn woorden in.

Kempelen schonk de champagne met zoveel zwier in dat deze schuimend over de rand van de glazen liep. Eerst reikte hij Tibor een glas aan en toen Jakob, hief zijn eigen glas en keek naar de Turk.

'Op de schaakmachine.'

Jakob en Tibor zeiden hem de toast na en de drie mannen stootten hun glazen aan. Kempelen dronk zijn glas in één teug leeg.

'En dit was nog maar het begin,' riep hij uit. 'De keizerin heeft me verzocht – nee, ze heeft het me gewoon bevolen, dat komt er dichter bij – de machine in Preßburg tentoon te stellen om iedereen de kans te geven hem te zien spelen. Deze machine zal inslaan als de bliksem in Brescia.' Kempelen schonk zichzelf en Tibor nog eens in. 'Ik weet wel dat ik in Venetië heb gezegd dat ik jou maar voor één optreden nodig zou hebben. Dat was echter onzin. Ik had onderschat hoeveel effect de machine zou hebben. Kan ik je overhalen om nog langer voor me te blijven werken? Het is toch ook voor jou een grandioze belevenis geweest, nietwaar? Stel je voor, de keizerin wil met alle geweld tegen je spelen.'

Tibor knikte. Jakob rekte zijn hals alsof hij kramp in zijn nek had en Tibor begreep het teken. 'Maar dan wil ik wel meer geld.' Eigenlijk had hij zich wat minder direct willen uitdrukken. In een poging zijn verlegenheid te verbergen, nam hij nog een slok champagne.

Kempelen trok een van zijn wenkbrauwen op. 'Aha. En wat voor bedrag had je in gedachten?'

Vanuit zijn ooghoeken zag Tibor dat Jakob de duim en twee vingers van zijn vrije hand op zijn bovenbeen legde, zonder dat Kempelen het kon zien.

'Dr...,' zei Tibor en toen Jakob zijn gebaar nog eens, nu nadrukkelijker, herhaalde, zei hij snel: 'Dertig. Gulden per maand.' Hij durfde Kempelen niet aan te kijken. Hij zou wel heel erg ondankbaar lijken. Kempelen knikte echter. 'Laten we er thuis nog maar eens over praten.'

'En er zijn een paar dingen waar we nog verandering in moeten brengen.'

'Dat ben ik helemaal met je eens. We laten niemand meer zo dicht bij de machine komen als Knaus. We zetten de tegenstander... aan een ander tafeltje. En dan zeggen we gewoon dat de toeschouwers zo een beter zicht hebben op de Turk. Of we voeren veiligheidsredenen aan als excuus. Het is echter ook heel vervelend dat uitgerekend die arme Knaus de klos moest zijn! Zo'n briljante geleerde, maar vandaag leek hij wel een dorpsgek die examen moet doen. Het zweet zal wel in straaltjes van hem af gelopen zijn. Heel Wenen zal morgen de spot met hem drijven.' Kempelen gnuifde, nam nog een slok en vervolgde toen: 'Nee, heel Wenen zal over de schaker spreken. De denkende machine van Wolfgang von Kempelen.'

'Het is geen denkende machine,' zei Jakob.

'Wat?'

'Wel, het is geen machine die kan denken. Die machine kan niets anders dan met zijn raderen draaien en herrie maken. Tibor is degene die denkt. Het is allemaal niets anders dan een virtuoze vorm van illusie en bedrog.'

'Maar dat beseffen we toch allemaal.'

'Ik wil alleen maar duidelijk vaststellen dat het risico dat dit bedrog wordt ontdekt, elke keer dat we de machine demonstreren groter wordt.'

Kempelen keek van Jakob naar Tibor en weer terug en begon toen te lachen. Hij legde zijn hand op Jakobs schouder en gaf hem een kneep-je. 'Hoor onze vestzak-Cassandra! Die oude Knaus heeft je flink bang gemaakt, nietwaar? Ik heb jullie daarstraks met elkaar zien praten. Ik had de indruk dat hij kwaad was.'

'Ik laat me niet bang maken,' wierp Jakob enigszins bokkig tegen. 'Ik wil alleen maar zeggen dat we het geluk niet al te veel moeten tarten.'

'Ik heb er alle begrip voor dat het vertrouwen in de toekomst jullie jo-den in de loop van de eeuwen op een treurige manier ontnomen is. Maar het geluk, Jakob, het geluk is er nu juist om te worden getart. Ik heb dat tot nu toe met veel succes gedaan en ben voornemens dat ook in de toekomst te blijven doen. Wat natuurlijk niet betekent dat we niet nog voorzichtiger moeten zijn dan tot nu toe. Ze zullen me overal waar ik ga of sta in de gaten houden, mij en mijn huisgenoten.' Hij wendde zich tot Tibor. 'Daarom kun je morgen ook niet met me mee teruggaan naar Preßburg. Blijf maar twee of drie dagen hier en neem dan een koets. Dan zal niemand die jou eventueel onderweg te-genkomt, jou met mij in verband brengen.'

'Moet ik in mijn eentje hier blijven?'

Kempelen keek naar Jakob en die knikte. 'Goed, Jakob blijft ook. Maar gaan jullie in die drie dagen alsjeblieft niet de straat op. Ga niet naar buiten.'

'Dat spreekt vanzelf,' verzekerde Jakob hem.

Het drietal dronk de champagne op en praatte intussen na over de voorstelling. Kempelen schetste details van zijn gesprek met Maria Theresia. Jakob citeerde uit de loftuitingen van de genodigden en Tibor ten slotte beschreef de partij tegen Knaus, wat er binnen in de machine was gebeurd. Het voorval met Ibolya barones Jesenák ver-zweeg hij, evenals het feit dat hij onopgemerkt getuige was geweest van het gesprek van Knaus met Jakob.

Kasteel Thun-Hohenstein

Ter gelegenheid van het tienjarig regeringsjubileum van Maria Theresia op 20 oktober 1750 schenkt Ludwig VIII, landgraaf van Hes-
sen-Darmstadt, Hare Majesteit een mechanisch uurwerk ter grootte
van een volwassen man. Deze zogeheten *Kaiserliche Vorstellungsuhr*
weegt ruim tweehonderdvijftig pond; ruim de helft daarvan is puur
zilver. Onder de wijzerplaat bevindt zich een klein podium, welhaast
een speelgoedtheatertje, omlijst met zilveren acanthusbladeren, che-
rubijntjes, nimfen en de Habsburgse adelaar. Op de achtergrond van
dit podium zijn sierlijke arcaden aangebracht en tegen de beschilderde
achterwand zijn het keizerlijke leger en de burcht van Preßburg te
zien.

Zodra de klok slaat, brengt een bijzonder complex raderwerk het *ta-
bleau animé* in beweging en begint de voorstelling: op de klanken
van plechtige muziek verschijnen figuurtjes in de gedaanten van
Maria Theresia en Frans I ten tonele, de keizer van links en zijn gemalin van rechts, tot ze in het midden bij een offeraltaar met een brandende vlam samenkomen. Het echtpaar wordt begeleid door pages
die vervolgens voor hen neerknielen en hun elk een kroon aanreiken:
de koningskroon van Hongarije en Bohemen aan Maria Theresia, de
keizerskroon van het Heilige Roomse Rijk aan Frans I.

Opeens schuift er een donkere wolk voor de blauwe hemel en doemt
er boven het keizerlijke paar een demon op, wiens gelaatstrekken
sprekend lijken op die van Frederik II van Pruisen. Maar niemand
minder dan de aartsengel Michael komt uit de hemel nedergedaald
om de rustverstoorder met zijn vlammende zwaard te verdrijven.
Ten slotte schrijft de beschermgeest van de geschiedenis met een pen
in zwarte letters *Vivant Franciscus et Theresia* aan het firmament terwijl onder klaroengeschal lauwerkransen op de hoofden van het vorstelijk paar neerdalen.

Landgraaf Ludwig had zijn hofklokkenmaker Ludwig Knaus dit unieke geschenk laten vervaardigen en deze werkte samen met zijn jongere broer Friedrich. Het hof in Wenen heeft zoveel waardering voor dit meesterwerk van de twee broers uit Aldingen aan de Neckar dat deze later beiden in dienst treden van de keizerlijke familie. Ludwig wordt ingenieur in het keizerlijke leger. Friedrich Knaus komt daarentegen na het uitbreken van de Zevenjarige Oorlog naar Wenen om aldaar de gevierde hofwerktuigbouwkundige van Hare Majesteit te worden. Hij treedt toe tot het Natuurkundig-Wiskundig-Astronomisch Hofkabinet, waar hij nog meer mechanisch werkende machines vervaardigt – onder meer vier schrijvende machines, waarvan de vierde, de Alles Schrijvende Wondermachine, in 1760 wordt gepresenteerd, wederom tijdens het kroningsjubileum. De machine bestaat uit een messing statuette die met behulp van een pennenschacht en inkt tot achtenzestig letters achter elkaar op een bewegend vel papier schrijft. De Alles Schrijvende Wondermachine baart veel opzien en leidt ertoe dat Friedrich Knaus definitief naam maakt als de grootste werktuigbouwkundige van zijn tijd.

De hele weg naar huis had Knaus zwijgend uit het raampje van de koets zitten kijken; het waterkoude weer gaf precies zijn gemoedstoestand weer. Bij zijn huis aangekomen vergat hij zijn gezelschap te helpen uitstappen; ze moest hem eerst naar de koets terugroepen. Hij liet de klopper met kracht op de deur neerkomen en terwijl ze stonden te wachten tot zijn bediende zou opendoen, verjoeg hij met zijn wandelstok twee duiven die op een richel beschutting hadden gezocht tegen de regen.
'Wil je vannacht misschien alleen zijn?' vroeg de dame aan zijn zijde.
'Dat zou je wel willen,' antwoordde hij nors. 'En wie zou me dan moeten opmonteren?'
De bediende opende de deur. Knaus gaf hem zijn mantel, hoed, stok en handschoenen, droeg hem op een fles wijn en een lichte maaltijd te brengen en liep meteen door naar zijn slaapvertrek op de bovenverdieping. Terwijl ze daar aan een kaptafeltje haar pruik afzette en poeder, rouge en lippenrood van haar gezicht verwijderde, liep hij door de kamer te ijsberen, zijn armen beurtelings voor zijn borst en achter zijn rug gekruist.
'Ik zou er een eed op willen doen dat er iemand in die machine ver-

stopt zit,' sprak hij na langdurig zwijgen. Hij bleef staan en keek naar haar. 'Zou je alsjeblieft zo goed willen zijn om me tegen te spreken? Of liever nog te zeggen dat je het met me eens bent? Ik heb niet veel zin in een monoloog.'

Ze zuchtte en zei zonder zich om te draaien: 'Je hebt toch gecontroleerd of de machine leeg was. En dat was zo.'

'Ja, maar... een... een aap misschien? Er wordt beweerd dat de sultan van Bagdad een intelligente aap heeft die kan schaken. Of een mens... zonder ledematen... zonder onderlijf; een veteraan wiens hele onderlijf tijdens de oorlog door een kanonskogel is afgerukt... waardoor hij bij wijze van spreken nog maar een half mens is... wel allemachtig, val me nou eens in de rede! Ik spreek wartaal! En ik zou toch wel een onnozele hals zijn als ik van een aap zou verliezen. Dan maar liever van een machine.' Knaus trok zijn pruik met een ruk van zijn schedel en smeet hem op een fauteuil, waar hij weer vanaf viel. 'Mijn god, wat haat ik die Kempelen. Die arrogante parvenu, die provinciaal, die hielenlikker met zijn onuitstaanbare bescheidenheid die nu juist van de grootst mogelijke ijdelheid getuigt! Waarom kan hij zich niet bij zijn leest houden? Ik bemoei me toch ook niet met zijn paperassen.'

'Ja,' zei ze.

Hij trok zijn justaucorps uit. 'De abbé en pater Hell waren het roerend met me eens; er is iets niet in de haak met deze machine, dat kan gewoon niet anders. Maar hun is dat natuurlijk om het even; Kempelen schiet niet onder hun duiven. Hij zou eens een nieuwe planeet hebben moeten ontdekken, ha! Dan zou Hell onmiddellijk tot de aanval zijn overgegaan!' Met zijn vlakke hand klopte hij wat poeder van de schouders van zijn frak. 'Misschien heeft het iets met magneten van doen; vast en zeker heeft het iets met magneten van doen; iedereen doet immers tegenwoordig iets met magneten; niets wekt meer de belangstelling van de mensen als er niet ergens zo'n vervloekte magneet in verwerkt is. Heb je niet gezien dat hij gedurende de hele partij naast dat kistje heeft gestaan? En dat hij daarna pertinent weigerde het open te maken? Daar zit het hele geheim in. Hijzelf bestuurt de machine van een afstand... met behulp van magnetische stroom. Er is geen sprake van een denkende machine; Kempelen zelf denkt en hij bestuurt de machine.'

'Dat zou briljant zijn.'

'Dat zou inderdaad briljant zijn, maar desondanks bedrog. Briljant bedrog. En ik ben van plan dat aan het licht te brengen.'
Ze had intussen alle spelden verwijderd waarmee ze haar blonde haar onder de pruik had vastgespeld en zat haar haren nu uit te borstelen.
'Waarom?'
'Waarom? Vraag jij me in alle ernst waarom? Omdat ik anders spoedig mijn biezen kan pakken, liefje, daarom. Ik ken dat francofiele oude wijf toch; zodra er iets nieuws in de mode komt,' hij verdraaide zijn stem, '"o ça c'est drôle, c'est magnifique, o je l'aime absolument!", heeft al het oude opeens geen waarde meer. Ze bewondert die charlatan, die Hongaarse Cagliostro, dat had ik echt wel in de gaten, god mag weten waarom; waarschijnlijk omdat hij van adel is en ik niet. Kempelen is ook nog van plan een spraakmachine te construeren, stel je voor! Dat kan toch geen toeval zijn! Hij wil me op mijn eigen terrein verslaan! Maar dat sta ik niet toe. Ik zal zijn bedrog aan de kaak stellen en dan heeft hij afgedaan, dan kan hij het wel vergeten, dan kan hij op de vlucht slaan naar Pruisen of liever nog naar Rusland!' Terwijl hij die laatste zin uitsprak, had Knaus onwillekeurig zijn wijsvinger uitgestoken en naar het oosten gewezen, totdat hij in de gaten kreeg in wat voor een dwaze houding hij erbij stond. Hij begon zijn vest los te knopen.
'Je overdrijft,' vond ze. 'Hij heeft beslist geen kwaad in de zin. Hij kent je immers niet eens. En wie weet, misschien is alle opwinding over die Turk over een paar weken weggeëbd.'
'Zo lang kan ik niet wachten. Hoe kan ik er nu achterkomen?'
Omdat Knaus zelf geen antwoord wist te bedenken, antwoordde zij: 'Koop zijn assistent om.'
'Denk je dat ik dat al niet heb geprobeerd? Maar niet alle mensen zijn te koop, mijn dierbare Galatée.'
Een ademtocht lang staakte ze haar bezigheden, vervolgens wiste ze haar gezicht met een vochtige doek schoon.
'Het spijt me,' zei Knaus, liep naar haar toe, sloeg zijn armen om haar naakte schouders en kuste haar nek. 'Het spijt me echt. Vergeef me alsjeblieft. Ik ben dol. Ik ben zo woedend dat ook wat me lief en dierbaar is, niet veilig voor me is.'
Ze bracht haar handen naar haar rug om haar korset los te maken. Knaus nam haar dat werkje uit handen, knielde achter haar neer en knoopte het korset van boven tot beneden open. Intussen bekeek hij

haar in de spiegel. Haar haren waren volmaakt, haar huid ook en vooral haar borsten, maar wat hij begeerde waren haar onvolkomenheden; haar blauwe ogen met het groene spikkeltje erin waar hij geen verklaring voor kon vinden, het minuscule littekentje op haar voorhoofd, haar rechtermondhoek die altijd iets hoger stond dan de linker en de levervlek daarboven, die iedere mouche overbodig maakte. Toen hij haar op haar rug kuste, kreeg hij opeens een ingeving.

'Jíj kan er wel achter komen!' zei hij.

'Pardon?'

Friedrich Knaus kwam overeind, verrukt over zijn inval. 'Jij gaat voor mij uitzoeken hoe de schaakmachine werkt. Jij kunt iedere man om je vinger winden. Dat zal je ook bij Kempelen lukken. Niemand kan jouw charmes weerstaan! Dat is een goddelijk idee! Ik ben een genie!'

'Dat doe ik niet. Dat kan ik niet. Ik ben geen spionne.'

'Je kunt het hem natuurlijk niet gewoon vragen. Je moet het gewiekster aanpakken. Maar jij bedenkt wel een manier. Je bent een slim schepseltje. Hoe je het uiteindelijk aanpakt, is mij om het even.'

'Nee.'

'Jij kunt het! Het is geen moeilijke opgave. En je hebt alle tijd van de wereld.'

'Nee. Zet het maar uit je hoofd.'

Ze had zich nu helemaal uitgekleed, stond op en liet haar onderrok van zich af glijden. Naakt liep ze naar het bed.

Knaus klakte met zijn tong. 'Je moet het doen, Galatée. Want zodra te zien is dat je zwanger bent, zul je hier geen klandizie meer hebben.'

Ze liet het laken dat ze in haar hand had vallen en draaide zich om. 'Hoe weet jij dat?'

'Ik wist er tot nu toe niets van. Ik vermoedde het slechts. Maar je ontsteltenis spreekt boekdelen.' Hij glimlachte. 'Vergeet niet: ik mag dan geen arts zijn, ik ben wel wetenschapper en wij wetenschappers hebben een buitengewoon goed oog voor wat er om ons heen gebeurt.'

Met afgewend gezicht glipte ze onder het laken en hij keek welwillend toe hoe de stof zich langzaam om haar rondingen vlijde. 'Wil je het laten weghalen?'

'Nee.'

'Dan moet je uit Wenen weg. Nieuwtjes verspreiden zich aan het hof als een lopend vuurtje en als iedereen het eenmaal weet, zul je je beroep na de bevalling niet meer kunnen uitoefenen. Van wie is het

eigenlijk? Van mij? Of heeft, met permissie, Joseph's jongeheer je iets ingespoten en groeit er in jou een kleine keizer?'
Zachtjes legde hij zijn hand op haar buik, maar ze duwde hem weg. In plaats daarvan fluisterde hij haar in het oor: 'Galatée, vermijd Wenen, werk voor me in Preßburg. Ik zal je vorstelijk betalen, dat weet je. Zo vorstelijk dat je daarna niemands maîtresse meer hoeft te zijn, niet eens die van de keizer.'
Ze reageerde niet. Hij kleedde zich helemaal uit, doofde de kaarsen, vlijde zijn lijf tegen haar warme rug en verborg zijn gezicht in haar haren. 'En nu, liefje, ga ik mezelf eens belonen voor die geniale inval.'

De tweede avond nadat Wolfgang von Kempelen uit Wenen vertrokken was, kwam Jakob met Tibors mantel de kamer in. Zelf was hij weer gekleed in de gele justaucorps en zijn haren had hij naar achter gekamd zodat hij er chic uitzag.
'Ik dacht dat je dat nooit meer aan wilde trekken.'
'Wanneer ik in de hoofdstad van het rijk uitga, wil ik niet de indruk wekken de eerste de beste voerman te zijn maar wil ik eruitzien als de adellijke aristocraat die ik diep in mijn hart ook ben.'
'Ga je uit?' vroeg Tibor enigszins teleurgesteld.
'Nee, wij gaan uit.'
'Wat? Waar gaan we dan heen?'
'Ik heb geen idee. Ik ken de stad niet zo goed maar we zullen vast wel een gelegenheid vinden waar ze ons een fatsoenlijke kroes wijn serveren.'
Tibor dempte zijn stem, alsof hij bang was dat iemand hen achter de deur stond af te luisteren. 'Maar Kempelen heeft dat toch verboden.'
'Je lijkt de zeven geitjes wel,' zei Jakob hoofdschuddend en voegde er toen met een piepstemmetje aan toe: 'Moeder heeft het verboden, dat mogen we niet doen, we zijn bang voor de boze wolf!'
'Dat verhaal ken ik niet.'
'Tibor, hoe vaak ben jij tot nu toe in Wenen geweest?'
'Nog nooit.'
'Nou dan. Je wilt tijdens je allereerste bezoek aan de parel van het Habsburgse Rijk toch niet in alle ernst alleen maar in een huisje in de voorstad naar het knagen van de houtwormen gaan zitten luisteren? Bovendien zou je mij intussen goed genoeg moeten kennen om te weten dat ik me geen zier aantrek van verboden. Sterker nog, die

zijn voor mij, ziekelijk schepsel dat ik ben, een pure provocatie.'
Tibor schoot de jas aan die Jakob hem overhandigde.
'Hoe loopt dat verhaal af?' vroeg hij.
'Welk verhaal?'
'Dat verhaal met die zeven geiten.'
'O, bedoel je dat? De geitjes laten de wolf binnen en die vreet hen allemaal op.' Tibor staarde Jakob met wijd opengesperde ogen aan. De
jood schaterlachte en kneep de dwerg in zijn nek. 'Wees maar niet
bang. Het kleinste geitje overleeft het – in de klokkenkast verborgen.'
Het regende en het had de hele dag al geregend, zodat het tweetal over
diepe plassen moest springen en over kleine stroompjes die hun weg
zochten naar de Alser Bach. Algauw waren Tibors kousen doorweekt
en hij betwijfelde of hij wel erg zou genieten van het verboden uitstapje, want in het schemerlicht kon hij niet veel van de stad zien. Ze
liepen langs het *Invalidenhaus* en de Trinitariërskerk, tussen de kazerne en het strafgerechtshof door, vervolgens over het exercitieter-
rein voor de muren van de binnenstad naar de stadspoort, de Schot-
tenpoort, langs de Schottenkerk en verder richting Hoge Markt tot
ze uiteindelijk in een wirwar van nauwe straatjes terechtkwamen die
Tibor aan Venetië deed denken. Jakob had zelfs nog genoeg energie
om een kroeg in de buurt van St. Ruprecht en een tweede in de Grie-
kenstraat voorbij te lopen, omdat ze hem niet aanstonden toen hij
door het raam naar binnen keek.
Ten slotte gingen ze een kroegje binnen dat inderdaad meer tot een
bezoek uitnodigde dan de vorige twee. Er kwam een tafeltje bij de
haard vrij en daar gingen ze zitten. Jakob bestelde bij de waard iets
warms, het maakte niet uit wat, om weer een beetje op temperatuur
te komen. De waard bracht hen vervolgens twee glazen heet water
met anijsbrandewijn en veel suiker, 'zo zoet als de zonde en zo heet
als de hel'. Daarna proefden ze de plaatselijke wijnen, de ene na de andere. Tibor had het weer lekker warm gekregen, zijn laarzen stonden
te drogen bij de haard en terwijl Jakob weer eens uitgebreid de hofhouding in Schönbrunn beschimpte, bekeek Tibor zwijgend de overige gasten: een eenvoudig maar keurig publiek. Jakob viel als enige uit
de toon met zijn uitdossing en de vertoning die hij daarmee gepaard
liet gaan: hij gedroeg zich als een man van adel, sprak op verwaande
toon met de waard, tilde zijn pink op als hij dronk en bette na elke slok
zijn mondhoeken met een zakdoek. Er waren niet veel vrouwen, maar

allemaal hadden ze hem wel minstens één keer goed bekeken en Tibor was ervan overtuigd dat Jakob dat heel goed in de gaten had.

Anderhalf uur na hun aankomst betrad een edelman het kroegje met zijn steek in de ene en een wandelstok met een zilveren knop in zijn andere hand. Met een brede grijns, alsof iemand hem zojuist een grap had verteld, liep hij naar de toog en vroeg de waard welke mousserende wijnen deze in voorraad had. Toen bestelde hij acht flessen en vroeg de waard deze in met stro gevulde kisten te verpakken om ze te kunnen vervoeren. Terwijl de waard aan de slag ging, viel de blik van de edelman op Jakob en Tibor. Hij knikte hen toe en Jakob knikte beleefd terug, nog altijd helemaal in zijn rol: 'Monsieur.'

'U hebt een wonderlijke bediende, monsieur,' zei de edelman met een blik op Tibor.

'Schijn bedriegt,' antwoordde Jakob. 'Hij is niet mijn bediende, ik ben de zijne.'

De onbekende monsterde de kleding van het tweetal.

'Laat u niet misleiden door onze frakken,' merkte Jakob op. 'We zijn incognito onderweg.'

'Zou u me willen verklappen wie u bent?'

'Als we dat zouden doen, zou het wel een heel armzalig incognito zijn.' Jakob keek Tibor aan maar die wist daar niets op te zeggen. Jakob richtte het woord opnieuw tot de edelman. 'Bent u in staat een geheim te bewaren?'

'En als ik dat niet kan?'

'Dan moeten wij u doden.'

Tibor kromp ineen maar greep niet in. Kempelen zou buiten zichzelf zijn als hij wist wat ze hier deden, maar de alcohol suste Tibors geweten in slaap en hij wilde wel eens zien wat Jakob van plan was. De nieuwsgierigheid van de onbekende was nu definitief gewekt. Hij grijnsde, nam een vrije stoel en kwam bij het tweetal zitten; hij boog zijn hoofd ver over het tafelblad naar voren. 'Ik ben een en al oor.'

Jakob vroeg Tibor om permissie. 'Hoogheid?' Tibor knikte. Daarop vervolgde de jood fluisterend zijn verhaal. 'U hebt vast wel eens gehoord van de beroemde markiezin De Pompadour, de maîtresse van de koning van Frankrijk?' De edelman knikte snel en moedigde Jakob met een gebaar aan om verder te vertellen. 'In 1745 werd De Pompadour zwanger van Zijne Majesteit de koning. Maar omdat zij niet de koningin was, zou het kind een bastaard geworden zijn en daarom

greep Louis in – op afschuwelijke wijze, die een koning meer dan onwaardig was: met een vuistslag op het lichaam van De Pompadour.'
'*Sacré!*' zei de edelman.
'Alleen kwam het niet tot een miskraam. De zwangerschap werd echter wel met twee volle maanden bekort en het kind... was niet vol-
groeid toen het ter wereld kwam.' Langzaam, uiterst langzaam
draaide Jakob zijn hoofd in de richting van Tibor en de edelman volgde
zijn blik met open mond.
'Monsieur, voor u ziet u de dauphin, Lodewijk de Zestiende, de wet-
tige erfgenaam van de Franse koningskroon.' Jakob wachtte tot zijn
woorden tot de ander waren doorgedrongen en voegde er vervolgens
aan toe: 'Al vanaf zijn geboorte zijn we op de vlucht voor de geheime
politie van Zijne Majesteit. Momenteel zijn we op weg naar Londen,
waar koning George bereid is ons asiel te verlenen.'
De edelman keek van Jakob naar Tibor en weer terug en barstte toen
in een bulderende lach uit. 'Ik geloof er geen woord van.'
'Dat is ons om het even.'
De waard zette de twee kisten mousserende wijn op de toog. De onbekende stond op en haalde zijn beurs tevoorschijn. Toen tikte hij op het
tafeltje. 'Ik ben uitgenodigd voor een soiree, waar het hoogstwaar-
schijnlijk dodelijk vervelend zal zijn. Ondanks de alcohol. Wilt u mij
niet begeleiden? U zou daar eregasten zijn en u zou er stellig toe bijdragen dat wij ons vermaken.'
'Hoogheid?' vroeg Jakob aan Tibor en gaf hem tegelijkertijd een stevige stomp onder de tafel.
'Buiten staat mijn koets met daarin twee lieftallige vrouwen,' zei de
edelman.
'We accepteren uw uitnodiging,' zei Tibor.
Snel trok hij zijn laarzen aan, die inmiddels weer droog waren en
warm van het haardvuur, en om in zijn rol te blijven hielp Jakob
hem eerbiedig in zijn mantel. Ondertussen betaalde de edelman de
mousserende wijn en tevens de rekening van het tweetal.
Recht voor het kroegje stond de koets van de man en het drietal perste
zich samen met de kisten wijn naar binnen; Tibor als laatste om de
verrassing voor de dames nog te vergroten. De edelman had niet te
veel beloofd: de twee dames waren inderdaad lieftallig en deftig gekleed – ofschoon de zoom van hun rok even vuil was geworden van
de regen als de zijden kousen van de mannen. Ze giechelden vaak en

[94]

onderbraken Jakobs verhaal, dat hij onderweg naar de soiree nog eens ten beste moest geven, telkens weer met vragen. De jongste van de twee scheen Jakobs verzinsel inderdaad te geloven.

'Wat hebben jullie toch,' voer ze tegen de anderen uit, 'dergelijke dingen gebeuren echt!'

Een kwartier later hield de koets halt voor een kasteeltje. Ze bleven wachten tot dienaren met paraplu's hen naar binnen zouden begeleiden. Ten slotte kwam er een dienaar, samen met een man die zijn hoofd in de koets stak en de passagiers verwelkomde. 'Bonsoir mesdames, bonsoir Rodolphe. Ga niet naar binnen,' waarschuwde hij. 'Het is daarbinnen een nog triestere boel dan bij een calvinistische gebedsdienst. Laten we naar Thun-Hohenstein rijden, daar is een bijeenkomst van de magnetische société.'

De edelman Rudolph droeg de koetsier op naar het kasteel van de graaf van Thun-Hohenstein te rijden en vroeg pas toen de koets weer reed toestemming aan 'Uwe Hoogheid, de dauphin' Tibor. Door de rit en een koude trek in de koets werd Tibor weer nuchter en hij begreep dat het verschrikkelijk verkeerd was wat ze nu aan het doen waren. Hij stond op het punt Jakob te verzoeken onderweg uit te stappen, maar het leek wel of de edelman dat voorvoelde, want hij haalde een fles mousserende wijn uit de kist, ontkurkte deze en bood Tibor als eerste een slok aan. De wijn was heerlijk. De wijn was overigens tevens de oplossing: Tibor hoefde slechts voortdurend alcohol tot zich te nemen, dan zou hij deze avond wel zonder gewetenswroeging doorkomen.

De koets stopte onder een overkapte oprit. Jakob hielp de jongste dame het trapje af en Rudolph haar gezellin. Tibor wilde de wijn dragen, maar de edelman weerhield hem daarvan; bij Thun-Hohenstein was er altijd voldoende te drinken en bovendien was het een dauphin onwaardig om wijn te dragen. De vestibule straalde pracht en praal uit; ze kwamen er de man van zo-even en zijn gezelschap weer tegen. Lakeien namen hun mantels, sjaals en hoeden aan, zodat Tibor nu niet meer alleen opviel door zijn lengte, maar ook doordat zijn kleding niet erg gepast was. Jakob en hij waren de enigen zonder pruik of wit gepoederd haar. Desondanks vroeg niemand of ze wel gerechtigd waren hier te zijn en de bedienden bejegenden hen met dezelfde hoogachting als de overige genodigden.

Onder aan de trap naar de bovenverdieping stond een bediende bij een tafel met maskers zoals Tibor die van het carnaval in Venetië kende. De vriend van Rudolph legde uit dat iedereen verplicht was een masker te dragen, om mogelijke schroom in de loop van de behandeling kwijt te raken. Geen van de genodigden moest beducht zijn om lucht te geven aan de diepste roerselen van zijn ziel en om die reden werd iedereen met een masker onherkenbaar gemaakt, zei hij. Tibor en Jakob namen elk een met veren en gekleurde stenen versierd masker dat het hele gezicht behalve mond en kin bedekte en lieten zich dat door de dames voorbinden. Via de uitsparing voor de ogen knipoogde Jakob naar Tibor.

Op de bovenverdieping liepen ze eerst een lege salon door, vervolgens een waar een buffet was aangericht. Hier stonden ongeveer veertig genodigden in kleine groepjes, meer vrouwen dan mannen. Allen waren stijlvol gekleed en droegen een masker. De vensters waren gesloten, de gordijnen dichtgetrokken. Het was er benauwend warm. Van twee grote kroonkandelaars drupte kaarsvet op de grond. Er hing een zware wijngeur. Vanuit een van de aangrenzende vertrekken hoorde Tibor een vrouwenstem melodieloos zingen.

Een half dozijn genodigden stond rond het buffet bijeen. Op de tafel draaide een van messing vervaardigd speelgoedbootje in het rond; Bacchus hield zich vast aan de mast en de lading bestond uit een tinnen vaatje. Het schip kwam voor een van de genodigden tot stilstand, waarop deze lachend het vaatje greep en de wijn die daarin zat, in één teug opdronk. Vervolgens schonk hij nieuwe wijn in het vaatje en met die lading werd het mechaniek van het scheepje opgewonden en opnieuw op reis gestuurd.

Toen de deuren achter de nieuwkomers dichtgingen, kwam de gastheer naar hen toe. Hij heette de groep zeer hartelijk welkom en toen de vriend van Rudolph zich aan hem wilde voorstellen, gebaarde hij hem te zwijgen. 'Bah! Bah! Mijn jonge vriend, daar wil ik niets van weten; in deze société blijven we anoniem of beter gezegd: we nemen een andere naam aan, even bontgeschakeerd als de maskers voor ons gelaat! Ik ben niemand minder dan Neptunus. Laaf u, maak kennis met de overige helden en nimfen, wij zijn hier één grote familie op de Olympus; het schouwspel gaat zo meteen beginnen.' Hij richtte zijn blik neerwaarts, naar Tibor. 'Het is volstrekt duidelijk wat jouw aandoening is, mijn vriend, patent! Als je moedig genoeg bent; er zijn zeker nog wel plaatsen vrij rond het *baquet*. Je moet de hoop nooit opgeven.'

Neptunus liep door en de groep ging uiteen. Jakob, Tibor en de jongste van hun metgezellinnen bleven waar ze waren. 'Ik ga mezelf Chloris noemen,' zei ze.

'Aangezien u duidelijk goed bekend bent met het oude Griekenland,' zei Jakob, 'zou u wellicht zo voorkomend willen zijn om ook ons beiden van een naam te voorzien.'

'Jij, vriendje, jij heet van nu af aan... Acis. En jou,' ze keek naar Tibor, 'noemen we natuurlijk Pan.' Ze giechelde verrukt.

Jakob gaf Chloris een handkus en keek haar daarbij diep in de ogen. 'Wees overtuigd van de dank van Acis, schone vrouwe.'

Tibor wachtte totdat Chloris was weggegaan en zei toen: 'Dit is waanzin.'

'Ja, hè?' antwoordde Jakob grijnzend.

'Ik bedoel waanzin in de zin van: laten we ons hier met gezwinde spoed uit de voeten maken, Jakob.'

'Wanneer jij er vandoor wilt gaan, ga je gang, maar ik laat me dit hier voor geen prijs ontgaan. Ik heb een masker op. En bovendien heet ik Acis, met uw welnemen.'

'Geen masker is in staat te verhullen dat ik klein van stuk ben!'

Jakob gaf geen antwoord en liet zijn ogen over het gezelschap glijden. 'Die Chloris is een knap ding,' zei hij afwezig en ging toen, zonder nog een woord tegen Tibor te zeggen, het aangrenzende vertrek binnen waarin zij ook was verdwenen.

Tibor onderdrukte zijn opwelling om achter Jakob aan te gaan en tevens zijn woede vanwege Jakobs plichtsverzaking en zijn eigen angst om te worden ontdekt. Hij nam wat te eten en een glas wijn van het buffet, terwijl het mechanische scheepje met Bacchus langs hem zeilde. Vervolgens nam hij plaats op een chaise longue, want wanneer hij zat, viel zijn gebrek minder op. Hij wist absoluut niet wat hij at maar het was heerlijk; hij kon zich niet heugen ooit in zijn leven zo lekker te hebben gegeten. Er kwam iemand naast hem zitten, die hem echter geen blik waardig keurde. De man hijgde en de huid onder zijn masker was bleek. Zijn bovenlijf draaide in kleine kringetjes heen en weer.

Tibor hoorde hoe een groepje mensen vlak bij hem juist over Kempelen stond te converseren. Een van de vrouwen was blijkbaar bij de demonstratie van de schaakmachine in paleis Schönbrunn geweest en gaf de anderen nu een beschrijving van de onvergetelijke gebeurtenis.

Ze was dronken en tot Tibors genoegen was haar lezing van het verhaal schromelijk overdreven; in haar versie zette de machine de stukken met de snelheid van een stoommachine en de bewegingen van de houten Turk waren duidelijk soepeler dan waartoe hij feitelijk in staat was. Toen een man er zijn twijfel over uitsprak of de machine wel echt kon schaken, bezwoer de vrouw hem op schrille toon dat het tafeltje zo klein was dat er niemand in kon zitten, niet eens een kind, zelfs geen zuigeling. Ze raadde iedereen aan om de schaakturk van baron Von Kempelen te gaan bezichtigen als ze een keer in Preßburg waren. Tibor was duizelig van trots.

Andere genodigden hadden hem intussen opgemerkt, giechelden vanachter hun waaiers en wezen met hun vinger naar de dwerg. Hij zou er inderdaad wel lachwekkend uitzien, naast die drinkebroer op de chaise longue met beentjes die niet eens de grond raakten. Tibor dronk zijn glas leeg en liep de aangrenzende salon binnen.

Dit vertrek was aanzienlijk kleiner. In het midden stond het baquet, een ovalen kuip, ongeveer vier voet lang en een voet diep. Hij was gevuld met water. Aan de oppervlakte dreef donkerkleurig ijzervijlsel. Een dozijn wijnflessen was straalsgewijs in het water gerangschikt met de hals in de richting van de rand van de kuip. De zangeres, die op een klein podium in een van de hoeken stond, zong nog steeds als een onvermoeibare speeldoos. Tibor keek of hij Jakob ergens kon ontwaren, maar kon hem nergens ontdekken. Net zoals de vorige salon was ook deze voorzien van een heleboel deuren, waardoor af en toe genodigden naar binnen of naar buiten liepen, en Tibor vermoedde dat de jood door een van die deuren was verdwenen. Ook Chloris, Rudolph en de anderen waren nergens te ontwaren.

Nu kwamen er twee in het zwart geklede mannen binnen met een sober masker op. Ze legden een deksel op de kuip en sloten deze daarmee af. In het deksel waren gaten geboord, precies op de plaats waar de flessen lagen. Vervolgens staken ze ijzeren staven dusdanig door de gaten dat het ene eind in een fles zat en het andere boven de kuip uitstak. De gastheer betrad de salon in gezelschap van twee dames en er kwamen nog enkele genodigden met hem mee. Hij klapte in zijn handen, waarop de zangeres zweeg en de beide in het zwart geklede mannen twaalf stoelen om de kuip plaatsten. Neptunus legde uit dat het magnetiseren nu zou beginnen en dat iedereen die genezing zocht voor een aandoening, plaats moest nemen aan het baquet. Enkele dames gingen meteen zitten, toen volgden Neptunus en zijn metgezellinnen en nog enkele gasten. Anderen deden gedecideerd een stap naar achteren; ze wilden het schouwspel slechts gadeslaan, maar er niet aan deelnemen. Er waren nog twee plaatsen vrij tegenover de gastheer.

'Kom dan, kom hier, kleine man!' riep hij Tibor toe. 'Het magnetisme doet wonderen en het is nog nooit schadelijk gebleken!'

Tibor schudde beleefd het hoofd maar opeens pakte iemand hem bij zijn hand – het was een jonge vrouw in een rosékleurige japon met goudkleurige volants, die een masker met pauwenveren voor haar gezicht had – en trok hem lachend naar het baquet toe. Ze ging zitten, en omdat ze zijn hand niet losliet en hij nu door iedereen werd aangestaard, volgde hij haar voorbeeld. Neptunus applaudisseerde.

Terwijl de twee assistenten alle toeschouwers verzochten de salon te verlaten en de deuren achter hen sloten, boog de vrouw naast Tibor zich naar hem toe. 'Ik ben Callisto,' fluisterde ze.

'Ik ben Pan,' antwoordde Tibor en voelde zich daarbij een leugenaar.

Ze liet een korte, heldere lach horen. 'Wees maar niet bang, Pan. Het is net prachtige magie. Ik heb gehoord dat het hem zelfs is gelukt een blinde het gezichtsvermogen terug te geven.'

Het gefluister verstomde opeens en toen Tibor zich omdraaide, zag hij wat daar de reden van was: een man in een violette robe had de salon betreden. Hij had haar tot op zijn schouders en een priemende blik. In zijn hand had hij een witte staafmagneet. Plechtig schreed hij de zaal door, keek elk van de vrijwilligers zeer nadrukkelijk aan, ook Tibor, en sprak toen: 'Een fluïdum vervult het universum en verbindt alles wat zich daarin bevindt: de planeten, de maan en de aarde, maar ook de natuur: stenen, planten, dieren en mensen en de afzonderlijke lichaamsdelen. Het fluïdum stroomt door de ledematen, de beenderen, de spieren en de organen, vormt een verbinding tussen het hoofd en de voeten en tussen de ene hand en de andere. Wanneer het evenwicht in dit fluïdum echter verstoord wordt, dan ontstaan aandoeningen, ziekten, kolieken, depressies en angsten. Ik ben hier om dat evenwicht te herstellen en u van uw aandoeningen te verlossen. En daartoe maak ik gebruik van de goddelijke kracht van het dierlijk magnetisme.' Vervolgens hield hij zijn magneet voor zich in de lucht alsof het de steen der wijzen was. 'Het fluïdum zal uw lichaam doorstromen, zal uw kwalen en blokkades vernietigen als waren het vermolmde dammen en ze nu en voor altijd wegspoelen.'

'Och, och,' zei een vrouw zachtjes.

De meester beduidde zijn assistenten alle kaarsen op één na te doven. 'We zorgen nu voor duistere nacht opdat u zich geheel op uw diepste wezen kunt concentreren en niets wat uw ogen zien u zal afleiden. U zult tijdens de heling gevoelens bespeuren die u vreemd voorkomen en dingen doen die u niet wilt doen, maar hebt geen angst: er kan u geen enkel kwaad geschieden; het is slechts het fluïdum dat bezit van u neemt en ik ben te allen tijde hier om op u te letten. Neemt nu de ijzeren staven in uw handen.'

Tibor greep bijna zonder kijken de stang vast. Het ijzer werd al spoedig warm onder zijn vingers, voor het overige merkte hij niets. 'Drukt nu uw knieën stevig tegen de knieën van de persoon naast u. Om het fluïdum te kunnen laten stromen is het absoluut noodzakelijk dat u allen met elkaar verbonden bent en dat geen van u de keten doorbreekt!'

Tibor hoorde aan weerszijden het geruis van kleding en toen beroerden de knieën van de mensen naast hem de zijne. Hij spreidde zijn benen iets verder om wat tegendruk te geven. De zangeres hief haar lied weer aan, maar ze zong nu nog onsamenhangender dan voordien; herkenbare woorden waren niet te horen, afzonderlijke klanken werden onderbroken door lange pauzes, van hoge tonen ging ze abrupt over in een laag register en omgekeerd – het klonk als het gezang van een geesteszieke vrouw. Uit de aangrenzende vertrekken kon Tibor geen geluiden meer horen. De meester sprak met rustige stem op de patiënten in en voor het merendeel herhaalde hij wat hij al had gezegd, sprak over het stromen van het fluïdum, over het evenwicht, over de kracht van het dierlijk magnetisme, over de sterren en de planeten. Er weerklonken snikken. Tibor keek op en zag dat die van een van de dames naast Neptunus afkomstig waren; de meester stond achter haar en deed iets met zijn magneet, maar wat precies kon Tibor niet zien; en ook de beide assistenten waren achter andere genodigden druk bezig. Het snikken zwol aan. Er kwamen andere geluiden bij; gelach, toen een waanzinnig gegiechel, wulps gekreun, een dierlijk gegrom, amechtig gejank en opeens een kreet. Hoe wijd Tibor zijn ogen ook opensperde, hij kon in het duister niets onderscheiden. De magnetiseur sprak onverstoorbaar door, maar teneinde de primitieve geluiden van de patiënten te overstemmen nam het volume van zijn woorden toe, evenals dat van het gezang van de zangeres. De knie

van Callisto begon opeens te trekken en wilde daar niet meer mee ophouden; Tibor moest naar voren schuiven op zijn stoel en zijn been
verder opzij draaien om het contact niet te verliezen. Een vrouw
huilde en leek om haar moeder te roepen. Plotseling voelde Tibor druk
in zijn nek; een van de assistenten of de magnetiseur zelf stond nu
achter hem en streek met een van de magneten over zijn achterhoofd,
langs zijn ruggengraat naar beneden en over zijn armen. Tibor voelde
warmte op de plekken waar de magneet zijn huid had geraakt, een
warmte die bleef aanhouden toen het ijzer allang verdergegaan was.
Een elektrische schok voer door de hand die de staaf vasthield en joeg
door zijn hele lijf. Zijn ademhaling ging sneller, veel sneller en hij wist
dat hij op deze manier spoedig het bewustzijn zou verliezen. Nu trok
de warmte van zijn buik naar zijn lendenen. Tibor schaamde zich ervoor. Een moment lang schoot door hem heen dat het een zonde was
wat hij hier aan het doen was, een extatische dans om een gouden kalf,
maar hij liet zich gaan. Callisto kreunde, de assistent stond achter haar
rug, en Tibor legde zijn vrije hand op haar knie om die stevig tegen de
zijne aan te houden, om een einde te maken aan haar gekreun en vooral om haar te kunnen voelen. In plaats van de onzedelijke betasting af
te weren legde Callisto haar hand op de zijne en gaf er een kneepje in.
Een van de stoelen viel om en iemand viel op de grond; daarmee was
de cirkel doorbroken maar het gevoel van warmte bleef voortduren.
De magnetiseur stelde de groep gerust, maar er viel niets meer te kalmeren, de deelnemers waren buiten zichzelf; een man trapte keer op
keer tegen de wand van de kuip, een vrouw sprong schreeuwend op
en trok zich de haren uit het hoofd, een derde trok aan zijn ledematen
als wilde hij zich uit zijn eigen lichaam bevrijden zoals Hercules eens
het giftige hemd probeerde af te leggen; sommigen vielen bewusteloos
op de grond, anderen wierpen zich op de vloer; Callisto leidde Tibors
hand omhoog over haar dijbeen totdat zijn vingers tegen haar
schaamstreek stootten, die hij ondanks haar kleren kon voelen. Nu
drukte ze haar benen tegen elkaar alsof ze Tibors hand tussen haar
dijen wilde pletten. De zangeres verstomde want tegen het kabaal in
de salon kon haar stem niet meer op.
Opeens sprong Callisto op, zo onbeheerst dat haar stoel achterover-
viel, en aan haar hand sleurde ze Tibor mee de salon uit. Tegelijkertijd
riep ze 'Erato'. De vrouw die zichzelf die naam had aangemeten, stond
eveneens van haar stoel op en volgde hen. Via de zijdeur kwamen ze

op een gang en Callisto leidde hen rechtsaf, de vloerplanken kraakten luid onder hun schoenen. Toen duwde ze met kracht een deur open en pas toen zij, Tibor en de andere vrouw de kamer erachter waren binnengegaan en de deur in het slot was gevallen, liet Callisto Tibors hand los. Erato had uit de gang een kandelaar meegenomen, die het vertrek verlichtte.

Ze waren in een klein slaapvertrek beland – of dat toeval was of niet kon Tibor niet zeggen – dat uitsluitend met een kaptafel, twee fauteuils en een hemelbed was gemeubileerd. Callisto hijgde nog steeds. De kleding en het haar van alle drie waren in de war.

'Hij is geweldig,' zei Erato terwijl ze een blik op Tibor wierp. Ze had gehuild; dat was te zien aan de uitgelopen make-up onder het masker, maar wat daar ook de reden voor mocht zijn geweest, nu scheen alle droefenis van haar af gevallen te zijn. Callisto wilde haar masker afdoen maar de andere vrouw gebaarde haar dat niet te doen.

'Pan,' sprak Callisto, 'laten we nu eens zien of je je naam eer aandoet.'
De vrouwen glimlachten naar elkaar. Tibor reageerde niet.

'Kleed je uit,' zei Callisto toonloos.

'Ik ben Pan niet,' zei Tibor ter verdediging, hoewel zijn seksuele opwinding nog steeds niet was weggeëbd.

'Dan zullen wij de Pan in jou tot leven wekken,' wierp Erato tegen. Tibor hield zijn adem in. De beide vrouwen reikten elkaar de hand en neigden hun gezicht naar elkaar voor een lange kus. Daarbij moesten ze hun hoofd draaien om te voorkomen dat hun met veren getooide maskers elkaar raakten. In het flakkerende kaarslicht leken ze twee vogels in een eigenaardige baltsbeweging. Tibors rug raakte de muur; onbewust moest hij een stap achterwaarts hebben gedaan. Zonder elkaar los te laten keken de vrouwen opnieuw naar Tibor, tevreden met de indruk die deze kus op hem had gemaakt. Toen begonnen ze elkaar uit te kleden, hun ogen haast voortdurend op Tibor gericht, zich duidelijk bewust van de bekoring die in hun handelingen besloten lag. Tibor werd duizelig, en met elk kledingstuk dat de beide vrouwen achteloos op de vloer lieten vallen groeide zijn begeerte. Ze stapten in bed en knoopten daar jubelend en wellustig kreunend elkaars korsetten los. Tibor deed dan eens een stap naar voren, dan weer naar achteren, en was niet in staat ook nog maar één heldere gedachte vast te houden.

Natuurlijk had hij in zijn leven wel eerder naakte vrouwen gezien en hij had ook al een paar maal een vrouw beslapen. Zijn dragonders hadden destijds in Silezië voor de grap een soldatenliefje betaald om van de vijftienjarige Tibor een man te maken, maar daar hadden zijn kameraden meer plezier aan beleefd dan hijzelf. Later, tijdens zijn omzwervingen, twee dagmarsen voorbij Gran, had hij zich met een boerenmeisje ingelaten, dat wel knap was om te zien maar een klompvoet had. Tibor vond het een treurig idee dat twee lelijke mensen, die nooit iemand anders zouden kunnen krijgen, elkaar beminden, desondanks bleef hij een aantal dagen, totdat de vader van het meisje de vrijage van het tweetal ontdekte en Tibor moest vluchten. Hij had niet van haar gehouden en natuurlijk ook niet van dat been van haar, maar voor het overige had ze een prachtig lichaam waar hij vaak naar terug verlangde – en nu opeens lag hij onder het baldakijn van een hemelbed, met zachte lakens en kussens onder zich, elk stukje huid te betasten dat hij te pakken kon krijgen, de huid van deze beide meisjes, die nu niets meer aanhadden dan hun zijden kousen en hun maskers, en ze lachten triomfantelijk omdat ze hem nu inderdaad in Pan hadden herschapen. Met het betasten van hun zachte witte dijen en armen zou hij al meer dan tevreden zijn geweest, maar ze leidden zijn handen begerig naar andere gebieden. Naar hun buik, hun hals, hun borsten en ten slotte naar hun schoot. Ondertussen kleedden ze hem van weerszijden uit, maar ook hij stond erop zijn masker op te houden. Hij wist dat zijn lid niet groter was dan dat van andere mannen, alleen was hij zelf nu eenmaal veel kleiner dan andere mannen en zoals hij heimelijk had gehoopt, miste de aanblik van zijn lust zijn uitwerking niet; de vrouwen giechelden, Erato betastte zijn lid en nam het in haar handen maar durfde het niet aan het te kussen. Nu moest ook Tibor kreunen. Hij klampte zich aan de lakens vast. Algauw zat Erato achterovergeleund tegen een stapel kussens aan het hoofdeinde en trok Callisto ruggelings bij zich op schoot, omvatte van achteren de borsten van haar vriendin en liefkoosde haar hals met haar tong. Callisto spreidde haar benen wijd en Erato gebaarde Pan dat hij dichterbij moest komen en Pan kwam naderbij, steunde met beide handen op het bed en drong binnen in Callisto. Omdat de benen van beide vrouwen tegen elkaar aan lagen, kreeg hij in één keer vier dijen te pakken. Hij liet zijn hoofd tussen Callisto's borsten vallen, die Erato tegen zijn wangen duwde.

Kort, veel te kort duurde het zinnelijk genot. Pan smoorde zijn kreet zo goed mogelijk en plotseling, alsof iemand een emmer koud water over zijn hoofd had uitgestort, kwam hij tot bezinning en besefte hij in welke situatie hij zich bevond: hij was met een fabelwezen met twee gevederde koppen en vier benen verenigd dat nu uit één snavel begon te lachen om een dwerg die in haar dubbele schoot alles had gegeven wat in hem was. Hij voelde de koude van de Mariamedaille op zijn borst. Het zweet stond op zijn voorhoofd, met name onder het masker.

'Jouw magneet heeft mij van mijn lijden verlost, Pan,' zei Callisto, die al evenzeer buiten adem was als hij en beiden lachten ze opnieuw. Tibor was al op zoek naar zijn kleren, die her en der in bed en op de vloer lagen.

Tibor keerde terug naar de grote salon waar het buffet was aangericht. Het vertrek was leeg op een jong stelletje na dat op zachte toon zat te praten en geen enkele notitie van hem nam en twee dronken mannen die hun roes lagen uit te slapen – onder wie de man die naast Tibor op de chaise longue had gezeten. Hij lag op het vloerkleed te snurken naast een plas braaksel. Tibor vroeg zich af waarom hij niet een heel klein stuk verder had kunnen kruipen om op de houten vloer over te geven in plaats van op het kostbare vloerkleed, maar waarschijnlijk liet zoiets deze mensen onverschillig. Tibor had maar al te graag willen weten hoe het er in de kamer ernaast toeging rondom het baquet, maar hij had geen zin om die wonderlijke magnetiseur in zijn violette robe tegen te komen en was daarom niet van plan een kijkje te nemen. Ook Callisto en Erato wilde hij niet meer zien. In plaats daarvan nam hij nog wat van de overgebleven spijzen en dronk hij nog een glas wijn. Het opwindbare scheepje onder leiding van kapitein Bacchus was in een soufflé gestrand en had daar slagzij gemaakt.

Jakob kwam slechts een kwartier later. Hij had een ander masker op dan in het begin en verontschuldigde zich in alle toonaarden dat hij Tibor zo lang had laten wachten. Toen pakte hij twee ongeopende flessen en verlieten ze de salon. Ze zetten hun masker af op de plaats waar ze het hadden gekregen. Beneden kweten nog slechts twee vermoeide lakeien zich van hun taken. Ze brachten hun hun jas, repten met geen woord over de meegenomen flessen wijn en wensten de 'hoge heren' een goede nacht.

Buiten regende het niet meer. Jakob haalde eens diep adem. Te voet verlieten Jakob en Tibor het kasteelterrein en daarbij passeerden ze de koetsen van de enkele genodigden die zich nog ophielden in de vertrekken en salons van het kasteel. Onderweg naar huis door de slapende stad dronken ze een van de twee flessen wijn leeg en vertelde Jakob *en detail* hoe hij de tijd met Chloris had doorgebracht en dat zij hem had toegestaan niet alleen haar hand en haar mond maar ook haar hals en later zelfs haar porseleinige voetjes te kussen. Tibor zweeg.

Neuenburg: in de avond

Ongeacht of Carmaux, Jaquet-Droz en de anderen hadden betaald om getuige te zijn van de nederlaag van Kempelens schaakmachine tegen de dwerg of alleen om een boeiende partij schaak tussen die twee mee te maken, ze kregen vooral het laatste te zien. Neumann dreef wit terug naar zijn eigen helft en joeg de dame van het ene veld naar het andere. Hij wist zelfs zo gewiekst te spelen dat hij een pion kon laten promoveren, een zeldzaamheid: de pion op c7 had zich een weg naar de overkant weten te banen en werd op e1 tot een dame gepromoveerd. Neumann oogstte applaus, ook al werden alle drie de dames in de daaropvolgende zetten van het speelveld geslagen.

Na de zesendertigste zet bleef de arm van de Turk weer hangen. De stukken op het schaakbord voor hem waren duidelijk gedecimeerd. Het was intussen nacht geworden en Kempelen brak de partij af, deze keer zonder dat er werd geprotesteerd: alle betrokkenen hadden behoefte aan rust. Ze zouden het schaakbord die nacht onaangeroerd laten staan en de partij de volgende morgen ten einde spelen. Hij sprak de hoop uit een zo groot mogelijk aantal van de nu aanwezige mensen dan weer te mogen verwelkomen, maar in het bijzonder de tegenstander van de schaakmachine. Zonder een woord te zeggen stond Neumann op en mengde zich onder de vertrekkende toeschouwers, van wie velen hem lof toezwaaiden, een hand gaven of waarderend op de schouders klopten. In gezelschap van zijn collega Henri-Louis Jaquet-Droz, diens vader Pierre en anderen verliet Neumann de herberg op de markt. Terzelfder tijd reden Wolfgang von Kempelen en zijn assistent het schaaktafeltje met de Turk naar het aangrenzende vertrek.

Toen het publiek de zaal verlaten had, de deuren afgesloten en de gordijnen dichtgetrokken waren, openden ze het schaaktafeltje om de daarin verborgen schaker eruit te helpen. Hij was iets groter dan Kempelen, jong, mager van postuur en na al die tijd in het tafeltje bleek en doornat van het zweet. Kreunend strekte hij zijn armen en benen, wreef zijn nekspieren los en draaide zijn hoofd heen en weer. Het kraakte hoorbaar.

'Anton, pak eens een doek voor Johann. En water,' gelastte Kempelen. De schaker nam eerst enkele slokken en wiste toen het zweet van zijn voorhoofd. 'Godallemachtig!' zei hij, 'ik begon te denken dat u me in die machine wilde laten zitten en me pas weer zou bevrijden als ik eruit zou zien als een gedroogde pruim.'

'Maar je hebt het toch wel gehoord van dat geld,' zei Anton.

'O jawel.'

Kempelen drukte zijn vuisten rechts en links van het schaakbord op het tafeltje. 'Ik ben volslagen gek dat ik op deze zaak ben ingegaan.'

Anton wreef zich in zijn handen. 'Voor tweehonderd taler? Voor zo'n bom duiten zou ik bereid zijn een partij tegen Magere Hein in eigen persoon te spelen.'

'We gaan verliezen,' zei Kempelen met zijn ogen op het schaakbord gericht.

'U zult het geld hoe dan ook krijgen. De enige voorwaarde was dat het spel zou worden afgemaakt en niet dat de Turk wint.'

'En bovendien,' bracht Johann in, 'gaan we niet verliezen.' Hij ging naast Kempelen aan het schaaktafeltje staan en wees op de positie van de stukken. 'Hij heeft twee pionnen minder. En hij heeft een ouderwetse manier van schaken. Hij heeft met zijn aanval te veel risico genomen en nu neem ik hem te pakken. Ik heb nog nooit verloren.'

'Dan gaat dat morgen voor het eerst gebeuren. We verliezen. Ongeacht hoe je er nu voorstaat. Neem nou maar van me aan dat we gaan verliezen,' zei Kempelen en Johann durfde hem niet tegen te spreken. Anton haalde zijn schouders op. 'Het zij zo: tweehonderd taler! Zoveel hebt u niet eens in Regensburg en Augsburg samen verdiend.'

'Het zal zich nog wreken. Want als we verliezen, is het gedaan met de reputatie van de machine en zal de schade niet in geld uit te drukken zijn.' Kempelen begon door het vertrek te ijsberen.

'Je had hem moeten zien,' zei Anton tegen Johann. Hij hield zijn hand ter hoogte van zijn navel. 'Een dwerg, amper zo groot. Toen hij op de stoel zat, kwamen zijn voeten niet eens tot op de grond.'

'Ook een klokkenmaker?'

'Vast. Dat zijn ze hier immers allemaal. Een dwergachtig kereltje dat klokken maakt, stel je dat eens voor! Merkwaardig. Er was ooit ook zo'n klokkenmakertjesdwerg in Amsterdam. Die was ook maar een kop groter dan zijn klokken.'

'Stil,' zei Kempelen, 'ik moet nadenken.'

De twee medewerkers verrichtten zwijgend hun werk – Anton controleerde het tafeltje, Johann trok een schoon hemd aan – tot Kempelen weer sprak.

'Johann, ga op pad en probeer erachter te komen waar hij woont of waar hij onderdak heeft gevonden.'

Johann en Anton keken elkaar aan.

'Wat bent u van plan?' vroeg Anton.

'Laat dat maar aan mij over.'

'Kan Anton niet in mijn plaats gaan?' vroeg Johann met een gekwelde uitdrukking op zijn gezicht. 'Ik ben bekaf.'

Kempelen schudde het hoofd. 'Hem kennen ze van de demonstratie. Jou heeft niemand nog gezien. Het zal niet moeilijk zijn hem te vinden: het is een dwerg. En vraag na of hij een vrouw bij zich heeft.'

'Een vrouwtjesdwerg?'

'Nee, onnozele hals. Een mens... en knap om te zien.'

Toen Johann verdwenen was, zei Anton: 'Een dwerg die volmaakt kan schaken. Die zou zich in de machine niet in de vreemdste bochten hoeven te draaien. U had hem in dienst moeten nemen in plaats van Johann.'

Kempelen gaf geen antwoord.

Jodensteeg

Ze ruimden het vertrekje naast de werkplaats leeg. Jakob noemde dit het 'reserveonderdelenmagazijn van de schepper', want Kempelen had hier alle spullen opgeslagen die ze tijdens de vervaardiging van de schaakmachine gemaakt hadden en die uiteindelijk niet waren gebruikt omdat er iets aan mankeerde; er was ook een aantal artificiële lichaamsdelen bij, zoals handen, vingers, hoofden en pruiken, die in kasten en kisten lagen opgeslagen of eenvoudigweg aan het plafond hingen. Ze hadden er makkelijk nog een androïde van kunnen maken, maar dat zou dan een potsierlijk stuk lapwerk zijn geworden: een vrouwenhoofd op een mannenlichaam, met armen van verschillende lengte, waarvan een met een blanke hand en de andere met een zwarte. Tibor vond ook een met fluweel bekleed juwelenkistje terug, waarin zich nog twee paar ogen uit Venetië bevonden. Nadat ze het vertrek hadden leeggeruimd, zocht Kempelen in de werkplaats de dingen uit die hij nog wilde bewaren. De onbruikbare rommel bracht Branislav echter weg in een kist, waar houten benen uit staken en wijd gespreide handen als van drenkelingen die wanhopig houvast zoeken. Het kamertje moest nu dienst gaan doen als bewaarplaats voor de schaakturk. Hier moest deze tussen de demonstraties door veilig worden opgeslagen. Kempelen liet een slot op de deur aanbrengen en het raam van het vertrek volledig dichtmetselen.
De werkplaats werd ondertussen getransformeerd in een theater waar de Turk kon worden gedemonstreerd. De werktafels verdwenen, evenals het gereedschap; en de schetsen en de constructietekeningen werden van de muren gehaald. Naast het schaaktafeltje timmerden ze nog twee tafels: op de kleinste van de twee kwam het mysterieuze kistje te staan. De andere tafel werd eveneens van een schaakbord voorzien; daar zouden de tegenstanders van de Turk plaatsnemen — want niemand mocht ooit nog zo dicht bij de machine komen als

Knaus. Ten slotte werden er stoelen in de werkplaats neergezet; twintig zitplaatsen met een looppad in het midden.

Zoals Kempelen had gehoopt, was de faam van de sensationele schakende machine met hem meegereisd van Wenen naar Preßburg en nog tijdens de voorbereidende werkzaamheden ontving hij al tal van vragen wanneer de machine zijn eerste partij in Preßburg zou spelen; de brieven en briefjes waren zowel van burgers als van edelen afkomstig. Omdat Kempelen twee weken na de première in paleis Schönbrunn naar Ofen moest in verband met de zoutmijnen, zou de schaakturk daarna voor het eerst zijn kunnen demonstreren. Kempelen nodigde prominente burgers van de stad voor die voorstelling uit: raadsheren, rijke kooplieden, vrijmetselaars en burgers van wie kon worden verwacht dat ze wijd en zijd propaganda voor de Turk zouden maken. Vanaf dat moment zou de machine vooralsnog tweemaal in de week op vaste tijden schaken; Kempelen bepaalde dat dat op woensdag en op zaterdag zou zijn, ook al betekende dit dat Jakob op de sabbat moest werken.

Kempelen en Tibor werden het eens over de voorwaarden: Tibor kreeg zijn dertig gulden per maand. Als tegenprestatie verplichtte hij zich ten minste drie uur per dag te besteden aan het lezen van boeken over schaken of aan het spel zelf. Het lag het meest voor de hand dat Jakob bij die partijen als zijn tegenstander zou fungeren, maar diens spel werd niet beter en hij was ook niet gemotiveerd om er verbetering in te brengen. Omdat Kempelen zelf heel weinig vrije tijd had, verzocht hij zijn vrouw om Tibors schaakpartner te worden. Hij benadrukte tegenover haar dat het succes van de schaakmachine en daarmee de carrière van de familie Von Kempelen alleen gewaarborgd was wanneer Tibor perfect schaakte en dat zijn vaardigheden af zouden nemen wanneer hij niet oefende.

En zo kwam het dat die twee elkaar opnieuw ontmoetten. Tijdens het schaken spraken ze geen woord met elkaar en ook na afloop zeiden ze alleen het hoogstnodige. Anna Maria's houding tegenover Tibor leek ook na de schitterende demonstratie ten overstaan van de keizerin niet te zijn veranderd. Tot zijn verrassing kon ze echter uitstekend schaken, zelfs nog beter dan haar echtgenoot. Tibor won nog steeds alle partijen, maar ze was een taaie tegenstandster en algauw bespeurde Tibor iets van passie bij haar; een passie om de dwerg het hoofd te bieden, zo lang mogelijk te vermijden dat ze het onderspit zou delven en zoveel mogelijk witte stukken van het bord te vagen voordat haar eigen koning schaakmat werd gezet. Dat was stellig geen plezierig soort passie maar het was hoe dan ook een emotie. Tibor had echt met haar te doen omdat ze zo stug bleef optornen tegen zijn onoverwinnelijke talent. Op een keer wilde hij haar laten winnen door zijn eigen koning zo klem te zetten dat er geen ontkomen meer aan was, maar zij weigerde de aalmoes aan te nemen; resoluut maakte ze de zet ongedaan en drukte hem op het hart om beter na te denken – en leek hem daarna nog des te meer te haten.

Ondanks de dagelijkse partijen schaak begon Tibor zich algauw weer te vervelen en omdat het Jakob, wiens eigenlijke werk aan de schaakmachine nu was voltooid, niet anders verging, bood de jood Tibor aan hem in te wijden in de kunst van het houtdraaien en klokken maken. Kempelen stond hun toe om daar zijn gereedschap en materiaal voor te gebruiken en in de werkplaats of in Tibors kamer oefende de dwerg onder leiding van Jakob zijn vaardigheden op dat gebied. Bij wijze van tegenprestatie wilde Tibor Jakob de finesses van het schaakspel bijbrengen, maar deze bedankte vriendelijk voor de eer.

'Ik kan me interessantere manieren voorstellen om mijn tijd te verbeuzelen,' zei hij. 'Misschien wordt het sowieso tijd dat ik mijn biezen pak.'

'Wat bedoel je daarmee?' vroeg Tibor.

'Uit Preßburg weggaan. Op zoek gaan naar ander werk. Zorgen dat ik niet zo'n bestoft burgermannetje word.'

'Hè nee!'

Jakob glimlachte. 'Maak je geen zorgen, ik ben toch niet gek. Ten eerste laat ik me de zegetocht van de Turk niet ontgaan en ten tweede betaalt Kempelen mij een even vorstelijk salaris als jou. En weet je waarom hij me zo veel betaalt?'

'Omdat je je werk zo geweldig goed hebt gedaan.'

'Voor de drommel niet! Dat is allemaal toch allang verleden tijd. Hij geeft me geld om te voorkomen dat ik bij hem wegga. En dat ik het geheim van zijn Turk verklap.'

'Dat zou jij nooit doen.'

'O, laat hij maar rustig denken dat ik dat wel zou doen,' zei Jakob en klopte op zijn broekzak zodat de geldstukken daarin rinkelden.

Op één punt wist Kempelen niet van toegeven: hij stond niet toe dat Tibor naar de kerk ging om te biechten. Al drie maanden had Tibor niet gebiecht en dat was voor hem onverdraaglijk. Vooral hetgeen hij in Wenen had beleefd – achteraf leek dat allemaal een opiumdroom te zijn geweest – wilde hij in vertrouwen aan een dienaar Gods meedelen. Kempelen stond echter niet toe dat Tibor ook maar een voet buiten de deur zette.

Toen Tibors hartenwens Jakob ter ore kwam, hing hij een baan stof over zijn schouders bij wijze van amict en vroeg hem met een lage stem welke zonden hij wou gaan biechten. Vervolgens pakte hij in elke hand een spijker en zei: 'Wel verdraaid! Ik ben even goed als die Jezus van jou: ik ben ook een jood, ik ben ook timmerman, ik heb spijkers in mijn handen en mijn vader heeft nooit naar me omgekeken.'

Tibor was niet in de stemming om te lachen. Hij was ontstemd omdat hij de drie dagen in vrijheid en anonimiteit in Wenen uitsluitend aan oppervlakkige genoegens had besteed en ze niet had gebruikt om eindelijk weer eens een kerk binnen te gaan.

Al kon Tibor geen absolutie krijgen in de biecht, hij wilde toch ten minste de zegen van een rozenkransgebed. Hij bezat echter geen rozenkrans en hij was niet van plan een vrijdenker als Kempelen of een jood te vragen hem er een te bezorgen. Zodoende zocht hij een andere uitweg: hij gebruikte zijn schaakbord als rozenkrans. De velden van het één vertegenwoordigden de kralen van het ander. Tibor had voor elk van de vierenzestig velden een bepaald gebed in gedachten genomen en door de dame van het ene naar het andere veld te verzetten – in plaats van kralen door zijn vingers te laten glijden – kon hij bijhouden welk gebed hij op welk ogenblik moest uitspreken en welke gebeden hij nog moest uitspreken. Vanaf dat moment bad Tibor dagelijks de rozenkrans en algauw was hij zo gewend aan het schaakbord als telinstrument dat alleen al de aanblik van het bord hem enige troost en rust schonk.

Volkomen onverwacht zei Dorottya haar betrekking bij de familie Von Kempelen op. Anna Maria en Wolfgang probeerden hun dienstbode op andere gedachten te brengen, maar dat was vergeefse moeite. Ze wilde zo spoedig mogelijk terug naar Prievidza, het dorp waar ze was geboren, want het ging niet goed met haar zuster die daar woonde en ze moest voor haar en haar gezin gaan zorgen, zei ze. Omdat Dorottya de familie Von Kempelen niet geheel en al in de steek wilde laten, had ze al nagedacht over een vervangster en het kwam goed uit dat de dochter van haar neef uit Ödenburg net op zoek was naar een betrekking als dienstbode. Dorottya vertelde dat het een knap, zij het wat naïef ding was met uitmuntende getuigschriften, dat ze bij de nonnen op school was geweest en ervaring had met alle huishoudelijke taken en dat ze meteen beschikbaar was.

De volgende dag ontvingen Wolfgang en Anna Maria von Kempelen Dorottya en haar nichtje in de grote keuken op de begane grond. Ze droeg eenvoudige groen met bruine linnen kleding en haar blonde haren waren bedekt met een witte hoofddoek. Toen Dorottya haar de keuken binnenbracht, keek ze vol ontzag in het rond, alsof het vertrek een imposante troonzaal was.

'Dit is Elise Burgstaller,' stelde Dorottya haar voor.

Elise maakte een kniebuiginkje voor het echtpaar. Vervolgens haalde ze uit de mand die ze aan haar arm droeg, twee keurig opgevouwen papieren tevoorschijn, die ze aan Anna Maria gaf. Het waren getuigschriften van vroegere werkgevers, waaruit bleek dat ze een ijverige en deugdzame hulp was; beide getuigschriften waren in Ödenburg geschreven; het ene kwam van een pruikenmaker, het andere van een Hongaarse baron. Haperend en zachtjes sprekend vertelde Elise ondertussen over haar loopbaan vanaf de kloosterschool in Ödenburg tot de betrekkingen die ze had gehad en haar verhuizing naar Preßburg. Toen Kempelen informeerde waarom ze met haar tweeëntwintig jaar nog steeds niet getrouwd was, bloosde ze en legde uit dat noch zijzelf noch haar voogd tot nu toe de ware had gevonden. Dorottya knikte onophoudelijk bij alles wat Elise zei. Toen ontwaakte Teréz uit haar slaap en riep om haar moeder. Toen Anna Maria met haar de keuken binnenkwam, sloeg Elise haar handen voor haar mond, van pure vervoering over die 'kleine engel': 'U zult wel heel erg trots zijn,' zei ze tegen Anna Maria.

Wolfgang en Anna Maria von Kempelen stuurden Dorottya en Elise naar buiten, naar de binnenplaats, om in de keuken over haar te praten.

'Ze maakt een uitstekende indruk,' vond Anna Maria.

'Ze lijkt – neem me niet kwalijk – niet al te snugger, of vergis ik me?'

'Ook Dorottya was allesbehalve pienter en toch was ze een goede dienstbode.'

'Je wilt dus niet verder zoeken?'

'Nee. Waarom zou ik dat doen? Moet ik soms wachten totdat jij een dienstbode voor me in elkaar hebt geknutseld?'

En zo kwam Elise Burgstaller in dienst in huize Kempelen. Twee dagen lang maakte Dorottya Elise met het huis en de gang van zaken aldaar vertrouwd, toen verliet ze Preßburg met een genereus bedrag, aan ontslagvergoeding van haar voormalige werkgevers, een slecht geweten – en een beurs met vijftig gulden: steekpenningen die ze had gekregen van maîtresse Galatée uit Wenen, die zich met behulp van geld, eenvoudige kleding, vervalste getuigschriften en een bij elkaar gelogen levensverhaal toegang had weten te verschaffen tot het huis van Wolfgang von Kempelen, waar ze van nu af aan onder de naam Elise als dienstbode werkzaam was.

'Als de kat van huis is, dansen de muizen op tafel,' had Jakob gezegd en inderdaad werd de sfeer in huis wat ongedwongener nadat Kempelen naar Ofen was vertrokken. De Turk stond achter slot en grendel op zijn kamertje. Anna Maria vroeg Jakob Tibor mee te delen dat ze tot nader order geen oefenpartijen tegen hem zou spelen en Tibor las literatuur in plaats van beschrijvingen van gespeelde partijen, want Kempelen bezat een bepaald indrukwekkende keur aan gedichtenbundels. Daarnaast hield hij zijn vaardigheid in het polijsten en vijlen bij. Toen hij vier dagen na Kempelens vertrek aan een uurwerk zat te werken, kwam Jakob zonder kloppen zijn kamer binnen met twee oude frakken van Kempelen over zijn arm – een groene en een donkerblauwe – die gevonden waren bij het uitruimen van het kamertje. 'Wat is jouw lievelingskleur?'
Tibor keek op van zijn werk en antwoordde: 'Wit.'
Jakob barstte in lachen uit. 'Geestig hoor, idiote gnoom. Ik geef je nog een kans, maar zeg dan in 's hemelsnaam niet zwart.'
'Groen?'
'Bijvoorbeeld.'
'Wat ben je van plan?'
'Dat blijft een geheimpje.' Jakob keek over Tibors schouder wat hij aan het doen was. 'Je moet die metalen pen nog een beetje korter vijlen. Hij moet precies in het kussenblok passen... À propos, over pennen en kussenblokken gesproken, heb je ons nieuwe meisje al gezien?'
Tibor schudde het hoofd.
Jakob wees op een raampje in het kamertje. 'Ze staat net op de binnenplaats de was op te hangen. Waag er eens een oogje aan, je pen zal je er dankbaar voor zijn,' zei hij en vertrok.

Tibor schoof zijn taboeret onder het raam, stapte erop en keek naar de binnenplaats. Uit een grote mand hing de dienstbode witte lakens en kleden op aan de waslijnen die daar van de ene muur naar de andere waren gespannen, zodat er over de donker gekleurde stenen op de binnenplaats allemaal witte lijnen liepen als op een schaakbord. Van boven af kon Tibor haar gezicht niet zien maar wel haar boezem, vooral wanneer ze bukte om weer iets uit de wasmand te pakken. Eén keer strekte ze haar rug met haar handen op haar heupen en daarbij keek ze naar boven naar het raam. Tibor trok schielijk zijn hoofd weg en wachtte enkele tellen voordat hij opnieuw keek. Jakob kwam nu de binnenplaats op, met in zijn hand de groene frak en de doos waarin ze de schaar, naalden, garen en knopen bewaarden. Hij groette haar joviaal, gaf haar de wasknijpers aan die ze nodig had om het laatste laken te kunnen ophangen en liet haar toen de jas zien. Samen namen ze op de bank plaats. Om haar iets uit te leggen over het materiaal schoof Jakob wat dichter naar haar toe. Ten slotte begon ze de jas te verstellen en in te korten, terwijl Jakob toekeek, met zijn beide armen languit op de leuning. Toen legde hij zijn hoofd in zijn nek, keek Tibor aan, ontblootte zijn tanden en likte op een onwelvoeglijke manier zijn lippen af – tot de dienstbode iets tegen hem zei en hij haar weer zijn volle aandacht schonk. Tibor stapte van de taboeret af en ging zonder veel enthousiasme weer aan de slag met zijn uurwerk. Hij vond het merkwaardig dat hun nieuwe dienstbode een levervlek boven haar mond had, want dat, zo dacht Tibor sinds ze in Wenen waren geweest, was uitsluitend voorbehouden aan edelen.

De dag daarna hielp Jakob hem in de groene frak die door Elise was versteld. Hij paste perfect – afgezien van de lengte: de slippen kwamen tot op de grond. Tibor keek Jakob vragend aan, waarna deze hem een paar schoenen aanreikte: schoenen met dusdanig hoge hakken dat het wel stelten leken. Ze pasten Tibor, ofschoon hij er wat wankel op stond. Met die schoenen aan was hij bijna tien duim groter – nog steeds een heel stuk kleiner dan Jakob, maar geen dwerg meer.

'Als je een wijde pantalon over die schoenen aandoet, merkt geen mens het verschil op,' zei hij. 'Hartelijk gelukgewenst met je verjaardag!'

'Maar ik ben helemaal niet jarig. Dat is pas in oktober.'

'Zo lang kan ik niet wachten.'

'En waar is dit allemaal goed voor?'

'Om te voorkomen dat je opvalt wanneer we de stad in gaan. Dit is Wenen niet; hier wonen wel mensen die me kennen.'

Deze keer protesteerde Tibor niet met de opmerking dat Kempelen het had verboden. Hun uitstapje in Wenen was grandioos geweest en nu wilde hij Preßburg zien, en bovendien begon het buiten lente te worden terwijl hij dag in dag uit op zijn kamer opgesloten zat. Hij kon zich niet herinneren wanneer hij voor het laatst de zon op zijn huid had gevoeld. Anna Maria von Kempelen was naar een salon en zou 's avonds pas thuiskomen.

Ze slopen langs de bedienden het huis uit. Het was vroeg in de middag en het was druk in de straten van de stad, waardoor het tweetal niet zo opviel tussen al die mensen. Tibor droeg nu een oude pruik en een steek en hij had een wandelstok. Die had hij ook nodig om op de been te blijven, want het was lastig lopen op de schoenen die Jakob voor hem had gemaakt, vooral op plaatsen waar het plaveisel ongelijk was. Meer dan eens verloor hij zijn evenwicht of zwikte hij door zijn enkels, maar dankzij zijn stok en door steun te zoeken aan de arm van Jakob of aan de muur van een huis wist hij telkens op de been te blijven. Niemand besteedde echt aandacht aan hem. Mensen keken even en wandelden verder. Dankzij zijn door Jakob vervaardigde kostuum was de dwerg een van hen geworden.

Ze staken via een houten brug de stadsgracht over en gingen door de Lorenzer Poort de stad in – voor het eerst passeerde Tibor de stadsmuren, waarvan hij tot nu toe alleen de buitenzijde had gezien. Jakob leidde hem rechtstreeks naar het grote plein voor het raadhuis. Daar bleven ze bij de *Rolandsbrunnen* staan. Tibor stak zijn beide handen tot aan zijn mouwen in het koele water en keek tot zijn ogen er pijn van deden hoe de zon ontelbare keren op het trillende oppervlak werd weerkaatst. Hij voelde zich als een kluizenaar die na jaren de steen voor de ingang van zijn grot heeft weggerold en nu nieuwsgierig zijn eerste stappen in de wereld zet. Hij genoot nagenoeg overal van: van de andere mensen, van de zon en de wolken boven de daken van de stad, van de eerste jonge blaadjes aan de bomen, van de geur die de paardenvijgen verspreidden en van de drukte in de straten. Jakob zei niets; Tibor kon zich niet heugen dat hij ooit zo lang gezwegen had.

Toen de klok van het raadhuis vier uur sloeg, keek Tibor op van de fontein. Hij nam de klokkentoren en het raadhuis met zijn kleurige schindeldak in zich op tot het geluid van de klok helemaal was weggestorven.

'De Burgemeester doet zijn beklag, we moeten verder,' zei Jakob.
'De Burgemeester...?'
'Zo noemen ze de klok, omdat hij daarin is gestorven,' legde Jakob uit.
'In de klok?'
'De toenmalige burgemeester gaf meestergieter Fabian, de beste klokkengieter van de stad, opdracht de klok van de raadhuistoren te vervaardigen. Tijdens de werkzaamheden kwam de burgemeester dikwijls kijken in de werkplaats van meester Fabian en daar werd hij verliefd op de beeldschone vrouw van de klokkengieter. En zij op haar beurt raakte gecharmeerd van de rijke burgemeester met zijn zoetgevooisde complimenten en zijn kostbare geschenken. Maar meester Fabian kwam erachter dat het tweetal een verhouding had en op de dag dat hij het metaal in de oven aan het smelten was, riep hij de burgemeester ter verantwoording. De burgemeester deed of hij van de prins geen kwaad wist en bleef volhouden dat er geen sprake was van een liefdesaffaire. Toen hij ook nog trots met "zijn" nieuwe klok pronkte en snoefde dat hij en de klok voor eeuwig met elkaar verbonden zouden zijn, kon de woedende klokkengieter zich niet meer inhouden: hij duwde de burgemeester in het kokende ijzer. De ongelukkige kon niet eens meer een gil slaken, zo snel werd hij verzwolgen door het vloeibare vuur. "Ja, je zult inderdaad voor eeuwig met die klok verbonden zijn!" schreeuwde meester Fabian. Dezelfde avond goot hij het metaal in de vorm en nog voordat de klok helemaal was afgekoeld, had hij de stad verlaten en niemand heeft hem ooit nog gezien. Evenmin als de burgemeester natuurlijk. Maar toen ze de schitterende klok met behulp van stevige touwen hoog in de raadhuistoren gehesen hadden en hem voor het eerst lieten luiden, schreeuwde de echtgenote van de burgemeester dat de klok haar riep, dat ze er de stem van haar man in hoorde! Iedereen dacht dat ze geestesziek was, maar ze beklom de klokkentoren en ontdekte in de wand van de klok een groene vlek in het gele metaal en dat, zo zei ze, was de smaragden ring van de burgemeester – de smaragd die zij haar man destijds als huwelijksgeschenk had gegeven en die niet was gesmolten in de vuurgloed. En die scheen nu groen in het metaal. Sindsdien noemen ze de klok de Burgemeester, en men beweert dat iedereen die geen zuiver geweten heeft, door het geluid van die klok tot in het diepst van zijn ziel wordt geraakt.'
Toen liet Jakob Tibor Kempelens eigenlijke werkplek zien, de Konink-

lijke Hongaarse Thesaurie in de Michaelsstraat. Via de Venturstraat kwamen ze in de Herenstraat met de herenhuizen van de Preßburgse adel met al hun pracht en praal. Tibor had echter alleen nog maar oog voor de toren van de St.-Martinuskathedraal, die hoog boven de huizen uitstak, met boven op de torenspits een kopie van de Hongaarse kroon. Een paar minuten later stonden ze aan de voet van de plompe kathedraal van grijze steen en Tibor keek ernaar zoals iemand die omkomt van de dorst naar een frisse bron kijkt.

Jakob trok laatdunkend zijn neus op. 'Onze God heeft een mooier huis.' Tibor wierp hem een zo venijnige blik toe dat Jakob zijn handen in een sussend gebaar in de lucht stak. 'Rustig maar,' zei hij. 'Hoe lang denk je nodig te hebben om... een kaarsje op te steken of wat je ook te doen hebt?'

Terwijl Tibor nog over het antwoord stond na te denken, zei Jakob: 'Ik kom je over een uur hier weer ophalen. En misschien kun je maar beter niet knielen, wie weet of je met die schoenen ooit weer overeind komt.' Met die woorden maakte Jakob rechtsomkeert en slenterde met zijn handen in zijn broekzakken de weg terug waarlangs ze gekomen waren.

Inderdaad kostte het Tibor veel moeite om overeind te komen nadat hij voor de piëta was neergeknield. Hij moest zich optrekken aan een traliehek en kon toen pas zijn schoenen op de grond zetten. Hij nam wat wijwater uit de bronzen doopvont en streek het op zijn voorhoofd. Vervolgens wierp hij verscheidene guldens in het offerblok. Het was de eerste keer dat hij iets uitgaf van het geld dat hij verdiend had. Ten slotte stak hij een kaars op en bad voor het zielenheil van de Venetiaan.

Tibor keek rond in het middenschip van de kerk totdat er een vrouw uit de biechtstoel kwam en hij naar binnen kon. Hij knielde neer en trok het paarse gordijntje dicht, snoof de geur van het oude hout eens diep in zich op en wachtte totdat de planken onder zijn knieën niet meer kraakten. 'Vader, vergeef mij, want ik heb gezondigd in gedachten en daden. Ootmoedig en vol berouw wil ik mijn zonden belijden.' Wat was het weldadig die zinnen weer uit te spreken. 'Sinds ik voor het laatst heb gebiecht, is er... bijna drieënhalve maand verstreken.'

'Dat is een hele tijd,' zei de priester aan de andere kant van de tralies. 'Het spijt me. Ik wilde wel eerder komen maar dat kon niet.'

'Wat heb je gedaan?' Als er tijdens het gesprek een korte pauze viel, kon Tibor een zachte fluittoon horen wanneer de priester door zijn neus inademde.

'Het derde gebod. Ik heb de heilige mis vele malen verzuimd.'

'Je weet dat dat een doodzonde is?'

'Ja. Maar ik was verhinderd. Ze hebben het me in zekere zin verboden.'

'Iemand die jou belet om naar de heilige mis te gaan, is een goddeloze misdadiger; met zo iemand kun je maar beter breken.'

'Ja.'

'Wat heb je verder nog gedaan?'

'Ik heb... tegen het zesde gebod gezondigd. Ik heb onkuise gedachten gehad. Ik heb vrouwen begeerd. Ik heb verschillende vrouwen begeerd.'

'We worden dikwijls in verzoeking gebracht en soms is het moeilijk daar weerstand aan te bieden.'

'Ja. Ik heb een vrouw beslapen.'

De priester knikte. 'En verder?'

Nog terwijl Tibor aan het nadenken was wat hij nu moest vertellen – dat hij in gezelschap van Jakob buitensporig had gedronken of dat hij vriendschap had gesloten met een jood – werd het gordijntje plotseling opzij gerukt. Daar stond Jakob. Tibor kromp ineen terwijl Jakob met zijn vinger naar buiten wees. Aan de uitdrukking op zijn gezicht was te zien dat het hem ernst was. Tibor schudde heftig nee en toen Jakob hem aan zijn arm probeerde mee te trekken, schudde hij zich los.

'Mijn zoon?' vroeg de priester.

'Dat was alles, eerwaarde.' Tibor gebaarde naar Jakob dat hij het gordijntje weer moest sluiten. Jakob sloeg zijn ogen wanhopig omhoog en verwijderde zich enkele passen van de biechtstoel.

'Goed. Als boetedoening moet je drie onzevaders en acht weesgegroetjes bidden. En probeer je leven te beteren. Wanneer je vlees je in verleiding brengt, zoek dan troost in het gebed. En wacht niet meer zo lang voordat je weer gaat biechten, hoor je?'

'Ja, eerwaarde vader.'

'*Deinde ego te absolvo peccatis tuis in nomine patris et filii et spiritus sancti.*'

'Amen.' Met de grootst mogelijke moeite stond Tibor weer op en pakte zijn stok.

Een paar passen verderop stond Jakob het beeld van St.-Martinus te bekijken alsof er niets was gebeurd. 'Breng je nog niet genoeg tijd door in een houten kast, moet je dat ook nog in je vrije tijd doen?' Tibor gaf geen antwoord en liep hem voorbij zonder hem een blik waardig te keuren. Pas toen ze de kerk uit waren, richtte hij zich tot Jakob. Zijn ademhaling ging zwaar en zijn gezicht was rood.

'Je hebt me gestoord bij het biechten!'

'Ja. Maar het was belangrijk.'

'Wat... wat kan er belangrijk genoeg zijn om me tijdens de biecht te storen?'

'Ik wilde voorkomen dat je die paap het verhaal van de schaakmachine zou vertellen.'

Een ogenblik lang was Tibor sprakeloos. 'Wat? Wat zou ik daar dan over moeten biechten?'

Jakob gnuifde. 'Dat we de mensen grandioos voor de gek houden. Is dat bij jullie niet verboden? Bij ons wel.'

Tibor had daar niet aan gedacht, maar nu schoot hem weer te binnen wat hij in de loden kerkers van het dogepaleis tegen Kempelen had gezegd. *Gij zult geen onwaarheid spreken.* Jakob had gelijk: wat ze met de schaakmachine uitvoerden, was strikt genomen een zonde, een overtreding van het achtste gebod.

Jakob merkte wat er in Tibor omging. 'Als je niet van plan was dat op te biechten – zoveel te beter.'

'Er bestaat zoiets als een biechtgeheim,' siste Tibor.

'Ja, precies. En er bestaat zoiets als een schakende machine. Je denkt toch niet serieus dat een paap een dergelijk verhaal voor zich zal houden? Binnen twee dagen weet de hele stad dat het brein van de machine is komen biechten.'

'Hoe haal je het in je hoofd er zo over te praten? De heilige biecht – dat zijn dingen waar jullie joden immers helemaal niets van begrijpen.'

'En waarom niet?'

'Omdat het zielenheil jullie niet interesseert; omdat jullie enkel belang stellen in jezelf en in het hier en nu, jullie willen alleen maar iedere dag meer bezit bij elkaar graaien – en ondertussen denken jullie nooit eens aan degenen die door jullie als bloedzuigers in het moeras worden leeggezogen, en áls jullie geweten al eens een keer knaagt, dan beladen jullie een bok en jagen hem de woestijn in, of slachten jullie een kip en zwaaien daarmee boven je hoofd en dan zijn al jullie misstappen vergeten, dat denken jullie althans – maar eens zal er ook over jullie rechtgesproken worden, juist over jullie zal worden rechtgesproken en moge God jullie dan genadig zijn!'

Jakob krabde aan zijn nek. 'Dus zo denk jij over ons joden?'

Tibor knikte heftig, nog steeds razend. Als reactie duwde Jakob hem onverhoeds met twee handen omver. Tibor viel achterover op de grond en stootte een van zijn ellebogen pijnlijk aan het plaveisel. Verbijsterd keek hij omhoog naar Jakob.

'Ik heb dit lang genoeg moeten aanhoren en dulden, Tibor,' zei hij op ongewoon scherpe toon. 'Maar nu is het afgelopen. Ik mag dan misschien niet zoveel waarde aan mijn religie hechten, maar als jij denkt dat je mijn volk zomaar ongestraft kunt beledigen, dan heb je je toch vergist. Ik weet niet waarom jullie allemaal denken dat dat langs onze koude kleren afglijdt. Niemand heeft toch ook het recht om jou te veroordelen, alleen omdat je een dwerg bent. Kijk niet naar de kruik, maar naar de inhoud ervan! En als ik er tot nu toe niet in ben geslaagd om verandering te brengen in het beeld dat jij van ons hebt, hou je opvattingen dan voortaan voor je, want anders zul je hier de komende maanden heel erg eenzaam zijn.'

Enkele mensen in de buurt van de kathedraal waren blijven staan kijken naar het tweetal, maar dat liet Jakob onverschillig. Tibor wreef over zijn pijnlijke elleboog.

'Ik ga nu naar de jodenwijk, waar ik woon,' zei Jakob op een iets rustiger toon, 'en ik nodig je van harte uit om met me mee te gaan. Maar als die opeengepakte hoop bloedzuigers en kippenslachters jou afkeer inboezemt, dan ga je maar weg.'

Tibor knikte en vervolgens gaf Jakob hem een hand, trok hem overeind, gaf hem zijn stok en zijn hoed aan en klopte het vuil van de slippen van zijn frak.

'Is alles in orde?'

'Mijn arm doet pijn.' Tibor voelde de stof van zijn hemd aan zijn elleboog kleven. Blijkbaar zat daar een flinke schaafwond.

'Een paar maanden geleden heb jij bijna mijn neus gebroken. Nu staan we dus quitte. En ik heb destijds niet gejammerd.'

Zwijgend liepen ze via de Weidritzer Poort de binnenstad uit, kwamen langs de synagoge en waren daarmee in de jodenwijk aangeland, die in een dal tussen de stadsmuur aan de ene en de burchtheuvel aan de andere kant ingeklemd lag. Jakob had een kamer in een huis in de Jodensteeg. Om er te komen moesten ze eerst een heel kleine, donkere binnenplaats oversteken. Van daar af klommen ze helemaal naar boven via een heleboel steile trappen, die zich voor een deel in het gebouw bevonden en voor een deel ook overkapt langs de buitenmuur liepen. Of het de derde of de vierde verdieping was, zou Tibor niet hebben kunnen zeggen, want het leek wel of er behalve de verdiepingen nog een heleboel tussenverdiepingen waren en alsof er geen enkele woning op dezelfde verdieping als andere lag. Evenmin kon Tibor onderscheiden welke stukken deel uitmaakten van Jakobs huis en welke tot het huis ernaast behoorden, zo'n onoverzichtelijke kluwen van daken, balken en uitbouwen was het. Op elke vensterbank, op elke richel zaten duiven in hun eigen viezigheid en hun gekoer weerklonk over de binnenplaats. Voor een van de deuren tilde Jakob een losse dakpan van het dak, waarna er een sleutel naar beneden tuimelde waarmee hij de deur opende. Ze kwamen in een kleine gang met twee deuren; die van Jakobs woning zat niet op slot.

Jakobs kamer was ongeveer tweemaal zo groot als die van Tibor en er stonden meubels die tientallen jaren geleden wellicht kostbaar waren geweest. Het was er een chaos; her en der op de tafel en de vloer lagen schetsen en bewerkte en onbewerkte blokken hout en wat gereedschap. Naast het bed stond een morsige joodse kandelaar; het metaal was beslagen en als een druipsteen overdekt met kaarsenwas. De zeven kaarsen waren tot stompjes opgebrand en drie lonten waren al helemaal in de was weggezakt. Het vertrek had een raam en een krankzinnige smalle deur, die nergens op uitkwam; wanneer je hem opendeed, keek je in de openlucht en ongeveer een pas lager bevond zich de dakvorst van de aangrenzende woning. Je keek er uit op de rode pannendaken en de met vogelpoep besmeurde zwarte schoorstenen en op de stadsmuur en de kerktorens daarachter. Jakob wees op een gat in het tapijt van daken; daar bevond zich het kerkhofje van de joodse gemeente. Tibor zag de Michaelstoren, die aan drie zijden was voorzien van een uurwerk, alleen niet aan de kant die naar de jodenwijk gericht was; omdat de joden destijds, zo legde Jakob hem uit, nog geen taler voor de bouw van de toren hadden geschonken.

Een paar huizen verderop, op de begane grond, was een uitdragerij gevestigd – daar had Jakob de pijp van de Turk gekocht. Buiten het winkeltje stonden wat oude spullen uitgestald; omdat de Jodensteeg op deze plek maar net breed genoeg was voor een paard-en-wagen stonden de spullen dicht opeengepakt tegen de muur van de uitdragerij.

Sommige spullen hingen aan spijkers aan de muur, andere aan het ijzeren uithangbord met het opschrift IJZERWAREN AARON KRAKAUER — potten, pannen, vaatwerk, kleren, meubels en allerhande spul; er was niets bij dat Tibor had willen hebben.

Een jood met grijs haar en een grijze baard, een zwarte kaftan en een ronde kap op droeg juist op het moment dat Tibor en Jakob de straat weer in liepen, een tafeltje naar buiten. Er was een schaakbord in verwerkt met velden van licht en donker hout.

'Sjalom, Jakob,' groette hij met een half tandeloze glimlach.

'Dag Aaron.'

'Zin in een borovicka?'

'Is de Donau nat?' klonk Jakobs wedervraag.

Grijnzend verdween de oude jood weer in zijn winkeltje. Jakob pakte twee stoelen van een stapel en zette ze naast de fauteuil van de uitdrager bij de tafel. Krakauer kwam terug met een lemen fles en een kistje met schaakstukken en zette beide op de tafel neer. Om hem heen hing de geur van oud papier. Hij stak zijn hand in een mand achter zich, pakte er drie bekertjes uit en veegde er met de rand van zijn kleed het stof uit voordat hij ze volschonk.

Jakob stelde Tibor voor. 'Dit is mijn vriend... Gottfried Fürchtegott Neumann uit Passau. Hij is een rondtrekkende klokkengietersgezel.'

Gottfried Fürchtegott... Jakob had zijn schalksheid tenminste niet verloren. De drie mannen proostten en dronken. De pruimenjenever brandde in de keel en op de lippen en smaakte afschuwelijk. Tibor kneep zijn ogen tot spleetjes en plukte een haar die in de beker had gezeten van zijn tong. Hij wou dat hij een glas water of nog liever melk had om zijn keel te spoelen.

'Is er nog iets gebeurd in de stad, Aaron?' informeerde Jakob.

'Doe nou niet zo bescheiden!' knorde de uitdrager terwijl hij opnieuw inschonk. 'Iedereen heeft natuurlijk de mond vol van de mechanische Turk die jouw patroon Kempelen heeft geconstrueerd! Mijn hartelijke gelukwensen.'

'Dankjewel.'

'Ik wil die machine beslist een keer zien, het liefst zou ik zelf een keer tegen hem spelen. Rabbi Meier Barba zegt dat hij mijnheer Kempelen wil schrijven om te vragen of hij zijn homunculus niet ook een keer hier in het getto wil komen demonstreren. Schaakt u, mijnheer Neumann?'

Nog voordat Tibor antwoord kon geven, deed Jakob dat voor hem: 'Nee. Gottfried vindt schaken maar een spel voor nietsnutten die hun tijd willen doden, voor dromers die de wereld willen vergeten en voor opscheppers die ermee willen snoeven.'

Krakauer keek Tibor doordringend aan, waarop deze zijn schouders ophaalde en zei: 'Ja, natuurlijk. Is dat dan niet zo?'

'Helemaal niet, mijnheer Neumann! Weet u, het schaakspel kan wonderen verrichten. Het heeft de inwoners van de jodenwijk ooit van de hongerdood gered. Dat was in de tijd dat Siegmund koning van Hongarije was. Hij was geen goede koning en een nog slechtere koopman, en het geld voor zijn pleziertjes en voor de bouw van de burcht van Preßburg leende hij natuurlijk bij de joden – zonder het ooit terug te betalen. De geldkoffers van onze gemeente werden steeds leger. Toen hij op zekere dag duizend gulden eiste voor een van zijn oorlogen en de joden het geld niet meer konden opbrengen, ontstak de tiran in woede: hij liet alle joden het getto indrijven, barricadeerde de tralie-hekken bij de uitgangen en posteerde er schildwachten bij. Zolang ze die duizend gulden niet betaalden, moesten de joden opgesloten blijven. Maar die stakkers hadden het geld helemaal niet! In wanhoop stuurde de rabbi een brief naar de proost van de kathedraal en smeekte hem om hulp. En alle verschillen ten spijt willigde de proost zijn verzoek in. Hij en de koning schaakten af en toe tegen elkaar en de proost was bereid om de volgende maal een verzoek tot de koning te richten, als hij de partij zou winnen. Na twee uur had hij de koning verslagen. En hij verzocht hem het getto weer te openen voordat alle inwoners van de honger of door ziekte zouden omkomen. En koning Siegmund herriep zijn bevel inderdaad en de joden waren vrij. Toen de proost de daaropvolgende zondag hoge geestelijken en raadsheren voor een maaltijd had uitgenodigd, bracht een jonge jood hem een gebraden gans met de complimenten van de rabbi. Toen de proost het voortreffelijke gebraad vervolgens aansneed, was het niet gevuld met appels of uien... maar met goudstukken.'

'Tot zover over de vrede tussen de religies,' zei Jakob en keek daarbij naar Tibor.

'Laten we daar maar amen op zeggen,' zei Krakauer en hief zijn beker opnieuw, 'en *allahoe akbar* en ook *adonai echad*!'

Na een derde en een vierde borovicka nodigde de jood hen uit om wat in zijn winkeltje rond te snuffelen. Het was donker en muf tussen de schappen, die soms zo vol gepakt waren met allerlei rommel dat er vermoedelijk een lawine over Tibor zou zijn neergestort als hij een van de stevig verankerde voorwerpen zou hebben weggehaald. Op een oude secretaire stond een opgezet dier dat Tibor nog nooit had gezien: een uitgedroogde gele vis of amfibie met een glimlachende bek, daarboven twee glazige zwarte ogen en aan de romp een lange staart. Het merkwaardige aan dit dier was echter dat het rechtop stond op twee kippenpoten en dat het een klein gewei op zijn kop had. Toen Jakob het op een basilisk lijkende creatuur zag, zei hij dat het hem verbaasde dat er nog nooit een klokkenmaker op het idee was gekomen om bij het opzetten van dode dieren een mechaniek in de buik aan te brengen om ze zo weer tot leven te wekken. 'Een katje dat machinaal zijn poten optilt, of een hond die voortdurend met zijn opwindbare staart kwispelt hoewel hij allang dood is – hun treurende baasjes en vrouwtjes zouden er een vermogen voor geven.'

Tibor ontdekte een beduimelde uitgave van de *Decamerone* en wilde die kopen, maar Krakauer stond erop hem die cadeau te doen. 'Ik wil geen geld, mijnheer Neumann, want het lot heeft bepaald dat ik op zekere dag op een andere manier profijt zal hebben van onze ontmoeting,' zei hij. De *Decamerone* was een van de boeken die in Obra absoluut niet mochten worden gelezen, en toen hij het las, begreep Tibor ook waarom. De fabels waren inderdaad zinnenprikkelend. In het bijzonder was hij gecharmeerd van de geschiedenis van het liefdespaar Egano en Beatrice, die via het schaakspel aaneengesmeed werden. Tibor had er nooit bij stilgestaan dat uitgerekend zijn spel het hart van een vrouw zou kunnen openen en in zijn dromen kroop hij in de huid van Egano.

De schaakturk versloeg Michael Spech, de eigenaar van de brouwerij, in zestien zetten, wat een beschamend gering aantal was. Spech accepteerde zijn nederlaag goedgehumeurd en erkende dat hij zo weinig verstand van schaken had dat een weefgetouw hem waarschijnlijk ook wel zou hebben verslagen. De tweede partij, tegen niemand minder dan de burgemeester van Preßburg, Kempelens vriend Karl Gottlieb Windisch, de uitgever van de *Preßburger Zeitung*, duurde met veertig zetten aanzienlijk langer, zodat het applaus na het schaakmat eerder voor Windisch was bedoeld dan voor de machine. De twintig genodigden waren allemaal gekomen. Ook Kempelens broer Nepo-

muk had verzocht er opnieuw bij te mogen zijn. Anna Maria was ondertussen een volmaakte gastvrouw. Kennissen van de familie Von
Kempelen waren het erover eens dat ze haar zelden zo vrolijk hadden
gezien. Na de demonstratie liet ze Katarina en Elise de toeschouwers
drank en spijzen aanbieden terwijl deze met elkaar stonden te converseren. Boven het geluid van al die gesprekken uit hoorde Tibor hoe
Windisch Kempelen voorstelde om een annonce in de *Preßburger Zeitung* te plaatsen om de lezers attent te maken op de komende demonstraties van de Turk. De uitgever scheen meer belangstelling te hebben voor de manier waarop de machine functioneerde dan alle
andere bezoekers en overstelpte Kempelen met vragen.

Ze hadden afgesproken de deurtjes van de schaakmachine voortaan
voor en niet pas na de demonstratie open te zetten. Het voordeel daarvan was dat Tibor na de partij niet zoals voorheen met grote spoed zijn
schaakstukken hoefde weg te ruimen, de pantograaf inklappen en het
schaakbord achter het schot wegbergen. Vanaf het moment waarop de
deurtjes werden gesloten tot aan het begin van de eerste partij was er
daarentegen meer dan voldoende tijd om alles klaar te maken en de
stukken op het bord te plaatsen. Nadat Kempelen de deurtjes aan de
voorzijde had dichtgedaan, deed hij het achterste deurtje rechts van
de androïde nog een keer open met het voorwendsel dat hij nog iets
wilde afstellen en als hij de brandende kaars dan even in de machine
hield, kon Tibor daar zijn eigen kaars mee aansteken. Mocht Tibors
kaars in de loop van een partij ooit doven, dan kon Kempelen hem opnieuw vuur geven onder het voorwendsel dat hij het mechaniek even
moest afstellen.

Toen Tibor na de demonstratie met ontbloot bovenlijf boven de lampetkom hing om het zweet van zijn lijf te wassen, werd er geklopt en
Kempelen kwam binnen – vergezeld van zijn broer. Met een trots gebaar wees Kempelen op Tibor en zei: 'Dat is 'm.'

Nepomuk fronste zijn wenkbrauwen en wreef met zijn hand over zijn
kin. 'O, zo zit dat dus.'

'Ben je er niet voldaan mee?' vroeg Kempelen. De beide broers deden
alsof Tibor, die nu een lap had gepakt, hen niet kon horen.

'Jawel, jawel. Natuurlijk is er met hem niets mis. Hij heeft goed gespeeld.' Tibor bedankte met een knikje voor de loftuiting. 'Nee, het
is eerder... de hele zaak.'

De broers gingen Tibors kamer weer uit. Tibor droogde zich af. Het stoorde hem dat iemand niet louter geestdrift voor de schaakmachine ervoer.

De middagen gebruikte Tibor om zich verder in de mechanica te bekwamen. De tandwielen die hij vervaardigde, waren hoe langer hoe perfecter geworden, maar omdat niemand ze nodig had, waren ze op de vuilnisbelt beland. Nu was hij iets aan het maken, waar hij in de toekomst iets aan hoopte te hebben: de sleutels van huize Kempelen, die alleen Kempelen zelf en diens vrouw in bezit hadden; een voor de voordeur en een voor de werkplaats die weer toegang gaf tot Tibors kamer. Op een goede dag had hij al zijn moed verzameld en de stomp van een waskaars urenlang in zijn broekzak tot een zachte massa gekneed; en toen Kempelen even in zijn werkkamer verdween maar de sleutelbos in de werkplaats liet liggen, drukte Tibor de baard van beide sleutels in de was. Vervolgens haalde hij ijzeren staven die dik genoeg waren, zaagde ze in stukken en vijlde er net zo lang aan tot ze precies in de afdruk in de was pasten. Toen ze klaar waren, verstopte hij de twee sleutels onder een loszittende vloerplank en hij voelde zich vrijer in de wetenschap dat hij voortaan te allen tijde het huis uit kon gaan.

Weidritz

Op een dag dat Wolfgang en Anna Maria von Kempelen een uitnodiging hadden geaccepteerd van Nikolaus prins Esterházy voor een bal in Fertöd, maakten Tibor en Jakob hun tweede verboden uitstapje naar de stad. Ze wachtten tot het donker was en liepen toen langs de stadsmuur naar de visserswijk Weidritz; daar bevond zich op de Vismarkt herberg De Gulden Roos. Jakob kwam met enige regelmaat in die kroeg.

Tibor had zijn steltschoenen weer aan. Zijn benen en vooral zijn voeten waren na hun eerste wandeling nog lange tijd pijnlijk gebleven en nu begonnen de drukplekken opnieuw pijn te doen, maar Tibor had dat graag over voor zijn kortstondige vrijheid.

De Gulden Roos was gevestigd in een gebouw waarvan de balken door de tijd en de zwaartekracht scheef waren gaan hangen. Op het lage plafond had zich het roet van de kaarsen en de rook van de talloze tabakspijpen afgezet. Ondanks de scherpe lucht waren alle ramen van geel glas potdicht. De kroeg werd bezocht door Duitsers en Slowaken; Hongaren kon Tibor er evenmin ontdekken als vrouwen – met uitzondering van de beide schenkmeiden, die met een permanente glimlach op hun gezicht bedreven langs stoelen, tafelranden en aanstootgevende aanrakingen van de gasten dansten. Ze droegen grote bierpullen en houten planken waarin rijen uitsparingen waren aangebracht waarin tinnen jeneverbekertjes stonden. Aan een van de tafels werd gedobbeld, aan een andere tafel werd tarot gespeeld en aan een derde tafel toccadielje. Je wende aan het lawaai net als aan de stank van tabak, alcohol, zweet en vis. Vanaf zijn plekje achter de toog, waar hij bier stond te tappen en de jeneverbekertjes stond vol te schenken, begroette de kale waard Jakob met een vriendelijk gebaar.

In een nis zagen ze een vrij tafeltje en Jakob ging zo zitten dat hij van daar een zo groot mogelijk deel van de kroeg kon overzien. Tibor er-

voer het als een weldaad dat hij weer kon zitten en zijn voeten en benen rust kon gunnen. Hij strekte zijn benen maar durfde zijn bedrieglijke schoenen niet uit te trekken. Jakob gaf hem twee kussens om wat
hoger te kunnen zitten.

Een van de beide schenkmeiden kwam naar hen toe en veegde met een
doek over de tafel. Maar in plaats van deze schoon te vegen, verspreidde ze de kleine plasjes bier en de broodkruimels alleen maar.
De vrouw had lichtrood haar dat in krulletjes over haar oren viel en
ze was knap, ook al was haar bleke huid smerig geworden door de
vieze lucht in de kroeg en al stond het puntje van haar neus een beetje
scheef, hetgeen de indruk wekte dat deze ooit gebroken was geweest.
Jakob bekeek haar openlijk met een indringende blik en hoewel zij
haar ogen al even nadrukkelijk op de tafel gevestigd hield, glimlachte
ze.

'Constanze, wat ben je toch een beeldschone vrouw,' zei Jakob. 'En
dan ben ik nog niet eens dronken.'

'Dat zeg je ook als je wel dronken bent,' antwoordde ze.

'Je moet eens een keer model voor me komen staan, beloof je me dat?
Ik zal jouw schoonheid onsterfelijk maken. Dan word jij mijn Aphro-
dite, mijn Beatrice. Mijn Helena.'

Constanze bleef glimlachen hoewel ze haar lach probeerde te smoren.
'Wat willen jullie drinken? Bier?'

'Het maakt niet uit, alles wat uit jouw handen komt zal ons als nectar
smaken, lieftallige Constanze!'

De schenkmeid sloeg Jakob met haar lap en vertrok. De beide mannen
keken haar na. Toen knipoogde Jakob naar Tibor. 'Het is echt een lekker ding. En ze drinkt zelf zo veel dat het net lijkt of je een wijnglas
uitlikt als je haar kust.'

Een korte, hevige aanval van hartstocht maakte zich van Tibor meester toen hij nog eens naar Constanze keek. Hij wilde nog eens beleven
wat hij in Wenen had meegemaakt, maar deze keer zonder maskers en
zonder van tevoren te worden gemagnetiseerd. Hij voelde het bloed
naar zijn gezicht stijgen en zijn oren warm worden, totdat hij zijn
lichamelijke opwinding de baas was geworden. Destijds had hij gezondigd, en nogmaals dezelfde zonde begaan was nog laakbaarder dan er
voor het eerst aan ten prooi te vallen.

'Ze houdt me gezelschap totdat de tijd rijp is voor Elise,' zei Jakob.
'Onze Elise?'

'O ja. Elise is verbazingwekkend knap als ze haar mutsje afzet. Maar naïef, lieve deugd! En nog vromer dan jij. Daarom loop ik maar niet te hard van stapel.'

'Kempelen ontslaat je!'

'Hou op met dat gekijf, Repelsteeltje, dat doet hij niet. Ik heb je toch verteld waarom ik niet ontslagen kan worden.'

Tibor wilde Jakob het liefst verbieden met Elise om te gaan maar welk recht had hij daartoe en vooral: wat voor reden zou hij kunnen aanvoeren? Hij stelde zich voor hoe Jakob haar kuste en dat gaf hem een onbehaaglijk gevoel. Jakob was en bleef een immoreel mens.

'Zijn er hier nog meer joden?' vroeg Tibor terwijl hij om zich heen keek.

'Nee. Hier zijn helemaal geen joden. Hier ben ik ook geen jood, begrijp je?'

Toen Tibor hem een vragende blik toewierp, legde hij uit: 'Ze hoeven niet alles van me te weten. Ik wil hier ook gewoon zoals altijd kunnen komen om een glas bier te drinken. In het joodse huis schenken ze namelijk geen bier en daar zitten ze de hele avond met een plank voor hun hoofd over de talmoed te disputeren. Ik heb een ander idee over hoe ik mijn vrije tijd wil besteden.'

Constanze bracht het bier en Jakob hief het glas op haar schoonheid. Na de eerste slok bracht hij ook een dronk uit op Tibor.

Bij het tweede glas bier haalde Jakob dobbelstenen uit zijn zak. Hij legde Tibor de beangstigend eenvoudige regels van het spel uit en Tibor vroeg tot twee keer toe of dat echt alles was en of hij echt niets had gemist. Na enkele oefenpotjes speelden ze op aandringen van Jakob om een inzet van twee kreuzer. Jakob won bijna elke keer maar dat interesseerde Tibor niet; per slot van rekening had hij dankzij het loon dat Kempelen hem betaalde, nu al meer geld tot zijn beschikking dan hij ooit had bezeten. Het spelletje zelf vond hij onaantrekkelijk, want uiteindelijk had hij geen enkele invloed op het aantal ogen dat hij gooide – hoezeer Jakob hem ook verzekerde dat het resultaat gunstig werd beïnvloed als je voor het gooien op de dobbelstenen spuwde, lang met de stenen schudde en ten slotte met je linkerhand wierp, die dichter bij het hart zat. Ze speelden tot de eerste gasten vermoeid de kroeg uit waggelden, de gesprekken rustiger werden en de meiden af en toe even konden uitblazen.

Terwijl ze volop aan het dobbelen waren, ving Tibor het woord 'Kempelen' op, dat met dubbele tong werd gelald aan het tafeltje naast het hunne, dat door een halfhoog houten schot daarvan gescheiden was. Hij onderbrak even het spel. Met zijn hand gebaarde hij Jakob dat hij zijn mond moest houden. De assistent kwam naast hem zitten en samen luisterden ze naar het gesprek, dat in een mengelmoes van Slowaaks en Duits werd gevoerd.

Het ging erover dat Kempelen de ramen in zijn huis had dichtgemetseld – niet om kijklustigen of inbrekers buiten te houden, maar om degene die zich daarbinnen bevond, te beletten om te ontsnappen: de Turk. 'Als hij genoeg hersens heeft om een partij schaak van mijnheer de burgemeester te winnen, dan zal hij ook wel een simpele deur kunnen openmaken en ervandoor kunnen gaan. Vandaar dat metselen,' zei een van de drie mannen.

Jakob moest een hand voor zijn mond houden om zijn lachen te onderdrukken.

'Hoe kom je erbij dat hij wil ontsnappen?' vroeg de tweede.

'Ik heb hem horen schreeuwen. Toen ik op een morgen langs het huis liep, hoorde ik hem boven in het huis schreeuwen, een heel onmenselijk geluid, net een dier op de slachtbank.'

'Misschien was het wel een dier,' dacht de derde.

'Of een echt mens,' zei de tweede weer. 'Een machine kan toch niet schreeuwen. Of wel soms?'

'Des te erger als hij mensen martelt,' antwoordde de eerste. 'De heilige moeder Gods moge ons bijstaan; Peter heeft me verteld dat zijn vrouw had gezien dat die onnozele bediende van Kempelen, die met die lange armen, dat die op een dag een mand met afgesneden lichaamsdelen heeft weggebracht; er zaten armen en benen in en haren heeft ze ook gezien, zegt Peter. Dat is allemaal buiten de stad verbrand.'

'Vandaar dat geschreeuw.'

'Zijn dienstbode is weg uit de stad, kort na de geboorte van de Turk is ze vertrokken, of Kempelen heeft haar weggejaagd, hoe het ook zij; niemand heeft ooit meer iets van haar gehoord. Misschien wist ze wel te veel.'

Het drietal zweeg even. Tibor hoorde hoe ze hun bierpul een aantal keren naar hun mond brachten en weer neerzetten. Jakob wenkte met zijn hand alsof hij door het tussenschot heen meer uit hen wilde loskrijgen en inderdaad begon de eerste algauw weer te praten. 'Hij is lid van de loge.'

'Hm?'

'Kempelen is lid van de loge. Hij is vrijmetselaar, moge de duivel die hele groep halen; waarschijnlijk zetten die hem ertoe aan om slimme slaven voor hen te maken, en de keizerin – God behoede haar – laat zich door dat goddeloze misdrijf verblinden. Bisschop Batthyány moet een einde aan die praktijken maken. Als ik tegenover die Turk stond, dat staat buiten kijf, dan zou ik een knuppel pakken en zijn hersenpan vermorzelen. Niet omdat het een muzelman is – daar kan ie niks aan doen! – maar om hem uit zijn lijden te verlossen.'

Daarna stapten ze van het onderwerp Kempelen af maar bleven wel bij Turken en bespraken de triomfen van tsarina Catharina in de oorlog tegen de Turken aan de Zwarte Zee.

Jakob stond naast Constanze aan de toog toen Tibor tegen middernacht terugkwam van het gemak: hij praatte met haar en ze glimlachte zoals ze eerder ook had gedaan. Tibor nam plaats en keek toe hoe Jakob de hand van Constanze pakte, hoe hij met zijn vingertoppen haar vingers streelde, met zijn nagel de lijnen in haar handpalm volgde en de huid van haar hand streelde op de plaats waar haar vingers bij elkaar kwamen. Het scheen de waard niet te storen en ook Constanze trok haar hand niet uit die van Jakob. Ze streek een sliert rood krulhaar achter haar oor. De waard zei iets tegen haar en daarvan maakte Jakob gebruik om Tibor aan te kijken en zijn lippen te tuiten alsof hij een kusje gaf. Vervolgens schonk hij Constanze weer zijn volle aandacht. Tibor begreep dat dit het einde was van hun avond samen. Hij dronk zijn bier op, legde voldoende munten op tafel om de vertering van hen beiden te betalen en ging de kroeg uit. Jakob knikte hem alleen gedag; zwaaien kon hij niet, want met beide handen hield hij nu de handen van de schenkmeid vast.

Er hing een bijna volle maan boven de stad, die een scherpe schaduw wierp achter de pestzuil midden op de Vismarkt, zoals de schaduw van een zonnewijzer. Achter de visserswijk ruiste de Donau, of was het het geruis in zijn oren? Tibor hield zich met zijn ene hand aan de deurstijl vast totdat hij gewend was aan de frisse lucht in zijn longen.

Hij liep Weidritz door op weg naar huis. Wat zou hij zijn schoenen graag hebben uitgetrokken om blootsvoets verder te gaan. Op de Vismarkt had hij nog twee gendarmes op nachtpatrouille gezien, maar nu waren de straten uitgestorven en werd het geluid van zijn voetstappen

en het tikken van zijn wandelstok door de muren van de huizen weerkaatst. Zodoende schrok hij toen een vrouwenstem hem aansprak:
'Waarga je heen, mooie jongen?'
Tibor draaide zich langzaam om. Links van hem boog een kleine,
overdekte steeg van de straat af – waar die heen leidde was in het donker niet te zien – en vooraan in die steeg leunde een vrouw tegen de
muur van een huis. Ze droeg een lichtgekleurde japon en een sjaal
over haar schouders. Ze had lang, donker haar en haar lippen waren
rood geverfd. In zeker opzicht had ze wel iets weg van barones Jesenák. Haar accent maakte duidelijk dat ze een Slowaakse was. Tibor
keek naar haar maar zei niets.
'Zin in een beetje liefde?' Bij die woorden trok ze de zoom van haar
japon wat omhoog en onthulde een in een witte kous gehulde kuit.
Toen Tibor zo langzaam nee schudde dat dit opgevat had kunnen worden als twijfel, trok ze de stof nog wat verder omhoog, totdat Tibor
heel even zicht kreeg op een kousenband om haar bovenbeen.
'Nee,' zei Tibor.
'Je bent zo'n knappe man, voor jou doe ik het voor een speciale prijs.'
'Nee.'
De vrouw glimlachte, legde een vinger op haar lippen en zei: 'Vijf groschen.' Toen wees ze met dezelfde vinger op haar schoot en zei: 'Tien
groschen.'
Ze kwam bij de muur vandaan, want Tibor was niet vlug genoeg doorgelopen. Ze nam zijn vrije hand in de hare. Toen boog ze zich over
hem heen en kuste hem. Hoewel Tibor zijn lippen op elkaar geklemd
hield, vond haar tong zijn weg naar binnen. Ze smaakte verrukkelijk
naar verse kruiden, naar munt en citroen en kaneel, de smaak was zo
intens dat zich een koele gloed over Tibors lippen verspreidde. Hij
herinnerde zich dat een van zijn kameraden bij de dragonders hem
had verteld dat hoeren een vieze adem hadden omdat iedere man die
ze kusten zijn kwalijk riekende geur in hun mond achterliet; en dat al
die honderden geuren zich samenvoegden tot één enkele onverdraag-
lijke smaak, die erger was dan de anus van Lucifer – en dat zichzelf
respecterende hoeren om die reden op welriekende kruiden kauwden
om hun klanten niet af te schrikken.
Terwijl ze hem nog aan het kussen was, greep ze al naar zijn kruis en
nam datgene wat zich tijdens de kus als vanzelf had opgericht in haar
hand. Tibor sperde zijn ogen open en zag dat zij de hare niet dicht had.

Nu beëindigde ze haar kus en trok hem aan haar hand mee de donkere steeg in. Hij verzette zich niet meer.

De steeg was ongeplaveid en de grond was doorweekt van de regen, zodat Tibor extra moest opletten waar hij zijn voeten neerzette. Algauw waren ze bij een bocht in de steeg die daar in een nauw, doodlopend stuk uitliep. In een trapportaal was een kleine loper uitgerold waar de prostituee nu op ging zitten. Ze sloeg haar japon omhoog.

Tibor zei nogmaals 'nee' – blijkbaar was hij niet meer in staat nog iets anders uit te brengen – waarna de hoer weer opstond.

'Ik begrijp het. Je wilt je juffie thuis trouw blijven. Dat is heel nobel van je.' Ze stond weer op, pakte de loper op, duwde Tibor met zijn rug tegen de muur van het huis, spreidde de loper voor zijn voeten uit en ging op haar knieën voor hem zitten. Geroutineerd maakte ze zijn broek open, haalde zijn fallus eruit en kuste hem terwijl ze hem in haar hand hield. Al na enkele seconden onderbrak ze wat ze aan het doen was en keek op naar Tibor.

'Ik krijg zes groschen van je.'

Tibor slikte voordat hij sprak. 'Zo-even zei je vijf.'

'Dat was zo-even, knappe man. Moet ik stoppen?'

Tibor gaf haar met trillende handen het geld. Glimlachend stopte ze de munten in een zak onder haar kleren en ging door. Tibor kon er echter niet van genieten. Jakobs schoenen deden nog meer pijn wanneer hij stilstond dan wanneer hij liep. Hij moest zich aan de muur van het huis vasthouden om niet om te vallen en hij wist niet of hij naar de tegenoverliggende muur moest kijken of naar haar hoofd dat als een stuk mechanisch speelgoed zo grotesk voor zijn schoot op en neer wipte. Hij wilde deze vrouw niet meer hebben waar ze nu was. Zijn hevige opwinding van daarnet leek verdwenen te zijn. Hij sloot zijn ogen maar zelfs in volledige duisternis slaagde hij er niet in de beelden van mooiere vrouwen en mooiere plekken voor zijn geestesoog te halen.

Vanaf de straat waren stemmen te horen, die van een vrouw en verscheidene mannen. Tibor sperde zijn ogen weer open. Uit deze doodlopende steeg kon hij niet ontsnappen. De stemmen kwamen echter niet naderbij. Ze klonken slechts harder. De hoer ging onverstoorbaar door. Toen gilde de vrouw op straat. Tibor duwde het hoofd van de hoer van zich af. Er had een vrouw gegild en erger nog: hij had de stem van die vrouw herkend. De prostituee protesteerde niet toen Tibor wegliep. Onder het lopen knoopte hij zijn broek dicht, struikelde daarbij en viel met zijn hoofd voorover in de modder. Met veel moeite wist hij met behulp van de wandelstok weer op de been te komen; de vrouw gilde nog steeds en ook de stemmen van de mannen klonken nu duidelijk harder.

Toen hij de doodlopende steeg uitkwam, zag hij hoe een man Elise van achteren vasthield terwijl een tweede de veters van haar keurslijf probeerde open te rijgen – tevergeefs, want Kempelens dienstbode schopte keer op keer naar hem. Een van haar schoenen was ze al kwijt. Toen ze met haar hak de buik van haar aanvaller raakte, werd hij zo woedend dat hij haar een oorvijg gaf, zo hard dat haar hoofd er gewoon van tolde.

Geen van drieën zagen ze Tibor komen. De dwerg sloeg de aanrander met zijn stok in zijn knieholten, waardoor deze op het plaveisel viel, ter hoogte van Tibor. Tibor sloeg met zijn vuist tegen zijn voorhoofd en toen de kin van de man op zijn borst neerkwam, liet hij zijn wandelstok met zoveel kracht op zijn nek neerkomen dat het hout brak. Vervolgens wilde Tibor de andere man te lijf gaan. Deze had Elise ondertussen losgelaten. Ze stompte hem met haar elleboog hard in zijn maag, maar daar scheen hij nauwelijks iets van te merken, want hij was nog groter en nog lavelozer dan zijn kameraad en bovendien had hij een lederen voorschoot aan. Tibor stortte zich op hem en samen vielen ze op de grond. Ze rolden over het plaveisel. Tibor kreeg de strot van zijn tegenstander te pakken en drukte die zo stevig dicht als hij met zijn kleine handen maar kon, en probeerde de pijnlijke stompen op zijn gezicht en zijn lijf te negeren die hij daarbij te incasseren kreeg. Allengs werden de klappen zwakker, zijn slachtoffer snakte naar adem en duwde Tibors hoofd met zijn grote, grove handen van zich af. Hij had langere armen. Tibor probeerde tegendruk te geven met zijn nek. Zijn spieren trilden, zo schrap zette hij zich.

De eerste was ondertussen bekomen van de schrik en de klappen en had een houten kist gepakt, die hij tegen een muur had gevonden. Daar belaagde hij Tibor nu van achteren mee, maar hij had niet op Elise gelet: ze lichtte hem beentje, hij viel en nog voor hij weer overeind kon krabbelen, had ze hem een trap tegen zijn hoofd gegeven. Daarbij raakte ze zijn slaap, en zonder een kik te geven zakte hij op de straatstenen in elkaar.

Tibor moest de nek van de man loslaten, zijn vingers gleden van de bezwete huid af en eindelijk had de man hem van zich af geduwd; Tibor viel op zijn rug op de grond en voelde tegelijkertijd hoe zijn halsketting brak, waar de hand van zijn tegenstander achter was blijven haken. Hij rolde van zijn rug op zijn buik en wist weer overeind te komen, maar de ander was er allang vandoor gegaan. Tibor keek hem na. Er stroomde iets warms in zijn rechteroog; waarschijnlijk had hij een snee in zijn wenkbrauw. Hij bracht zijn hand naar de gapende wond en merkte toen dat zijn hele gezicht bedekt was met modder. In de belendende huizen werden nu luiken opengemaakt en lampen ontstoken.

Iemand legde een hand op zijn schouders. Hij draaide zich met een ruk om, maar het was Elise maar, die net zo hijgde als hij. Aan haar voeten lag de andere man. Ze keek naar Tibor en met zijn ongedeerde open oog keek hij naar haar. Haar haren zaten in de war. Het zweet parelde op haar huid, ze had een schaafwond op haar voorhoofd en haar keurslijf stond tot aan de aanzet van haar borsten wijd open en was vuil geworden van de handen van haar aanranders. En hoewel haar ogen wijd opengesperd waren van angst en haar mond openstond, meende Tibor een ogenblik lang nog nooit zoiets wonderschoons te hebben gezien.

Uit de richting waarin de man met de lederen voorschoot was gevlucht, kwamen nu stappen naderbij. Het waren de gendarmes. Tibor zocht met zijn ogen de grond af, maar zijn medaille was nergens te bekennen. Hij keek nogmaals naar Elise, toen rende hij in tegenovergestelde richting weg. Ze maakte een gebaar om hem tegen te houden en zei: 'Wacht', maar hij liet zich niet tegenhouden. Hij rende zo snel als zijn kunstbenen hem konden dragen.

Weer aangekomen op de Vismarkt vertraagde hij zijn pas. Hij draaide zich om en zag dat iemand achter hem aan kwam rennen; het was een van de beide gendarmes, die tijdens het rennen zijn musket heen en weer zwaaide. Tibor liep door, een ogenblik wist hij niet waar hij heen moest; hij kon De Gulden Roos binnenvluchten, waar Jakob was, maar hoe moest die hem nu helpen? Rechts van hem bevond zich de stadsmuur met de gesloten Weidritzer Poort, links de Donau; er was dus maar één mogelijkheid, rechtdoor lopen in de richting van de burcht. De gendarme riep Tibor eerst in het Duits, toen in het Slowaaks toe dat hij moest blijven staan.

Tibor verzwikte zijn enkel en viel. Zijn kunstbeen leek gebroken te zijn. Zo goed en zo kwaad als het ging ontdeed hij zich van zijn twee prothesen, gooide ze over een muur en liep barrevoets verder, waarbij zijn nu veel te lange broekspijpen hem in de weg zaten. De gendarme kwam dichterbij en omdat hij zag dat de vluchteling niet van plan was te blijven staan, nam hij niet de moeite om hem dat te gelasten.

Tibor was inmiddels de wijk Zuckermandel binnengelopen, die tussen de Donau en de helling van de burchtheuvel lag, een smal voorstadje dus met één enkele onverlichte straat tussen de twee rijen huizen die slechts één verdieping telden. Hier rook het vanwege de leerlooierijen niet alleen naar vis maar ook naar bloed, vistraan en zuur. Tibor was aan het eind van zijn krachten. Op de plaats waar de Zuckermandel-straat een flauwe bocht maakte en hij heel even uit het zicht van zijn achtervolger was, klom Tibor over de dichtsbijzijnde muur en kwam terecht op de binnenplaats van een huis aan de kant van de rivier. Zonder te kijken liet hij zich aan de andere kant vallen, waarbij hij een pijnlijke smak maakte. Hij kwam terecht op een hoop stenen, stukken metaal en dode bladeren in een smalle nis tussen de muur en een loods en hurkte neer. Aan de andere kant van de muur hoorde hij de gendarme voorbijrennen.

Tibor hijgde. Allengs werd zijn ademhaling rustiger en verdwenen de pijn in zijn longen en de steken in zijn milt. Hij stroopte zijn ge-scheurde broekspijpen op. Een van zijn kousen was rood bij de hiel op de plaats waar de huid door de druk van Jakobs schoen was open-geschaafd. Tibor wilde zijn gepijnigde voet stevig wrijven maar elke druk op de huid deed pijn. De mooie groene frak die Jakob voor hem had gemaakt, was besmeurd met modder, evenals zijn gezicht. De gapende wond bij zijn wenkbrauw bloedde niet meer maar de wenk-brauw zelf was gezwollen, zodat er van bovenaf een donkere schaduw over het blikveld van zijn rechteroog viel. Zijn oogleden waren aan elkaar gekleefd. Hij had zijn kleren stukgemaakt, was zijn schoenen kwijt en had zes groschen uitgegeven aan een paar smerige aanrakin-gen die niet tot bevrediging hadden geleid. Achteraf walgde hij van zichzelf. Het was dus geen toeval dat de Mariamedaille weg was: waarom zou de moeder Gods bij hem blijven nadat hij haar weer eens in de steek had gelaten? Instinctief greep hij naar zijn nek, waar de geliefde afbeelding van de madonna niet langer hing. Dat gebaar had hem elke dag tussen Kunersdorf en vandaag een veilig gevoel ge-geven. Nu grepen zijn vingers in het niets. Toonloos bad hij een weesgegroetje en dacht terug aan de nacht dat hij de medaille had gekregen.

Op 12 augustus 1759 werden de Pruisen in de heuvels rond Kunersdorf bij Frankfurt tussen Russische en Oostenrijkse troepen vermorzeld. De Pruisische kurassiers, die de vijand van rechts in de flank moesten aanvallen, kwamen in de onbegaanbare heide slechts moeizaam vooruit. De Hühnerfließ, een beek die tussen frontlinies in lag, was weliswaar niet meer dan een miezerig stroompje, maar de bedding was zo drassig dat de Pruisische kanonnen erin wegzakten, en de enige brug was zo smal dat de wagens waarop de stukken geschut stonden er amper overheen konden. Twee paarden werden onder Frederik II doodgeschoten; van een derde paard werd de halsslagader met een kogel doorboord op het moment dat hij zijn laars in de stijgbeugel zette. Ook hijzelf, de koning, werd geraakt door een Russische kogel, maar als door een wonder ketste deze af op een gouden snuifdoos in zijn vestzak. Geschokt door de nederlaag zou de koning er alles voor hebben gegeven om met zijn soldaten op het slagveld te sneuvelen; hij riep met luide stem om een vijandelijke kogel die hem van het leven moest beroven, maar zijn adjudanten pakten de teugels van zijn paard, galoppeerden met hun legeraanvoerder weg en brachten hem in veiligheid. In plaats van onverwijld de achtervolging van Frederik de Grote in te zetten, zoals de Oostenrijkse generaal Laudon wilde, bleven de uitgeputte Russen onder leiding van generaal Saltykow op de plaats waar ze de overwinning hadden behaald en vierden hun triomf de hele nacht door; en Laudon, wiens legermacht slechts een kwart van die van de Russen was, zag zich gedwongen hun voorbeeld te volgen, of hij wilde of niet.

Tibor was dankbaar toen de luitenant hem en zijn kameraden meedeelde dat de slag voorbij was en dat ze de Pruisen niet over de Oder, waar inmiddels de zon onderging, hoefden te achtervolgen. Er ging een vat water rond en ze dronken gretig, want het was een wolkenloze, windstille dag geweest, misschien wel de warmste van het jaar, en de voorraad water in hun veldfles was die dag algauw op geweest. De dragonders trokken hun uniform uit, dat van buiten stoffig en van binnen nat van het zweet was, en wasten de modder van hun gezicht. Niemand zei iets. Er werd gekreund maar niet gejammerd, want slechts een handvol kameraden in hun regiment was gesneuveld. Van Tibors peloton zelfs niet één. Vanaf de heuvel waar ze zaten, konden ze de Oder zien en daarachter Frankfurt en om zich heen de ontelbare rookpluimen van ongedoofde vuren als kleine kolommen boven het slagveld en als grote wolken boven Kunersdorf, Trettin, Reipzig en Schwetig, de leenroerige dorpen van Frankfurt, die door de Kozakken meer voor hun plezier dan om gevechtstactische redenen hadden platgebrand. Alleen de stenen kerk van Kunersdorf was in de vlammenzee overeind blijven staan.

Een halfuur later al weer sommeerde de luitenant hen om naar Reipzig op te trekken om in de puinhopen van het dorp op zoek te gaan naar voortvluchtige Pruisen. Ze namen hun paarden bij de teugel en liepen door het droge gras de heuvel af naar Reipzig. In het donker kwamen ze in het dorp aan. Hier en daar brachten nog enkele vlammen licht in de nacht maar de overige huizen gloeiden nog slechts na en waren tot de grond toe afgebrand. Enkele mannen hielden aan de ingang van het dorp de wacht bij de paarden – onder wie ook de jonge Tibor – en drenkten hen aan de plaatselijke beek, de Eilang. De rest liep met de bajonet op hun geladen geweer de roodgloeiende straten door, waar het nog heter was dan overdag in de volle zon. Wanneer er een verkoolde balk naar beneden stortte, spatten de vonken op en vermengden zich in de lucht met de sterren.

Nadat het peloton het verlaten dorp had verkend, splitste het zich in groepen op, die aan verschillende kanten van Reipzig hun kamp opsloegen; Tibor, Josef, Wenzel, Emanuel, Walther en Adam, hun korporaal, waren gelegerd tussen de rand van het dorp en de papiermolen van Reipzig, het enige bouwwerk dat de Russen hadden gespaard. Josef werd ingedeeld voor de eerste wachtdienst. De anderen rolden hun deken op tot kussen en vielen onmiddellijk in slaap.

'sNachts werd Tibor badend in het zweet wakker. Hij bleef liggen, staarde naar het firmament en luisterde naar de krekels, het zachte ruisen van de Eilang, het geratel van het molenrad en de ademhaling van de mannen. Wenzel, de wacht, was met zijn rug tegen een boomstam in slaap gevallen. Tibor stond op en liep blootsvoets over het gras naar de beek, maakte een kommetje van zijn hand, dronk wat van het lauwe water en waste het zweet van zijn gezicht. Toen hij de knopen van zijn broek losmaakte om te urineren, verstomde plotseling het geratel van het molenrad, dat hij sinds hun komst voortdurend had gehoord. Het waterrad had voordien al niet veel herrie gemaakt, maar nu maakte het helemaal geen geluid meer. Tibor trachtte iets te zien in het duister, maar het enige wat hij kon onderscheiden, waren enkele donkere schaduwen. Hij keek nog eens naar zijn kameraden, die allemaal diep in slaap waren.

Langs de zandige oever liep Tibor tegen de stroom in naar de molen. Terwijl hij onderweg was, hoorde hij opeens het geratel weer. Misschien was er alleen maar een tak in de schoepenraderen blijven hangen. Desondanks liep Tibor verder. De deur van de molen was afgesloten maar een van de ramen stond open. Tibor keek naar binnen. In de duisternis kon hij enige raderen en drijfriemen onderscheiden, die de verbinding vormden tussen het stampwerk en het molenrad, verder zag hij nog een grote ketel, een berg lompen en brandhout en ten slotte stroken papier, die als vierkante wolken in de dakstoel te drogen hingen en zo wit waren dat de ruimte er enigszins door werd verlicht. De deur naar de aangrenzende ruimte was dicht. Bij het stampwerk lag een gedaante op de grond; een vrouw, die met haar hoofd op een lamsvacht lag. Ze sliep. Haar handen en voeten waren met lederen riemen vastgebonden en ze was met een dikke lap gekneveld.

Tibor vergewiste zich ervan dat hij zijn korte mes bij zich had en klom vervolgens naar binnen. Het geluid van zijn voetstappen werd overstemd door het geratel van de molen. Toen hij dichter bij de vrouw gekomen was, zag hij dat ze niet op een lamsvacht lag maar op een compleet lam, dood, met een schotwond in zijn kop. Maar de vrouw leefde. Ze schrok wakker toen Tibor haar knevel los wilde maken, en probeerde te gillen. Tibor gebaarde haar stil te zijn, maar het was al te laat: ze hadden haar gehoord. De deur naar het vertrek ernaast ging open en een soldaat verscheen in de deuropening. Tibor slaakte een zucht van verlichting: het was geen Pruis maar een Rus. Een Russische officier. Meteen sprak hij de paar woorden Russisch die hij had geleerd: 'Oostenrijker' en 'vriend'. De Rus antwoordde in zijn moedertaal, grijnsde en bleef maar praten terwijl hij op Tibor af kwam. Tibor knikte, hoewel hij er geen woord van begreep. Vervolgens wees de Rus op zichzelf, Tibor en de vrouw en maakte een niet mis te verstaan gebaar. Tibor reageerde niet; pas toen de Rus het gebaar nog omstandiger herhaalde, schudde hij zijn hoofd. Tibor was een dwerg en stond tegenover een volgroeide Russische soldaat. Hij moest dringend terug naar zijn kampement om hulp te halen.

'Fritz,' zei de Rus en wees daarbij nogmaals op de vrouw.

'Dat weet ik,' antwoordde Tibor. 'Toch wil ik niet. Hartelijk dank. Tot ziens.'

De geknevelde vrouw jammerde toen Tibor naar de deur liep. De Rus, die leek te vermoeden wat Tibor van plan was, pakte hem van achteren bij zijn hoofd vast. Walther had hem over die handgreep verteld: op die manier kon je iemands nek breken. In plaats van weerstand te bieden aan de ruk die de Rus aan zijn hoofd gaf, draaide Tibor mee. Hij trok het mes uit zijn riem en stak het in het dijbeen van de officier. De Rus was geheel overrompeld, kreunde en liet hem los en Tibor rende weg en zocht dekking achter het stampwerk. De Rus trok het lemmet uit zijn vlees en wierp het mes achteloos weg. Hij grijnsde opnieuw en begon op Tibor in te praten terwijl hij op hem toeliep. Bij het stampwerk aangekomen haalde hij een grote hendel over, waarmee het schoepenrad in beweging werd gezet. Knarsend kwamen de raderen en drijfriemen tot leven en de armen van de machine begonnen in het lege bassin te stampen. Op die manier wilde de Rus kennelijk voorkomen dat Tibor onder het drijfwerk zou wegduiken en zo zou kunnen ontkomen. Tibor deed dat desondanks: toen de Rus om het stampwerk heen kwam om hem te pakken te krijgen, sprong Tibor over een van de drijfriemen en klom over een horizontaal gelegen kegelwiel. De officier wist hem echter toch nog bij zijn blote voet te pakken en hield die vast. Tibors enkel en de hand van de Rus gleden tussen twee kegels van het wiel en toen het rad doordraaide, raakten hun ledematen tussen de tanden van het rad ernaast bekneld. Tibor slaakte een gil, de Rus grijnsde. Het raderwerk van de molen kwam tot stilstand. Tibor en zijn aanvaller zaten onwrikbaar aan elkaar vast en Tibor wist niet hoe hij zich los zou kunnen wrikken. Bij elke beweging tussen de raderen werd de pijn erger, temeer daar de druk van het raderwerk niet minder werd. Er zouden een paar sterke mannen nodig zijn om het rad weer terug te draaien.

Met zijn vrije hand tastte de Rus nu in zijn laars en trok er een smalle dolk uit. Tibor lag voor hem op het rad als was het een offeraltaar. De Rus zei nog iets en haalde toen uit. Er viel een schot. Als een varken dat gekeeld werd gilde de Rus het uit, liet zijn dolk vallen en kromp ineen van pijn. In zijn zij zat een rokend gat. De Rus vloekte, betastte de gapende wond met zijn vrije hand, krabde eraan alsof het een jeukende insectenbeet was, probeerde tevergeefs nog een paar passen te maken en stierf. Voor hij naast het rad in elkaar zakte, klemden zijn vingers zich nog wat vaster om Tibors voet.

In de deuropening stond Walther en liet zijn geweer zakken. 'Parbleu! Als een donderslag bij heldere hemel!' zei hij. 'Is overigens een Rus, Blaaskaak. De Russen staan aan onze kant.'

Ze waren met hun drieën: Walther, Emanuel en korporaal Adam. Ze bevrijdden Tibor uit het raderwerk. Zijn voet was bont en blauw maar hij had niets gebroken. Vervolgens maakten ze de vrouw los, die uit Reipzig kwam en niet tijdig gevlucht was. Emanuel stelde grinnikend voor dat af te maken waar de Rus niet aan toegekomen was, waarvoor de korporaal hem streng berispte. De vrouw bedankte ieder van de vier mannen met een kus op de wang. Aan Tibor overhandigde ze haar halsketting met een kleine Mariamedaille en sprak daarbij de wens uit dat deze hem bescherming zou bieden. Toen barstte ze in tranen uit. Walther wilde haar troosten, maar Adam snauwde hem toe dat het troosten van Pruisische wijven niet tot hun taak behoorde en stuurde haar weg.

Intussen had Emanuel van de korporaal permissie gekregen om ten minste de molen plat te branden. De droge lompen brandden als een fakkel. De soldaten bleven in de molen tot het daar te heet werd, want de aanblik van het brandende papier in de dakstoel was even mooi als vuurwerk. De Russische officier, wiens rechterbeen tot op het laatst nog stuiptrekkingen bleef vertonen, als het pootje van een dood insect, lieten ze samen met het bouwwerk verassen; het lam namen ze echter mee terug naar hun kamp – Walther droeg Tibor op zijn rug – en in het schijnsel van de brandende papiermolen verorberden ze het middernachtelijke feestmaal.

Sindsdien, vanaf zijn vijftiende levensjaar, had Tibor de medaille altijd gedragen en nu was hij verdwenen; vertrapt in de blubber in een straat in Preßburg.

Tibor hoorde voetstappen langs de muur gaan. Vermoedelijk was het zijn achtervolger die terugkeerde naar de Vismarkt, waar de andere gendarme was en degene die hij tegen de grond geslagen had – en Elise. Elise: wat had ze daar in vredesnaam te zoeken gehad, midden in de nacht in de visserswijk? Voorzover Tibor wist, woonde ze in Dorottya's vroegere kamer in de Hospitaalstraat niet ver van huize Kempelen en dat was hier een heel eind lopen vandaan. En wie waren die twee mannen? Hij was er trots op dat hij haar had kunnen helpen, ook al kon ze niet weten wie hij was. Hoewel ze zo dicht bij elkaar waren wanneer hij in de schaakturk zat en zij Kempelens genodigden bediende, zouden ze elkaar waarschijnlijk nooit meer tegenkomen en zou die korte aanraking daarstraks – haar poging hem tegen te houden – geen vervolg krijgen.

Hij stond op. Wat was hij nu weer een stuk kleiner! Zijn leven lang was hij klein van stuk geweest, maar na slechts enkele uren op Jacobs schoenen was hij gewend geraakt aan zijn nieuwe lichaamslengte. De muur was aan deze kant te hoog om erop te klimmen; Tibor moest een andere weg naar buiten zien te vinden.

Hij kwam tevoorschijn uit de nis tussen de muur en de loods op de aan alle zijden ommuurde binnenplaats die tegen een huis aan lag. Even schrok Tibor, want in het licht van de maan zag hij hoe tal van gezichten hem aanstaarden, maar die gezichten waren donker en bewogen niet en ze eindigden onder aan de hals: hij was tussen een verzameling beelden of in het atelier van een beeldhouwer beland. Er stonden zeker vijfentwintig metalen borstbeelden op deze binnenplaats; sommige waren op een houten of stenen sokkel bevestigd maar de meeste bustes stonden of lagen op de grond; sommige beelden staarden omhoog naar de sterren, andere keken recht op de tegels onder hen, enkele blikten de binnenplaats over, weer andere keken recht op een muur; een jong paartje ten slotte stond elkaar met wijd opgesperde ogen aan te kijken alsof ze een wedstrijd deden wie zijn loden oogleden het laatst zou neerslaan. Hier stonden zoveel gezichten bijeen dat er altijd wel ten minste één paar ogen op Tibor gevestigd was. Waar hij ook stond, voortdurend voelde hij dat er ogen op hem waren gericht. En dan die gezichten! Niet van het soort dat je gewoonlijk in metaal gegoten zag, geen koningen en keizers, veldheren of priesters met duidelijke gelaatstrekken, een trotse blik en een volmaakt gecoiffeerde pruik – maar mannenhoofden zonder haar en met onbedekte hals en borst, zodat je je helemaal op de lelijke grimas kon concentreren die ze trokken: elk gelaat drukte een ander gevoel uit; het ene verdriet, het andere verbazing, weer een ander woede, een ander onschuld, de ene kop straalde moeheid uit, de andere walging; vrolijkheid, wellust, wrevel en een slechte inborst waren duidelijker te onderscheiden dan bij levende mensen. Doordat de rimpels om de ogen, mond en hals, op het voorhoofd en om de neus op verschillende manieren waren gevormd, waren in dit curiositeitenkabinet alle menselijke gemoedstoestanden in koper en lood vereeuwigd. Nu besefte Tibor ook dat er geen sprake was van verschillende gezichten, maar dat hij tegenover zich steeds hetzelfde gelaat zag dat een groot aantal malen was gereproduceerd.

Tibor hoorde een geluid in het aangrenzende huis, iemand leek te kreunen van de pijn, en nu pas merkte hij op dat er licht brandde. Vanaf de ommuurde binnenplaats gaf een poort toegang tot de straat, maar deze zat stevig op slot. Hij sloop naar het verlichte venster en keek naar binnen. In het licht van verscheidene olielampen zat een stevig gebouwde man met zijn rug naar Tibor toe aan een tafel waarop een spiegel stond en tevens een kleine buste van natte klei, die de kunstenaar met zijn vingers en met houten spatels aan het bewerken was. Zijn bovenlichaam was ontbloot maar op zijn hoofd had hij een baranica, een bontmuts zoals de boeren in deze streek droegen. De man modelleerde de klei, onderbrak zijn werk, bracht zijn linkerhand naar de rechterzijde van zijn ribbenkast en kneep er zo hard in dat het vlees onder zijn handen wit werd. Hij kreunde gesmoord, maar hield de martelende kneep ruim een halve minuut vol en bestudeerde tegelijkertijd het gezicht dat hij daarbij trok in de spiegel. Het was al te voorvoelen dat het gelaat van klei voor hem naar dezelfde gelaatstrekken werd gemodelleerd als de talloze hoofden op de binnenplaats – en naar de trekken van de man in de spiegel, want toen Tibor in de spiegel keek, werd het weerkaatst; het was het levende origineel van alle levenloze duplicaten – en wat erger was, de ogen van de man keken Tibor via de spiegel recht aan. Tibor hoopte tevergeefs dat hij hem in het duister niet had gezien. De man sprong onmiddellijk overeind.

Tibor deed een stap achterwaarts. Hij kon op deze binnenplaats geen kant op; hij kon slechts hopen dat de beeldhouwer hem gehoor zou schenken en hem ongedeerd zou laten gaan. Maar toen de deur openging en de olielamp een wigvormig lichtschijnsel op de binnenplaats wierp, zag Tibor dat de man een pistool in zijn hand had. Hij schreeuwde: 'Weg, wegwezen, je krijgt me niet!'

Tibor wilde iets zeggen, maar wat moest hij op die verrassende mededeling antwoorden? Hij liep naar de poort, hoewel deze afgesloten was. De beeldhouwer hoorde zijn voetstappen, draaide zich met een ruk om en richtte het pistool op hem.

'Vade retro!' schreeuwde hij en vuurde. Er schoot een witte vlam uit het wapen.

Als Tibor een man van normaal postuur was geweest, dan zou de kogel dwars door zijn hoofd zijn gegaan, maar nu vloog hij recht in de
open mond van de buste boven zijn hoofd – het geeuwende evenbeeld
van de kunstenaar. De loden kogel sloeg in het loden gehemelte in en
werd daar met een gedempte knal geabsorbeerd. De beeldhouwer liet
zijn pistool vallen en liep naar Tibor toe.
'Ik kan je in de boeien slaan! Ik grijp je voordat jij mij grijpt!' riep hij.
Tibor rende naar de openstaande deur, dat was de enige uitweg, maar
zijn aanvaller versperde hem de doorgang naar het atelier. Tussen de
bustes zaten ze elkaar achterna als twee kinderen die in het bos spelen.
De beeldhouwer was sneller en beweeglijker dan Tibor en toen de
dwerg in de richting van de deur sprong, greep de aanvaller hem van
achteren bij zijn benen en bracht hem zo ten val. Triomfantelijk
lachend draaide hij Tibor op zijn rug. Onmiddellijk verstomde het
lachen. Het licht viel vanuit het atelier op Tibors gelaat en nu was in
elk geval duidelijk dat de beeldhouwer hem voor iemand anders had
aangezien. Er verscheen een verbaasde uitdrukking op zijn gezicht.
Hij liet Tibor los en toen deze geen aanstalten maakte om op te staan,
hielp hij hem overeind.
'Het spijt me,' zei hij op plotseling zachtaardige toon. 'Wat ben ik toch
een monster; wat heb ik je aangedaan?' Hij bracht zijn hand in de richting van Tibors wenkbrauw maar stopte zijn beweging net voordat zijn
hand de wond raakte. 'Kom maar, die zullen we even gaan verzorgen.'
Tibor liep achter hem aan het atelier in. De kunstenaar schoof een
stoel bij waarop Tibor plaatsnam en haalde een kom water en een
doek. Eerst waste hij de opgedroogde klei van zijn eigen vingers, toen
wiste hij de modder en het bloed van Tibors gezicht. Ondertussen verontschuldigde hij zich telkens opnieuw voor de wond, waarvan hij on-
omstotelijk dacht dat hij die had veroorzaakt, en bezwoer dat hij hem
stom genoeg voor iemand anders had aangezien. Hij pakte een deken
van zijn bed en legde deze om Tibors schouders. Vervolgens ging hij
naar de keuken, twee deuren verder, en Tibor hoorde hoe hij daar met
potten en water in de weer was.
De dwerg maakte van de gelegenheid gebruik om eens goed rond te
kijken in dit kleine atelier, waar de kunstenaar tevens scheen te wonen: zijn bed stond er, een grote werktafel en verscheidene stoelen,
verder nog allerlei kommen en potten, zijn gereedschap en boeken
met titels als *Microkosmische preludes van de nieuwe hemel en de*

nieuwe aarde, Beschrijvingen van het zichtbare gloeiende en vlam-
mende vuur van de aloude wijzen of *De zeven heilige grondzuilen*
van de tijd en de eeuwigheid. Tegen een van de muren stonden verscheidene albasten medaillons. Daarop waren heel alledaagse gezichten afgebeeld, die geen van alle door een grimas waren misvormd. Een
van de gezichten kwam Tibor bekend voor: het was de magnetiseur, de
geneeskundige in de violette robe, die Tibor en de anderen die om het
baquet waren samengekomen, met de kracht van het dierlijk magnetisme had behandeld.

Tibor bekeek de geboetseerde kop waaraan de beeldhouwer zojuist
had zitten werken. De ogen waren opengesperd, de mond stond open,
de onderkaak hing slap naar beneden, het hele hoofd was een beetje
ingetrokken en de spieren in de nek waren gespannen. Het was zonne-
klaar welk gevoel in de grimas werd uitgedrukt: het was ontzetting,
afgrijzen van het onbekende, van iets afstotelijks, iets verschrikke-
lijks, iets monsterlijks. Tibor had die uitdrukking onlangs nog gezien,
niet op het gezicht van de kunstenaar – maar bij Elise. Kempelens
dienstbode had hem, Tibor, met dezelfde gezichtsuitdrukking aange-
keken en nog wel terwijl hij op zijn beurt haar schoonheid had staan
bewonderen; een weergaloze schoonheid waar zelfs die uitdrukking
van weerzin geen afbreuk aan had kunnen doen. Tibors ogen gleden
van de geboetseerde buste naar de spiegel en zijn gezicht staarde terug
– zijn kin vol builen door de onderkant van de spiegel afgesneden, omdat zijn lichaam niet langer was – een gelaat met dof zwart haar en
bruine ogen, die als een paar lafhartige ratten veel te diep in hun kassen lagen; kinderachtige wangen als die van een klein meisje, overal
builen en putten als bij een klomp deeg die in de oven niet goed gerezen is – en dat alles op het misvormde aardappellichaam van een
gnoom. Wat had hij dan verwacht? Dat Elise haar redder vol vervoering in haar armen zou sluiten? De vrouwen in Wenen waren door het
magnetisme buiten zinnen geweest en bovendien had hij toen een
schitterend masker op, de hoer daarstraks en die van vroeger hadden
hem hun liefde tegen betaling gegeven en het meisje in Gran had zich
uitsluitend aan hem gegeven omdat ze zelf lelijk was. Nu werden Tibors gelaatstrekken nog lelijker: hij kneep zijn ogen samen, zijn
mondhoeken gingen omlaag, zijn kin trilde toen hij begon te huilen.
Hij keek toe hoe hij huilde; het groteske trillen van zijn groteske lijf
wanneer hij snikte. Hij volgde de loop van zijn tranen door de schuine

groeven in zijn gezicht, zag hoe het snot uit zijn neus drupte – en hoe harder hij huilde, des te lelijker werd hij en hoe lelijker hij werd, des te harder moest hij huilen om zijn lelijkheid.

'Waarom huil je?' vroeg de beeldhouwer zonder een spoor van mede-lijden in zijn stem.

Tibor had de man niet horen binnenkomen. Hij zette een kan thee en twee Chinees porseleinen kopjes op tafel en schonk er een wittige, hete drank in. Tibor wiste de tranen van zijn gezicht, eerst met de deken om zijn schouders, toen met de mouwen van zijn frak.

'Nou, wat denkt u,' antwoordde Tibor. 'Omdat ik zo lelijk ben.'

De beeldhouwer reikte hem een van de kopjes aan. Ze zaten een poosje zwijgend bijeen. Tibor omvatte het kopje met beide handen en ademde de hete damp in. Het was heet water met melk.

'Kijk mij eens aan,' zei de beeldhouwer, 'en vertel me dan of je mij le-lijk vindt.'

Tibor keek naar de man tegenover zich, wiens gezicht al even harmo-nisch van vorm was als zijn naakte bovenlichaam. Hij schudde zijn hoofd. Hij zou alles overgehad hebben voor een postuur als dat van de beeldhouwer.

'En de gezichten buiten op de binnenplaats?'

'Ja, die zijn lelijk.'

'Maar dat daar buiten, dat ben ik, ik, ik, telkens weer, in koper, lood en tin gegoten, en de grimassen die ik trek, zijn heel alledaagse gezichts-uitdrukkingen. Daaraan kun je zien dat lelijkheid betrekkelijk is. Zoals een knappe man lelijk kan zijn, zo kan ook een lelijke man mooi zijn; we hebben allemaal alles in ons.'

Terwijl Tibor over die woorden nadacht, deed de beeldhouwer de deur naar de binnenplaats weer dicht en schoof er twee grendels voor.

'Wie had u daarstraks verwacht?' vroeg Tibor.

'De geest der proporties,' antwoordde de man en keek naar buiten door het raam waardoor hij Tibor had ontdekt.

Toen de kunstenaar zijn antwoord niet verder toelichtte, vroeg Tibor nogmaals: 'Wie?'

'De geest der proporties. Hij komt 's nachts, soms ook overdag, om me bij mijn werk te hinderen. Hij wil niet dat ik achter de geheimen van de proporties kom.'

'Dat begrijp ik niet...'

'Alles ter wereld is aan de wetten van de proportieleer onderworpen.

Ieder ding ter wereld staat in een bepaalde proportie tot alle andere dingen. Zo staat ook ons gezicht in een bepaalde verhouding tot de rest van ons lichaam. Wanneer ik pijn heb aan een bepaald lichaamsdeel, vertrekt mijn gezicht op een bepaalde manier.' Opnieuw kneep hij in zijn rechterzij ter hoogte van zijn ribbenkast en trok hetzelfde gezicht als de kleine geboetseerde buste. 'Er bestaan in totaal vierenzestig van die grimassen. Veel grimassen zijn al klaar, die staan buiten op de binnenplaats. Maar ik zal niet rusten vooraleer ik ze alle vierenzestig in metaal gegoten heb.'

'Waarom?'

'Omdat ik dan het stelsel van de proporties heb ontraadseld, en wie de proporties in zijn macht heeft, heeft ook de zeggenschap over de geest der proporties!'

Tibor was overduidelijk in het huis van een gek beland en hij mocht van geluk spreken dat de beeldhouwer niet met meer pistolen op hem was komen afstormen. Hij nam een slok en dacht na hoe hij ongedeerd aan het gezelschap van deze fantast kon ontsnappen.

'Hoe mag ik jou noemen, geest?' vroeg de beeldhouwer.

'Hoe...?'

'Je bent immers een geest, nietwaar? Natuurlijk ben je een geest.'

Tibor knikte. 'Ja. Ik ben een geest. Niemand kan mij zien... behalve jij.'

'Dat weet ik,' zei de beeldhouwer glimlachend.

'En je mag ook niemand iets over mij vertellen.'

'Waarom niet?'

Tibor zweeg een ogenblik en verkondigde toen met een stalen gezicht: 'Omdat ook ik je anders zal komen kwellen.'

Die gedachte leek de man werkelijk vrees in te boezemen. Hij stak zijn handen in een bezwerend gebaar omhoog. 'Vergeef me. Ik had niet de intentie weerspannig te zijn. Niemand zal ooit iets te horen krijgen over jou.'

'Goed.'

'En hoe mag ik je noemen?'

Tibors oog viel op het medaillon met de beeltenis van de magnetiseur. 'Ik ben de geest van het magnetisme.'

De beeldhouwer kromp ineen en boog deemoedig het hoofd. 'Je eert me met je bezoek, geest van het magnetisme. Vergeef me dat ik je te lijf ben gegaan.'

'Je hebt de proef doorstaan, omdat je me daarna met rust hebt gelaten en me goed bejegent.' De kunstenaar knikte. Omdat hij blijkbaar alles geloofde wat Tibor voor de vuist weg bazelde, voegde deze er onmiddellijk aan toe: 'Maar nu moet ik weg. Ik moet naar mijn tempel terug... vliegen. Doe de deur voor me open en ik zal je... voortaan met mijn magnetische krachten helpen bij je zoektocht en je strijd.'
'Kom je nog eens terug?'
Tibor trachtte te ontdekken wat de gek als antwoord wilde horen en zei toen: 'Ja. Want ik heb welbehagen in jou, trouwe dienaar.' Hij maakte met zijn hand een beweging die veel weg had van een zegening.
Eenmaal weer op de terugweg van Zuckermandel naar de stad, wilde Tibor om deze belevenissen lachen, maar het lukte hem niet. In plaats daarvan schudde hij telkens opnieuw sprakeloos het hoofd. Dit verhaal moest hij Jakob vertellen. Op de terugweg meed hij de Vismarkt en de straat waar hij Elise had bijgestaan, en toen de hemel boven de wijngaarden in het oosten al weer blauw begon te kleuren, kwam hij bij huize Kempelen aan.

Gedurende de hele maand april vonden er geregeld demonstraties met de schaakturk plaats. Elke keer waren alle plaatsen uitverkocht. Tibor kreeg steeds meer plezier in het schaken in de machine; zoveel genoegen had hij niet meer aan het spel ondervonden sinds hij het in zijn jonge jaren had geleerd. De partijen die hij speelde waren als de sonates die Kempelen speelde wanneer hij in een goede stemming was – de verrukkelijke klanken van het cembalo drongen van beneden af zelfs door tot Tibors kamertje en dan liet de dwerg zijn bezigheden rusten, ging op bed liggen, staarde naar het plafond of sloot zijn ogen en luisterde naar het foutloze spel dat zijn werkgever voortbracht.
Het begin van elke partij was een *allegro*, een reeks zetten volgens een vast patroon – de pionnen voor de koning en de lopers, het paard in de strijd om de vier centrumvelden, het beurtelings slaan en offeren van onbelangrijke stukken – bijna gedachteloos en zonder tactiek, een al duizendmaal beproefde opening, een logische, welhaast mathematische aaneenschakeling van zetten, die in tal van schaakboeken beschreven stond. Dan volgde het *andante*. Het tempo werd trager, bedachtzamer, beide partijen trachtten nu volgens hun eigen strategie te werk te gaan; over elke zet moest diep worden nagedacht, want een

fout kon een voortijdige beslissing betekenen. Ook nu werden er stukken geslagen, maar nu werd dat als een zwaar verlies ervaren; onmisbare stukken werden naast het bord gezet, zo nu en dan sneuvelde zelfs de dame; bij elke zet en tegenzet moest er worden afgewogen of het eigen paard echt minder waard was dan de toren van de tegenstander. Is het het waard om twee lichte stukken te offeren als dat je in staat stelt de dame van de tegenstander te slaan? Dan maakte Tibor een tactische manoeuvre of maakte zijn tegenstander een beslissende fout en werd de koning in een *presto* omsingeld en door een van zijn stukken mat gezet, een logische opeenvolging van zetten in het eindspel, die de tegenstander – als hij ze begreep – slechts kon afwenden door zich voortijdig gewonnen te geven; of er volgde een *scherzo* waarin de rode koning door witte stukken over het bord werd gejaagd, waarbij zijn arme getrouwen, die tot taak hadden zijn achtervolgers tegen te houden, een voor een werden afgeslacht. Het slotakkoord ten slotte was het geluid op het schaakbord wanneer de rode koning als hij mat stond werd omgelegd.

Ondertussen werden Tibors tegenspelers hoe langer hoe sterker. Knaus, Spech, Windisch, dat waren nog mannen die op basis van hun aanzien en reputatie aan de tafel hadden kunnen plaatsnemen en niet op grond van hun talent voor het spel der koningen. Inmiddels kwamen er echter goede schakers de Turk uitdagen, leden van schaaksociëteiten, die de standaardwerken van Philidor en graaf Salimbeni uit Modena hadden gelezen. De mensen begonnen de partijen van de Turk te noteren om ze met elkaar te vergelijken, te doorzien welk systeem erachter zat en een strategie voor de aanval te ontwikkelen. De partijen gingen langer duren, zodat Kempelen overwoog zandlopers neer te zetten om de bezoekers te dwingen sneller te spelen.

Op 11 april moest Tibor ten slotte voor het eerst remise toestaan, na vierenveertig zetten. Kempelen gaf deze man, die als eerste niet door de machine was verslagen – een grijze en bijna blinde onderwijzer, die speciaal hiervoor uit Marienthal was gekomen – als waardering voor zijn prestatie het entreegeld terug. Tibor bood nadien zijn verontschuldigingen aan Kempelen aan, maar deze accepteerde het gelijkspel gelaten. En zoals Kempelen al had vermoed, vergrootte deze remise de faam van de schaakturk slechts: enerzijds scheen hij de inwoners van Preßburg daardoor nog menselijker toe, omdat hij feilbaar was, en anderzijds was het voor de tegenstanders die het daarna tegen hem opnamen een stimulans om hun strijd tegen de machine eveneens in remise te laten eindigen of sterker nog, deze als eerste mens te verslaan. Daarna begonnen beschuldigingen de ronde te doen dat de schaakmachine geen echte machine was maar dat hij door mensenhanden werd bestuurd – een machine zou per slot van rekening altijd hebben gewonnen. Kempelen nodigde degenen die hem daarvan betichtten uit voor een van de demonstraties, zodat ze zich er met eigen ogen van konden overtuigen dat het schaaktafeltje leeg was en de Turkse pop eveneens, dat er geen spiegels in zaten en dat er noch boven noch onder het tafeltje onzichtbare draden waren aangebracht waarmee Pasja's hand als een marionet werd bestuurd. Er werd geroepen dat er magnetisme in het spel zou zijn, totdat Kempelen een van de twijfelaars toestond tijdens de partij een sterke magneet naast het schaaktafeltje of het mysterieuze kistje neer te zetten, die niets, maar dan ook helemaal niets, aan het spel van de Turk veranderde. Ook het verzoek om wat verder bij het schaaktafeltje en het kistje vandaan te gaan staan willigde Kempelen in en onder luid gelach van de bezoekers ging hij zelfs de werkplaats helemaal uit om iets te drinken te halen, terwijl de machine ook bij afwezigheid van haar schepper gewoon verder speelde.

Jakob betrapte een jongen die op het punt stond Spaanse snuiftabak door een van de sleutelgaten naar binnen te blazen, om de vermeende man in de machine aan het niezen te maken en zichzelf op die manier te verraden. Een handje geholpen door Branislav zette Jakob de knaap hardhandig buiten de deur. Een andere keer was het eten Tibor niet goed bekomen en kreeg hij last van winderigheid, en toen hij in de machine helemaal door darmgassen was omgeven, drong de lucht ook tot buiten de machine door totdat de toeschouwers op de eerste rijen hem opmerkten, en informeerden of de Turk wellicht te veel van het in die streek verbouwde karwijzaad had gegeten.

Ibolya barones Jesenák woonde tweemaal een demonstratie bij. Nog voor hij haar stem had gehoord of haar vanuit het tafeltje had gezien, wist Tibor dat ze er was, alleen al door de geur van haar welriekende parfum. Nadat Ibolya voor de tweede keer een presentatie had bijgewoond, vroeg Anna Maria haar man om de weduwe Jesenák te verbieden het huis te betreden en voortdurend met hem te flirten, waarna het tweetal een korte maar uitermate gepassioneerde ruzie uitvocht, waaruit Anna Maria als winnares tevoorschijn kwam. Wolfgang von Kempelen stelde een briefje voor Ibolya Jesenák op, waarin hij schreef dat het hem speet maar dat hij haar moest verzoeken voortaan niet meer te komen.

Het bleek een gouden greep te zijn dat ze Elise in dienst hadden genomen. Door haar opgewekte, zij het wat stille karakter was ze veel prettiger in de omgang dan Dorottya. Anna Maria droeg haar op de werkplaats na afloop van iedere demonstratie schoon te maken – maar wel pas als de Turk achter slot en grendel in zijn kamertje stond of onder supervisie van Jakob, voor wie dit een welkome verplichting was.

Na de laatste demonstratie voor de paasdagen zat hij bij het raam met houtskool een portret van haar te schetsen terwijl zij de vloer rond de schaakmachine aan het vegen was; op die manier had hij een voorwendsel om voortdurend naar haar te kijken.

'Hoe werkt hij?' vroeg ze onverwachts.

Jakob keek op van zijn schets.

'Hoe werkt die machine?' vroeg ze.

'Hij wordt aangedreven door een ingewikkeld raderwerk,' antwoordde Jakob.

'Hoe kan een raderwerk nu schaken?'

'Het is een heel, heel complex raderwerk.'

'Ik geloof er niets van.'

'Wat heb jij daar nou voor verstand van?'

'Helemaal niets. Maar ik kan het me eenvoudigweg niet voorstellen.'

'Maar het is wel zo.'

'Nietwaar,' hield Elise vol.

'Welles.'

'Nietes.'

'Wel waar.'

'Nee.'

Jakob legde zijn papier en houtskool neer. 'Nou goed dan, jij wint. Het is niet zo.'

'Nou, vertel op dan.'

'Dat mag ik je niet vertellen. Dat weet je heel goed.'

Elise zette de bezem neer en deed enkele stappen in zijn richting. Ze wierp een blik op de tekening. 'Dat is mooi.'

'Niet half zo mooi als het model zelf.'

Elise bloosde en sloeg haar ogen neer. Toen ze weer bekomen was, zei ze: 'Wil je me het alsjeblieft verklappen?'

'Dan vermoordt Kempelen ons allebei.'

'Ik zal het ook echt aan niemand doorvertellen, heus niet, ik zweer het.'

Jakob zuchtte.

'Alsjeblieft, Jakob.'

'Niet voor niks.'

'Wat wil je ervoor hebben?'

Jakob wees met zijn vinger naar haar lippen. 'Een kus.'

'Moge de duivel je...! Ik peins er niet over!' antwoordde Elise verontwaardigd. Ze pakte de bezem en ging door met vegen. Jakob haalde zijn schouders op en verdiepte zich weer in zijn schets. Elise veegde een poosje en keek ondertussen vanuit haar ooghoeken naar Jakob, toen liet ze de bezem plotseling vallen, liep naar hem toe en gaf hem snel een kusje op zijn wang. Vervolgens veegde ze haar lippen met de rug van haar hand af. 'Zo, jij je zin.'

'Wil je me soms voor het lapje houden?' vroeg Jakob. 'Als ik een kus zeg, bedoel ik ook een kus. En niet een nachtzoentje.'

Elise trok een pruilmondje en kwam opnieuw naderbij om hem een kus te geven. Toen hun lippen elkaar raakten, greep Jakob haar bij haar schouders om haar vast te houden. Aanvankelijk stribbelde de dienstbode tegen, toen genoot ze heel even van de tederheid om hem ten slotte weer van zich af te duwen.

'En, deed het pijn?' vroeg Jakob met een glimlach.

'En hoe werkt die Turk nou?'

Jakob vroeg haar te gaan zitten en ze nam naast hem bij het raam plaats. Hij schoof wat dichter naar haar toe en dempte zijn stem. 'Weet je dat sommige mensen denken dat er iemand in de Turk zit?'

Elise knikte haastig.

'Nou, daar hebben ze niet helemaal ongelijk in.'

En toen vertelde Jakob haar zijn eigen waarheid over de schaakmachine: dat de Turk in werkelijkheid geen houten pop was maar een echt mens; een echte, opgezette en glanzend gelakte Turk, een dode Ottomaanse schaakgrootmeester, die hij en Kempelen op een nacht in een mausoleum in Constantinopel hadden gestolen en die ze nieuw leven hadden ingeblazen met behulp van een gebedsdienst van een pantheïstische priester die van de Caraïbische eilanden afkomstig was – zijn hersenen hadden ze eerst uit zijn hoofd gesneden en de holte hadden ze opgevuld met zaagsel, behalve de hersenkronkels die nodig waren om te kunnen schaken, zodat de Turk nu niets anders meer kon. Met een eenvoudige toverformule kon de Turk nu uit zijn slaaptoestand worden gewekt en omgekeerd, zei hij – maar toen luisterde Elise al niet meer; ze gaf Jakob een tik tegen zijn hoofd omdat hij zo brutaal was geweest om een kus van haar te stelen en in ruil daarvoor een verzinsel op te dissen. Verontwaardigd ging ze de werkplaats uit. Jakob lachte nog lang nadat de deur achter haar in het slot gevallen was.

De paasweek kwam en en op Goede Vrijdag sloop Tibor met behulp van zijn valse sleutel het huis uit. Jakob had nieuwe steltschoenen gemaakt in plaats van die, die Tibor in Zuckermandel had achtergelaten, en de scheuren in zijn frak dichtgenaaid. Ook bij daglicht viel hij nu niet meer op, en niemand schonk aandacht aan de dwerg, die, voorzien van een steek die hem tegen de regen beschutte, van de Donaustraat te voet naar de kerk van de Heilige Verlosser in de Franciscanerstraat ging.

Op de traptreden voor de kerk, dicht ertegenaan om te voorkomen dat hij nat werd, zat een bedelaar met maar één been; zijn krukken lagen kruislings op zijn schoot en voor hem stond een schaal voor aalmoezen. In zijn rechterslaap stonden afzichtelijke littekens gegroefd. Tibor tastte in zijn zakken naar kleingeld – de bedelaar keek een andere kant op – toen hem opeens iets in herinnering schoot. Hij kende die man. Voor dat de bedelaar zich weer omdraaide, liep Tibor met afgewend gezicht haastig verder en verdween in de kerk. In het voorportaal bleef hij staan. De man was niemand minder dan Walther, zijn kameraad bij de dragonders die in de heuvels bij Kunersdorf zijn leven had gered en die hij net als de rest van zijn peloton voor het laatst had gezien in Torgau. Toen had Walther zijn beide benen nog en was het een knappe kerel. Waarschijnlijk was die arme drommel zo zwaar gewond geraakt door een granaat. Wat was dat allemaal lang geleden! Hij zou met liefde iets aan Walther hebben gegeven, maar zijn kameraad mocht niet weten dat Tibor hier was.

De kerk van de Heilige Verlosser was veel kleiner dan de kathedraal en van buiten gezien een al even plomp gebouw, maar van binnen was zij gewit en in allerlei hoeken met gouden engelen en bladeren geornamenteerd, zodat zij ondanks de zwakke belichting een schitterende aanblik bood. Tibor veegde de regendruppels van zijn schouders en ging naar binnen. Er speelde een orgel. Hij keek om zich heen. Eigenlijk was hij van plan geweest eerst voor het Maria-altaar te bidden en daarna te gaan biechten, maar toen de deur in de zijbeuk weer openging, kwam Anna Maria von Kempelen met Teréz de kerk in terwijl Elise buiten de paraplu uitschudde. Ze mochten hem niet ontdekken. Tibor vluchtte de dichtstbijzijnde biechtstoel in. Door een grof rieten vlechtwerk kon hij naar buiten kijken zonder zelf gezien te worden. Hij zou hier wachten totdat de drie vrouwen de kerk weer uit waren. De priester sprak hem aan en Tibor begon te biechten.

Hij schrok toen Elise en Teréz opeens voor de biechtstoel opdoemden. Hij begon te hakkelen en zweeg. Kempelens dienstbode zou toch zeker niet gaan biechten? Dan zou ze wachten totdat hij klaar was en hem onvermijdelijk zien. Maar nee, ze hielp Teréz een van de kerkbanken in en knielde naast haar neer. Tibor slaakte een zucht van verlichting en vervolgde zijn biecht. Ondertussen keek hij naar Elise en die aanblik bracht hem telkens opnieuw aan het haperen. Hij had al vermoed dat ze godvruchtig was, maar dit was het bewijs. De vrouwen in huize Kempelen hadden de godsdienst in elk geval nog niet afgezworen. En wat maakte ze een kwetsbare indruk met haar ogen dicht en met haar fijne mondje waarmee ze zwijgend smeekbeden vormde! In haar handen had ze daarbij – Tibor kneep zijn ogen tot spleetjes om het beter te kunnen zien – zijn Mariamedaille. Het was onloochenbaar zijn halsketting uit Reipzig, die hij tijdens het gevecht in Weidritz was kwijtgeraakt. Die had ze zeker op het plaveisel gevonden; het enige aandenken aan haar onbekende, lelijke redder in de nood. Tibor hoorde niet meer wat de priester zei. Er voer een warme huivering door zijn lijf. Hij ontwaakte pas uit zijn vervoering toen Anna Maria naar het tweetal toe kwam en Teréz zo hard begon te gillen dat het in de hele kerk weergalmde. Toen vertrokken de beide vrouwen, met het kind tussen hen in.

Tibor keek hen na totdat ze waren verdwenen en beantwoordde toen eindelijk de vraag die de priester had gesteld: 'Nee, dat is alles, eerwaarde vader.'

De priester legde hem zijn penitentie op en gaf hem de absolutie. Hij vergewiste zich ervan dat Elise en de anderen weg waren en liep toen naar het Maria-altaar. Elise had zijn medaille gevonden; nu droeg ze hem, vermoedelijk om haar hals, op haar boezem. Tibor was gelukkig. Hij knielde neer voor het Mariabeeld en dankte haar voor het feit dat ze zo had beschikt. Toen bad hij.

De opvallende kleuren van het Mariabeeld contrasteerden sterk met de witte achtergrond van de kerk; het bruin van haar haren, het rood van haar kleed en het donkerblauw van haar mantel, die vanbinnen verguld was. Op haar linkerarm droeg ze het kindje Jezus, dat zelf een vuurrode appel in zijn hand had. Haar hoofd was zoals altijd deemoedig gebogen; op die manier keek ze alleen diegenen aan die voor haar neerknielden of die even klein van stuk waren als Tibor. Haar haardos werd in het midden door een kaarsrechte scheiding in tweeën verdeeld en was alleen achter op haar hoofd bedekt met een witte sluier, zodat haar haren als bevroren golven los over haar schouders vielen. Het haar was uit hout gesneden en met verf gekleurd, maar desondanks beeldde Tibor zich in dat het geurde en zo zacht aanvoelde als zijde. Haar handen vertoonden geen enkele rimpel of vlek, haar vingers waren zo slank dat ze stuk voor stuk een kunstwerk waren. Haar vrije rechterhand rustte op haar mantel – wat zou het geweldig zijn door die hand te worden gestreeld, zijn eigen vingers om de hare te leggen en in een vertrouwd gebaar in elkaar te strengelen als twee volmaakte tandraderen, en met de rug van zijn hand haar gladde voorhoofd te strelen en haar wangen die onder zijn aanraking zouden blozen, haar rode lippen die een beetje zouden opengaan en een warme, vochtige adem zouden uitblazen, haar hals en de welving bij haar schouders, de lichte kromming van haar sleutelbeen en ten slotte naar beneden tot aan de halsuitsnijding van haar kleed, dat overal in plooien neerhing behalve over de borsten, die onder de stof even duidelijk afgetekend stonden als haar dijen; haar voeten, die onder de zoom van haar gewaad uitstaken, waren naakt, dus waarom zouden haar dijen niet ook naakt zijn; met een enkele handbeweging zou de blauwe mantel verwijderd zijn en met een volgende zou het rode gewaad zijn opengemaakt, de stof zou geluidloos op de grond glijden en nogmaals alle schitterende rondingen beroeren, zoals zijn handen en lippen dat daarna zouden doen...

Tibor snakte naar lucht alsof hij te lang onder water was gebleven. Hij voelde de opwinding in zijn onderbuik, warm, weldadig en eisend – en zo onbeschrijfelijk onfatsoenlijk, zo weinig een deel van hemzelf. Hij wankelde de kerk uit, zijn steek van pure schaamte diep over zijn gezicht getrokken. Zelfs de regen kon Tibors wellust niet afkoelen, deze verdween pas nadat hij tegen de muur van een huis had staan overgeven. Tibor haastte zich naar zijn kamer terug zonder er acht op te slaan of Elise of iemand anders hem kon zien, rukte zijn frak en zijn hemd van zich af, dacht na hoe hij voor deze perversiteit boete kon doen – want een gebed, daar kon geen sprake van zijn, wie zou er nu nog naar hem luisteren? Hij draaide zelfs zijn schaakbord, zijn rozenkrans, ondersteboven en haalde het crucifix van de muur – toen zijn oog op het klokkenmakersgereedschap op tafel viel, de kleine vijlen, zagen en tangetjes, miniatuuruitgaven van de martelwerktuigen in de hel, die Tibor nu gebruikte om die later te ontlopen: hij stak ze in zijn lichaam op plaatsen waar niemand het later zou zien, hij kraste en sneed zijn huid tot bloedens toe stuk, totdat zijn ogen vol tranen stonden, en toen hij niet meer kon, bad hij steeds opnieuw tot God of deze hem zijn perverse begeerte wilde vergeven. Hij verbond zijn wonden slordig en viel in een koortsachtige slaap – op de harde vloer, opdat zijn pijn niet zou worden verzacht en er geen bloed op het laken zou komen.

Paleis Grassalkowitsj

Ter gelegenheid van het huwelijk van prinses Maria Antonia – of Marie Antoinette zoals ze in Frankrijk werd genoemd – met dauphin Lodewijk XVI in Versailles nodigde Anton prins Grassalkowitsj, directeur van de Hongaarse Thesaurie, de Hongaarse en Duitse adel medio mei uit voor een bal in zijn zomerpaleis aan de Kolenmarkt. Hertog Albert von Sachsen-Teschen en diens eega aartshertogin Christine hadden toegezegd te komen, evenals prins-primaat Batthyány, prins Esterházy, de graven Pálffy, Erdödy, Apponyi, Vitzay, Csáky, Zapary, Kutscherfeld en Aspremont, veldmaarschalk Nádasdy-Fogáras en nog vele anderen. Er zou een diner worden gegeven, een bal en tot slot zou er vuurwerk worden afgestoken. In de tijd tussen het diner en het bal wilde de prins zijn doorluchtige gasten verrassen met de demonstratie van de schaakmachine, en in de thesaurie sprak hij met Wolfgang von Kempelen af dat deze de Turk zou komen vertonen.

De verrassing die Grassalkowitsj zijn gasten had bereid, was een succes en Kempelen en zijn schaakmachine kregen in de conferentiezaal van het paleis een meer dan hartelijke ontvangst. Toen er onder de gasten een tegenstander voor de Turk moest worden gekozen, verzocht Grassalkowitsj veldmaarschalk Nádasdy-Fogáras aan tafel plaats te nemen uit waardering voor diens militaire prestaties. De grijze officier dankte hartelijk voor de eer maar zei dat hij zelf veel te ouderwets was om het tegen een dergelijke nieuwerwetse machine op te nemen. In plaats daarvan gaf hij de eervolle uitverkiezing door aan een luitenant van zijn regiment, die de reputatie genoot het schaakspel tot in finesses te beheersen: János baron Andrássy.

Baron Andrássy was de eerste tegenstander van de androïde die niet in het strijdperk trad om niet te verliezen, maar om te winnen, en zijn spel stak de agressieve stijl die men van de Turk gewend was nog naar de kroon: zonder acht te slaan op verliezen commandeerde hij zijn rode troepen, waarvan de voetsoldaten in een wigvormige formatie waren opgesteld, dwars door de vijandelijke linies naar voren. De rode fuseliers sneuvelden in groten getale, tenzij ze door Andrássy's cavalerie werden gedekt; hij wist echter door de witte gelederen heen te breken en opeens stond de koning van de tegenstander open en bloot op het bord en kon alleen dankzij een rokade worden gered. Andrássy's generaal zette de achtervolging in, zijn officieren bewogen vrij over het slagveld en wisten telkens weer aan de aanvallen van de witte stukken te ontkomen, de soldaten en de officieren van de Turk werden naar de rand van het bord gedwongen. Andrássy leek zeker te zijn van de overwinning, maar de witte koning was onbereikbaar geworden; hij had zich tussen zijn kanonnen verschanst en zelfs de cavalerie kon niet meer in zijn buurt komen.

En op dat moment ging wit tot de tegenaanval over en keerden de kansen: de paar resterende rode infanteristen werden onder de voet gelopen, de officieren midden op het slagveld omsingeld. Nu wreekte zich op pijnlijke wijze het feit dat Andrássy tijdens zijn aanval alle fuseliers had geofferd: zelfs de witte soldaten van de laagste rang wisten de rode officieren te slaan, terwijl de cavalerie van de Turk hun dikwijls zelfs twee of drie keer dekte en op die manier elke poging tot revanche verijdelde. Uiteindelijk werd Andrássy's koning nog slechts verdedigd door zijn generaal, maar het strijdperk bood nu ruimte om zijn kanonnen in stelling te brengen, en die maaiden alles neer wat op hun weg kwam. Een witte cavalerist wist met behulp van vele uitwijkmanoeuvres het laatst overgebleven kanon te bereiken en het ten slotte in handen te krijgen, maar kort daarna sneuvelde hij zelf in een manoeuvre van de vijandelijke generaal. Op het einde van de strijd lagen de gevallenen van de beide legers, rood van het bloed en wit als de dood, links en rechts van het strijdperk en stonden er op het slagveld uitsluitend nog de beide koningen, zonder hun volk maar met hun generaal – vanuit tegenovergelegen hoeken loerden ze op elkaar, onderhandelden tandenknarsend over een wapenstilstand, woedend om het krijgsgeluk van de ander – evenals twee verloren infanteristen, een witte en een rode, die vermoedelijk niet konden begrijpen dat ze het bloedbad ongedeerd hadden overleefd terwijl al hun kameraden het leven hadden gelaten, nutteloos en blind ronddolend op het spookachtig lege slagveld, dat nu met rode en witte grafstenen was geplaveid.

Aan het einde van het spel werd remise overeengekomen en waren er twee verliezers, of liever gezegd twee winnaars, want het applaus voor János baron Andrássy en Wolfgang von Kempelens schaakturk was oorverdovend. Ook degenen die onbekend waren met de regels van het schaakspel hadden intuïtief begrepen welke zetten slecht en welke goed waren voor hun favoriet en de hele zaal had geapplaudisseerd als Andrássy een wit stuk van het bord pakte en luidkeels gekreund wanneer de Turk zich revancheerde. Enkele dames liepen zelfs tijdens het spel de zaal uit om hun zenuwen te sparen, anderen weken uit naar het open balkon. En wat was het een bloedige partij geweest! Om de andere zet sneuvelde er aan een van beide zijden wel een stuk. En dan de manier waarop Andrássy de Turk ook optisch teweer had gestaan! Hoewel hij aan een tafeltje apart zat, keek de huzaar zodra hij een zet had gedaan de androïde recht in zijn valse ogen en voortdurend speelde er een glimlach om zijn lippen onder zijn zwarte snor, een lachje waarin ofwel superioriteit ofwel waardering besloten lag.

'Oostenrijk tegen de Turken,' mompelde Nádasdy-Fogáras tegen niemand in het bijzonder, 'de keizer tegen de sultan, dit is een herhaling van de slag van Mohács.'

Nog tijdens het applaus stond Andrássy op en liep naar het tafeltje van de Turk. Voordat Kempelen het kon verhinderen, pakte hij de kwetsbare linkerhand van de androïde en schudde deze met beide handen. 'We zullen elkaar weerzien, goede vriend,' zei hij. 'Dit mag niet de laatste keer zijn dat we met elkaar hebben geduelleerd.'

Prins Grassalkowitsj bedankte Kempelen intussen voor deze sensationele demonstratie en voor het feit dat hij de cilinders van zijn machine dusdanig had afgesteld dat deze slechts remise had gemaakt en Andrássy niet had verslagen.

Toen richtte de prins het woord tot zijn gasten. '*Mesdames et messieurs*, hertog Albert, hertogin Christine, lieve gasten! Het ziet ernaar uit dat deze avond ons twee nieuwe sterren aan het firmament heeft opgeleverd: baron Andrássy, die erin is geslaagd de onoverwinnelijke schaakmachine een meer dan roemrijk remise af te dwingen en ons intussen een heel uur lang in de ban van zijn moedige stijl van spelen te houden.' Andrássy nam de ovatie met opgeheven hand in ontvangst. 'En natuurlijk de man die het überhaupt mogelijk heeft gemaakt dat een verzameling raderen en cilinders ons het zweet op het voorhoofd brengt en daarmee ons doet twijfelen of wij inderdaad de kroon op de

schepping zijn en of niet veeleer de machines ons die titel kunnen be-
twisten: Wolfgang baron von Kempelen, de meest bedreven werktuigbouwkundige van het hele land, wat zeg ik, van de hele wereld! Wat de
onsterfelijkheid van zijn naam betreft kan hij gerust zijn!'
Andrássy bekroonde zijn applaus met een luid schallend 'Vivat!'
'En ik mag er nog aan toevoegen,' zo sprak Grassalkowitsj verder toen
het applaus weggestorven was, 'een tot op heden voorbeeldig ambtenaar in mijn Hongaarse Thesaurie. Hoe had ik kunnen weten dat gij
voor iets hogers bestemd zijt, daar gij mij daar nooit iets over hebt
verteld?'
'Vergeeft u mij, mijn prins,' antwoordde Kempelen glimlachend met
een kleine buiging.
Prins Grassalkowitsj deed het verzoek met een handgebaar af. 'Het zij
u vergeven, mijn beste Kempelen, mits gij mij belooft dat gij ons ook
in de toekomst van dergelijke kundige machines zult blijven voorzien.
Want ik ben er heilig van overtuigd dat deze machine slechts de eerste
van een lange reeks is. Leibniz schonk ons de calculus, de rekenmachine, Kempelen de denkende machine! Veel te weinig mensen hebben naar mijn mening begrepen wat dat voor de mensheid betekent:
het schaakspel is immers slechts een oefenterrein! We hoeven ons
slechts voor te stellen welke veelsoortige mogelijkheden er nog zijn
voor het gebruik van denkende machines: op het gebied van het be-
stuur... van de financiën... van de manufactuur: ja, waarom ook niet
op de akkers of zelfs in de oorlog? Ik zeg: bouw honderden mechanische soldaten voor ons, baron Von Kempelen, en stuur hen in plaats
van onze zonen ten strijde, want ze hebben geen behoefte aan slaap
en ze hebben geen proviand nodig, ze kennen geen vrees, ze maken
geen fouten en ze bloeden slechts olie! Laat ons een mechanisch leger
vervaardigen en dan drijven we Fritz weer weg uit Silezië en jagen we
de Turk eens en voor altijd terug tot achter de Bosporus!' Bij deze
woorden wendde Grassalkowitsj zich naar de Turk en voegde er tot algemene hilariteit aan toe: 'Jij mag natuurlijk blijven.'
Tijdens de demonstratie van de schaakmachine hadden de bedienden
in de Engelenzaal, waar eerder het banket was geserveerd, alle tafels
en stoelen weggehaald en nu speelde daar een kamerorkest dansmu-
ziek. Anton prins Grassalkowitsj verzocht zijn gasten zich naar beneden te begeven en langzamerhand liep de conferentiezaal leeg. Kempelen was van plan de machine te demonteren en weg te brengen,

maar Grassalkowitsj verzocht hem met klem mee naar de Engelenzaal te komen.

Voordat hij met de prins meeging, droeg Kempelen Jakob op tot zijn terugkeer een wakend oog op de Turk en het kistje te houden. Jakob pakte de schaakstukken van het bord bij elkaar en stopte ze in de lade onder in het schaaktafeltje.

Tot op het laatst bleef prinses Judit, de jonge gemalin van Grassalkowitsj, met twee vriendinnen in de conferentiezaal om de Turk van dichtbij te bekijken voordat Jakob hem met een laken bedekte.

'Die arme Pasja,' zei een van de vriendinnen. 'Nu is hij weer alleen totdat gij hem weer tot leven wekt.'

'O, ik ben ervan overtuigd dat hij heerlijk droomt,' verzekerde Jakob haar.

'Waar droomt een machine van?' vroeg Judit. 'Telt hij mechanische schapen?'

Jakob haalde zijn schouders op. 'Misschien wel. Of hij droomt van een harem met mechanische concubines.'

'En hoe zien die eruit?'

'Je kunt ze opwinden, ze zijn roestvrij en ze zijn wonder-, wonderschoon. Maar niet zo mooi als Uwe Excellenties natuurlijk.'

De drie vrouwen giechelden en Judit bood Jakob haar arm aan. 'Begeleidt gij ons naar beneden. Gij moet ons alles over zijn liefdesleven vertellen.'

'Dat zou ik maar al te graag doen, maar dat zal niet gaan, vrees ik. Ik moet over hem waken terwijl hij slaapt.'

'Ik zal de bedienden zeggen dat ze de kaarsen moeten doven, de deuren op slot moeten doen en dat ze niemand binnen mogen laten. Niemand mag hem tijdens zijn sluimering storen.'

Jakob gaf geen antwoord. Judit bood hem opnieuw haar arm aan en zei: 'Gij zult toch zeker niet het verzoek van een prinses Grassalkowitsj weigeren?'

'Dat zou ik nooit durven.' Jakob nam de aangeboden arm, had onmiddellijk ook aan zijn andere arm een vriendin en liep met de drie vrouwen keuvelend de trappen af in de richting van de klanken van het orkest, terwijl de bedienden de deuren van de donkere conferentiezaal sloten, waar in het midden de schaakturk onder zijn laken sliep.

Ibolya barones Jesenák was die avond gekleed in een al even kostbare als gewaagde lichtgroene japon, die was afgezet met een overdaad aan brokaat, ruches en zijden rozenbloesems. Bovendien droeg ze op haar borst een grote roze strik, waarmee ze de blikken van de mannen op zich vestigde en bij de vrouwen een mengeling van jaloezie en spotlust opwekte. De twee mensen die de aanleiding waren geweest voor het feest, prinses Marie Antoinette en prins Lodewijk, waren allang vergeten, alles draaide nog slechts om Wolfgang von Kempelen en János Andrássy; en degenen die niet dansten, schaarden zich om een van beide mannen – de ambtenaren om Kempelen en de officieren om Andrássy. Jakob gaf Judit Grassalkowitsj en de jonge gravinnen en baronessen met graagte tekst en uitleg. Ibolya had er geen voordeel van dat de beide gevierde mannen haar broer en haar minnaar waren. Niemand in de zaal had belangstelling voor haar, iedereen leek te zijn vergeten dat Ibolya nauwe banden met de helden van de avond had. Ze voelde zich weer eens alleen. Daarom ging ze op de uitnodiging van graaf Csáky voor de gavotte in, duldde ze zijn begerige blikken en zijn slechte adem en constateerde daarna dat ze al te veel had gedronken om goed te kunnen dansen.

Ze voegde zich bij de kring mensen die rond Kempelens assistent stond. Deze vertelde net dat hij en Kempelen de mogelijkheid van mechanische voortplanting zouden gaan onderzoeken, opdat de machines niet meer door mensen hoefden te worden gemaakt maar door andere machines konden worden verwekt. Jakob fluisterde de dames in vertrouwen toe dat de Turk niet alleen een bekwaam schaker was maar ook het liefdesspel buitengewoon goed beheerste. Ibolya wilde zich in het gesprek mengen, want uiteindelijk kende zij de Turk langer en beter dan alle andere vrouwen hier, maar de assistent liet haar niet aan het woord komen. Toen Jakob voordeed hoe je een mechanische jongedame moest opwinden, gutste er champagne uit zijn glas op Ibolya's japon en liet daarop een lelijke vlek achter. Ze merkte dat twee meisjes achter haar rug over haar japon smiespelden en vervolgens giechelden. Met een opgewekt lachje nam barones Jesenák afscheid van het groepje mensen met het leugentje dat ze nog meer gasten haar gezelschap had beloofd. Haar broer was omringd door huzaren en legde hun uit welke strategie hij bij zijn strijd tegen de Turk had gehanteerd, waarbij zijn woorden voortdurend werden onderbroken door de loftuitingen van de veldmaarschalk. De Hongaren groetten Ibolya beleefd maar zetten

vervolgens hun gesprek voort. 'U moet het ons, onbehouwen solda-ten, vergeven, barones,' had Nádasdy-Fogáras gezegd, 'maar het enige moment waarop wij mannen niet over de oorlog spreken, is tij-dens de veldslag zelf.'
Ibolya verveelde zich algauw bij het gesprek van de mannen. Ze maakte zich los uit het gezelschap van de huzaren. Het duurde nog ruim een half uur voor het grote vuurwerk zou worden afgestoken. Ze bekeek de gouden engelen op het stucwerk boven de spiegels. Een onbekende man vroeg haar ten dans maar ze bedankte. Toen zag ze dat Kempelen de zaal weer betrad en twee glazen champagne van het buf-fet nam. Glimlachend sneed ze hem de pas af en nam onder dankzeg-ging een van beide glazen van hem over.
'Als prins Anton nou maar niet boos wordt dat je zijn champagne op-drinkt,' zei Kempelen.
'Je haalt vast wel een nieuw glas voor hem. Op je gezondheid, Farkas.'
Ibolya stootte haar glas tegen dat van Kempelen aan, maar terwijl zij een slok nam, liet hij zijn glas onaangeroerd en keek naar de groep man-nen die rond prins Grassalkowitsj op zijn terugkeer stonden te wachten.
'Op de jouwe, Ibolya. Zou je me willen excuseren? Ik moet een be-langrijk gesprek voeren.'
'Dat is geen verrassing voor me. Altijd moet jij belangrijke gesprek-ken voeren.'
'Mijn spraakmachine is helaas nog niet ver genoeg gevorderd om mij van deze last te kunnen bevrijden.'
'Ik heb je briefje gekregen,' zei ze.
'Ja.'
'Heeft je vrouw dat geschreven?'
'Voorzover ik me kan herinneren, stond mijn handtekening eronder.'
'Dan is je vrouw zeker de reden dat je me niet meer wilt zien?' Ibolya liet haar hand over zijn vest naar beneden glijden. 'Of heb je soms een kleine liefdesmachine in elkaar geknutseld? Jouw jood vertelt dat het geweldige minnaars zijn.'
Kempelen sloeg zijn ogen ten hemel. 'Alsjeblieft, Ibolya. Je hebt mijn brief gelezen. Ik ben getrouwd, jij bent een respectabele vrouw en la-ten we het daar maar bij laten. Je hebt immers zelf gezegd dat wij de koningskinderen zijn die niet bij elkaar kunnen komen.'
Ibolya wierp hem een scherpe blik toe en zei toen: 'Het heeft er alle schijn van dat je me gewoon wilt laten vallen.'

'Daar is absoluut geen sprake van.'

'Jawel. Je laat me vallen. Je hebt me niet meer nodig en je vindt het niet eens meer noodzakelijk om me te bedanken. Ik en Károly hebben je vooruitgeholpen, nu ben je beroemd, nu eet je van de tafel des heren; en nu trap je tegen de sporten van de ladder waaraan je je vroeger hebt opgetrokken.'

'Ibolya...'

'Ik zal je één ding vertellen, Farkas. Zonder mij was jij vandaag niet hier en zou je niet met Grassalkowitsj en de anderen spreken. Zonder mij zou je nog steeds op je kantoor zitten.'

Ibolya was harder gaan praten en gegeneerd keek Kempelen om zich heen. 'Alsjeblieft, bedaar een beetje.'

'O, ik ben kalm. Ik waarschuw je alleen, wees een beetje voorzichtig: ik heb je hier gebracht maar ik kan je ook heel gemakkelijk weer terugbrengen naar waar je vandaan komt.'

'Luister eens: dat is niet waar.' Nu sprak ook Kempelen op een bijtender toon. 'Dat is allebei niet waar. Ik ben hier omdat ik een machine heb geconstrueerd die kan schaken. En je kunt niets doen om mij ten val te brengen – om welke redenen je dat ook zou willen doen.'

'Daag je me uit?'

'Wat ben je dan van plan?'

'Ik waarschuw je, Farkas.'

Kempelen zag dat Grassalkowitsj hem ongeduldig wenkte. 'Blijf jij maar rustig waarschuwen maar sta mij alsjeblieft toe om vruchtbaardere gesprekken te voeren.' Kempelen overhandigde haar zijn glas champagne, omdat ze het hare bijna had leeggedronken. 'Dit kan jou daarbij beter gezelschap houden dan ik.'

Ze keek hem na toen hij met een gespeeld opgewekt gezicht terugliep naar de kring rond Grassalkowitsj en ter verontschuldiging van het feit dat hij nu pas kwam ongetwijfeld een scherpe opmerking maakte over de dronken weduwe. Ibolya dronk beide glazen leeg en liep met een vol glas de Engelenzaal uit. Niemand mocht zien hoe ellendig ze zich voelde – vooral Wolfgang von Kempelen niet.

Ze ging naar de conferentiezaal terug, die niet bewaakt werd en ook niet afgesloten was, opende de deur en sloot die zachtjes achter zich. Het enige licht in het vertrek kwam van de fakkels die buiten in het park waren neergezet. Nog bij de deur dronk Ibolya zichzelf moed in, toen liep ze de zaal door, voorbij het tafeltje waarop het mysterieuze kistje stond, liep een keer om de afgedekte androïde heen en trok toen het laken van de tafel en de Turk af – behoedzaam, om de slaper niet te wekken.

Maar de Turk was al wakker: hij staarde haar met open ogen aan, net zoals hij haar al in Wenen had aangestaard, bijna alsof hij haar had verwacht. Hij verroerde zich echter niet. Dit was de eerste man van wie haar broer niet had kunnen winnen, de man over wie iedereeen sprak, van wie als het erop aankwam echter niemand wist wie hij werkelijk was, niet eens zijn schepper zelf.

'Goedenavond,' fluisterde Ibolya en liet het laken op de grond glijden. Ze nam nog een slok en bekeek hem intussen. 'Ook zo eenzaam?' Ze dronk haar glas leeg en zette het op het schaaktafeltje. Voorzichtig streelde ze de Turk over zijn linkerhand, die op het fluwelen kussen rustte. Ze trok het kussen weg, legde het op de grond en wond het mechaniek van de machine op. Toen trok ze de pal eruit. Ratelend zette het raderwerk zich in beweging. Maar de Turk verroerde zich niet.

'Je moet een zet doen, mijn beste,' beval Ibolya hem.

Gehoorzaam tilde de machine zijn hand op, liet hem over het schaakbord gaan en op de plaats neerkomen waar een witte pion had moeten staan. De schaakstukken waren echter allang weggeborgen. In plaats van een pion kreeg de androïde twee vingers van Ibolya te pakken, die ze onder zijn hand had gehouden. Hij tilde ze op en legde ze met zorg naast het schaakbord neer. Ze zuchtte. Ze liep om het tafeltje, ging achter de androïde staan en streelde zijn nek.

'Koud ben je en innerlijk heel heet,' zei ze. 'Daarin verschillen wij van al die ijzingwekkende menselijke machines daar beneden; van al die huichelaars die hun ware aard verborgen houden onder zware schmink en onder kleren die over constructies van ijzerdraad worden gedragen. Nietwaar?'

De Turk knikte. Hij had dus begrepen wat ze zei. En dat niet alleen, hij draaide zijn ogen een beetje in de richting van de barones, zodat ze elkaar weer aankeken. Eerst schrok Ibolya, toen begon ze te giechelen. 'Waarom niet?' zei ze. 'Bij Pygmalion ging het per slot van rekening ook.'

Ze nam het gelaat van de Turk tussen haar handen en kuste hem op zijn houten mond. Haar lippenrood bleef op zijn lippen achter. Ze hijgde. De ogen van de Turk waren gewoonweg hypnotiserend en het raderwerk neuriede een betoverende melodie. Vanaf dat moment sprak

[166]

ze niet meer. Ze klapte de rechterarm van de androïde naar achteren, zoals ze dat Kempelen ooit had zien doen, nam haar japon op en ging bij hem op schoot zitten. Toen liet ze zijn arm weer zakken, zodat ze door zijn armen werd omvat. Over de schoot van de machine liep een rand, hard maar bekleed met zijn zachte kaftan, die tegen haar kruis drukte. Ze streek eerst met haar handen en toen met haar wangen over de witte bontgarnering en kreunde ervan. Ze kuste de Turk opnieuw; kuste hem op zijn voorhoofd en op zijn wenkbrauwen, ten slotte ook in zijn naakte hals terwijl ze zijn nek omstrengeld hield en streelde met haar vrije hand intussen haar eigen benen, steeds verder naar boven tot aan haar naakte dijen. Haar bekken maakte draaiende bewegingen op de schoot van de Turk. Nu tilde ze een van haar borsten uit haar diepe decolleté en wreef de tepel tegen het bont van de Turk. Ze leunde achterwaarts tegen de rand van het tafeltje en legde haar hoofd in haar nek. Met haar rechterhand greep ze de bovenarm van de Turk beet totdat de kaftan er strak omheen spande. De vingers van haar linkerhand hadden hun weg gevonden in haar onderrok en cirkelden om haar schaamdelen en de Turk scheen haar daarbij te helpen: zijn hand dwaalde over haar dijbeen naar boven, drukte erop en werd warm bij die aanraking. In vervoering pakte Ibolya zijn hand en wilde deze naar haar schoot brengen, maar toen ze de hand aanraakte waren de vingers zacht en kort en ze kreeg ze niet te pakken. Ibolya zag links van zich hoe een armpje in de opening in het schaaktafeltje verdween, het deurtje achter zich dichttrok en van binnenuit op slot deed.

Ze begon te gillen, wilde uit de schoot van de Turk opstaan voordat er nog meer handen uit het lijf van de machine naar haar zouden grijpen, maar de beide armen van de Turk hielden haar vast. Ze kronkelde en sloeg de aanrander, dook onder zijn linkerarm door en verloor daarbij haar pruik, viel op de grond en kroop snel weg van de machine, waarbij haar bewegingen werden belemmerd door haar onderrok, die ze naar beneden had laten zakken. Er scheurde iets. Pas toen ze verscheidene passen van de androïde verwijderd was, draaide ze zich om en bekeek hem hijgend. Maar hoewel het mechaniek nog liep, verroerde de Turk zich niet en keek hij star voor zich uit.

Er ging een deur open. Wolfgang von Kempelens ogen moesten eerst aan de duisternis in de conferentiezaal wennen voordat hij Ibolya zag, die op haar achterste zat en hem met opengesperde ogen aankeek; met haar haren in de war, haar lippenrood uitgelopen, haar kousen en onderrok naar beneden getrokken en met haar ene borst uit haar lijfje. Kempelen deed de deur dicht en vergrendelde het mechaniek van de machine, zodat het weer stil werd, afgezien van Ibolya's ademhaling. Hij ging op zijn hurken naast haar zitten.

'Is alles in orde?' In zijn stem klonk oprechte bezorgdheid door.

Ibolya wees met een trillende vinger naar het schaaktafeltje, zocht naar woorden en wist ten slotte uit te brengen: 'Daar zit iemand in!'

'Ssst. Rustig nou maar.' Kempelen legde zijn hand op haar arm maar ze trok hem weg.

'Zeg niet "rustig nou maar!" Er zat iemand in dat tafeltje.'

'Dat beeld je je maar in. Er is daar niemand dan de Turk. Je hebt iets te veel gedronken, Ibolya.'

Hij hielp haar overeind.

Ze duwde haar borst in haar keurs terug. 'Jouw schaakmachine werkt alleen maar omdat er iemand in zit. Je hebt ons allemaal bedrogen.' Kempelen wilde haar de pruik aangeven, die van haar hoofd was gevallen, maar ze nam hem niet aan. 'Jij bent... een bedrieger! Heel Preßburg... heel Europa bedrieg je met je zogenaamde machine!'

Ibolya liep naar het schaaktafeltje en klopte op een van de deurtjes aan de voorzijde. 'Doe open, jij daarbinnen!' Toen er geen reactie kwam, probeerde ze het deurtje open te maken, maar dat zat stevig op slot.

'Alsjeblieft, Ibolya. Dit heeft geen zin.'

Ze draaide zich naar hem om. 'Doe open. Ik wil zien wie me heeft aangeraakt!'

Kempelen zuchtte, maar zag dat de barones geen tegenspraak zou dulden. Hij pakte een sleutelbos uit de zak van zijn justaucorps maar gaf die niet aan haar. 'Ik hoef het deurtje niet open te maken. Je weet dat er iemand in zit, dat is voldoende.'

'Je geeft het dus toe?'

'Ja.'

Ibolya lachte even en schudde haar hoofd. 'Dit is ongelooflijk.'

'Mag ik je van harte gelukwensen, liefje,' zei Kempelen zichtbaar opgewekter. 'Jij bent nu een van de zeer weinigen die het geheim van de schaakturk kennen.'

'Nou, dat zullen er dan gauw meer zijn.'

Kempelen schrok. 'Je zegt het tegen niemand.'

'O nee? En waarom niet?'

'Ibolya, laten we verstandig zijn: hierover bewaar je het stilzwijgen...

en als tegenprestatie zal ik niemand vertellen wat jij hier... hebt uitge-voerd.' Ten bewijze hiel hij haar pruik omhoog.

'Daar ben ik niet bang voor. Ik ben veeleer benieuwd wat die dikke keizerin van je ervan zal zeggen als haar lievelingsgenie een goochelaar blijkt te zijn. En hoe Grassalkowitsj zich eruit zal draaien gezien de lofzang die hij zojuist nog over de machine heeft gehouden.'

'Wat wil je daar in godsnaam mee bereiken?'

'Is dat niet duidelijk? Jou betaald zetten dat je me hebt gegeten en weer hebt uitgespuugd.'

'Ik smeek je, Ibolya, doe het niet. Mijn hele bestaan hangt ervan af. Als je wilt bereiken dat ik bang ben, goed dan, je hebt me zover.' Hij pakte haar bij haar handen. 'Alsjeblieft. Je mag me alles vragen. Doe het alsjeblieft niet. Vanwege de herinnering aan wat we samen hebben gehad... en wat we te allen tijde weer nieuw leven kunnen inblazen.'

'Bedoel je... die tedere liaison van ons?'

'Ja. Vergeet mijn domme gezwets van daarstraks.'

Ibolya glimlachte en wachtte af wat hij verder nog zou zeggen.

'Ik kan niet verhelen dat ik je nog steeds met hart en ziel aanbid en naar je verlang.'

Kempelen was dicht bij haar komen staan en had de laatste woorden gefluisterd. Hij was niet bedacht op de oorvijg die ze hem gaf. Met een ongelovige uitdrukking op zijn gezicht greep hij naar zijn wang.

'Bah, wat ben jij diep gezonken dat je nu weer komt aankruipen, nog geen kwartier nadat je mijn aanwezigheid nog onaangenaam vond. Je wilt mij al net zo bedriegen als je de mensen bedriegt! Maar ik ben slimmer dan zij. Als je tenminste nog eerlijk was geweest, dan had ik het misschien nog overwogen. Maar jij hebt geen lef, Farkas; je bent inderdaad geen Hongaar meer, je bent een heel gewone Duitser en Wolfgang heeft mijn medelijden niet verdiend.'

Ze trok de sleutelbos uit zijn handen en opende daarmee de deurtjes aan de voorzijde terwijl hij als verlamd toekeek. De linkerarm van de Turk op het tafeltje schokte.

'En waar zit die geest in de machine?'

Ibolya liep naar de achterkant van het tafeltje en wilde het rechterdeurtje openen, maar dat ging niet, omdat het van binnenuit werd vastgehouden. Ibolya was echter sterker, ze rukte het deurtje open. Er rommelde iets in het tafeltje. Opeens schoot de arm van de Turk over het tafeltje, sloeg Ibolya tegen haar voorhoofd, iets in de pantograaf barstte krakend uit elkaar. Ibolya deed een stap achteruit, bleef met haar voet haken in haar onderrok, die ze nog steeds niet goed omhoog had getrokken, struikelde en viel achterover. Met haar achterhoofd sloeg ze tegen het tafeltje waarop Kempelens kistje stond – een geluid alsof er een spijker in hout werd geslagen – toen viel ze op de grond. Het laatste wat bewoog waren de plooien van haar japon, die langzaam op haar neer dwarrelden.

Een eeuwigheid waren Kempelen en Tibor net zo sprakeloos en roerloos als de Turk en de barones. Toen trachtte Tibor door de vleugeldeurtjes uit het tafeltje te ontsnappen. Daarbij ging hij zo onhandig te werk dat de pantograaf helemaal brak. Kempelen had de sleutel weer opgeraapt. Hij knielde voor de deurtjes en versperde Tibor de weg.

'Blijf erin,' zei hij onverzettelijk.

'*Madre de dio*, wat is er gebeurd?'

'Niets ernstigs. Ze is gevallen. Ik kijk zo meteen naar haar. Maar jij moet verborgen blijven, Tibor.'

Kempelen wachtte tot Tibor knikte en deed toen de vleugeldeurtjes en alle andere deurtjes op slot. Hij tilde Ibolya op het schaaktafeltje. Ze bloedde niet. Voorzichtig legde hij twee onzekere vingers op haar hals, op de plaats waar zich de slagader bevond.

'Hoe is het met haar?' vroeg Tibor van binnenuit. Kempelen gaf geen antwoord. 'Signore Kempelen! Wat is er met haar aan de hand?'

'Ze is dood,' zei Kempelen.

'Nee,' zei Tibor, en toen Kempelen daar geen antwoord op gaf: 'Dat kan niet.'

'Tibor, haar hart klopt niet meer. Ze is dood.'

'*O dolce vergine*,' jammerde Tibor. '*O dolce vergine, dolce vergine, perdono, ti prego!*' Plotseling krijste hij: 'Ik wil eruit! Ik wil hier uit! Laat me eruit!' Met zijn vuisten en voeten roffelde hij op de wanden, zodat het schaaktafeltje onder Kempelens handen klopte alsof het een pols was. 'Ik wil eruit!'

Kempelen hurkte naast het tafeltje neer. 'Tibor, nu moet je eens heel goed naar me luisteren. De enige mogelijkheid om jou hier ongedeerd uit te krijgen is in de machine. Daarom blijf je erin. Ik zal overal voor zorgen.'

'Nee! *Prego*, ik wil eruit!

Kempelen sloeg met zijn vlakke hand zo hard op het hout dat het dreunde. 'Tibor, ze zullen je hiervoor terechtstellen. Je zult sterven, *capisce?* Je zult sterven als je uit de machine komt.' Tibor was in huilen uitgebarsten.

'Heb ik je ooit teleurgesteld?' vroeg Kempelen. 'Heb ik je ooit teleurgesteld, Tibor? Geef antwoord!'

'*No, signore,*' antwoordde Tibor in tranen.

'Precies. En ik zal je ook deze keer niet teleurstellen. Alles komt goed, als je maar doet wat ik je zeg.'

'*Si, signore.*'

Kempelen ging weer staan. Tibor smeekte de moeder Gods om genade. '*Ave Maria, gratia plena, Dominus tecum, benedicta tu in mulieribus...*'

'Stil!' snauwde Kempelen hem toe. 'Ik moet me concentreren.'

Zwijgend bad Tibor verder. Af en toe was er nog een snik te horen.

Kempelen masseerde met gesloten ogen zijn slapen. Toen zette hij Ibolya's pruik weer op haar hoofd. Hij tilde haar op, pakte haar champagneglas en droeg haar naar het balkon. Hij vergewiste zich ervan dat er nog niemand in het park was, toen stapte hij naar buiten.

Het was een zachte, al bijna zomerse nacht. Kempelen zette het wijnglas op de balustrade neer. Hij haalde diep adem en dat deed pijn. Het licht van de fakkels vervaagde voor zijn ogen. Hij keek voor de laatste keer naar Ibolya's gezicht, toen tilde hij haar over de balustrade en liet haar vallen.

Haar lichaam klapte met het hoofd naar beneden op het verharde terras. Ze werd pas ontdekt toen de gasten zich voor het vuurwerk naar buiten hadden begeven en het Bengaals vuur het lijk met de opengesperde ogen beurtelings in groen, rood en blauw licht dompelde. Wolfgang von Kempelen had zich tegen die tijd allang weer onder de andere gasten gemengd en stond geanimeerd over de vooruitgang van de mechanische weefgetouwen in Engeland te converseren.

Olympus

Ze had bij haar doop vierentwintig jaar geleden de naam Elise meegekregen en ze had uitsluitend de welluidende schuilnaam Galatée aangenomen omdat geen enkele vrouw in dit beroep zich van haar echte naam bediende. Zodoende was het voor haar geen grote omschakeling geweest dat ze in huize Kempelen weer met Elise werd aangesproken. Alleen haar achternaam had ze moeten verzinnen. Ze was bij deze opdracht effectief te werk gegaan, maar desondanks had ze nu, ruim twee maanden na de overeenkomst met Friedrich Knaus, haar doel nog steeds niet bereikt.

Ze had voor alle bewoners van het huis met succes een andere Elise verzonnen: tegenover Anna Maria von Kempelen speelde ze de naïeve ondergeschikte, die haar bewonderde, die bereid was instructies van haar aan te nemen, die even religieus was als zij en die haar benijdde om het leven dat ze leidde. Tevens was ze altijd bereid om te luisteren wanneer Anna Maria haar over haar zorgen wilde vertellen en gaf ze haar op alle mogelijke punten gelijk. In aanwezigheid van Anna Maria deed ze zich zo onooglijk mogelijk voor, trok ze haar mutsje zo ver mogelijk over haar gezicht en liep ze enigszins gebogen.

Wanneer ze daarentegen alleen was met Jakob, wierp ze al haar bekoorlijkheden in de strijd: de beschroomde oogopslag, de lok haar die onder het mutsje tevoorschijn komt, het zich op het beslissende moment over de wasmand buigen zodat haar decolleté in het oog springt. Bij Jakob speelde ze de vrome maagd die met haar schuchterheid koketteert, die heimelijk slechts wacht op iemand zoals hij; die wil worden veroverd – maar niet van vandaag op morgen maar heel geleidelijk en met alle verleidingskunst die alleen hij beheerst.

Voor Katarina, de tweede dienstbode, ten slotte was ze een toegewijde hulp, die de hiërarchie van het personeel zonder meer accepteerde en die een en al oor was wanneer er over het leven van mijnheer en mevrouw werd geroddeld.

Alleen bij Kempelen schenen al haar plannetjes te falen. Friedrich Knaus had zich in hem vergist: hij was wel ijdel, maar niet ijdel genoeg om zich te laten beetnemen door geveinsde bewondering; hij was weliswaar een man, maar hij had zichzelf te zeer in de hand om voor haar sensuele verleidingen te bezwijken. Hij was wel de laatste aan wie ze het geheim achter de schaakturk zou kunnen ontlokken.

En dat er een geheim was, was duidelijk. Het verbod om op de bovenste verdieping te komen, de order om niemand iets over haar werk in huis te vertellen, de tralies, de dichtgemetselde ramen, Kempelens voorzichtigheid voor, tijdens en na de demonstraties – dat wees er allemaal op dat hij iets koste wat kost verborgen wilde houden. Of hij alleen de blauwdruk voor een perfect mechaniek geheim wilde houden voor spionnen, of dat er sprake was van een knap staaltje van misleiding en het perfecte mechaniek helemaal niet bestond, zou Elise niet kunnen zeggen. In weerwil van de maanden die ze met Knaus had doorgebracht, begreep ze nog steeds niets van mechanica en vond ze het, als puntje bij paaltje kwam, ook even weinig interessant als schaken.

Haar aanval op Jakob had haar slechts een verzinsel opgeleverd, ook al had die wel enig nut gehad: enerzijds wist ze nu dat de assistent minder spraakzaam was dan ze had gehoopt, anderzijds smaakte die kus hem hopelijk naar meer. Maar als hij meer van haar wilde, moest hij haar ook meer geven.

Alles waar ze verder nog over beschikte, was de mysterieuze kameraad van Jakob. Ze had het tweetal toevallig gezien toen ze 's avonds van het postkantoor naar huis liep: een kleine, gedrongen gestalte met een wandelstok, die samen met de jood naar De Gulden Roos was gegaan. Elise had het duo ongezien gevolgd, had urenlang geduldig in de kou staan wachten, en toen de man eindelijk zonder Jakob uit de kroeg kwam, was ze achter hem aan gegaan. Ze had hem in de donkere straatjes van Weidritz uit het oog verloren en toen hadden twee beschonken mannen haar voor een hoer aangezien en haar lastig gevallen. Uitgerekend de man die zij had achtervolgd, was haar schijnbaar vanuit het niets te hulp gesneld, de twee ambachtslieden als een dolleman te lijf gegaan en er toen strompelend vandoor gegaan. Iemand die de gendarmerie meed hoewel hij een heldendaad had volbracht, die had gegarandeerd iets te verbergen. Ze had zijn ketting opgeraapt, die hij in het vuur van de strijd was kwijtgeraakt, een bekraste, waardeloze Mariamedaille, zo een die je aan een kind zou geven. De beeltenis van zijn mismaakte gezicht stond in haar geheugen gegrift; ze had hem echter nooit meer ergens in de stad gezien, hoe vaak ze Jakob ook had geschaduwd en tot in de jodenwijk was gevolgd.

Knaus had haar beloofd dat hij haar tijd zou gunnen, maar inmiddels trappelde de Zwaab van ongeduld. Dagelijks bereikten hem in Wenen nieuwe berichten over de triomfen van de Turk en de niet aflatende wens van de mensen om het wonder in ogenschouw te nemen; hij kreeg echter geen enkele tijding van Galatée dat ze het geheim op het spoor was. Knaus had haar twee brieven gestuurd, die hij op het postkantoor had laten bezorgen, en zij had hem per brief verzekerd dat ze op de goede weg was; het zou nog slechts een kwestie van tijd zijn. Knaus wilde echter niet langer wachten en zij had niet veel tijd meer: intussen was ze vermoedelijk al wel drie maanden zwanger en ze zou haar opbollende buik niet eeuwig onder haar werkkleding verborgen kunnen houden. Voor het zover was, moest ze haar opdracht hebben uitgevoerd. Ze was van plan het honorarium van Knaus te gebruiken om zich op het platteland terug te trekken, ver weg van het hof in Wenen, om daar haar kind ter wereld te brengen. Verder reikten haar plannen niet. Hoe het daarna verder moest met haarzelf en het kind, daar had ze nog geen oplossing voor gevonden en als ze daar op een rustig ogenblik over nadacht, greep een wurgende angst haar naar de keel.

Nog terwijl Elise een nieuwe tactiek aan het bedenken was, stierf Ibolya Jesenák, de voormalige minnares van baron Von Kempelen, na een demonstratie van de schaakmachine in paleis Grassalkowitsj door een val van het balkon en raakte de zaak in een stroomversnelling zonder dat Elise hoefde in te grijpen.

De meeste burgers van Preßburg beschouwden de dood van de weduwe Jesenák weliswaar als een schandaal, maar niet als een raadsel: de barones was altijd al zwaarmoedig geweest, ze had een nog grotere neiging tot melancholie dan de rest van haar volk, dat sowieso al melancholiek van aard was. Ibolya had een beperkt aantal vrienden gehad: een deel van de mannen had een verhouding met haar gehad en wilde deze hoe dan ook geheimhouden, een ander deel had zij afgewezen; en beide groepen meden het contact met haar. De vrouwen hadden haar als concurrente gezien en hadden haar daarvoor gestraft door haar te verachten. Alleen met haar broer János baron Andrássy had ze op het laatst nog een nauwe band; boze tongen mompelden zelfs dat broer en zus niet alleen platonisch van elkaar hadden gehouden – overigens een gerucht dat al even onwaar als levensgevaarlijk was, gezien de voorliefde voor duelleren van de luitenant der huzaren. Vast stond dat de stad Ibolya Jesenák sinds de dood van haar man slechts in een goede stemming had gezien wanneer ze beneveld was. Ook in de nacht waarin ze stierf had ze gedronken. Haar afscheidsgroet was het lege champagneglas op de balustrade. Ze had zich die nacht gerealiseerd wat voor ellendig eenzaam leven ze leidde en had zich in de roes van de alcohol van het leven beroofd.

De andere theorie had slechts enkele aanhangers, maar die waren des te hardnekkiger: de schaakturk had de barones van het balkon geduwd, haar dood tegemoet. Deze groep mensen hield zich niet op met de ongetwijfeld lastige verklaring van de feitelijke toedracht – per slot van rekening was de machine aan het tafeltje vastgespijkerd en kon hij niet méér bewegen dan zijn hoofd, zijn ogen en zijn ene arm. Ze legden de nadruk op de overtuigende motieven voor de moord: *primo* was de machine een Turk en de barones een Hongaarse, en alle Turken wensten alle Hongaren de dood toe. *Secundo* had Andrássy de Turk tot remise gedwongen, de partij bijna gewonnen, en nu nam de machine wraak voor die krenking door datgene wat Andrássy lief en dierbaar was van hem af te nemen: zijn zuster. *Tertio* was de affaire van de weduwe Jesenák met Wolfgang von Kempelen onder de Preßburgse adel een publiek geheim. Bovendien had men het tweetal nog geen halfuur voor Ibolya's dood in de Engelenzaal ruzie zien maken – ergo had Kempelen zijn creatie bevolen zijn afgedankte geliefde te vermoorden omdat ze hem in de weg begon te staan.

Korte tijd nadien kwam er uit Marienthal een tijding die er eveneens op wees dat de Turk de dader was: de oude onderwijzer die enkele weken tevoren eveneens remise had gemaakt in de partij tegen de schaakturk, was intussen ook gestorven – weliswaar niet ten gevolge van een geweldsmisdrijf maar door de pokken; dat scheen echter geen verschil te maken. In elk geval concludeerden sommige mensen daaruit dat de Turk elke tegenstander die hem durfde te trotseren met de dood of met de dood van een geliefd familielid strafte. Ze hadden het over de 'vloek van de Turk' en menigeen die zijn nederlaag tegen de schaakmachine in eerste instantie nog had verwenst, prees zich nu gelukkig met zijn gebrek aan talent, dat hem voor de moorddadige vloek van de Turk had behoed. Een wijnbouwer uit Ratzersdorf, die in april tegen de Turk had geschaakt, getuigde nu dat hij destijds, tijdens de partij, de stem van de androïde in zijn hoofd had gehoord. De Turk zou hebben gedreigd zijn kinderen en kindskinderen met de cholera te straffen en zijn wijngaarden te laten verdorren wanneer hij het spel in zijn voordeel zou beslissen.

Zulke fantasten waren echter in de minderheid. Het was hetzelfde slag mensen dat anders bezwoer dat ze de Zwarte Vrouw van de Michaelstoren hadden gezien of Luzie, het Witte Wijf, of de geesten van de twaalf vermoorde raadsheren; mensen die dachten dat Frederik de Grote een incarnatie van de duivel zelf was, dat Catharina de Grote een kannibale met een voorliefde voor zuigelingen was en dat de joden de pest veroorzaakten. Nadat Karl Gottlieb von Windisch tal van brieven had gekregen waarin hem werd verzocht de mensen voor de vloek van de Turk te waarschuwen, schreef hij een scherp redactioneel stuk in zijn *Preßburger Zeitung*, waarin hij de domkoppen aanraadde om 'ofwel hun mond te houden en de inkt uit te sparen of onverwijld het land te verlaten', want het bijgeloof van enkele simpele burgers was een schande voor de hele stad, zo stelde hij.

Voor de eerste keer viel in verband met Wolfgang von Kempelen en diens machine het woord ketterij, en de Kerk begon interesse te tonen. Onder voorzitterschap van prins-primaat Batthyány beraadslaagden de theologen van de stad wat de houding van de Kerk tegenover de machine van baron Von Kempelen moest zijn en of ze hem moesten gelasten aan de demonstraties met de Turk een einde te maken.

Niet in de laatste plaats vanwege die gesprekken kreeg Wolfgang von Kempelen de onvoorwaardelijke steun van zijn broeders in de vrijmetselaarsloge *Zur Reinheit*, in de allereerste plaats van de Geheime Secretaris van de loge, Windisch zelf, die zijn vriend tijdens een gesprek betitelde als de 'Prometheus van Preßburg'. Hij zei dat Kempelen gewoon door moest gaan met de publieke demonstraties van zijn schaakmachine; nu helemaal, omdat uit de reacties op de zelfmoord van de barones was gebleken dat de fakkels van de Verlichting het vochtige zaagsel in het hoofd van menig medemens nog niet hadden kunnen doen ontvlammen. Als hij dit wonder van technisch vernuft in een kamertje zou laten verstoffen, zou dat hetzelfde zijn als wanneer Columbus halverwege omgekeerd zou zijn, alsof Leonardo da Vinci tot het einde van zijn leven slechts schilderijen zou hebben gemaakt en alsof Klopstock onderwijzer zou zijn gebleven.

Onmiddellijk na afloop van de vergadering van de loge sprak Nepomuk von Kempelen zijn broer aan. 'Ik heb gehoord dat je op het feest van Grassalkowitsj een poos afwezig bent geweest. Neem me alsjeblieft niet kwalijk maar ik moet weten of jij iets met de dood van Ibolya te maken hebt. Jij of die dwerg van je.'

Kempelen gaf niet meteen antwoord, zodat Nepomuk zich nogmaals verontschuldigde. 'Het spijt me dat ik je dit moet vragen.'

'Nee,' zei Kempelen. 'Het antwoord luidt nee. Ik weet niet hoe Ibolya gestorven is en ook Tibor heeft er niets van gemerkt. Hij zat in het tafeltje en bovendien was het geheel met een laken afgedekt. Hij kon niets horen. Het is goed dat je het me vraagt. Als ik in jouw schoenen stond, zou ik dat wellicht ook doen.'

Nepomuk knikte. 'Die arme ziel. Misschien hebben we wel één keer te vaak de spot met haar gedreven.'

'Wij hebben niets gedaan wat haar tot zelfmoord heeft aangezet, Nepomuk. We zouden hooguit meer hebben kunnen doen om haar voor dit besluit te behoeden.'

'Moge haar ziel rust vinden. Moge haar hemel vol knappe mannelijke engelen, champagne spuitende fonteinen en een garderobe met de omvang van Versailles zijn.'

Kempelen glimlachte. 'Waarom was hertog Albert vandaag niet op de vergadering? Heeft dat iets met mij te maken?'

'Dat zou best kunnen. In elk geval zit hij nu klem tussen jou, respectievelijk de loge, en Batthyány, ingeval de papen iets tegen jou zouden willen ondernemen. Hij loopt nu op eieren.'

'Denk je dat hij partij zal kiezen voor Batthyány?'

'Dat geloof ik niet. Je bent nog steeds een gunsteling van zijn moeder, hij is een verstandig mens, ik werk nauw met hem samen... en ja, ik zal natuurlijk een goed woordje voor je doen.'

Kempelen gaf zijn broer dankbaar een kneepje in zijn arm.

'Is de dwerg te vertrouwen?' vroeg Nepomuk.

'Waarom vraag je dat?'

'Omdat ik hem niet kan uitstaan. Omdat ik almaar het gevoel heb dat hij een doortrapt stuk addergebroed is, dat op zekere dag zijn ware gedaante zal tonen en dan gevaarlijk voor je wordt. Iemand die als dwerg heeft geleefd en die door de wereld zo slecht is bejegend, wordt op een dag vanzelf ook slecht, dat kan niet anders. Datzelfde geldt overigens ook voor jouw jood, nu ik er eens goed over nadenk. Je hebt wel een vreemd ploegje van buitenbeentjes om je heen verzameld, zeg. Maar de jood is in elk geval te doorgronden.'

'Jakob heeft geen enkele reden om mij in mijn rug aan te vallen. En Tibor is me nu trouwer dan ooit tevoren. Zelfs van mijn eigen vrouw heb ik zo nu en dan meer te duchten dan van hem,' verklaarde Kempelen. 'En noem Jakob in hemelsnaam niet voortdurend alleen maar "de jood"; hij heeft een naam.'

De dag erna rook de hand waarmee Tibor de dijen van de barones had gestreeld, nog steeds naar haar parfum. Om die geur, die hem steeds deed terugdenken aan de vrouw die hij had gedood, van zijn handen te wissen, had hij ze ingezeept en tot bloedens toe geschrobd. Maar ook nadien had hij de zoete geur van appelen nog steeds in zijn neus. Zoals lady Macbeth zich eertijds had ingebeeld dat het bloed van de vermoorde koning niet van haar handen kon worden gewassen, zo slaagde ook Tibor er niet in het waanidee van de aangename geur te verdrijven. De daaropvolgende nachten had hij slecht geslapen, en als hij al sliep, dan werd hij geteisterd door koortsdromen waarin hij het verbrijzelde hoofd van de barones voor zich zag, dat beeldschone gezicht vermorzeld in een brij van bloed, beenderen en hersenen – hoezeer Kempelen hem ook verzekerde dat ze snel, pijnloos en zonder bloedvergieten was gestorven en dat ze haar afschuwelijke verwondingen pas bij haar val van het balkon had opgelopen. Nu werd datgene wat Jakob hem had verteld over de klok van de raadhuistoren bewaarheid: dat iedereen die geen zuiver geweten had, door het geluid van die klok tot in het diepst van zijn ziel werd geraakt. Elk uur herinnerde de klok hem aan zijn schuld en de tonen leken aldoor 'moor-de-naar, moor-de-naar' te roepen.

Zeker, evenals bij de dood van de Venetiaan was er ook nu sprake van een ongeluk, maar bij de Venetiaan was Tibor alleen van plan geweest iets terug te nemen wat hem toebehoorde, bij de barones daarentegen had zijn zinnelijke lust tot de noodlottige ontknoping geleid. Wanneer hij zich had beheerst en zijn hand in het tafeltje had gehouden – wellicht zichzelf had bevredigd, ook al was dat een zonde, de barones had dat immers ook gedaan – dan zou het voorval van dien aard zijn geweest dat hij het de volgende dag in geuren en kleuren aan Jakob had kunnen beschrijven en hadden ze er smakelijk om kunnen lachen.

En of dat nog niet genoeg was: hij had niet alleen een vrouw gedood, hij had ook Wolfgang von Kempelen teleurgesteld, de man die hem uit de gevangenis had bevrijd, die hem betaalde, te eten gaf, onderdak verleende, ja zelfs een vriend had bezorgd, de man die had bewerkstelligd dat hij in de buik van zijn wonderbaarlijke uitvinding een wereld had leren kennen die anders altijd voor hem verborgen gebleven zou zijn. De man die de dood van de barones op zelfmoord had laten lijken en hem door dat resolute optreden het leven had gered. Voor de doodslag op barones Jesenák zou Tibor in het hiernamaals boeten, voor het vergrijp tegen zijn weldoener wilde hij dat nog tijdens zijn aardse leven doen: vijf dagen na de gebeurtenis op paleis Grassalkowitsj bood hij Kempelen aan ontslag te nemen, af te zien van al het loon dat hij tot nu toe had verdiend en uit het huis te vertrekken met niets méér dan waarmee hij in Venetië was gearriveerd – met niets anders dan de kleren die hij droeg en met een reisschaakspel als zijn enige bezit – om het keizerrijk te ontvluchten of zich aan te geven bij de bevoegde autoriteiten – aan Kempelen de keus.

'Ik wil niet dat je dat doet,' zei Kempelen. Ze zaten tegenover elkaar in zijn werkkamer, met tussen hen in de spraakmachine, waaraan Kempelen de afgelopen weken steeds minder had kunnen werken. 'Je blijft in Preßburg, je blijft bij mij in dienst en je blijft het brein van mijn schaakmachine.'

Tibor schudde zijn hoofd. Hij had het koud. 'Nee.'

'Wat bedoel je met "nee"? Ik zeg je dat het zo gebeurt.'

'Waarom bent u zo goed voor mij? Dat heb ik niet verdiend.'

'Ik ben niet goed voor jou, ik handel op de eerste plaats in mijn eigen belang,' antwoordde Kempelen. 'Denk nou eens na: als jij nu vertrekt, kan de schaakmachine niet meer optreden. Juist dan zullen er weer vraagtekens worden gezet bij wat er die nacht in het paleis is gebeurd. En als ik de machine na jouw vertrek niet meer kan demonstreren, dan komen ze erachter. Dan zullen ze zich herinneren dat ik op het tijdstip van haar dood niet in de zaal was. En als jij weg bent, heb ik geen getuigen meer die kunnen bevestigen dat Ibolya al dood was toen ik haar over de balustrade van het balkon heb geduwd. Dan zullen ze mij van moord beschuldigen. Ibolya was een barones, wijlen haar man was een invloedrijk staatsman... ze zullen niet mild zijn in hun vonnis.'

En niemand zal dan nog van mij aannemen dat een dwerg overal schuld aan heeft.'

'Ik zal mezelf aangeven. Ik ben bereid de straf te ondergaan die ik verdien.'

'En op die manier onthullen dat de machine niet meer was dan een goocheltruc. Dan kan de familie Von Kempelen voor eeuwig uit Preßburg en het Habsburgse rijk vertrekken.'

Tibor zakte nog dieper weg op zijn stoel.

'We moeten gewoon doorgaan met de demonstraties met de Turk en doen of er niets is gebeurd,' zei Kempelen. 'Ibolya heeft zichzelf van het leven beroofd omdat ze niet gelukkig was op deze wereld, en dat de machine op datzelfde tijdstip in hetzelfde vertrek stond, is louter toeval. Die fantasten die de Turk verantwoordelijk houden, zullen weldra tot bedaren komen.'

'Mijn loon...'

'Hou je. Ik zal geen munt slaan uit de precaire situatie waarin jij je bevindt.'

Kempelen keek Tibor aan. De dwerg was in huilen uitgebarsten. Kempelen zuchtte, stond op, liep om de tafel heen en ging naast hem staan. 'Het was een ongeval, Tibor. Een ongeval, dat ze met haar dwaze gedrag zelf heeft uitgelokt. Je bent geen moordenaar, Tibor. Je bent een goed mens, die misschien wat gemakkelijk voor de verleiding bezwijkt, maar dat doen we allemaal. En hoewel ik slechts een zeer... losse betrekking tot God heb, ben ik ervan overtuigd dat Hij het je zal vergeven.'

Tibor schaamde zich voor zijn tranen, maar er was zo veel waarvoor hij zich meer schaamde. Kempelen overwon zijn innerlijke weerstand, knielde neer en sloeg zijn armen om Tibor heen. De dwerg klampte zich aan hem vast.

'Rustig nou maar,' zei Kempelen. Toen maakte hij zich van Tibor los, reikte hem een zakdoek aan en wendde zijn ogen af.

'Kan ik nog iets voor je doen?' vroeg hij.

'Ik zou graag biechten.'

'Nee. Het spijt me. Geen denken aan! Nu nog minder dan eerst.'

'Ik moet biechten.'

'Uitgesloten. In ons beider belang,' zei Kempelen hoofdschuddend. 'Uitgerekend de Kerk... die loeren slechts op een kans om mij kapot te maken.'

'Signore... Het is zo belangrijk. Ik kan niet slapen, ik kan niet eten... ik moet van mijn schuld worden bevrijd, anders kan ik niet verder leven.' Kempelen zweeg. 'Ik kan niet schaken. *Scusa,* maar ik kan die machine niet meer in voordat ik heb kunnen biechten over wat ik daarmee heb aangericht.'

Kempelen vertrok zijn gezicht. 'Blijkbaar laat je me geen keus. Goed, ik zal zien wat ik kan doen. We zullen wel zorgen dat er een priester bij je komt.'

Hij liep met Tibor de werkkamer uit. In de werkplaats was Jakob druk bezig de gescheurde kaftan van de Turk te verstellen. Hij schonk hun beiden een gemaakte glimlach.

'Zijn alle problemen opgelost?' vroeg hij.

'Problemen, zou ik eraan toe willen voegen,' antwoordde Kempelen plotseling op scherpe toon, 'die we niet zouden hebben gehad als jij je werk had gedaan zoals we hadden afgesproken. Als jij niet zo licht-zinnig de machine in de steek gelaten had om je aan jonge baronessen te wijden, dan zou Ibolya Jesenák nu nog in leven zijn... en dan zou Tibor geen blaam treffen en zouden wij niet in moeilijkheden zijn.'

Jakob opende zijn mond, deed hem weer dicht en zei toen: 'Judit Grassalkowitsj heeft me er als het ware toe gedwongen.'

'Mijn innige deelneming.'

'Ze heeft me verzekerd dat de deuren op slot zaten en dat het vertrek werd bewaakt!' bezwoer Jakob op een toon die deed denken aan die van een schooljongen die iemand een poets heeft gebakken en nu ter verantwoording wordt geroepen.

'Dat kan me niet schelen. Ik heb jou opgedragen bij de machine te blij-ven. Daaraan heb je je om niet steekhoudende redenen niet gehouden. Je hebt Tibor in de steek gelaten, Jakob. Zo hoor je je als collega, en al helemaal als vriend, niet te gedragen.'

Jakob probeerde tevergeefs een weerwoord te vinden. 'Het spijt me,' zei hij ten slotte.

Zonder een woord te zeggen ging Kempelen weer naar zijn werk-kamer en deed de deur achter zich dicht. Jakob wendde zich, nu weer met een glimlach, tot Tibor.

'Lieve deugd. De oude duivelskunstenaar leest ons de les,' fluisterde hij. 'Geef me de schaar eens aan.'

Tibor keek Jakob een ogenblik lang in zijn ogen en deed niets. Toen liep ook hij naar zijn kamer en liet de assistent alleen met de machine.

Kempelen gaf Jakob de volgende drie dagen vrijaf.

De volgende ochtend kwam Kempelen thuis met een monnik in een dofbruine pij met een wit koord om zijn middel. Vanuit het raam keek Tibor toe hoe ze door de Donaustraat aan kwamen lopen. Het gezicht van de frater kon hij niet zien, omdat deze zijn kap diep over zijn hoofd getrokken had. Kempelen verzocht Tibor in zijn kamertje op zijn bed te gaan zitten en zette vervolgens een kamerscherm voor hem neer; dat deed hij om het geheel op een biechtstoel te laten lijken maar vooral om te voorkomen dat de priester Tibor zou zien. Kempelen leek al even weinig vertrouwen te hebben in het biechtgeheim als Jakob. Hij geleidde de priester naar binnen en stelde hem aan Tibor voor als een monnik uit het franciscanenklooster aan de Broodmarkt. Een naam noemde hij niet. Vervolgens liet hij de beide mannen alleen. Tibor zei lange tijd niets. Hij beefde over zijn hele lichaam en hij had het koud.

'Wat je ook hebt gedaan,' zei de monnik, 'besef één ding: God schenkt alle zondaren vergiffenis, mits ze berouw tonen.'

Hij had geen betere woorden kunnen kiezen. Onmiddellijk werd Tibor rustiger, het beven verdween evenals de koude rilling in zijn ledematen. 'Vergeef me, eerwaarde vader, want ik heb gezondigd,' begon hij. 'Ootmoedig en vol berouw wil ik mijn zonden belijden. Sinds mijn laatste biecht is er een maand en een week verstreken.'

'Zeg me welk goddelijk gebod je hebt overtreden.'

En Tibor vertelde hoe hij iemand gedood had. Als de monnik gechoqueerd was over hetgeen Tibor hem toevertrouwde, dan wist hij dit voorbeeldig verborgen te houden. Toen Tibor alles verteld had, verklaarde de priester dat enkele gebeden niet voldoende waren als boetedoening voor deze zonde. Hij gelastte Tibor dagelijks tot God en de moeder Gods te bidden, alle vleselijke begeerten te onderdrukken en te hopen op hulp van hen die hem liefhadden.

Toen vertrok de frater en Tibor slaakte een zucht van verlichting. Van de drie keer dat hij in Preßburg had gebiecht was deze hem wel het zwaarst gevallen maar tevens het heilzaamst geweest. De keuze voor een franciscaan bevestigde eens temeer dat er op de beslissingen van Wolfgang von Kempelen staat viel te maken.

Toen hij de beide mannen de trap af hoorde lopen, ging hij naar de werkplaats en keek vanachter het venster hoe ze het huis verlieten. Blijkbaar was Kempelen van plan de broeder ook nog naar het klooster terug te begeleiden. Ze spraken niet. Tibor wilde juist weer bij het raam weggaan toen Elise de straat op kwam, om zich heen keek en de mannen volgde in de richting van de Lorenzer Poort terwijl ze snel een sjaal om haar schouders sloeg. Tibor fronste zijn wenkbrauwen. Was Kempelen of de monnik misschien iets vergeten en wilde zij het hun nu nabrengen? Tibor keek haar na totdat ze uit het zicht was verdwenen.

Nadat ze de stadspoort waren gepasseerd en de Wederdoperstraat in waren gelopen, zette Kempelens metgezel zijn monnikskap af. De man had geen snor of baard en hij had een bleke gelaatskleur; zijn wangen en neus waren bedekt met zomersproeten, waardoor hij jonger leek dan hij feitelijk was. Hij had donkerrood haar. Dat hij iets langer was dan Kempelen viel niet op, omdat hij met enigszins gebogen hoofd liep.

'Niet doen,' zei Kempelen. Zijn metgezel keek hem aan en Kempelen legde uit: 'Geen mens mag zien dat je je verkleed hebt als monnik.'

'Het is verduiveld warm in die pij. Ik moet nodig iets drinken,' zei de roodharige man, maar hij gaf wel gevolg aan Kempelens bevel.

'Hij zal je gehoorzamen,' zei de zogenaamde monnik even later. 'Zeker nu ik op hem heb ingepraat. Hij wordt zozeer gekweld door schuldgevoelens dat hij alles zal doen wat jij hem opdraagt.'

Kempelen knikte slechts. Hij wilde dit gesprek niet midden op straat voeren.

'Je hebt het geweldig goed opgelost. Het op zelfmoord laten lijken hoewel ze al dood was, en dat terwijl half Preßburg zich twee deuren verderop bevond...'

'Toe nou,' zei Kempelen en stak zijn hand op om zijn metgezel tot zwijgen te manen.

De man knikte. 'Ik bedoel maar... Het zou best kunnen dat hij nog eens om me vraagt. Dan moet je me even waarschuwen. Ik ben graag bereid je te helpen wanneer ik niet op pad ben. Ik zou er sowieso eens over na moeten denken of ik geen monnik wil worden.'

'Dank je.'

'Die idiote Jesenák, moge haar ziel rust hebben. Begint een vrijage met een machine! Ik kus mijn rekenmachine toch ook niet en knoop toch ook geen liefdesbetrekkingen aan met het weefgetouw van mijn vrouw?' Hij lachte. 'Wanneer denk je dat je met de Meester van de Stoel over mijn toelating als leerling-vrijmetselaar in de loge kunt spreken?'

'Zodra mijn huidige problemen voldoende in de vergetelheid zijn geraakt. Zodra ik iemand kan voordragen zonder dat ze meteen aan de schaakmachine denken. Dat kan, vrees ik, nog wel enkele maanden duren. Je kunt er echter van op aan dat ik het zal doen.'

'Er is ook geen haast bij.'

Ze sloegen de Slotenmakerstraat in en liepen langs de werkplaatsen van de kuipers en steenhouwers, waarvan de deuren met dit mooie weer openstonden, zodat je kon zien hoe ze aan het werk waren. Onophoudelijk hoorde je staal op steen slaan en die geluiden weerkaatsten tegen de muren van de huizen en vermengden zich tot een aritmisch concert zoals regen die van een lijstgoot naar beneden druppelt. In een van die werkplaatsen, zo bedacht Kempelen, werd nu de naam Ibolya Jesenák in steen gebeiteld.

'Ergeren de broeders zich eraan dat ik een adellijke titel heb gekocht en nu niet meer Stegmüller heet maar Von Rotenstein?' vroeg de roodharige man.

'Onder je echte naam, Georg Stegmüller, zou je gemakkelijker als lid van de loge zijn toegelaten dan onder je valse naam Gottfried heer von Rotenstein, dat is wel zeker.'

'Grassalkowitsj was vroeger ook een eenvoudig ambtenaar en niemand zet nu nog vraagtekens bij het feit dat hij van adel is. Jij kunt dat misschien niet navoelen. Jij hebt dat "von" bij je geboorte meegekregen.'

Ze hadden inmiddels apotheek De Rode Kreeft bereikt, die in de schaduw stond van de Michaelstoren; daar gingen ze niet door de hoofdingang naar binnen maar door de achterdeur, die ze via een smalle doorgang tussen de huizen bereikten. In een achterkamertje kleedde Stegmüller zich om en verruilde zijn monnikspij voor een apothekersjas. Hoewel hij er geen zin in had en belangrijkere dingen te doen had, liet Kempelen zich door Stegmüller op een glas wijn trakteren. Daarna gaf Stegmüller hem een geneeskrachtige thee mee, die moest helpen tegen het hoesten van zijn dochtertje. Teréz was drie dagen geleden twee jaar geworden, een feest dat ze vanwege het feit dat ze ziek was en vanwege alle gebeurtenissen nauwelijks hadden gevierd.

'Ben jij in het bezit van wapens?' vroeg Kempelen geheel onverwacht bij het afscheid.

Stegmüller keek verbaasd en antwoordde toen: 'Een steenslotgeweer

uit Suhl voor op reis. Ik kan je ook wel iets beters bezorgen, als je daar
behoefte aan hebt.'
Kempelen schudde zijn hoofd. 'Het was zomaar een vraag.'
Hij verliet de apotheek en liep terug naar de Donaustraat via een andere weg dan waarlangs hij was gekomen.

Op Hemelvaart, een wolkenloze, zomers warme dag, werd Ibolya Jesenák, geboren barones Andrássy, in haar dertigste levensjaar bijgezet
op het St.-Johanniskerkhof.
De meeste begrafenisgangers waren op het feest van Grassalkowitsj
aanwezig geweest en verder waren er nog een aantal huzaren van
Andrássy's regiment. Al haar gewezen minnaars waren er, zo fluisterde men, onder wie de gebroeders Kempelen met hun eega's. Kempelen zweette onder de zwarte stof. Hij hield zijn ogen op de grond gevestigd om te voorkomen dat iemand hem zou aanspreken. Deze
uitvaart kon hij niet vermijden, en hoe minder hij in het brandpunt
van de belangstelling stond, des te beter. Het ontging hem niet dat
het begrafenisgezelschap achter zijn rug over hem en zijn machine
smiespelde.
Aan de poort van het kerkhof, toen Kempelen de as al van zijn handen
had geklopt en zich veilig waande, gebeurde het toch nog: korporaal
Dessewffy, een vriend van Andrássy, en zijn vrouw informeerden
bij Kempelen of ze zich konden aanmelden voor de eerstvolgende demonstratie van de schaakturk en onmiddellijk was het drietal door
nog meer belangstellenden omringd. Hoe Kempelen de stemming
ook trachtte te temperen, de eerste grappen over de machine werden
al weer gemaakt. Daar kwam pas verandering in toen János Andrássy
zich bij het groepje voegde en vroeg of hij Wolfgang von Kempelen
even kon spreken. Onmiddellijk werd het weer stil.
Kempelen en Andrássy waren al een paar passen doorgelopen toen de
eerste eindelijk het woord nam. 'Baron, ik wil u nogmaals van ganser
harte mijn deelneming betuigen. U weet dat ik sinds onze eerste ontmoeting een hechte band met uw zuster had. Mocht ik dus iets voor u
kunnen doen...'
Andrássy glimlachte en maakte een afwijzend gebaar, als om Kempelen duidelijk te maken dat het niet nodig was dit onder zijn aandacht te
brengen. 'Ik wil slechts antwoord op één vraag, dat is alles.'
'Gaat uw gang.'

'Waar was u op het moment dat mijn zuster van het balkon viel?'

'Toen was ik me aan het opfrissen.'

'Al die tijd? U bent tamelijk lang weggebleven.'

'Het was die avond heel warm, zoals u misschien nog weet.'

Andrássy knikte. 'Hebt u mijn zuster toen gezien?'

'Nee. Ze was immers in de conferentiezaal; ik daarentegen was bij de toiletten.'

'Haar japon was verfomfaaid, haar lippenrood en haar rouge waren uitgelopen. Haar pruik stond scheef op haar hoofd, alsof iemand haar die eerder had afgerukt.'

'Bij alles wat mij heilig is, baron, daarvoor ben ik niet verantwoordelijk.'

Andrássy legde zijn hand op Kempelens arm om hem te kalmeren. 'Nee. Begrijpt u mij niet verkeerd. Tegen u koester ik geen verdenking.'

'Tegen wie dan wel?'

'Uw Turk.'

Kempelen wierp hem een verbaasde blik toe. 'Baron... u schenkt toch die dwazen geen gehoor die denken dat de machine uw zuster heeft vermoord?'

'Een van de lakeien schijnt te hebben gezien dat er zich rond de mond van de Turk lippenrood bevond. En zoals ik al heb gezegd was de kleding van mijn zuster verfomfaaid.'

'En tot welke gevolgtrekking brengt u dat?'

'Dat mijn zuster niet zelf de dood heeft gekozen. Dat zij in plaats daarvan door uw machine op ontuchtige wijze is lastiggevallen en vervolgens ter dood gebracht.'

Kempelen slikte het antwoord dat hij had willen geven meteen weer in en zei: 'Met permissie, dat is absurd. Het is een machine, zoals u zojuist terecht hebt gezegd. Machines zijn niet in staat om... mensen lastig te vallen of te vermoorden.'

'Evenmin als ze in staat zijn om te schaken?' Andrássy had zijn ene wenkbrauw opgetrokken en glimlachte weer even zachtmoedig als hij bij de aanblik van de schaakturk had gedaan.

Het duurde even voordat Kempelen weer in staat was iets te zeggen.

'Goed dan, baron. U bent van mening dat mijn machine uw zuster dit heeft aangedaan. Ik kan u alleen maar nogmaals verzekeren dat dat volstrekt onmogelijk is. Hoe kunnen we deze weinig fraaie onenigheid uit de wereld helpen?'

'Op een beschaafde manier,' antwoordde Andrássy, 'op militaire wijze. Ik verzoek u de Turk te vernietigen.'

'Ik begrijp het.' Kempelen ademde diep in en weer uit. 'Het spijt me, maar dat kan ik niet doen en ik zal het ook niet doen. De schaakmachine is de zin van mijn leven geworden, en die van mij afnemen zou hetzelfde zijn als wanneer men u uw paard en sabel zou ontnemen. Nog helemaal afgezien van het feit dat er in het hele rijk een kreet van verontwaardiging zou opstijgen.'

'U moet het desondanks doen, anders zal ik andere methoden inzetten om mijn doel te bereiken.' Andrássy's vriendelijke glimlach was inmiddels van zijn gezicht verdwenen.

'Hoe wilt u dat aanpakken? Wilt u soms met een bijl in mijn huis binnendringen om de machine aan stukken te slaan?'

'Dat zou ik met liefde doen, maar er staan mij andere methoden ter beschikking. Ik zal bijvoorbeeld nog eens navraag doen of u zich inderdaad al die tijd hebt staan opfrissen. En waar het gesprek met mijn zuster over ging, dat enkele genodigden zeer zeker hebben kunnen volgen. Want het zal u niet zijn ontgaan dat de onbezonnen liefde van Ibolya de afgelopen jaren ook met een zekere bitterheid jegens u gepaard ging. U had redenen om haar dood te wensen. U had een liaison met mijn zuster en achteraf dreigde u daarmee in een netelige positie te komen.'

'Half Preßburg had een liaison met uw zuster. Als dat het enige...'

Geheel onverhoeds had Andrássy hem een oorvijg gegeven, zo hard dat Kempelen op de grond viel. Nog voordat hij goed en wel besefte wat er was gebeurd, had de baron zijn bontmuts van zijn hoofd gerukt, zijn sabel getrokken en de punt op hem gericht.

'Voor die opmerking snijd ik je aan flarden, schoft. Ook al ben je duizend keer het lievelingsspeeltje van de keizerin, voor die woorden aan het graf van mijn zuster zul je boeten. Sta op!'

Wolfgang von Kempelen bleef echter liggen. Andrássy zou iemand die op de grond lag niets doen. Er stroomde bloed uit zijn opengebarsten mondhoek. Enkele mannen hadden gezien wat er was gebeurd en kwamen toegesneld. Kempelen hoorde een vrouw gillen, maar kon niet vaststellen of het zijn eigen vrouw was. Wat merkwaardig, bedacht hij opeens, dat Ibolya hem nog geen week eerder op dezelfde wang had geslagen.

'Sta op!' schreeuwde Andrássy nogmaals, maar toen was hij al door zijn huzaren omringd, terwijl Nepomuk en nog een man Kempelen te hulp schoten. Nepomuk wilde zijn broer overeind helpen, maar Kempelen bleef liggen totdat de huzaren hun luitenant tot rede hadden gebracht en deze zijn sabel met dezelfde kracht in de schede had teruggestoken als waarmee hij hem in het lichaam van Kempelen had willen steken.

Kempelen stond op. Hij had merkwaardig weinig kracht in zijn benen zodat Nepomuk hem moest ondersteunen. Andrássy kwam nu weer op hem af, waarbij hij zich losrukte uit de handen die hem wilden tegenhouden. Vlak voor Kempelen bleef hij staan; hij ademde heel snel door zijn neus en kneep zijn ogen tot spleetjes; zonder de ogen van Kempelen af te wenden trok hij de handschoen van zijn rechterhand. Hij sloeg Kempelen hiermee in zijn gezicht en wierp hem vervolgens voor diens voeten op de grond. Er was bloed op de witte stof gekomen. 'Aan u de keus, baron Von Kempelen: vernietig uw Turk of kruis de degens met mij.' Vervolgens baande Andrássy zich door de huzaren die om hem heen stonden een weg terug en liep meteen naar zijn koets zonder zijn bontmuts op te rapen of nog een woord te wisselen met wie dan ook.

Jakob draaide de bebloede handschoen om en om en gaf hem hoofdschuddend door aan Tibor.

'"Vernietig uw Turk of kruis de degens met mij",' citeerde Kempelen. 'Wat een relict. In zijn vrije tijd jaagt hij vermoedelijk nog steeds op draken of gaat hij op zoek naar de Heilige Graal.'

'Een duel?' vroeg Jakob. 'Dan zal hij u... verslaan.'

'Doden zal hij mij, zeg maar gewoon waar het op staat. Natuurlijk zou hij dat doen, ongeacht het wapen dat ik kies. Hij schermt al van jongs af aan. Maar ik ben niet van plan tegen hem in het strijdperk te treden.' De twee anderen keken hem vragend aan. 'Hij kalmeert wel. Of zijn talloze adjudanten brengen hem wel tot bedaren. Ik ga ervan uit dat hij zich nog wel zal bedenken. Meer bloed dan wat er op deze handschoen zit zal er in deze kwestie niet worden vergoten.'

'Het spijt me, signore,' zei Tibor.

'Dat weet ik. Dat hoef je niet voortdurend te herhalen.'

'Zullen we nog wat langer wachten voordat we de Turk weer laten schaken?' vroeg Jakob.

'Nee. We hebben de overledene voldoende piëteit betoond. Na Pink-

steren beginnen we weer. Juist nu zullen de mensen uit nieuwsgierigheid naar de "vloek van de Turk" hier de deur plat lopen. Sommige moeders zeggen al tegen hun kinderen dat de Turk hen komt halen als ze niet gehoorzaam zijn.' Glimlachend richtte Kempelen zich tot Jakob. 'À propos, over vloek gesproken, de bijgelovige mensen zijn niet alleen bang voor de Turk maar de laatste tijd ook voor een golem die in de stegen actief schijnt te zijn. Dat hebben ze me in de thesaurie verteld. Maar de golem van Preßburg is maar half zo groot als het origineel in Praag en zijn lemen lijf is gehuld in een chique frak. Naar verluidt zou hij in Weidritz twee zadelmakers om het leven hebben gebracht als de gendarmerie niet tijdig tussenbeide was gekomen. De gendarme die achter hem aan is gegaan, zei dat de golem onder het lopen was gekrompen en dat hij op een bepaald ogenblik helemaal in de aarde was opgegaan. Vraag bij gelegenheid maar eens aan jullie rabbi of hij daar soms achter steekt.'
Tibor zweeg, maar toen Kempelen weg was, vroeg hij aan Jakob: 'Wat is een golem?'
'Lang geleden heeft de grote rabbi Löw ben Betsabel in Praag een man van leem gemaakt zoals ook God de mens ooit uit leem heeft geschapen en blies hem met formules uit de kabbala leven in. De golem moest de inwoners van het joodse getto tegen de vijandigheden van de christenen beschermen. Destijds was het bijvoorbeeld gebruikelijk om heimelijk lijken het getto binnen te slepen om vervolgens de joden van moord te beschuldigen; en daarom moest de golem 's nachts door de straatjes en stegen patrouilleren. De golem kan niet spreken en heeft geen verstand, maar hij begrijpt alles wat iemand hem opdraagt en voert alle bevelen uit. Op zijn voorhoofd staat *aemaeth* geschreven, dat betekent waarheid; en als zijn meester de eerste twee letters van zijn voorhoofd uitwist, blijft het woord *maeth* over, wat dood betekent, en dan valt de golem weer tot leem uiteen. Golems zijn echter niet alleen nuttig: het gevaarlijke aan hen is hun onoverwinnelijke kracht en het feit dat ze elke dag groter worden doordat er vanuit de grond aarde hun lijf in stroomt. Ooit is een golem zo groot geworden dat de rabbi niet meer bij zijn voorhoofd kon om de letters uit te wissen en hem zo te vernietigen. Dus verzon hij een list: hij vroeg de golem hem zijn laarzen uit te trekken, en toen de kolos zich bukte, trok de rabbi de letters van zijn voorhoofd. De golem was *maeth* en viel weer uiteen tot leem. Alleen was die klomp leem zo groot dat hij op

de rabbi viel en hem door zijn gewicht verpletterde. En wat kunnen wij daarvan leren?'

Tibor schokschouderde.

'Speel geen spelletje met spoken, anders val je op een zekere dag aan hen ten prooi,' zei Jakob. 'Zo staat het althans in de kabbala.'

Tibor dacht terug aan de nacht in de visserswijk. Dat hij door zijn val in een modderige plas nu naam had gemaakt als een joodse sagenfiguur, vond hij wel amusant.

De geestelijkheid in Preßburg besloot eendrachtig er bij Kempelen op aan te dringen de schaakturk buiten bedrijf te stellen, omdat deze van een aanmatigende houding jegens de goddelijke schepping getuigde; en zo werd de Prometheus van Preßburg bij de Zeus van Preßburg, Joseph graaf von Batthyány, prins-primaat van Hongarije en aartsbisschop van Gran, ontboden.

Prometheus beklimt de Olympus, wordt door Zeus vriendelijk ontvangen en terwijl ze beleefdheden uitwisselen en over onbeduidende zaken babbelen, schatten ze de kracht van hun tegenstander in. Zeus wil indruk maken met zijn titel en de bijbehorende pracht en praal en hij is van plan een oordeel te vellen dat gematigd lijkt maar waaraan absoluut niet te tornen valt en dat hij wil uitspreken op een toon die geen tegenspraak duldt. Prometheus is daarentegen van zins in geveinsde deemoed de machtige geestelijke naar de mond te praten maar zich tot elke prijs tegen diens wil te verzetten en de voze argumenten van de religie met logische, af en toe sofistische woorden te pareren.

'Is de echte mens niet goed genoeg voor u en meent u daarom kunstmatige mensen te moeten scheppen?' begint Zeus de strijd met een glimlach.

'Mijn Turk is slechts een doodgewone machine, die de mens behulpzaam is en die zoals alle andere machines is bedoeld om de mens werk uit handen te nemen en zijn leven te vergemakkelijken,' werpt Prometheus tegen.

'Werk uit handen nemen? Op wat voor werk doelt u? Het werk dat schaken heet?' Deze slag van Zeus mist zijn doel niet. 'Uw machine is niet nuttig, noch Gode welgevallig.'

'Waardoor is de ene machine Gode welgevalliger dan de andere? Is een weefgetouw alleen een betere machine omdat men daar iets op kan vervaardigen? Of stoort u zich aan de uiterlijke gedaante van mijn

machine: een Turk, een heiden? Zou u eveneens afwijzend staan tegenover een weefgetouw wanneer dit de uiterlijke gedaante zou vertonen van een tapijtknopende muzelman? Ik ben graag bereid mijn
machine van een ander gezicht te voorzien en hem te laten dopen
wanneer u dit wenst, ook al vrees ik dat hij dan zou gaan roesten.'

Zeus permitteert het zich fijntjes te lachen bij dat idee, maar schudt
het hoofd: 'Wat mij stoort is niet de vorm maar de functie van uw machine: denken. Het denken is de eigenschap die God in zijn grootse
schepping uitsluitend aan de mens heeft voorbehouden. In het denken, uitsluitend in het feit dat zijn ziel kan denken, onderscheidt de
mens zich van de dieren. Een machinemens die kan denken – sterker
nog: die de mens in het denken, de oorspronkelijke gave aan de mens,
overtreft – heeft geen recht van bestaan. Daarmee stelt u zich boven
God en zijn schepping.'

'Geenszins,' zegt Prometheus en neigt het hoofd licht om zijn deemoed tot uiting te brengen. 'Ik ben een sterfelijk mens zoals ieder ander.'

'En dat is precies de reden waarom uw intelligente machine geen recht
van bestaan heeft.'

'Maar de machine bestaat, en dat gegeven ontmaskert Gods schepping
niet als onvolmaakt, integendeel zelfs, het strekt Gods schepping des
te meer tot eer!'

Zeus leunt wat achterover en brengt zijn hand naar zijn kin. 'Ik verzoek u dat toe te lichten.'

'Ik ben een mens, door God geschapen, en met de talenten die God mij
heeft gegeven ben ik in staat geweest een denkende machine te construeren. De mens wikt maar God beschikt: ik ben slechts een van Zijn
werktuigen.'

'Dat is een dood spoor,' riposteert Zeus. 'Met uw drogreden dat God
beschikt, schrijft u uiteindelijk elke daad van de mens aan God toe, al
is deze nog zo goddeloos, dus ook leugens, roof en moord. De verant-
woordelijkheid voor uw werken ligt echter bij u, niet bij God.' Prometheus wil iets tegenwerpen, maar met een handbeweging brengt Zeus
hem tot zwijgen. 'En nu wilt u mij met theologische argumenten
overtuigen; uitgerekend u, die u aan de Kerk al even weinig gelegen
laat liggen als uw creatuur. Wanneer hebt u voor het laatst de heilige
mis bijgewoond? Wanneer hebt u gebiecht? Wanneer hebt u voor het
laatst gebeden tot Hem wiens argumenten u hier beweert aan te voe-

ren? Wees in elk geval zo eerlijk om uw goddeloosheid te erkennen en uw vrijmetselaarsidealen, datgene wat u de Verlichting noemt, maar dat ik eens en voor altijd oplichting noem.'

En Zeus pakt zware ketenen, ijzeren ringen en een hamer, grijpt Prometheus beet en kluistert hem met een paar krachtige slagen aan de rots vast. 'Ook u hebt een lever, baron Von Kempelen,' spreekt Zeus en ontbiedt een adelaar om deze uit te pikken. 'Uw mensmachine is koren op de molen van ketterse filosofen als Descartes, die de wereld willen wijsmaken dat machines beter zijn dan mensen. En dat de mens niet meer is dan een onvolmaakte machine, die slechts meent een ziel te bezitten. Hebt u zich ooit afgevraagd waartoe al die materialistische theorieën leiden? Tot twijfel en chaos, moord en doodslag.'

Prometheus rukt aan zijn ketenen, maar hij lijkt onmogelijk op eigen kracht te kunnen ontkomen. 'Zelfs Descartes was van mening dat de mensen een door God gegeven ziel bezitten.'

'Omdat hij bang was voor de Kerk. Dat was niets anders dan de lippendienst van een lafaard. Hij was inderdaad eenzelfde soort man als u. Men beweert dat hij zelf een machine heeft gehad, die geconstrueerd was naar het evenbeeld van zijn jong gestorven dochtertje. Toen hij naar Zweden voer, maakte God de zee woest en het was goed dat de vrome zeelieden de machine overboord wierpen om zoals Jonas eertijds de zee tot bedaren te brengen en dat product van zwarte magie naar de bodem van de zee te laten zinken. Naar het evenbeeld van zijn overleden dochter! Louter ketterij! De opstanding uit de dood is slechts de Ene vergund.'

Heel even vlamt de zon op en als Prometheus naar boven kijkt, ziet hij de adelaar die hem moet straffen boven zijn hoofd cirkelen, zwart afgetekend tegen de blauwe hemel.

'U moet niet vergeten dat ook uw grote geleerde Albertus Magnus een machine bezat,' werpt Prometheus tegen.

'Die door de nog grotere geleerde Thomas van Aquino volkomen terecht werd verbrijzeld,' zo wijst Zeus de tegenwerping af. 'Dat bewijst dat zonden soms al op aarde worden afgestraft. La Mettrie, die onzalige epicurist, die tot elke prijs nog provocerender wilde zijn dan Descartes en die overal in het rond schreeuwde dat de mens een machine is, is voor zijn tijd in een truffelpastei gestikt. Ik kan me voor een epicurist geen mooier einde voorstellen. Moge God zijn onsterflijke ziel genadig zijn en mij mijn hoon vergeven.'

De tijd loopt voor Prometheus ten einde. Geen Heracles zal hem komen redden. De adelaar cirkelt zijn rondjes en Zeus staat op het punt om weg te gaan.

'Ik ben niet de eerste mens die machines heeft geconstrueerd en ik zal ook zeker niet de laatste zijn!' roept Prometheus hem na. 'Wat u mij ook opdraagt, u zult de vooruitgang niet kunnen tegenhouden, zoals u ook de lutheranen niet hebt kunnen tegenhouden of de kennis over de plaats van de aarde in het universum of zelfs de epicuristen, wier leerstelsel mij overigens niets zegt. Evenmin als ze Christus ooit hebben kunnen tegenhouden.'

'Zelfs als het zo zou zijn zoals u zegt, dan wil ik er genoegen mee nemen dat ik dapper heb gestreden en althans deze slag heb gewonnen. En laat u alstublieft de ongelooflijke impertinentie achterwege om uzelf met de Heiland te vergelijken zo u mij niet werkelijk toornig wilt maken.'

De adelaar maakt aanstalten om zich op het lichaam van Prometheus te storten, maar Zeus gebaart hem dat niet te doen. Hij zoekt nog eenmaal toenadering tot Prometheus. 'Ik heb waardering voor schrandere mensen zoals u en ik wens u geen kwaad toe. Wees dankbaar dat u slechts mij als tegenstander hebt. In Spanje worden werktuigbouwkundigen zoals u nog door de heilige Inquisitie vervolgd en tot de brandstapel veroordeeld. Wanneer zelfs het hellevuur u niet vermag af te schrikken...'

'Spanje is ver van Preßburg verwijderd. Evenals de Middeleeuwen overigens. Zou u Galilei heden ten dage nog steeds met de brandstapel dreigen?'

De spieren van Prometheus spannen zich, zijn gelaatstrekken zijn verwrongen, zijn nek trilt. Er parelt zweet op zijn voorhoofd. De ketenen knarsen onder zijn krachtsinspanning. Zeus blijft een antwoord schuldig. Hij wenkt de adelaar naderbij.

'De Kerk is nog lang niet zo krachteloos als u wellicht zou wensen,' zegt Zeus ten afscheid. 'De keizerin bijvoorbeeld, ter wille van wie ik de eerste dienaar van de Kerk in dit land ben geworden, is een vrome vrouw.'

'De keizerin,' antwoordt Prometheus plotseling glimlachend, 'is mijn grootste beschermvrouwe.'

In een wolk van stof en stenen breken de ketenen los uit de rots en Prometheus is vrij voordat de adelaar zich op hem heeft gestort. Over de rotsen springt hij weg. Aan de uiteinden van zijn ketenen hangen nog steeds brokken rotssteen, maar ze hinderen hem niet bij zijn vlucht terug naar de wereld van de mensen en de machinemensen.

In een persoonlijke brief aan prins-primaat Batthyány reageerde hertog Albert von Sachsen-Teschen op diens verzoek om een vertoningsverbod voor de schaakmachine van Wolfgang von Kempelen uit te vaardigen. Daarin schreef de Hongaarse landvoogd dat hij de religieuze vrees van de bisschop niet deelde en dat hij – als hij daar al toe bereid zou zijn – niet eens over de juridische middelen beschikte om Kempelen te verbieden zijn machine aan het volk te presenteren. Bovendien, zo schreef hij, was de machine op de uitdrukkelijke wens van de keizerin tot stand gekomen. Hertog Albert besloot zijn brief met het uitspreken van de hoop dat deze onaangename twist tussen wetenschap en Kerk spoedig zou zijn bijgelegd.

Prometheus Kempelen liet zich vervolgens een fles champagne brengen en in zijn eentje proostte hij met zijn schepping op zijn zege op Zeus Batthyány, op de hulp van hertog Albert en op zijn groeiende faam. En op het vooruitzicht, dat nooit eerder bij hem opgekomen was, dat zijn werk niet slechts voor werktuigbouwkundigen en wiskundigen een bron van inspiratie zou zijn, maar ook voor filosofen.

De dag nadat de demonstraties met de schaakturk met succes waren hervat, nam Katarina op staande voet ontslag als kokkin en dienstbode. Zonder het loon dat ze nog tegoed had op te eisen en zonder om een getuigschrift te vragen vertrok ze uit huize Kempelen, en Anna Maria's pogingen om haar op andere gedachten te brengen waren van meet af aan tot mislukken gedoemd. Vervolgens ontbood Kempelen Elise in zijn werkkamer om met haar te spreken. Elise had een karaf koel water meegebracht, een welkome verfrissing voor Kempelen, want vanwege de junizon was het warm in zijn kamer. Toen ze binnenkwam was hij net aan zijn spraakmachine aan het werken. Hij verzocht haar plaats te nemen en nadat hij een slok water had gedronken informeerde hij of ze tevreden was over haar werk en haar salaris en of ze misschien iets op het hart had. Zwijgend schudde Elise van nee.

'Weet jij misschien waarom Katarina haar baan heeft opgezegd? Was ze misschien bang voor mijn machine?'

'Volgens mij niet.' Elise krabde aan haar mutsje. 'Het is hier erg warm.'

'Zet je mutsje maar af. Ga je gang.'

[194]

Elise aarzelde, zette toen echter haar mutsje af en schikte haar haren met haar handen. Toen legde ze haar handen weer in haar schoot. 'Er is wel iets,' zei ze, 'maar ik weet niet zeker of het iets met Katarina te maken heeft.'

'En wat is dat dan?'

'Afgelopen zondag na de mis... vroeg een van de kosters me om na afloop nog even te blijven, omdat de priester me wilde spreken. In de kerk van de Heilige Verlosser.'

'Ja. Ik ken hem wel.'

'Hij was heel vriendelijk. Maar hij zei dat er in dit huis dingen gebeuren die de Kerk niet goedkeurt... met de machine en zo. En hij heeft me ten stelligste afgeraden hier te blijven werken. En hij zei dat hij er te allen tijde voor kon zorgen dat ik een andere, betere betrekking krijg. Misschien hebben ze dat ook wel tegen Katarina gezegd.'

Kempelen staarde naar een onbestemd punt achter Elise en dacht na. 'Dat zullen ze zeker hebben gedaan,' zei hij. 'En waarom wil jij wel blijven?'

'Omdat ik niet kan geloven dat God in dit huis wordt gelasterd. En omdat het me hier bevalt.'

'Dat is fijn om te horen. Elise, ik zal je wat meer loon betalen.'

'Dat is erg vriendelijk van u, mijnheer.'

'Ik wil je voor je trouw belonen. En bovendien zul je wat harder moeten werken totdat we een vervangster voor Katarina hebben gevonden. Bovendien zal het niet de eerste keer zijn geweest dat je vijandig bejegend bent. Misschien kun je voortaan beter in een andere kerk naar de mis gaan.'

Elise knikte.

'Daar zit een groepje vijanden van de vooruitgang,' legde Kempelen uit, 'en ik hoop vurig dat ze spoedig tot bedaren zullen komen. Maar het kan ook anders. Kijk hier maar eens: een van onze genodigden heeft een artikel geschreven over de machine en over mij. Net uit Londen aangekomen.'

Kempelen pakte een opengevouwen krant en reikte die Elise over de tafel aan.

'Is dat... Engels?' vroeg Elise nadat ze er een blik op had geworpen.

'Natuurlijk. Mijn excuses.' Kempelen nam de krant weer terug. 'In elk geval staan er uitsluitend goede dingen in over de Turk.' Kempelens ogen vlogen over de regels. 'Hier: "Het lijkt een onmogelijkheid om meer kennis van de mechanica te vergaren dan deze heer heeft gedaan... Geen kunstenaar heeft ooit een zo prachtige machine geconstrueerd als hij." En hij besluit als volgt: "Men mag inderdaad... hooggespannen verwachtingen koesteren omtrent zijn kennis en kunde, die nog... vergroot worden door zijn ongebruikelijke..., nee, zeldzame bescheidenheid."'

Kempelen haalde diep adem en zijn ogen bleven over de regels dwalen. Toen keek hij Elise weer aan, die met stralende ogen naar hem glimlachte, en betrapte zichzelf op zijn hoogmoed. 'Goed, dat was nou niet direct een blijk van bescheidenheid.'

Ze schoten allebei in de lach.

'Mooi,' zei Kempelen. 'Dat was alles.'

Terwijl Elise opstond, bukte Kempelen zich om het Engelse tijdschrift naast de tafel neer te leggen. Toen hij weer overeind kwam, verrekte hij zijn nek. Hij sloot zijn ogen en greep met zijn hand naar zijn pijnlijke nek.

'Sinds ik bij Batthyány ben geweest heb ik veel last van mijn nek,' verklaarde hij. 'Ik heb het gevoel alsof ik met stenen heb gesjouwd.'

'Mag ik...?' vroeg Elise. 'Ik kan dat goed; dat heeft een vriendelijke non mij op school geleerd.'

Voordat Kempelen antwoord kon geven was ze al om de tafel gelopen en stond ze achter hem. Ze legde haar hand op zijn nek en begon druk uit te oefenen. Kempelen bleef gespannen totdat ook haar andere hand erbij kwam.

'Over een paar minuten is de pijn weg,' legde ze met wat zachtere stem uit.

Ze masseerde hem even. Toen leek ze in de gaten te krijgen dat het geen pas gaf wat ze aan het doen was: haar vingers gingen langzamer bewegen, kwamen uiteindelijk helemaal tot stilstand en maakten zich los van zijn huid.

'Het spijt me,' zei ze schuchter. 'Ik heb er niet bij nagedacht.' Hij kon gewoon horen dat ze bloosde.

'Nee, nee. Ga maar door. Ik vind het prettig.'

Nu hij haar permissie had gegeven, begon Elise opnieuw. Toen er onder de druk van haar vingers een aangenaam ontspannen gevoel in zijn spieren voer, hadden Kempelens ogen telkens de neiging dicht te vallen, alsof hij moe was en tegen de slaap vocht, maar telkens opnieuw sperde hij ze open.

'Hoe is het met je tante in Bystrica?' vroeg hij.

'Prievidza,' corrigeerde Elise hem. 'Goed, dank u wel.'

Toen pas sloot Kempelen zijn ogen. Hij nam haar geur waar, die hem voordien nooit was opgevallen. En ondanks het zware werk in huis had ze nog steeds zachte handen. Hij stelde zich voor hoe ze met haar ene hand een haarlok achter haar oor streek. Verder dacht hij aan niets.

En wat hij vooral niet hoorde, was dat Anna Maria naar de werkkamer was gekomen. Hij zag haar pas toen ze in de deuropening met wijd opengesperde ogen stond te kijken naar het tafereel voor zich.

Pas toen het al te laat was, trok Elise haar handen weg en legde haar armen op haar rug alsof ze daar twee misdadigers verstopte. Enkele seconden lang stond iedereen roerloos als aan de grond genageld, op een verdwaalde wesp na die telkens opnieuw tegen de ruit vloog.

'Je kunt wel gaan, Elise,' zei Kempelen.

Zonder een woord te zeggen pakte Elise haar mutsje en liep onder de strenge blikken van Anna Maria het vertrek uit.

'Zou je me hier alsjeblieft een verklaring voor willen geven?' vroeg Anna Maria.

'Wil je alsjeblieft eerst de deur dichtdoen?'

Anna Maria deed wat hij haar had gevraagd, maar ze bleef staan, bleek, met haar armen kruislings voor haar borst.

'Mijn nek deed pijn, net als de afgelopen dagen. Ze stelde voor die te behandelen. Ik heb dat dankbaar aangenomen. Niet meer en niet minder.'

'Zet haar op straat.'

'Rustig nou maar. Ze heeft alleen maar mijn nek gemasseerd.'

'Ze is je vrouw niet.'

'Nee. Want mijn vrouw heeft dat tot nu toe nog niet voorgesteld.'

'Ze krijgt op staande voet ontslag.'

'Daar komt niets van in, want dan hebben we helemaal geen dienstbode meer,' protesteerde Kempelen. 'Als je per se op iemand kwaad wilt zijn, wees dan kwaad op mij; ze is zo onschuldig als een lammetje, haar treft geen enkele blaam.'

'Wordt zij nu jouw nieuwe Jesenák?'

'Anna Maria, toe nou. Dit is niet grappig. Ik heb altijd gedaan wat je vroeg, maar aan jouw jaloezie moet paal en perk worden gesteld. Ik zal alles doen wat je wilt, maar Elise blijft hier.'

'Alles wat ik wil?'

'Alles.'

'Doe dan de Turk van de hand.'

Kempelen hield zijn hand achter zijn oor alsof hij het niet goed had gehoord. 'Waarom zou ik dat in godsnaam doen? De Turk maakt ons rijk – en die rijkdom heb jij de afgelopen weken zonder enige scrupule uitgegeven – hij opent alle deuren voor ons, hij zorgt ervoor dat onze naam op ieders lippen is...'

'Ik ben het beu, dat gepraat over ons. De mensen zeggen dat de machine dat mens van Jesenák heeft vermoord.'

'Dat beweren alleen domoren, en omdat jij niet bij de domoren hoort, weet je dat het niet waar is.'

'Ik word bang als ik erover nadenk wie haar dood dan wel op zijn geweten heeft, als het de machine niet was.'

'Zijzelf, dat zeg ik je voor de honderdste keer!'

'Katarina heeft uit angst voor de Turk ontslag genomen.'

'Nee, Katarina heeft uit angst voor de papen ontslag genomen. Dat is een heel verschil.'

'Wat het er niet acceptabeler op maakt.' Anna Maria ging op dezelfde stoel zitten als waarop zojuist Elise had gezeten en schoof die dicht tegen de tafel aan. 'Ik wil weer met dezelfde man samenleven met wie ik indertijd getrouwd ben. Je had een goede betrekking, een gegarandeerd pensioen en uitstekende kansen op promotie. Desondanks stop je al je geld en tijd in uitvindingen of liever gezegd in goocheltrucs, neem je een goddeloze en een gedrocht in dienst, loop je het risico dat je voor het oog van de keizerin wordt geblameerd, door de bisschop in de ban wordt gedaan en door de baron wordt gedood en dat allemaal voor de roem, voor de hoop dat op een dag, wanneer je allang dood bent, een bronzen standbeeld van jou een plein in deze stad zal sieren.'

'Ben je als puntje bij paaltje komt soms jaloers op wat ik allemaal bereik?'

'Nee. Nooit. Ik wil alleen het beste voor jou. Voor ons. Ik hou van je.'

Kempelen snoof. 'Schrijf me dan niet voor wat voor leven ik moet leiden.'

'Stuur Elise weg.'

'Waar ben je bang voor? Toch niet dat ik haar mijn liefde zal geven? Je weet wel beter. Je bent bang dat ze zich van jouw echtelijke plichten gaat kwijten.'

'Hou daarmee op...'

'Je bent bang dat zij misschien de vrouw zou kunnen zijn die mij kinderen schenkt...'

'Hou op!'

'... die niet meteen na hun geboorte creperen...'

Anna Maria sloeg haar handen voor haar ogen en schreeuwde: 'Wolfgang!'

'... zoals Julianna, Andreas en Marie.'

Anna Maria begon te huilen en Kempelen zweeg. Hij was te ver gegaan. Nu pas realiseerde hij zich, tot zijn onbehagen, dat hij hun dode kinderen op zijn vingers had geteld. Hij zweeg, zag hoe ze op haar stoel zienderogen ineenkromp en het liefst zou hij met een hamer op de moeizaam gemaakte delen van zijn spraakmachine hebben ingeslagen.

Toen ging hij zijn werkkamer uit zonder Anna Maria aan te raken en liep naar beneden, de keuken in. Hij gaf Elise, die hij eveneens in tranen aantrof, die dag en de volgende dag vrijaf en droeg Branislav op Anna Maria met Teréz de volgende morgen naar Gomba te brengen, naar het landgoed van de familie Von Kempelen, bijna een dagreis ten oosten van Preßburg. Daar moesten moeder en kind met Branislav de zomer doorbrengen. Kempelen verzocht Branislav extra goed voor zijn vrouw te zorgen, omdat zij zoals hij het formuleerde, een kleine zenuwinzinking had gehad, waarschijnlijk ten gevolge van de drukkende hitte.

Tibor had Elise 's nachts in Weidritz aangetroffen en hij had gezien hoe ze achter Kempelen en de franciscaner monnik was aangegaan. Ze was niet gewoon maar nieuwsgierig: ze was een spionne. Zijn verdenking werd nog gestaafd toen ze na een demonstratie korte tijd alleen waren; hij in de schaakmachine en zij, die eigenlijk de vloer moest aanvegen maar in plaats daarvan met een loper Kempelens geheimzinnige kistje probeerde open te maken. Natuurlijk waande ze zich toen onbespied en ze borg de loper pas weer weg toen ze in het trappenhuis stappen hoorde. Tibor had in de duisternis in de machine zijn gehoor gescherpt, hij had dat dus allemaal niet gezien maar er met ingehouden adem scherp naar geluisterd. Doordat Anna Maria, Teréz en Branislav een poosje weg waren, had Elise nog meer gelegenheid om te spioneren. Kempelen en vooral Jakob kweten zich onvoldoende van hun taak om alles goed in de gaten te houden. Op een dag, toen Tibor aan zijn tafel over een lastig eindspel gebogen zat, werd er opeens een ijzeren voorwerp in het slot gestoken, dat met een schrapend geluid de deur probeerde te ontgrendelen. Sinds Kempelen en zijn broer geheel onverhoeds waren binnengekomen, deed Tibor echter altijd twee sloten op zijn kamerdeur. Hij deed niets, kon niets doen, staarde slechts aan één stuk door naar het slot en deed zijn uiterste best om geen kik te geven. Het was wel duidelijk dat Elise niet goed met lopers kon omgaan. En dus faalde ze ook nu: na ongeveer tien minuten staakte ze haar pogingen met een zucht van uitputting. Tibor bleef nog lang roerloos zitten. Want hij wist dat er een moment zou komen waarop ze deze deur open zou krijgen en achter het geheim van de schaakturk zou komen.

Waarom lichtte hij Kempelen niet in? Eén woord van hem en Elise zou op straat staan, de schaakturk zou veilig zijn, net als Tibor, die er rekening mee moest houden dat hij voor de moord op de barones op het schavot terecht zou komen. Misschien kwam het door zijn trots – zijn gevoel van superioriteit ten opzichte van Kempelen en Jakob – zijn trots op het feit dat hij iets wist wat zij niet wisten. Beide mannen dachten vermoedelijk dat Elise te dom was om tot iets dergelijks in staat te zijn. Tibor was de enige die wist hoe ze werkelijk was. Keer op keer was hij er getuige van geweest hoe Jakob ten prooi was gevallen aan haar koketterie, had hij Jakob horen pochen dat hij Elise het hoofd op hol zou brengen – en terwijl hij aanvankelijk nog jaloers was geweest, was hij nu geamuseerd dat Jakob zich verbeeldde dat zij naar hem smachtte, terwijl het enige wat ze van hem wilde, het geheim achter de schaakturk was.

Elise liep door een labyrint, waar hij, Tibor, in het centrum op haar zat te wachten. Hij was de prijs, de schatkist, de maagd in de toren, en dat vond hij een prikkelend idee. Al haar inspanningen waren op hem gericht, hoewel ze dat nu nog niet wist. Ze zouden opnieuw met elkaar te maken krijgen. Dat kon beslist allemaal al heel gauw gebeuren en het zou Tibor het leven kunnen kosten, maar dat leek hem onwaarschijnlijk: hij had Elise lang genoeg gadegeslagen, Jakob had hem haar levensgeschiedenis verteld, hij had haar in de kerk gezien, ze droeg zijn Mariamedaille op haar hart – ze was niet het soort vrouw dat hem aan de vijand zou uitleveren. En mocht hij zich in haar vergissen, dan was dat Gods wil.

In juli kreeg Kempelen per koerier een uitnodiging van Maria Theresia om naar het hof in Wenen te komen. De keizerin, zo luidde het ge-
dicteerde schrijven, kon na alle verhalen over de legendarische machine de verleiding niet langer weerstaan om er zelf een keer tegen te
spelen, en ze wilde van de gelegenheid gebruikmaken om in het kader
van die partij, medio augustus, met Kempelen over zijn nieuwe plannen en over haar geldelijke ondersteuning daarvan te spreken. En ook
'*mon cher fils* Joseph', die tijdens de eerste voorstelling van de machine verplichtingen elders had gehad, had te kennen gegeven graag eens
oog in oog met de Turk te staan, zo schreef ze. Des te meer was Kempelen van mening dat hij er goed aan had gedaan Anna Maria naar
Gomba te sturen, want nu kon hij zich ongestoord voorbereiden op
wat misschien wel de belangrijkste demonstratie van zijn schaakmachine zou worden.

Hij hoopte dat de uitnodiging om naar Wenen te komen ook een einde
zou maken aan Tibors permanente neerslachtigheid. 'Als we eenmaal
uit Wenen terug zijn, wordt alles beter,' zei hij, zonder precies uit te
leggen wat er dan zou veranderen en hoe. Wellicht zou hij dan wat
minder vaak met de schaakturk hoeven op te treden, opdat Kempelen
zich geheel aan de spraakmachine kon wijden. Misschien had Kempelen genoeg van de onenigheid met baron Andrássy, met de Kerk en nu
ook met zijn vrouw. Dan zou Tibor zijn vroegere leventje weer oppak-
ken, dat hem wel niet bijster was bevallen, maar waarin hij tenminste
schuldeloos was geweest en tot op zekere hoogte God welgevallig.

Kempelen en Jakob waren weg en de machine stond in de werkplaats
en niet in het kamertje waar hij hoorde te staan – dat was natuurlijk
een uitgelezen kans voor Elise. Ze opende de deuren van de werkplaats
met de routine die ze inmiddels verworven had, en vervolgens onderwierp ze de schaakmachine aan een nader onderzoek. De Turk keek
haar streng aan, alsof hij wist dat ze was gekomen om hem te ontmaskeren, maar zolang het mechaniek niet functioneerde, kon hij niets
doen om haar dat te beletten.

Ze ging naast de androïde op de vloer zitten om het achterdeurtje open
te kunnen maken, dat toegang gaf tot het raderwerk. Terwijl ze haar
sleutelbos nog onderzocht op zoek naar de juiste loper, werd het deurtje van binnenuit opengeduwd, onwezenlijk geruisloos, want de
scharnieren waren buitengewoon goed geolied. Met open mond keek

Elise naar het tafeltje en naar de duisternis achter het deurtje. Ze zag een gezicht dat haar verdrietig toelachte. Heel even had ze de indruk dat er geen lichaam aan vastzat en dacht ze dat het een hersenspinsel was – op deze plaats leek het raderwerk in het donker sterk op een gezicht: twee tandwielen waren de ogen, de neus werd gevormd door een veer en de cilinder leek op een mond – maar toen het gezicht bewoog, zag ze ook het bovenlichaam en een arm. Ze knipperde met haar ogen. 'Hallo,' zei hij en omdat een antwoord lang uitbleef: 'Ik ben het geheim van de schaakmachine.'

Ze wilde ademhalen om iets te kunnen zeggen, maar haar adem stokte in haar keel en ze kon geen woord uitbrengen. Vervolgens ademde ze hoorbaar uit.

'Daar was je toch naar op zoek, nietwaar?' vroeg hij zachtjes, om haar niet aan het schrikken te maken.

'Ja,' antwoordde Elise.

'Ik verwachtte je al. Ik wist dat je zou komen.'

Ze kneep haar ogen tot spleetjes. 'Ik ken jou... jij was die man...'

'Ja,' zei Tibor terwijl hij naar haar halsketting keek. De medaille zelf was niet te zien, die bevond zich onder haar keurslijf.

En opnieuw zwegen ze allebei; Elise omdat ze niet wist wat hij van plan was, en Tibor omdat hij niet wist wat hij moest zeggen.

'Kijk maar eens, zo beweeg ik de hand van de Turk,' legde hij ten slotte uit.

Elise kwam wat dichter naar het tafeltje toe en Tibor liet haar niet zonder trots zien hoe hij de arm van de androïde met behulp van de pantograaf bestuurde en voorts nog hoe hij diens hoofd en ogen bewoog. Hij legde haar uit dat het raderwerk geen andere functie had dan herrie maken en hoe hij zich, ook als alle deurtjes openstonden, toch voor het publiek verborgen kon houden. Toen pas kwam hij door de vleugeldeurtjes het schaaktafeltje uit, en omdat zij nog steeds op de grond zat, was hij ongeveer even groot als zij.

'Je bent...' gekrompen, had ze willen zeggen. Ze maakte haar zin niet af.

Tibor deed dat voor haar: 'Klein. Ja. Destijds had ik hoge hakken.'

Hij ging tegenover haar zitten, als om het verschil te verdoezelen. 'Is er nog iets wat je wilt weten?'

'Hoe heet je?'

'Tibor.'

'Ik ben Elise.'

'Dat weet ik.'

'Waarom vertel je me dit allemaal, Tibor?'

'Vroeg of laat zou je er toch wel achtergekomen zijn. Ik heb je al een poosje geobserveerd.'

'Ik begrijp het niet... waarom heb je Kempelen niet op de hoogte gebracht?'

'Omdat ik niet wilde dat hij jou zou ontslaan. Omdat ik denk dat deze betrekking belangrijk voor je is. Jakob heeft me verteld dat je ouders dood zijn. Ik weet hoe het is om alleen te zijn. En ondanks alles geloof ik niet dat jij kwaadaardig bent. Heeft iemand je een beloning beloofd als je er achter zou komen?'

Elise knikte en was voorbereid op de volgende vraag.

'Friedrich Knaus?'

'Wie?'

'Ken je Knaus niet?'

Ze schudde haar hoofd. 'De bisschop heeft het me gevraagd... nee, niet de bisschop zelf; een pater heeft het me in opdracht van de bisschop gevraagd.' De pater had inderdaad contact met haar opgenomen, maar alleen om haar te bewegen ontslag te nemen, zoals ze Kempelen had gemeld. 'Hij heeft me gevraagd... nee, hij heeft gezegd dat het mijn christelijke plicht was. Na dat incident in paleis Grassalkowitsj.'

Op dat moment drong pas tot Elise door dat Tibor in dezelfde ruimte was geweest als Ibolya Jesenák voordat ze zelfmoord pleegde, dat hij wellicht zelfs de laatste was geweest die haar in leven had gezien. Vervolgens besefte ze dat het in geen geval zelfmoord was geweest maar dat de dwerg een ingewijde had vermoord. En dat alles leidde logischerwijs tot de conclusie dat hij haar nu ook zou vermoorden, dat zijn medelijden met haar omdat ze wees was al precies zo verzonnen was als het feit dat ze geen ouders meer had. Onder haar onderrok had ze een mes maar dat zou ze niet snel genoeg kunnen pakken. En ze had gezien hoe hij met twee volgroeide mannen was omgesprongen. Ze was verloren.

Tibor zag dat ze bleek werd. 'Het was een ongeval,' zei hij gauw. 'Een ongeluk. Ze is na een val verkeerd terechtgekomen. Vervolgens heeft hij haar van het balkon gegooid om het op zelfmoord te laten lijken. Niemand heeft dit gewild.'

'Ik geloof je,' zei ze, hoewel dat niet de waarheid was.

Ze zwegen, totdat Tibor weer het woord nam. 'Wat ga je nu doen?'
'Dat weet ik niet. Wat moet ik doen?'
'Ons niet verraden. Ik heb de barones om het leven gebracht. Wanneer dat uitkomt, dan zullen ze achter me aan gaan en me gevangennemen en Kempelen denkt dat ze me dan terecht zullen stellen; ongeacht of het een ongeval was of niet. Krijg je geld van de Kerk?'
'Nee. Geen cent. Daar hebben we het nooit over gehad.'
Tibor knikte. 'Dat bewijst dat jouw motieven zuiver zijn. En als het wel om geld ging, weet ik zeker dat Kempelen je meer zou betalen. Of ik.'
Met zijn vinger veegde Tibor wat stof van het schaaktafeltje. Hij wou maar dat hij hier eeuwig met haar zou kunnen zitten, ook al was het gespreksonderwerp nog zo onaangenaam.
'Ik zou graag willen dat je iets voor me doet,' zei Tibor, 'al is het maar uit dankbaarheid omdat ik je destijds in de visserswijk heb geholpen. Ik wil dat je me tijdig waarschuwt wanneer je van plan bent ons te verraden. Geef me een paar dagen de tijd om uit Preßburg weg te vluchten. Ik heb een kleine voorsprong nodig. En Kempelen... is een goed mens. Hij verdient die voorsprong eveneens. Als tegenprestatie zal ik tot dan mijn mond houden over het feit dat wij contact met elkaar hebben.'
Van die afspraak kon ze profijt hebben. Ze kon zelf beslissen of ze zich eraan zou houden of niet. Ze verklaarde zich akkoord.
'Bij de moeder Gods?' vroeg hij.
'Bij de moeder Gods,' antwoordde ze en voelde iets van medelijden met hem omdat hij zo goedgelovig was.
'Geef ons nog de kans om naar Wenen te gaan,' verzocht hij haar dringend. 'Op die ene week kan het niet aankomen voor jou. Misschien wordt dat onze laatste demonstratie, daarna is alles voorbij, en die ene week zal ook de bisschop niets kunnen schelen en dan heb je jezelf zowel ten opzichte van hem als ten opzichte van Kempelen niets te verwijten.'
Ze dacht opeens aan zijn medaille, die ze nog steeds om had en trok hem uit haar lijfje om hem aan Tibor terug te geven.
'Nee,' zei hij en stak zijn hand op. 'Hou hem maar. Die medaille dient als onderpand. Geef hem me terug als je ons verraadt. Niet eerder.'
Elise keek naar de bekraste beeltenis van Maria en knikte. Op dat ogenblik besloot ze vooralsnog niets tegen Knaus te zeggen. Het stond

vast dat er geen grotere triomf voor de Zwaab denkbaar was dan de schaakmachine als bedrog te kunnen ontmaskeren tijdens de partij tegen de keizerin, en hij zou haar gegarandeerd vorstelijk hebben betaald voor een dergelijk bravourestukje – maar die triomf gunde ze hem niet. Wanneer Knaus het van Kempelen moest winnen, dan moest dat in stilte gebeuren.

En waarom zou ze haar huidige leventje opgeven? Ze werd door beide kampen betaald. Waar was het goed voor de twee kippen met de gouden eieren nu allebei te slachten? Hoe langer ze de onthulling uitstelde, des te groter zou haar loon zijn. En misschien zou ze Knaus' voortdurende bitterheid over Kempelens succes zelfs wel kunnen uitbuiten om haar beloning verder op te drijven. Ze had de mannen bedot, van hun driften evenzeer misbruik gemaakt als van hun kinderlijke geloof in het woord van eer, en nu voelde ze zich, misschien voor de eerste keer in dit moeilijke jaar, weer sterk.

Pas die avond besefte ze goed wie ze ontmoet had: een wanstaltige Venetiaanse dwerg, een fijngevoelige en buitengewoon godvruchtige moordenaar, een geniale schaker die de belangrijkste uitvinding, of veeleer de belangrijkste oplichterij van de eeuw van binnenuit bestuurde. Wat was dat onwezenlijk. Ze zou niet verraster zijn geweest als ze een aap of een mens zonder onderlijf had aangetroffen, zoals Knaus had vermoed.

Wenen

Voor alle zekerheid zat Tibor gedurende de gehele reis binnen in de schaakmachine. Jakob had zich tegen die onmenselijke wijze van vervoer verzet, maar Kempelen had hem eraan herinnerd dat Tibor slechts veilig was zolang ook het geheim van de Turk veilig was. De dwerg schikte zich in zijn lot en vroeg slechts om voldoende water om de tocht in de hoogzomerse hitte te kunnen doorstaan. Er hing een zinderende hitte boven het Marchfeld. De March en de Donau waren nog slechts warme beekjes, die zo langzaam door hun bedding kabbelden dat je zou kunnen denken dat ze tegen de stroom in gingen. Bij afwezigheid van Branislav had Kempelen twee mannen ingehuurd om hen van en naar Wenen te begeleiden – beiden reisden evenals Kempelen te paard, terwijl Jakob net als de vorige keer op de bok van het tweespan zat. De schaakmachine stond schuin achter hem. Deze was niet bedekt met een laken en Jakob had de kist waarin de schaakmachine stond aan de zijkant vastgemaakt zodat de Turk als het ware over Jakobs schouder op de weg keek.

Er hing een melkwit waas in de lucht. In het diffuse zonlicht was er geen diepte te zien en omdat geen zuchtje wind het gras en het gebladerte beroerde, leek het landschap een verstoft schilderij.

Ze waren een uur van Preßburg af toen ze door galopperende ruiters werden ingehaald: János baron Andrássy op zijn Arabische hengst met aan zijn ene zijde zijn korporaal Béla Dessewffy en aan zijn andere kant György Karacsay, een luitenant van Andrássy's regiment. De drie huzaren reden Kempelen voorbij en keerden toen hun paard, zodat Andrássy en Kempelen oog in oog stonden.

'Baron Andrássy,' zei Kempelen ter begroeting.

'Baron Von Kempelen,' antwoordde Andrássy, 'ontvlucht u de stad?'

'Welnee,' zei Kempelen. Zijn beide mannen waren om de wagen heen gereden en hadden zich waakzaam naast Kempelen opgesteld. 'Ik geef gevolg aan een uitnodiging van Hare Majesteit.'

Baron Andrássy trok ten teken van zijn respect een van zijn wenkbrauwen op. 'Maar ik laat u hier niet weggaan voordat u uw schulden
vereffend hebt.'
Hij opende zijn zadeltas en haalde er een plat foedraal uit. Daarin bevonden zich twee in groen vilt gewikkelde pistolen.
Hij keek om zich heen. Weilanden, met hier en daar een paar bomen,
omzoomden de Rijksstraat. 'Ik zou me geen geschiktere plek kunnen
voorstellen. Opgepast! Het wapen is al geladen.' Hij reikte Kempelen
een van de pistolen aan, met de kolf naar voren.
Kempelen nam het hem aangeboden pistool niet aan. Hij hield zijn
beide handen op het zadel. Kempelens beide mannen werden nerveus
en alsof ze de onrust voelden, begonnen ook hun paarden zenuwach-
tig te trappelen. Luitenant Karacsay reed naar hen toe en zei iets tegen
hen, waarna de mannen – na even van opzij naar Kempelen te hebben
gekeken – wegdraafden in de richting waaruit ze waren gekomen.
Jakob keek hen verbijsterd na.
'Of geeft u de voorkeur aan de sabel?' vroeg Andrássy. 'Béla zal mij
seconderen, uw assistent kan dat voor mijn part voor u doen.'
'Ik ben niet van zins het gevecht met u aan te gaan, baron. Daarvoor is
ons beider leven mij te lief. Ik heb met de dood van uw zuster niets van
doen, dat zweer ik bij God en alle heiligen.'
'Maar uw machine wel.'
'Ook die niet. Als deze echter ooit in staat zal zijn om een pistool vast
te houden of de sabel te hanteren, dan zal ik u opzoeken en mag u met
de machine duelleren. Tot het zover is, verzoek ik u beleefd ons vrije
doorgang te verlenen.'
Andrássy schudde het hoofd en nam ook het tweede pistool uit het
foedraal.
'Baron, ik ben op weg naar de keizerin,' waarschuwde Kempelen, 'en
ook u staat niet boven de wet.'
'Om harentwil zal ik u laten gaan,' zei Andrássy, terwijl hij de haan
van beide pistolen spande, 'maar mijn uitdaging tot een duel is onver-
let en die eis zal ik kracht bijzetten. Degene van wie ik hield is mij ontnomen. U mag het niet anders vergaan.'
Andrássy legde met het pistool in zijn linkerhand op de schaakturk
aan maar Jakob, die inmiddels overeind gesprongen was op de bok,
had zijn handen in de lucht gestoken en schreeuwde: 'Nee!' in een poging de baron te beletten om te schieten.

Andrássy liet zijn wapen even zakken en lachte fijntjes. 'Een jood ter bescherming? Denk je werkelijk in alle ernst dat mij dat ervan zou weerhouden te schieten?' Hij richtte opnieuw en vuurde. Jakob sprong nog net op tijd van de bok en viel op de grond. De kogel doorboorde de holle borst van de Turk. Andrássy legde met het tweede pistool aan, kneep zijn linkeroog dicht en haalde de trekker over.

De kogel ging dwars door het gefineerde blad, het hout en het vilt van het schaaktafeltje, schampte een metalen naald van het mechaniek, hetgeen een schel geluid veroorzaakte, baande zich een weg door een wirwar van raderen, doorboorde een tandrad, sloeg een tweede uit het lood, ketste tegen een cilinder af en veranderde van richting, drong vervolgens met het grootste gemak dwars door het linnen en de huid in het vlees, doorboorde aderen en spieren, tot hij op een rib stuitte en daar eindelijk zijn kracht verloor. Hij bleef naast een aantal botsplinters steken in een gescheurde spier en in een stroom bloed uit doorsneden aderen, terwijl het smalle pad dat de kogel had afgelegd zich weer sloot.

Andrássy getroostte zich niet eens de moeite de pistolen weer in het foedraal op te bergen en stopte ze gewoon los in zijn zadeltas.

'Baron, u huldigt verfoeilijk achterhaalde opvattingen,' sprak Kempelen rustig.

'Ik zal u deze emotionele belediging niet kwalijk nemen want ik heb op de begraafplaats soortgelijke onwelvoeglijke opmerkingen gemaakt,' antwoordde Andrássy terwijl hij de teugels van zijn paard greep. 'Ik zal in Preßburg op u wachten. Laat mij niet al te lang op uw komst wachten want anders zal de schade groter zijn dan wat hout en ijzer.'

Andrássy gaf zijn paard de sporen en Dessewffy en Karacsay volgden hem en salueerden bij het wegrijden naar Kempelen. Op Jakob sloegen de huzaren geen acht. Om de paarden te ontwijken moest de assistent een stap achterwaarts doen, waarbij hij struikelde en in een greppeltje in de berm viel. Toen de ruiters ongeveer veertig voet bij hem vandaan waren, sprong Jakob overeind, opeens een en al energie, en liep hen vloekend enkele stappen na in het opstuivende stof: 'Kom terug, laffe schoften! Uitschot! Hondsvotten! Lamlendig stelletje... Hongaars... ongedierte... met jullie stomme sik!' Hij wilde hen stenen nagooien, maar omdat hij er geen kon vinden pakte hij in blinde razernij een hand zand en trok pollen gras uit de grond om die naar hen te gooien.

'Nou is het afgelopen, Jakob!' riep Kempelen, die allang uit het zadel gesprongen en op de koets geklommen was.

Jakob kwam weer bij zinnen en rende naar Kempelen toe, die net bezig was de vleugeldeurtjes van het tafeltje open te maken. Ze trokken Tibor aan zijn armen naar buiten. Er rolden enkele schaakstukken met hem mee. Een ronde rode vlek had zich gevormd op zijn witte hemd, ter hoogte van zijn borst.

'Zijn ze weg?' vroeg de dwerg tussen zijn opeengeklemde kaken door.

'Ja.'

Ook nu durfde Tibor nog niet te schreeuwen, hij kreunde slechts ingehouden. Ze droegen hem naar de lege ruimte achter de machine. Daar scheurden ze zijn hemd open. De wond aan de rechterkant van zijn borst was klein. Zo nu en dan gulpte er helder bloed uit het gaatje. Ze draaiden Tibor op zijn zij en Kempelen fronste zijn wenkbrauwen toen hij zag dat het hemd op zijn rug nat van het zweet was maar dat er geen bloed te zien was. 'De kogel zit er nog in.'

Jakob keek hem vragend aan, omdat hij niet begreep wat dat betekende.

'Haal water en een paar lappen.'

Ondertussen trok Kempelen zijn justaucorps uit en stroopte zijn mouwen op. Hij klapte het deksel van het kersenhouten kistje open. Zijn gereedschap lag erin. Hij nam er alle tangen uit en legde ze naast Tibor op de vloer van de koets neer. Op twee tangen goot hij het water dat Jakob had gebracht en wreef hij ze vervolgens droog. Hij gaf Jakob een lange spitsbektang.

'Hou daarmee de wond open.'

'Wat?'

'Steek hem in het vlees en knijp hem dan open. Anders krijg ik de kogel niet te pakken.'

'Dat kan ik niet!'

'Verman je nou toch eens.'

Jakob nam de tang aan. Hij beefde, zweette en zag asgrauw. Kempelen pakte een tweede tang.

'Laten we het maar snel doen.'

Jakob ging op zijn knieën naast Tibors hoofd zitten. Hij keek nog steeds naar de tang alsof hij iets dergelijks nog nooit gezien had.

'Mijnheer Von Kempelen?' klonk een stem vanaf de weg.

Kempelen stond op en klom op de bok van de koets. De twee trouweloze begeleiders waren teruggekomen.

'We zijn er weer,' zei een van de beide mannen ten overvloede. 'De officieren hebben gezegd dat we weer naar u toe konden gaan.' Toen zag hij de bloedvlek op Kempelens overhemd. 'Is alles in orde? Kunnen we helpen?'

'Verdwijnen, dat kunnen jullie, allebei,' antwoordde Kempelen. 'Lafaards als jullie kan ik niet gebruiken.'

'En ons loon dan?' vroeg de man beteuterd na even te hebben gezwegen. Kempelen nam twee munten uit zijn beurs en wierp die hun toe. 'Meer krijgen jullie niet. En maak nu dat je wegkomt.'

Hij wachtte tot ze waren weggereden, toen keerde hij naar Jakob en Tibor terug. 'Vooruit dan maar.'

Aarzelend bewoog Jakob de tang in de richting van de wond. Toen haalde hij diep adem en schoof hem in het vlees. Tibor slaakte een kreet van pijn en spartelde met armen en benen. Jakob trok de tang onmiddellijk weg en liet deze van pure schrik vallen.

Kempelen greep een van de schaakstukken die her en der om hen heen lagen. 'Doe je mond open,' gebood hij.

Hij stopte het schaakstuk tussen Tibors tanden en Tibor beet erop. Kempelen ging schrijlings op Tibor zitten en hield met zijn knieën diens armen naast zijn lichaam op de vloer.

'Pak zijn hoofd beet,' zei hij tegen Jakob, waarop die Tibors hoofd tussen zijn bovenbenen klemde. Tibor kon nu alleen nog maar zijn benen bewegen.

Kempelen keek naar Jakob. De jood duwde de tang opnieuw in de wond. Tibor kneep het ene moment zijn ogen dicht en sperde ze dan weer open. Hij kronkelde van de pijn maar de twee anderen hielden hem stevig vast. Jakobs tang stootte tegen een van Tibors ribben, en nu hij iets hards raakte, begon hij nog heftiger te sidderen. Kempelen knikte en heel langzaam, met zijn tong tussen zijn tanden, kneep Jakob de tang open. Er gutste een stroom bloed naar buiten. Het schaakstuk knarste tussen Tibors tanden.

'Daar heb je hem,' zei Kempelen. 'Vooruit. Hou vol.'

Jakob deed wat hem was bevolen en hield de tang open. De bebloede spieren lagen tegen de bek van de tang aan. Kempelen bracht zijn tang in de wond. Tibor kreunde luid.

'Hou op met jammeren. Je hebt zijn zuster om het leven gebracht,' zei Kempelen.

Eén keer gleed Kempelens tang weg, maar daarna ging het heel snel en trok hij de tang met de vervormde loden kogel tussen de punten van de bek geklemd weer uit de wond. Dankbaar volgde Jakob zijn voorbeeld. Ze voelden hoe Tibors spieren zich onder hen ontspanden. Met zijn tong duwde hij het schaakstuk uit zijn mond. Wat ooit een witte toren was geweest, was nu een vermalen stuk hout, nat van het speeksel. Er was wat lak afgesprongen, die nog aan Tibors lippen kleefde.

'Verbind hem,' droeg Kempelen Jakob op. 'Zo strak mogelijk.'

Vervolgens kwam hij van Tibor af, liet de kogel achteloos vallen en wiste met een lap het bloed van zijn handen en het gereedschap. De tang legde hij op het schaaktafeltje neer. Alle drie de mannen waren drijfnat van het zweet. Jakob scheurde de lap in repen en begon vervolgens onhandig Tibors schouder en oksel te verbinden. Toen dwaalden zijn ogen af naar de Turk. Het schot in de borst had geen schade aangericht, zelfs op het zijden hemd en de kaftan waren de gaatjes nauwelijks te zien.

Andrássy's tweede schot had ook voor de machine ernstiger consequenties gehad. Kempelen deed het deurtje bij het raderwerk open en zag al meteen dat een van de tandwielen niet meer op zijn plaats zat. Hij greep de tang en wilde de schade herstellen, maar hij zag al gauw in dat daar meer tijd voor nodig zou zijn.

Ondertussen verbond Jakob Tibor terwijl hij zich uitputte in een scheldkanonnade tegen baron Andrássy, kennelijk meer om zelf tot bedaren te komen dan om Tibor te troosten.

Anderhalf uur na de overval zetten ze hun reis naar Wenen voort.

Tibor werd op Kempelens bed gelegd. Nadat Jakob een schone zwachtel had aangebracht en Kempelen hem iets te eten had gebracht, viel hij onmiddellijk in slaap hoewel het pas laat in de middag was. De beide anderen gingen aan de slag om de schade te repareren die de schaakmachine had opgelopen; dat was een moeizame aangelegenheid, want ze hadden maar weinig gereedschap en helemaal geen reserveonderdelen meegenomen. Ze spraken weinig en de vraag of het optreden over twee dagen volgens plan zou kunnen doorgaan meden ze al helemaal.

De volgende ochtend reed Kempelen naar Schönbrunn om bij de adjudant van Hare Majesteit navraag te doen of het mogelijk zou zijn de demonstratie uit te stellen. Dat was niet mogelijk. De keizerin had heel veel afspraken en ze had met veel moeite tijd vrijgehouden voor de schaakturk, zodat het een belediging zou zijn wanneer het niet zou doorgaan.

Doornat van het zweet kwam Kempelen in Alsergrund terug en hij was blij dat het bij hem in huis tenminste wat koeler was. Hij had van de markt fruit meegebracht en zat daarmee aan Tibors bed. Ook de nieuwe zwachtel was al weer rood gekleurd.

'Kun je je arm bewegen?' vroeg Kempelen.

Tibor hief zijn rechterarm, spreidde zijn vingers en balde toen zijn vuist. Pas toen hij zijn arm neerlegde, deed de wond pijn.

'Denk je dat je morgen kunt schaken?'

'Als het moet wel.'

Kempelen knikte. 'Mooi zo. Dat is de juiste instelling. En het moet inderdaad. Om deze demonstratie kunnen we niet heen. Deze keer staat alles op het spel. Ik beloof je echter tevens dat het snel achter de rug zal zijn. Maria Theresia schaakt verdienstelijk, maar ook niet meer dan dat. Ik heb tegen haar gespeeld en gewonnen.'

'Gewonnen? Van de keizerin?'

'Volgens mij was het een soort test. Ze wilde weten of ik haar zou laten winnen, zoals waarschijnlijk al haar hovelingen doen. Ik heb haar verslagen en de proef doorstaan.'

Kempelen vroeg of Tibor nog ergens behoefte aan had en liet hem vervolgens alleen. Daarna sprak hij met Jakob over de machine. Het zou allemaal wel te repareren zijn op een kapot tandwiel na, maar ook zonder dat tandrad zou het mechaniek functioneren. Over het lelijke gat op de plaats waar de kogel was binnengedrongen kon pas in Preßburg nieuw fineer worden aangebracht, maar Jakob had het vilt versteld zodat niemand erdoor naar binnen kon kijken.

Toen Jakob voorstelde een arts te laten komen om naar Tibors verwonding te kijken en deze eventueel te hechten, wees Kempelen hem erop dat een onbekende arts hen allemaal in gevaar zou brengen. Bovendien was de wond gelukkig niet groot en nam het aantal nabloedingen zienderogen af. Mocht de wond nog niet aan het genezen zijn als ze weer in Preßburg waren, zo zei Kempelen, dan zou hij daar een betrouwbare arts laten komen. Jakob wilde ook toen nog niet tot bedaren komen, totdat Kempelen hem ten slotte tot zwijgen bracht door hem eraan te herinneren dat Tibor in het aangrenzende vertrek probeerde te slapen.

Maria Theresia bewees Wolfgang baron von Kempelen de eer voor het begin van haar partij tegen de schaakmachine met hem een wandeling in het park van Schönbrunn te maken. Kempelen had haar zijn arm aangeboden. Een gardesoldaat en een gezelschapsdame volgden hen op gepaste afstand. Ze liepen tot aan de heuvel ten zuiden van het paleis, vanwaar ze een mooi uitzicht hadden op Schönbrunn, Wenen en het Wienerwald in de verte. De hemel was wolkenloos en 's morgens was een parasol om zich tegen de zon te beschermen al onontbeerlijk. Het zou opnieuw een hete dag worden, een dag die onvermijdelijk in onweer zou eindigen.

Maria Theresia, die zelfs op een zo warme dag in het zwart was gekleed, had tijdens de beklimming voortdurend lopen hijgen, zette nu haar handen in haar zij en bette met een zakdoek het zweet van haar voorhoofd.

'Wat ben ik toch een dwaas oud wijf,' klaagde ze. 'Wil ik u met dit tochtje soms iets bewijzen? Of mezelf? Ik zou mijn krachten eigenlijk voor uw Turk moeten sparen.'

'Wellicht put gij er enige troost uit, Majesteit,' zei Kempelen, 'dat ook mijn pruik gewoonweg op mijn hoofd drijft.'

Ze wees naar de heuvel. 'Hier gaat Hohenberg een triomfboog bouwen. En daar beneden, aan onze voeten, wil ik een fontein laten bouwen.'

Kempelen draaide zich om. 'Dan adviseer ik u – als Hohenberg dat al niet van plan is – om de reservoirs meteen hier boven aan te leggen; voor of achter uw triomfboog.'

'Hebt gij daar nu ook al verstand van?'

'We hebben in het Banaat tal van fonteinen en bronnen geconstrueerd.'

'In het Banaat, ja natuurlijk,' zei de keizerin. 'Kempelen, Kempelen, met u wordt het nooit *ennuyeux*. Goed dan, ik zal u opnieuw benaderen wanneer mijn fontein wordt gebouwd en dan maak ik u verantwoordelijk voor de watertoevoer.'

'Dat zou een grote eer voor me zijn, Uwe Hoogheid.'

Ze daalden de heuvel weer af en liepen via de bloemenparterre naar het paleis terug.

'À propos, over het Banaat gesproken,' zei de keizerin, 'ik zal u daar nogmaals heen moeten sturen, het spijt me. Wanneer het niet nodig was dat mijn beste functionaris daarheen ging, zou ik het iemand anders opdragen...'

'Ik ga er met plezier heen.'

'Ten hoogste nog een jaar, daarna kunt gij dat hoofdstuk afsluiten. Gij zult immers zeker wel aan uw nieuwe machine willen werken – die machine die kan spreken. Hoe staat het daar eigenlijk mee?'

'De machine brengt nu nog geen geluid voort, Majesteit. Het schiet echter goed op. Waar het mij echter aan ontbreekt is voldoende geld en vooral voldoende tijd.'

'Ik begrijp de wenk, Kempelen. Maak u geen zorgen, gij zult uw geld krijgen. Het is de bedoeling dat uw Turk me dat in zekere zin af-dwingt, dat heb ik mij zo in het hoofd gezet. Dan krijgt ge alle midde-len en indien gij daar prijs op stelt, ook de betrekking in het natuur-kundig kabinet aan het hof.'

De keizerin deed haar parasol even opzij om naar de lucht te kijken. *'Il fait très beau,'* zei ze. 'We gaan in de jardin schaken, uw Turk en ik. Met zulk mooi weer laten we ons toch niet in een paleis opsluiten, *n'est-ce pas?'*

De schaakmachine werd uit de witgouden kamer naar de oranjerie ge-reden. Omdat er in de schaduw onder de bomen onvoldoende plaats voor de toeschouwers was, werd hij pal in de zon gezet. Knerpend zak-ten de vier wieltjes weg in het grind. Binnen de kortste keren was het donkere tafelblad zo heet dat de lucht er zinderend boven hing en nie-mand het kon aanraken zonder zijn hand te branden. Het hout trok knarsend en krakend krom. De dikke bontgarnering aan de kaftan van de Turk maakte een bijzonder misplaatste indruk.

Er waren minder toeschouwers dan bij de eerste demonstratie maar wel meer prominente persoonlijkheden, onder wie tal van staatslieden zoals Von Haugwitz, Von Kaunitz, graaf Cobenzl en de veldmaar-schalken Laudon en Liechtenstein; sommigen van hen waren uit nieuwsgierigheid gekomen en anderen op instigatie van de keizerin. Ze spraken met keizer Joseph over politieke zaken en deden hun uiter-ste best bij de aanblik van de schaakturk niet al te geïmponeerd te lij-ken. Evenals zijn moeder had de jonge keizer een onderkin maar om-dat hij zo lang was, leek hij niet zwaargebouwd. Hij kon alleen beter zijn kin niet op zijn borst laten zakken. Zoals gewoonlijk was hij ge-kleed in een nauwsluitende justaucorps die nogal Pruisisch aandeed, donkerblauw met rode revers; daaronder droeg hij een geel vest en een gele broek en hij had een sjerp om in de Oostenrijkse kleuren. Evenals de overige mannen stond hij in de felle zon – de neus van

Kaunitz, een man met een bleke huidskleur, was niet gepoederd en was al roodverbrand – terwijl de vrouwen tenminste bescherming vonden onder hun parasol en zich met hun waaier koelte konden toewuiven. Gretig namen de aanwezigen in de oranjerie de glazen water en appelcider van de dienbladen van de lakeien. Een als kamerdienaar geklede neger serveerde wijndruiven en keek met belangstelling naar het schaakbord maar argwanend naar de Turk. Het jongste kind van de keizerin, Maximiliaan Frans, was eveneens aanwezig en stond aan de kleding van de mechanische Turk te plukken totdat zijn min hem zei in de schaduw te gaan staan. De keizerin raadde Kempelen aan eens met de schaakmachine naar Versailles te gaan, want haar dochter Maria Antonia was dol op mechanische poppen, zei ze.

Verscholen tussen de toeschouwers bevond zich ook Friedrich Knaus; enerzijds deed hij als prominent eerste slachtoffer van de Turk zijn uiterste best niet op te vallen, anderzijds wilde hij de schaakmachine dolgraag aan een nadere inspectie onderwerpen om eindelijk te ontdekken hoe deze werkte. Jakob kreeg hem in het vizier en fluisterde dit Kempelen in het oor, waarna de Hongaar kordaat op de hofwerktuigbouwkundige toeliep en hem met een vriendschappelijke handdruk verwelkomde.

'Dat is prettig dat gij ons ten tweeden male met uw aanwezigheid verblijdt,' zei Kempelen. 'Of heeft de keizerin u dat gelast?'

'O nee, ik ben op eigen initiatief hier,' antwoordde Knaus met een zoetsappig glimlachje. 'Waarom zou ik mij een optreden van uw zogenaamde schaakmachine laten ontgaan? Laten we slechts hopen dat de keizerin niet al te toornig zal worden vanwege uw kortstondige triomf.'

Inmiddels was alles in gereedheid gebracht. Toen de keizerin het afzonderlijke schaaktafeltje zag, protesteerde ze: 'Ik wil tegenover de Turk zitten. Zoals Knaus destijds.'

'Maar Uwe Majesteit, de machine is niet ...'

'Ongevaarlijk? Houdt u toch op, *c'est ridicule*. Gij zijt toch zeker zelf niet ook de mening toegedaan dat uw brave Turk onlangs die arme weduwe Jesenák uit het raam heeft gegooid?'

Zoals gewoonlijk begon de demonstratie met het tonen van het lege schaaktafeltje. Nadat alle deurtjes weer gesloten waren, keek Kempelen nog eens met een kaars in het deurtje waarachter Tibor zat, om buiten het blikveld van de toeschouwers diens kaars aan te steken.

Toen sloot hij ook dat deurtje. De andere keren had Kempelen zijn brandende kaars altijd op het schaaktafeltje neergezet maar nu, in de felle zon, was dat niet nodig, en daarom blies hij hem uit.

De keizerin nam aan het tafeltje plaats. Een bediende schoof haar stoel aan, een tweede bediende posteerde zich met een parasol achter haar en een derde reikte haar haar bril aan.

'Laten we dan maar eens zien of de mohammedaan de christin kan verslaan.'

Kempelen wond het mechaniek op en verwijderde de pal die het geheel vergrendelde. Vervolgens posteerde hij zich naast het tafeltje waarop het kistje met het gereedschap stond. Even feilloos als anders zette de Turk zijn paard naar voren. Maria Theresia zette haar bril op om de zet kritisch te kunnen bekijken en deed vervolgens een zet met haar paard. Vooral de aanwezigen die de schaakmachine nog niet in werking hadden gezien, begonnen nu te applaudisseren maar de keizerin keek meteen om en maande hen tot rust. 'Dat was toch waarachtig nog geen knappe prestatie, hoogstens wanneer we in ogenschouw nemen dat het zo buitengewoon heet is.'

Tibor kon zich werkelijk niet heugen dat hij ooit van zijn leven zo had gezweet. Nadat ze de machine in de tuin hadden neergezet, had hij wat water over zijn hemd gegoten om zichzelf wat koelte te verschaffen. Daarmee had hij echter slechts drinkwater verspild, want inmiddels was hij sowieso over zijn hele lichaam drijfnat. Zijn kleren zaten aan zijn huid vastgeplakt; zelfs het vilt en het hout onder hem waren al klam. Hij had onvoldoende ruimte om met zijn mouw het zweet van zijn voorhoofd te wissen en moest dat dus met zijn handen doen, die hij daarna dan weer aan zijn hemd droogwreef. Wanneer hij zich over zijn eigen schaakbord boog, regende het zout water op de schaakstukken. Tibor had het gevoel dat hij opgezwollen was van de hitte, gerezen als een klomp deeg of uitgezet als een stuk ijzer; hij stootte tegen randen die hij voordien nog nooit had aangeraakt en zijn rug deed zeer omdat hij zo gebogen moest zitten. Naast hem draaiden zoveel raderen rond; waarom had Kempelen niet ook een vleugelrad in de machine aangebracht om een koele bries te verspreiden in deze drukkende atmosfeer? Maar dan zou de kaars, zijn allerbelangrijkste rekwisiet, misschien zijn uitgewaaid. Tibor had de indruk dat de kaarsvlam niet veel warmer was dan de lucht eromheen. De kaarsenrook was nauwelijks te ruiken, want de zweetlucht was allesoverheersend, zelfs sterker dan de geur van het door de zon beschenen hout. Tibor had het gevoel dat er kevers of mieren in de machine hadden weten te komen en dat die nu in zijn nek en door zijn haar kropen, maar het waren slechts zweetdruppels. Het zweet liep in Tibors mond zonder zijn dorst te lessen, het brandde in zijn ogen en vooral in zijn wond, want zijn zwachtel was het allereerste wat druipnat was. Het gat klopte als een tweede hart in de rechterhelft van zijn borst. Zijn hele rechterarm tintelde, kennelijk sliep die, hij had al een dood gevoel in zijn vingertoppen. Of dat door zijn verwonding kwam of door de vreemde houding die hij had moeten aannemen om de schotwond in zijn borst te ontzien, zou Tibor niet kunnen zeggen. Het was sowieso een zware opgave voor hem om de pantograaf te bedienen. Tibor moest oppassen dat de handgreep niet halverwege uit zijn kletsnatte hand gleed. Hij wilde zijn linkerhand als extra hulp inzetten om zijn rechterhand te ontlasten, maar daarmee had hij nooit geoefend en de ene zet die hij met zijn linkerhand uitvoerde, verliep schokkerig en onnauwkeurig. Hij wilde echter niet over zijn verwonding klagen: het kwam hem voor dat het schot een passende, zelfs bijna welkome straf voor de moord was. Uiteindelijk had de kogel ook – volgens het principe oog om oog – zijn hoofd kunnen vermorzelen. Naast Tibor draaide de cilinder in het rond waar de kogel langs was geschampt voordat deze zijn lichaam was binnengedrongen en het deukje in het messing draaide regelmatig rond, verdween telkens en werd dan weer zichtbaar. Opeens kwam het niet meer van zijn plaats. Het mechaniek was tot stilstand gekomen.

Tibor bleef stilletjes op zijn plaats zitten. Het was tijd om het mechaniek weer op te winden. Door de partij tegen de keizerin zou hij zeer in Kempelens achting stijgen: onder deze omstandigheden met een schotwond in zijn borst tegen de machtigste vrouw van Europa en haar gevolg schaken en die partij zonder fouten winnen – dat was zonder enige twijfel een unieke prestatie.

'Het komt ons voor dat ook uw Turk onder de hitte lijdt,' zei Maria Theresia terwijl Jakob naast haar het mechaniek opnieuw opwond. 'Hij lijkt zich merkwaardig traag te bewegen. Terwijl men toch zou veronderstellen dat hij gezien zijn vaderland aan dergelijke temperaturen gewend is, *n'est-ce pas?*'

'De metalen onderdelen binnen in de machine zijn door de hitte wellicht kromgetrokken.'

'Kennen de machines dus toch menselijke tekortkomingen?' reageerde de keizerin glimlachend en wijdde zich vervolgens weer aan het spel.

Kempelen keek naar Joseph, die nu steeds vaker met Von Haugwitz sprak en niet alleen – naar Kempelen vermoedde – over de schaakmachine. Joseph was overigens niet de enige die niet met zijn volle aandacht bij de partij was; Kempelen nam zich voor de machine voortaan niet meer in de openlucht te demonstreren.

Maria Theresia had inmiddels links van zich het gaatje ontdekt waar de kogel in het deurtje was ingeslagen. 'Wat is hier gebeurd?' vroeg ze. 'Hebt gij last van muizen?' Nog voordat Kempelen ook maar een begin van een verklaring kon geven, stak de keizerin haar pink in het gaatje. 'Of is het een luchtgaatje voor het mechaniek?'

Door het raderwerk heen zag Tibor de bobbel in het vilt, toen scheurde het naadje en was de pink helemaal te zien – een lichtrode worm die onderzoekend rondkeek in de voor hem onbekende omgeving. In paniek stak Tibor zijn handen uit om het kaarslicht af te schermen, een nodeloze voorzorgsmaatregel, want de pink had geen ogen. Toen hij zijn handen voor de kaars hield, flitste er een pijnscheut door zijn gewonde borst. Tibors hand schokte en drukte de vlam van de kaars per ongeluk in de was, waar deze onmiddellijk zacht sissend doofde. Het werd donker.

'Alstublieft, Uwe Majesteit, voorzichtig! Uw pink mag niet tussen de raderen beklemd raken.'

Bij deze waarschuwing van Kempelen trok de keizerin haar vinger weer uit het gaatje. De randen van het vilt vielen weer tegen elkaar aan.

Een man diep in een grot wiens enige fakkel was gedoofd had niet radelozer kunnen zijn dan Tibor nu was. De dwerg probeerde zijn paniek te bedwingen: uiteindelijk hadden Kempelen en hij ook voor deze eventualiteit van tevoren een plan bedacht: mocht de kaars om welke reden dan ook doven, dan hoefde Tibor slechts de ogen van de Turk te laten draaien. Dat zou voor Kempelen het teken zijn om een blik in het raderwerk te werpen en onder een of ander voorwendsel Tibor opnieuw van vuur te voorzien. In het donker greep Tibor naar het koord waarmee hij de ogen kon bewegen en trok eraan. De glazen ogen van de Turk rolden zo in hun kassen dat alleen het oogwit nog te zien was. Er ging een gemompel door het publiek. 'Voelt uw muzelman zich niet goed?' vroeg de keizerin.

Kempelen deed een stap naar voren om goed naar de androïde te kunnen kijken. Het was overduidelijk wat het signaal betekende maar hij had zijn eigen kaars uitgeblazen. Nergens was vuur te bekennen. Kempelen kon Tibor niet helpen.

'Hij denkt slechts heel diep na,' verklaarde hij. 'Hij zal wel doorgaan met de partij. Doet u maar een zet, Uwe Keizerlijke Hoogheid.'

De keizerin verzette een van haar stukken. Boven zijn hoofd hoorde Tibor hoe de metalen schijfjes omhoog werden getrokken en weer werden losgelaten. Hij kon ze echter niet zien. Hij stak zijn rechterhand omhoog naar de onderkant van het schaakbord, zijn borst deed pijn toen hij het aftastte maar gezien de grote hoeveelheid nagels en metalen schijfjes raakte hij het overzicht kwijt. Hij raakte een tandwiel en bezeerde zijn bovenarm, waarna hij zijn armen weer liet zakken. Goed, Kempelen zou hem dus niet te hulp schieten. *Hij zal wel doorgaan met de partij.* Dat was een bevel aan Tibor om de partij tegen elke prijs uit te spelen. Hij sloot zijn ogen – puur voor de vorm want het was sowieso aardedonker – en probeerde zich voor de geest te halen waar alle stukken stonden op het moment dat de kaars uitging. De loper van de keizerin werd op dat moment door een van zijn pionnen aangevallen, dientengevolge had ze haar loper vermoedelijk op een van de twee velden gezet waar deze veilig was. Alleen, op welk van de twee velden? Tibor gokte op het achterste veld. Dat zou hij zelf hebben gedaan. Op de tast zocht hij de stukken op zijn schaakbord – uiterst behoedzaam, om te voorkomen dat er weer zoiets noodlottigs zou gebeuren als bij de kaars – pakte de rode loper en zette hem op het bewuste veld. Hij kon niet blind schaken, maar dat hoefde ook helemaal niet: hij zou de stukken simpelweg op de tast vinden en op die manier bijhouden hoe de situatie op het bord was. Nu was hij aan zet. Strijdlustig zette hij zijn dame naar voren, want als er één ding was wat hij wou, dan was het wel deze partij snel tot een einde te brengen. Zijn voordeel was groot genoeg; de keizerin kon geen bedreiging meer voor hem vormen. Feilloos bediende hij de pantograaf. Zijn hart ging weer rustiger kloppen. Was het in de machine koeler geworden sinds de kaars was gedoofd? In elk geval leek het of de geluiden luider klonken nu hij niets kon zien: het raderwerk, het gemompel van de toeschouwers, het grind dat knerpte als iemand een voet verzette, ja zelfs de enigszins amechtige ademhaling van de keizerin, die op nog geen drie voet bij hem vandaan zat.

De partij ging door. Na de eerstvolgende zet van de keizerin en alle daaropvolgende zetten betastte hij de metalen schijfjes en nu hij wat rustiger was, was hij in staat daaruit de loop van het spel te reconstrueren. Hij sloeg een ongedekt paard van de keizerin. Nog ten hoogste vier zetten, dan zou ze schaakmat staan.

Tibor zette zijn pion naar voren. Maar toen de Turk hetzelfde deed, stootte hij een stuk om. Tibor kon het duidelijk horen. Op het veld waarvan Tibor dacht dat het onbezet was, stond wel een stuk. De loper van de keizerin. Ze had hem toch niet op het achterste veld gezet. Tibor zette zijn pion neer.

'Wat is dat nu?' vroeg Joseph. 'Speelt de machine vals?'

Tibor moest zijn zet terugnemen en dan zou Kempelen de rode loper weer op zijn plaats terugzetten. Tibor pakte de pantograaf en stootte daarbij verscheidene stukken om. Eentje rolde er van het schaakbord af en viel op de houten bodem van de schaakmachine. Tibor had het gevoel dat iedereen het lawaai wel moest horen. De pantograaf kreeg de pion niet te pakken. Tibor deed een tweede poging, die wel slaagde. Hij zette de pion terug maar was ten einde raad. Hij vroeg zich wanhopig af wat hij nu moest doen. Hij zette een pion aan de rand van het schaakbord een veld naar voren – een volkomen zinloze zet, die hij echter wel volgens de regelen der kunst uitvoerde. Hij merkte de agitatie onder de toeschouwers op, maar daar moest hij zich niet door van de wijs laten brengen. Hij moest zo snel mogelijk de stelling reconstrueren. De chaos op zijn eigen schaakbord was compleet. Tibor merkte op de tast dat verschillende stukken waren omgevallen, hier en daar lagen er twee stukken op een en hetzelfde veld, één stuk was helemaal verdwenen en zelfs met behulp van de metalen schijfjes kon hij nu onmogelijk nog reconstrueren waar alle stukken stonden. Maria Theresia deed een zet en boven zijn hoofd rinkelde er in het donker een metalen schijfje, maar dat maakte nu toch niet meer uit. Tibor was verloren. Nu was het nog slechts zaak om deze nederlaag niet in een volledige catastrofe te laten ontaarden, want het mechaniek ratelde nog steeds, de Turk leek nog steeds diep na te denken. Tibor moest de raderen stopzetten. Hij pakte een schaakstuk en stak het tussen twee tandwielen. Even klonk er wat gekraak, toen kwam het mechaniek tot stilstand.

Noch Kempelen noch Jakob begreep dat het mechaniek tot stilstand was gekomen omdat Tibor het tot staan had gebracht en niet omdat de veren van het aandrijfmechanisme geheel ontspannen waren.

Jakob wond het mechaniek opnieuw op. Maar het schaakstuk bleef klem zitten, de tandwielen stonden stil.

'Wat nu weer?' vroeg de keizerin en haar stem begon wat scherper te klinken.

'*Un moment,*' zei Kempelen, 'ik zal het even onderzoeken.'

Kempelen opende het deurtje aan de achterzijde en Tibor moest met zijn ogen knipperen, zo licht was het opeens. Zoals er stoom uit een pan komt wanneer het deksel eraf wordt genomen, zo ontsnapte er nu ook wat hitte uit de machine en werd er een golf koelere lucht binnengelaten. De beide mannen keken elkaar recht in de ogen. Tibor had er bewondering voor dat Kempelen zelfs onder deze omstandigheden nog een soevereine, zelfverzekerde indruk maakte. Tibor schudde slechts het hoofd. Onmiddellijk deed Kempelen het deurtje weer dicht.

'Proficiat, Uwe Majesteit,' zei Kempelen. 'Aan u de zege, want mijn Turk moet helaas opgeven, vrees ik. Door de hitte is er iets beschadigd en spijtig genoeg zal reparatie enige tijd vergen.'

'Hebben wij gewonnen?' vroeg Maria Theresia.

'Ja. Uwe Majesteit is de eerste tegenstander die van mijn schaakmachine heeft gewonnen en er is niemand die ik die zege meer zou hebben gegund. Applaus.'

Slechts weinig toeschouwers gaven echter gevolg aan Kempelens oproep. Er ontstond verwarring.

De keizerin verwoordde de kritiek van allen: 'Een al te gemakkelijk behaalde zege over de geweldigste uitvinding van de eeuw. Ik zou liever hebben verloren dan op deze manier te winnen.'

'O, ik dring uiteraard op een revanche aan,' antwoordde Kempelen, nu met enigszins trillende stem.

'Tegen een kapotte machine?'

'De schade kan ik morgen hebben hersteld; het is slechts een kleinigheid en dan kunnen we de partij hier ter plaatse nogmaals spelen of voortzetten vanaf de huidige positie.'

'Wij vertrekken morgen naar Salzburg.'

'Dan zal ik wachten totdat gij teruggekeerd zijt en wij ...'

'Neen, dat doet gij niet.'

'Maar het is voor mij...'

'Wellicht komen we nog een keer naar Preßburg.' De keizerin stond op en deze keer nam ze niet de pose van oude vrouw aan. 'Wij vertoe-

ven daar gaarne. Tot dan, adieu, baron Von Kempelen.'
Kempelen wilde nog iets zeggen, bedacht zich toen echter en maakte
glimlachend een buiging. Met zijn ogen op het grind onder zijn voeten gericht merkte hij dat er een briesje was opgestoken, dat nu ver-
koeling bracht op zijn bezwete gezicht. Toen hij weer opkeek, had de
keizerin zich al verwijderd. De toeschouwers vormden een haag.
Daarbij keken de meeste toeschouwers naar Kempelen, die met zijn
schepping, de Turk, naast zich de keizerin nastaarde. Kempelen
wendde zich tot Jakob en maakte een nietszeggende opmerking tegen
hem, alleen om al die blikken te ontwijken. Hij bleef glimlachen, alsof
de zojuist mislukte demonstratie inderdaad maar een kleinigheid was,
waarover hij zich verder geen zorgen maakte. Jakob hield zijn mimiek
minder in bedwang, totdat Kempelen hem toesiste: 'Contenance.'
Er doemden wolken op tussen hemel en aarde. Toen Kempelen zich
weer omkeerde, had het publiek zich zo ver mogelijk verspreid. De
meesten waren de keizerin naar het paleis gevolgd. Joseph en Von
Haugwitz zetten hun gesprek voort, alsof de schaakmachine slechts
een oninteressante, hinderlijke interruptie was geweest. De lakeien
ruimden stoelen en verversingen weg. Niemand wilde met Kempelen
spreken – niemand, behalve Friedrich Knaus, die geen centimeter van
zijn plaats was gekomen en nu met zijn handen op zijn rug en licht gebogen hoofd tegenover hem stond als een toonbeeld van perfect gespeeld respect. Met afgemeten passen, welhaast slenterend, kwam hij
naar het schaaktafeltje toe en nam de Turk glimlachend in ogenschouw.
'Ja ja, de hitte,' zei hij en klopte met zijn knokkels veelbetekenend op
het blad van het tafeltje, alsof hij wist wat zich daaronder bevond. 'Ik
heb kunnen constateren dat klokken bij extreme hitte wat langzamer
gaan lopen. Maar stilstaan, nee, ze blijven nooit helemaal stilstaan.'
'Kan ik u helpen?' vroeg Kempelen.
'Helpen? Mij? O nee, baron. Ik heb geen hulp nodig. Maar u wellicht?
Ik heb in de stad een excellente werkplaats, dus mocht u uw... apparaat
willen repareren, dan bent u van harte welkom. Ik ben bereid u met
mijn gereedschap en mijn bescheiden kennis van zaken terzijde te
staan indien u daar prijs op stelt. In zekere zin bij wijze van vrienden-
dienst, als broeders in hetzelfde gilde.'
'Dank u. Dat zal niet nodig zijn.'
Knaus knikte, ook naar Jakob. Hij stond al op het punt om te gaan toen

hij zich nogmaals omkeerde, een vinger op zijn mond legde en fijntjes lachte. Toen maakte hij Kempelen deelgenoot van zijn binnenpretje. 'Weet u wat Zijne Keizerlijke Majesteit zojuist over onze machines heeft gezegd? Dat het relicten uit het verleden zijn, achterhaalde speeltjes uit de vooroorlogse tijd, en dat de mensen hun geld en tijd maar liever aan nuttiger uitvindingen zouden moeten besteden. Iets in de geest van: gisteren nog *avant garde*, vandaag de dag al *antiquité*. Indien iemand anders dan de keizer dit had gezegd, dan zou ik hem hartstochtelijk hebben tegengesproken.'

Slenterend verliet hij de oranjerie, slofte over het grind en nam onderweg nog eens rustig de tijd om zich over een struik witte rozen te buigen om de geur van de bloemen op te snuiven. Kempelen, Jakob en de machine bleven achter. Zelfs Jakob had niet de moed iets te zeggen.

In korte tijd was de hemel boven de stad grijs geworden maar de regen liet lang op zich wachten. Ze waren op tijd thuis voor het onweer losbarstte. Toen Tibor eindelijk de machine uit kwam – hongerig, dorstig, van onder tot boven stinkend naar opgedroogd zweet – stond Kempelen met zijn rug naar hem toe voor het venster. Tibor nam het glas water dat Jakob hem aangaf pas aan nadat hij Kempelen had uitgelegd welke ongelukkige samenloop van omstandigheden tot zijn falen had geleid.

Kempelen stelde geen vragen, knikte niet, keek hem trouwens pas aan toen Tibor uitgesproken was en zei toen kortaf: 'Ook voordien schaakte je al niet erg goed.'

Tibor ging weg om zich te wassen, en terwijl hij daarmee bezig was, sloeg zijn schuldgevoel om in wrevel: per slot van rekening had hij alles gedaan wat menselijkerwijs mogelijk was om deze partij tot een goed einde te brengen. Kempelen was degene geweest die ermee akkoord was gegaan dat de keizerin bij de schaakmachine had plaatsgenomen en Kempelen was degene geweest die niet in staat was geweest zijn kaars weer aan te steken zoals ze eigenlijk hadden afgesproken. En toen Tibor de bebloede zwachtel verwijderde, die aan zijn huid kleefde alsof hij eraan vastgegroeid was, en hij de wond zag, waarvan de randen inmiddels vuurrood waren, herinnerde hij zich weer dat Kempelen degene was die niet had voorkomen dat Andrássy zijn schoten loste, die hem niet had beschermd zoals hij had beloofd.

Nadat Jakob Tibors borst opnieuw had verbonden, kwam hij met een mantel over zijn arm zeggen dat hij uitging. Kempelen sommeerde hem te blijven, maar Jakob verklaarde dat er hier toch geen werk meer op hem wachtte en dat hij zodoende net zo goed de stad kon gaan bekijken. Uiteindelijk, zo zei hij, had hij recht op vrije tijd. Toen Kempelen zijn verbod nogmaals met meer nadruk herhaalde, bracht Jakob daar tegenin: 'Ik laat me graag overtuigen, maar ik laat me niet commanderen.' Het was duidelijk dat hij de sfeer in Kempelens woning niet kon verdragen en dat hij daarom zelfs de voorkeur gaf aan de hagelbui die inmiddels de Alserstraat teisterde. Tibor zou dolgraag met hem meegegaan zijn.

Kempelen stond nog steeds bij het venster toen Tibor tegen hem zei dat hij even wilde gaan slapen en toen vervolgde: 'Was dit de laatste demonstratie?'

'Daar wil ik het vandaag niet over hebben.'

Tibor knikte. 'U had uw kaars niet mogen doven.'

Kempelen keerde zich met opgeheven wijsvinger met een ruk om. 'Ik waarschuw je,' zei hij vermanend. 'Heb het hart eens om mij de schuld in de schoenen te schuiven voor datgene wat jij in de oranjerie hebt verbroddeld. Denk er goed aan dat dit niet de eerste fout van jou is waarvan ik de gevolgen voor mijn kiezen krijg.'

Tibor had zijn mond moeten houden maar dat kon hij niet. 'Die twee zaken zijn helemaal niet met elkaar te vergelijken! Vandaag treft mij geen enkele blaam!'

'Hou je mond,' zei Kempelen en keek weer uit het raam. 'Ik wil geen woord meer van je horen.'

Tibor zweeg en ging in de aangrenzende kamer op zijn bed liggen. Hij sloot zijn ogen.

Tot zijn verbazing was het eerste beeld dat hij in de duisternis voor zijn ogen zag opdoemen niet dat van de mislukking van vandaag, of van de toornige Kempelen, of van de ontstoken krater in zijn borst en evenmin het beeld van de dode barones dat hem zo lang had achtervolgd – maar het gezicht van Elise. Dat ene uur met de dienstbode had wat hem betreft eeuwig mogen duren: zoals ze in het bijzijn van Pasja tegenover elkaar hadden gezeten – als oude vrienden, hun knieën een handbreed van elkaar verwijderd, de warmte van haar lichaam bijna voelbaar – en er openlijk over hadden gesproken dat hij een bedrieger was en zij een verraadster. Zoals de zonnestralen in de werkplaats waren binnengedrongen en daar de zwevende stofdeeltjes als vliegend stuifmeel hadden beschenen en haar haren in een gouden aureool hadden veranderd – zijn heilige medaille in haar hand, haar geur in zijn neus. Het beeld van Elise bleef hem bij tot hij in slaap gevallen was. Een ongewoon gevoel had bezit genomen van Tibor, een gevoel waarop hij zijn leven lang had gewacht.

J. Jakob keek toe hoe de pen de letter op papier tekende. Vervolgens werd het raamwerk met het papier een stukje opgeschoven en de pen zette de volgende letter op papier: *a*. Opnieuw schoof het papier een eindje op, de *k* en de *o* werden geschreven. Daarna doopte het messing vrouwtje haar pen in een inktpot om met nieuwe inkt verder te schrijven. *b*. Vervolgens schoof het papier weer helemaal naar links en een regel naar boven om daar zijn achternaam onder zijn roepnaam te schrijven: *Wachsberger*. Na elke letter schoof het papier een stukje verder, na elke vierde letter werd de pen in de inkt gedoopt. Het beeldje dat dat allemaal schreef – een godin met opgestoken haar en met een wijde tunica aan – hield de pen in haar rechterhand en leunde op haar linkerhand; ze zat op een grote wereldbol die op de vleugels van twee bronzen adelaars rustte, die op hun beurt op een rijk versierde sokkel van bruin en zwart marmer stonden. Het raamwerk waar het papier op gespannen was, was aan de manshoge machine bevestigd en met messing bloemen omlijst. In vergelijking met de Alles Schrijvende Wondermachine van Friedrich Knaus zag Kempelens schaakmachine er Spartaans, welhaast schamel uit.

Jakob
Wachsberger
Écrit à Vienne
Le 14ᵉ Août MDCCLXX

Het zag er even onvergankelijk uit als het opschrift van een grafsteen. Friedrich Knaus haalde het papier uit het raamwerk, blies de inkt voorzichtig droog en overhandigde het vervolgens met een knipoog aan Jakob. 'Maar laat u het vooral niet aan uw broodheer zien, anders wil hij er ook een.'
Knaus ontgrendelde de wereldbol. Als bloembladeren ontvouwden zich vijf segmenten, waardoor de constructie van de machine zichtbaar werd. Ook daaruit bleek dat deze machine kwalitatief beter was:

[225]

de onderdelen waren nauwkeuriger gemaakt, ze waren kleiner en het raderwerk was ingenieuzer van opzet dan dat van de Turk. Jakob zette zijn bril op om het geheel beter te kunnen bekijken. Knaus wees hem speciaal op de cilinder waarop je de letters kon afstellen; nu was deze zo afgesteld dat de machine Jakobs naam, de plaats en de datum kon schrijven.

'Ik ben er nog steeds trots op,' zei Knaus en legde zijn hand op het marmer, 'ook al zijn er sindsdien andere machines gemaakt. Ik moet erkennen dat het nut gering is. Elk kind kan sneller schrijven. En de prestaties zijn beperkt: de machine schrijft slechts op wat je hem dicteert. En de tekst mag uit ten hoogste achtenzestig letters bestaan. De machine corrigeert geen fouten, kan niet dichten, kan niet denken...' Knaus keek naar Jakob, die zo verdiept was in de cilinder dat hij helemaal niet scheen te luisteren. 'Maar wat deze machine doet, doet zij op eigen kracht. Het is een door en door eerlijk stuk werk. Deze machine wendt niet voor iets anders te zijn dan zij is.'

Nu keek Jakob op. 'Wordt dit een verhoor? Want als u dat in de zin hebt, zeg ik u meteen vaarwel.'

Knaus hief zijn handen in een sussend gebaar. 'Nee, geenszins! De schaakmachine interesseert me werkelijk in het geheel niet.'

Jakob trok een van zijn wenkbrauwen op. 'Sinds wanneer?'

'Sinds vanmiddag.'

Knaus ging aan zijn schrijftafel zitten. 'Ik zou u graag een kop thee of wat gebak aanbieden, maar u overvalt mij met uw bezoek. U hebt geluk dat u me überhaupt in het kabinet aantreft.' Jakob vouwde het papier met zijn door de machine geschreven naam op en nam plaats op de stoel die hem werd aangeboden. 'Desondanks wil ik u bedanken dat u eindelijk gevolg hebt gegeven aan mijn uitnodiging van weleer. U hebt mijn machine gezien, ik heb u in mijn werkplaats rondgeleid: wat kan ik verder nog voor u doen?'

'U hebt mij dit voorjaar een betrekking bij u in het kabinet aangeboden. Is dat aanbod nog steeds van kracht?'

'Ja, natuurlijk. Wanneer u in de tussentijd althans niets van uw vaardigheden hebt verleerd.'

'Hoeveel loon zou u mij willen betalen?'

'Laten we zeggen twintig gulden.'

'Per maand?'

'Wat dacht u dan? Per week soms?'

'Dat is te weinig.'

'O ja? Is dat te weinig?' vroeg Knaus glimlachend, vouwde zijn handen en ging achterover zitten.

'Dat is overduidelijk te weinig.'

'Uw scheepje heeft vandaag water gemaakt, mijn beste, en u zou er goed aan doen de u gereikte helpende hand niet ook nog op de proef te stellen. Want anders vergaat u met man en muis, en vooral tezamen met uw kloeke kapitein.'

'Het was slechts een kleine nederlaag. Een foutje in het systeem.'

'Het was niet een nederlaag, het was dé nederlaag. Ik heb mannen wel om minder zwaarwegende redenen de belangstelling van de keizerin zien verspelen.'

Jakob zette zijn bril af. 'U denkt alleen maar dat hij heeft afgedaan omdat u dat graag zou zien.'

'Het ene sluit het andere niet uit. Hebt u zijn gelaatsuitdrukking vandaag gezien? Natuurlijk hebt u die gezien, u stond immers naast hem. Een vertwijfelde blik, zoals ik die tot dusverre slechts zelden bij hem heb geobserveerd, maar daar zal hij voortaan wel vaker aan ten prooi vallen. Ik had de indruk dat hij niet meer tegen de situatie opgewassen was. Hij zag eruit als vijf roeiers die een pak ransel hebben gehad. Zelfs zijn vrouw heeft hij het huis uitgezet omdat ze te hoge eisen aan hem stelt.'

'Hoe weet u dat?'

'Hij heeft nooit met tegenslagen leren omgaan. De moderne Prometheus is een moderne Icarus geworden. Gelooft u me maar: Wolfgang von Kempelen bevindt zich op een neergaande weg – en ik zou niet weten waarom u hem daarop zou moeten begeleiden.'

'Uit loyaliteit.'

Knaus lachte. 'Ja, precies. Dat is een goeie.'

'Ik wil dertig gulden. Dat is wel het minste. Zo niet, dan blijf ik in Preßburg.'

'We kunnen elkaar vinden op vierentwintig, nee, laten we zeggen tweeëntwintig gulden, maar meer krijgt u bij mij niet gedaan. Bedenk u goed: andere gezellen zouden geld toegeven wanneer ze voor mij in het Natuurkundig Hofkabinet zouden mogen werken.'

'En andere meesters zouden een vermogen geven voor datgene wat ik weet.'

Even zweeg Knaus en trommelde met zijn vingers op het blad van zijn schrijftafel. 'Goed. Wanneer u mij verklapt hoe die blaaskakerij van een schaakmachine werkt – dat aanbod geldt nog steeds – dan zou ik daarvoor inderdaad wat dieper in de beurs tasten.'

Jakob keek naar de grond en toen richtte hij zijn blik op de godin op de wereldbol.

'Ik maak helaas slechts de uurwerken, niet de tijd, en mijn tijd is beperkt,' zei Knaus toen er geen antwoord volgde. Hij stond weer op en schoof zijn stoel met een ruk naar achteren. 'Denkt u over mijn aanbod na, maar besef ook dat uw prijs vanaf nu eerder lager dan hoger zal worden.'

Knaus opende de deur van zijn werkkamer om Jakob uit te laten. 'Vaarwel dan maar,' zei Knaus bij het afscheid tegen hem. 'Hoewel ik ervan overtuigd ben dat we elkaar spoedig zullen weerzien.'

'Bejegent u uw medewerkers ook op een dergelijke manier?' vroeg Jakob.

'Ik ben er nooit op uit geweest dat mijn medewerkers van me houden, de enigen die er voor mij toe doen zijn de rijken en machtigen der aarde. Als dat een antwoord is op uw vraag.'

Met die woorden sloot Knaus de deur. Een grijnslach verspreidde zich over zijn gezicht toen hij weer alleen was. Met verende tred liep hij naar zijn Alles Schrijvende Wondermachine en van louter overmoed kuste hij de mooie blote voetjes van de schrijfster. Nog lang daarna proefde hij de smaak van messing op zijn lippen.

Neuenburg: 's avonds laat

Johann had weten te achterhalen dat de dwerg in herberg De l'Aubier onderdak had gevonden; of hij door iemand werd vergezeld en zo ja door wie, wist hij niet. Klaarblijkelijk had de rijke lakenwever Carmaux erop gestaan de logiesprijs van de tegenstander van de Turk voor zijn rekening te nemen. Op dat moment werd Gottfried Neumann nog door tal van burgers in de gelagkamer van de herberg gehuldigd.

Neumann was, zo had Johann ontdekt, dertien jaar tevoren naar Zwitserland gekomen, naar hij beweerde vanuit Passau. Hij dreef in La-Chaux-de-Fonds een kleine werkplaats met twee medewerkers en hij had zich gespecialiseerd in *tableaux animés* – schilderijen met ingebouwde speelklokken waarvan de afbeelding tot leven kwam zodra ze waren opgewonden. Smeden slaan met hun hamer, boeren dorsen graan, vrouwen putten water, paarden galopperen, boten varen, wolken trekken langs de hemel. Neumann was bevriend met Pierre en Henri-Louis Jaquet-Droz en hij had hen bij de vervaardiging van hun beroemde trio machines – een androïde die kon schrijven, een die kon tekenen en een die musiceerde – met nuttige wenken en ideeën terzijde gestaan.

Kempelen wachtte nog een uur, legde zijn vrouw ondertussen uit dat hij weer weg moest en vertrok vervolgens samen met Johann. Het was een uitermate gure nacht: een snijdende wind joeg de sneeuwvlokken vanaf het Neuenburger Meer door de straten; de sneeuw hoopte zich in hoeken en tegen de muren van huizen op en bleef daar de hele nacht liggen of werd na een korte adempauze weer door de wind voortgejaagd. De straatklinkers waren helemaal berijpt. Zowel de sneeuw als het ijs zou de volgende morgen weer wegsmelten in het lentezonnetje maar nu had het er nog alle schijn van dat de winter zou terugkeren. Kempelen liep in de luwte naast de slungelige Johann.

Toen Kempelen en Johann de sneeuw van hun mantel af hadden geklopt en de warme gelagkamer betraden, kwam de waard onmiddellijk op hen af en attendeerde hen erop dat het etablissement gesloten was. Kempelen stopte hem een paar groschen toe, waarna de man zweeg. Vervolgens bestelde Kempelen twee glazen punch en verzocht de waard de deur af te sluiten en van nu af aan inderdaad niemand meer binnen te laten.

De gelagkamer was leeg op de waard na en een verloren gedaante aan een van de tafeltjes, die nu opkeek: Neumann. Voor hem lag een beschreven vel papier en een houtskoolstift en er stond een beker. Kempelen liep naar hem toe en trok Johann aan zijn mouw met zich mee. Neumann bleef onbeweeglijk zitten.

'Je leeft nog,' zei Kempelen.

'Jij ook.'

'Ja,' antwoordde Kempelen met een glimlach. Gedurende een lang ogenblik zwegen ze beiden.

Johann maakte onwillekeurig een gebaar waaruit bleek dat hij zich bij die stilte na de vreugdeloze begroeting onbehaaglijk voelde, waarna Kempelen weer het woord nam: 'Mag ik jullie aan elkaar voorstellen: dit is Johann, Johann Allgaier en dat is Tibor...'

'Gottfried. Gottfried Neumann.'

'Gottfried... Kijk eens aan, je hebt overal aan gedacht.'

Tibor en Johann gaven elkaar een hand. 'Is hij het brein?'

Johann kromp ineen maar Kempelen legde zijn hand op zijn arm. 'Het is in orde, Johann. Hij is op de hoogte.'

'U schaakt uitstekend.'

'Dank u, mijnheer. Datzelfde compliment moet ik u ook geven.'

Johanns blik viel op het vel papier op het tafeltje. Tibor had een schets gemaakt van de stand van hun afgebroken partij.

'Er is hier in de herberg geen schaakbord te vinden,' legde Tibor uit. 'Ik moest het dus wel schetsen.'

Johann wees met zijn vinger naar het centrale deel van het getekende schaakbord. 'Hier kan het nog wel een spannende strijd worden tussen mijn toren en uw loper.'

'Ja. Dat denk ik ook.'

'Denkt u dat u gaat winnen?'

'Dat wil ik wel proberen.'

De waard bracht de warme wijn. Kempelen informeerde of Tibor nog iets wilde drinken, maar deze schudde het hoofd. Vervolgens verzocht Kempelen de waard en ook Johann om hen alleen te laten. De waard verliet het vertrek nadat hij eerst nog een paar houtblokken op het vuur had gelegd. Johann ging met zijn punch bij de haard zitten en legde zijn benen op een krukje. Nadat hij zijn punch had opgedronken, dommelde hij weg of deed althans alsof.

Kempelen ging tegenover Tibor zitten. Deze leek gespannen en nam hem onderzoekend op.

'Je ziet er goed uit,' zei Kempelen nadat hij een slok had genomen. 'Je haar is hier en daar wat grijs geworden.' Glimlachend streek hij met zijn hand door zijn eigen haar. Zijn voorhoofd was hoger geworden, zijn haar dunner.

Tibor keek naar Johann. 'Hij is lang. Hoe kan het dat hij in het tafeltje past?'

'Ik heb de constructie een beetje veranderd. De hele achterzijde is nu leeg en hij zit op een rolplank, zodat hij zich gemakkelijker kan bewegen.'

Tibor knikte. Kempelen keek weer naar de schets. 'Zei je dat je wilt winnen?'

'Ja.'

'Dat zou niet goed voor mij zijn.'

Tibor vond het niet nodig daar antwoord op te geven.

'Johann is een betere schaker dan jij,' vond Kempelen.

'Dan hoef je je ook geen zorgen te maken.'

Kempelen zuchtte. 'Ik zou graag willen dat je verliest. Dat is echt belangrijk voor de Turk. Ik wil nog door heel Europa reizen; Parijs, Londen, misschien Berlijn, de beurs in Leipzig. Ik wil deze tournee niet met een nederlaag beginnen.' Kempelen trok zijn mantel uit. 'Ik geef je de vijftig taler terug die jij wilt betalen.'

Tibor zweeg.

'Je wilt meer hebben. Dat had ik kunnen weten. Hoeveel wil je? Honderd? Honderdvijftig? Wat mij betreft kun je ook de volle tweehonderd krijgen, ik wil dat geld helemaal niet hebben.'

'Ik ook niet.'

'Ik neem niet aan dat je zo in het geld zwemt dat zo'n grote som geld je niets kan schelen.' Kempelen schoof zijn stoel wat bij en dempte zijn stem. 'Tibor, ik heb met Philidor gecorrespondeerd. Met Philidor, de grote Philidor, in zekere zin jouw leermeester. Zelfs hij heeft zich bereid verklaard tegen de Turk te spelen – en van hem te verliezen! Daar is niets oneervols aan.'

'Ik ben niet van plan te verliezen, tenzij Johann me echt verslaat. En als je uitsluitend bent gekomen om me om te kopen, dan kun je wel weer gaan zodra je je glas hebt leeggedronken.'

'Je wilt het me betaald zetten, nietwaar? Je wilt me vernederen en dat genoegen is je die vijftig taler meer dan waard.'

'Als ik het je betaald had willen zetten, dan had ik vandaag voor het zicht van al die mensen de deurtjes van de machine opengebroken en geroepen: "Kijk maar eens goed, dit is het geheim van dit mechanische wonder!"'

Een van de houtblokken knetterde in het vuur.

'Waarom heb je de Turk weer herbouwd?' vroeg Tibor.

'Waarom wil je dat weten?'

'Omdat ik had gehoopt dat je dat niet zou doen. Omdat ik had gehoopt dat ik de Turk nooit meer zou hoeven zien.'

'Je hoeft je er niets van aan te trekken.' Kempelen wreef in zijn ogen. 'Er zijn een heleboel redenen voor. Het schiet maar niet op met mijn spraakmachine. En mijn geld begon op te raken. Teréz heeft nog een broertje gekregen, ze zijn er nu ook bij, en voor de kinderen moet ik zorgen. Keizer Joseph is lang niet zo vrijgevig als zijn moeder zaliger, moet je weten. En hij mag me niet. Maar een jaar geleden bracht grootvorst Paul van Rusland een bezoek aan Wenen en het was zijn vurige wens om een keer tegen de Turk te schaken, dus verzocht Joseph mij de machine voor zijn hoge gast te herstellen. Ik heb er nogal wat werk en tijd in moeten steken om de machine in zijn oorspronkelijke staat te herstellen, zoals je je ongetwijfeld zult kunnen voorstellen. Het lijf is helemaal nieuw. En de ogen hebben een andere kleur. Ik heb hem toen meteen ook maar veranderd, groter gemaakt, zodat ook normale... lange mensen zoals Johann erin passen. En opeens herinnert iedereen zich de machine weer en wordt er volop over geschreven. Windisch publiceert zijn boek, en omdat de Turk in Oostenrijk al wijd en zijd bekend is, ben ik verder getrokken om hem in heel Europa te vertonen. Preßburg is trouwens niet meer wat het geweest is sinds de keizerin dood is en Ofen weer de hoofdstad van Hongarije is geworden.'

'Geloof je in alle ernst dat deze tournee een succes zal worden?'

'Hoezo? Is het soms je bedoeling mij te intimideren?'

'Wie wil er nu nog machines zien die op mensen lijken? Er zijn immers inmiddels genoeg mensen die als machines leven en ploeteren. De slaven van de echte machines. Van de nieuwe weefgetouwen bijvoorbeeld.'

'Wat zwaarmoedig,' zei Kempelen en nam een grote slok van zijn punch. 'In Beieren was het optreden van de Turk een doorslaand succes. Ik vrees dat jij met je haat tegen de vooruitgang alleen staat, Gottfried.'

Tibor stond op, verfrommelde de schets van zijn afgebroken partij en liep naar het haardvuur.

'Zit baron Andrássy niet meer achter je aan?' vroeg hij zonder zich om te draaien.

'Andrássy is al vier jaar dood. Gesneuveld, in de oorlog in Beieren. Hij is vermoedelijk gestorven op de manier waarop hij wilde sterven.'

'De vloek van de Turk.'

'Precies. Wat smaakvol.'

Naast de slapende Johann gooide Tibor zijn schets in het vuur en keek toe hoe de vlammen het getekende schaakbord verteerden. Die nacht zou hij sowieso niet meer in staat zijn erover na te denken.

De Rode Kreeft

Tibor deed zijn ogen open. Voor hem stond Elise. Ze was gekleed in een rode japon met daarover een donkerblauwe pelerine en in haar linkerarm droeg ze een gebakerde zuigeling. Glimlachend kwam ze een pas dichter naar Tibor toe. Met haar rechterhand streek ze over zijn naakte bovenlichaam en ontdekte toen het gat op de plaats waar de kogel zijn lijf was binnengedrongen. 'Een luchtgaatje voor het mechaniek?' Tibor raakte opgewonden. Ze stak haar vingertoppen en toen haar hele hand in zijn borst. De hand verdween tot aan haar pols in zijn vlees alsof het een kluit boter was. Vervolgens trok ze haar hand er weer uit. Ze had zijn hart in haar hand. Het was rood en glansde als een appel. Maar toen ze het tussen haar vingers omdraaide, besefte hij dat het geen hart was, maar een mechaniek. Tibor keek naar het gat in zijn borst. Onder de huid bevonden zich afgebroken latten, snoeren en slangen. Ze lagen ingebed in stro en leem. Uit de slangen borrelde olie op. Toen hij opnieuw opkeek, was Elise weg. Zijn lid was zo stijf als een plank. Zijn ledematen waren daadwerkelijk van hout: toen hij zijn arm bewoog, zag hij dat die uit een lichtkleurige houtsoort was gesneden. Een groot scharnier bij zijn elleboog hield zijn boven- en onderarm bij elkaar. Een heleboel kleine scharniertjes maakten dat hij zijn vingers kon bewegen. Met glazige ogen keek Tibor in een spiegel. Op zijn voorhoofd stond in loodzwarte Hebreeuwse letters *aemaeth* geschreven. Wat vreemd dat hij de letters niet in spiegelschrift zag. Wat vreemd dat hij ze kon lezen. Hij draaide zich om. Hij moest naar de kerk. Daar zouden ze hem helpen. Het was een hoge, van donkere steen gebouwde kerk. Wierook kringelde als nevel tussen de kerkbanken door. Tibor liep naar het altaar, waar de priester een pijp stond te roken. De rook van de knaster was de wierook. De priester had een tulband op. Het was Andrássy, die in de kaftan van de Turk gehuld was. Met zijn linkerhand wenkte hij Tibor.

Hij glimlachte. 'Versla me dan.' Op het altaar stond een schaakbord opgesteld. Tibor deed de openingszet. Natuurlijk zou hij winnen. Andrássy speelde met zwart in plaats van met rood. Ook het schaakbord was verdeeld in zwarte en witte velden. Tibor knipperde met zijn ogen: het schaakbord was groter geworden. Het bestond nu uit negen bij negen velden. Nu waren het honderd velden. Nu tweehonderdzesenvijftig. Nu was het hele altaar overdekt met witte en zwarte velden. Tibor schaakte nog steeds met zestien stukken. Andrássy had er echter nieuwe stukken bij gekregen. Stukken die Tibor tot dan toe slechts uit boeken kende: een kraai; een boot; een wagen; een kameel; een olifant; een krokodil; een giraf. Ze deden zetten die Tibor onbekend waren. Ze liepen in bochten. Ze maakten enorme sprongen. De vogel werd op een bepaald punt opgepakt en sloeg een heel eind verderop Tibors paard zonder voorafgaande waarschuwing. Andrássy glimlachte. Wat leek hij toch op zijn zuster. Er sprong verf van zijn wang af. De huid viel in vlokken op de vloer. Daaronder kwamen zijn beenderen tevoorschijn. Zoals droge mortel van de muur van een huis valt, zo liet het vlees van zijn lichaam los. Op het laatst was er nog slechts een geraamte, zijn hoofd een holle schedel. Hij glimlachte echter nog steeds. De handen van het skelet deden nu allebei gelijktijdig een zet. Als Tibor een stuk verzette, dan verzette zijn tegenstander er twee. De witte stukken sneuvelden in drommen. Uiteindelijk moest de witte koning het als enige opnemen tegen de menagerie van zwarte stukken. 'Maeth,' zei het geraamte. Tibor nam zijn koning van het bord om te voorkomen dat deze geslagen werd. Hij stopte het stuk in zijn mond. Het stuk voelde zacht aan en bloedde toen hij het stukbeet. Hij proefde de warme smaak van ijzer. Hij slikte beide door, het bloed en het schaakstuk. Het skelet deed een uitval naar hem. Tibor wilde hem ontwijken en wegrennen. Maar aan zijn hoofd en zijn ledematen waren draden bevestigd. Die draden werden door zijn tegenstander vastgehouden. Hij trok Tibor naar zich toe. Hij sleurde de houten Tibor het schaaktafeltje op. Met benige vingers trachtte hij de letters van zijn voorhoofd af te vegen. Tibor schreeuwde. De vrije hand van de Turk sloot zich om zijn mond. Zijn schreeuw werd gesmoord. Tibor kreeg geen lucht meer.

Tibor schrok overeind. Elise had haar hand stevig op zijn mond gelegd. Sissend ademde hij in door zijn neus, zijn ogen wijd opengesperd. Iedere andere hand zou hij onmiddellijk hebben weggeslagen, maar nu bleef hij roerloos liggen. Ze zat op zijn bed. In haar andere hand had ze een kaars. Waarom zat ze bij hem op bed? Hoe was ze naar Wenen gekomen? Waar waren Kempelen en Jakob?

Het duurde enkele hartslagen voordat hij vanuit zijn droom weer helemaal in de werkelijkheid teruggekeerd was. Natuurlijk was hij niet meer in Wenen. Ze waren twee dagen geleden naar Preßburg teruggereisd. Hij bevond zich in zijn kamer aan de Donaustraat. Dat verklaarde evenwel nog steeds niet wat ze bij hem deed – in zijn kamer, in het holst van de nacht. Sinds ze teruggekomen waren, had hij haar niet meer gezien. Het leek wel alsof hij haar rechtstreeks uit zijn droom had meegebracht, ofschoon ze haar gebruikelijke kleding droeg met een sjaal erover en geen rood met blauwe japon. Droom en werkelijkheid kwamen slechts in die zin overeen dat zijn bovenlichaam afgezien van de zwachtel ontbloot was en nat van het zweet en dat hij bloed op zijn tong proefde.

'Ja?' vroeg ze.

Tibor knikte. Vervolgens haalde ze haar hand van zijn mond. Aan de binnenkant van haar hand zaten speeksel en bloed. Ze veegde hem aan het laken af. Tibor had in zijn slaap op zijn tong gebeten. Hij likte het bloed van zijn lippen en trok het laken wat omhoog, zodat het zijn lichaam bedekte.

'Het spijt me, maar je stond op het punt te gaan schreeuwen. Mijnheer Von Kempelen mag ons niet horen.' Ze zei het bijna op fluistertoon. Toen zette ze de kaars op het nachtkastje en deed haar sjaal af. Tibor keek op de wijzerplaat van de klok op zijn kleine werktafel. Het was even na vieren en nog steeds zo heet alsof het midden op de dag was.

'Wat... wat kom je hier doen?' vroeg Tibor. 'Wat is er gebeurd?'

'Ik heb een bebloede zwachtel tussen het afval gevonden en ik vermoedde dat die van jou was. Ik maakte me zorgen.'

Ze wees naar zijn zwachtel. Tibor keek naar zijn borst.

'Een schotwond,' legde hij uit. 'Andrássy.'

'Ernstig?'

'Dat weet ik niet. De wond is niet zo groot. Maar hij wil maar niet genezen.'

'Je hebt koorts.'

'Ja.'

'Mag ik eens naar de wond kijken?'

Samen verwijderden ze de zwachtel. Haar vingers raakten de zijne aan en ook zijn arm, zijn rug en zijn borst. Ze legde de zwachtel weg en met de kaars in haar hand boog Elise zich tot op twee handbreedten van zijn borst. De wond van de kogel die tijdens de slag bij Torgau dwars door Tibors bovenbeen was gegaan, was destijds snel en nagenoeg pijnloos geheeld. Andrássy's werk wilde echter maar niet helen: de rode zwelling had zich uitgebreid. Hij was ontstoken. De wondrand voelde stevig aan zonder dat de huid aaneengegroeid was. In het flakkerende kaarslicht was er al pus te zien. Tibor wist al langer dat het ernstig was maar toch kreeg hij nu een zeer onbehaaglijk gevoel toen hij zag hoe Elise haar wenkbrauwen fronste. Ze zuchtte.

'Hier moet een arts naar kijken.'

Hij zou hebben gewild dat ze iets anders had gezegd. 'Dat kan niet.'

'Heeft Kempelen dat zo beslist?'

'Hij heeft gelijk. Een arts zou me verraden.'

'Het begint al te etteren. Als niemand iets aan die wond doet, zou het kunnen zijn dat je aan koudvuur sterft.'

'Als dat het alternatief is voor de galg? Mijn leven ligt in Gods handen.'

Elise schudde haar hoofd. 'Heeft Kempelen de wond verzorgd?'

'Daar heeft hij geen verstand van.'

'Kijk eens aan. Er bestaan dus nog vakgebieden waar hij geen verstand van heeft?'

Dat haar stem zo gedecideerd klonk verraste Tibor. Elise merkte het en sloeg haar ogen neer.

'Ik kan wel een arts laten komen als je wilt.'

'Nee. Echt niet.'

'Goed.' Ze pakte haar tas, die ze op de vloer had gezet, en haalde er een fles, een paar witte lappen en een schaar, naald en draad uit. 'Dan zal ik het doen.'

Tibor keek haar met grote ogen aan. 'Heb jij er dan wel verstand van?'

'Nauwelijks. Maar het is in ieder geval beter dan niets doen en slechts op Gods verre handen vertrouwen.' Ze keek hem aan. 'Het spijt me. Het was niet mijn bedoeling God te lasteren. Ik maak me alleen zorgen over je.'

Tibor knikte. 'Ik weet zeker dat Hij er begrip voor heeft.'

Ze maakte de fles open en gaf hem aan Tibor. 'Drink op.'

Tibor fronste zijn wenkbrauwen maar nam een slok. Het was borovicka. Hij vertrok zijn gezicht en zette de fles vol walging weg.

'Alles,' zei Elise.

'Hè? Waarom?'

'Omdat je het nodig zult hebben,' verklaarde ze terwijl ze een kromme naald omhoog stak. 'Laat alleen wel een slokje voor mij over.'

Dus dronk Tibor de jenever. Het was bijna een halve liter. Tot aan de laatste slok beviel de smaak hem niet maar hij begon het wel minder vies te vinden. De alcohol begon bijna onmiddellijk te werken: hij merkte dat zijn blikken, zijn bewegingen en gedachten trager werden en dat zijn borst minder pijn begon te doen. Wat merkwaardig dat hij twee van de drie keer dat hij Elise ontmoet had, dronken was. Elise stak intussen de draad in de naald. De laatste slok, die Tibor voor haar had overgelaten, goot ze over een van de lappen.

'Kan ik beginnen?'

Tibor knikte beneveld. Vervolgens depte Elise zijn borst met de vochtige lap schoon. De bittere geur van de borovicka verspreidde zich door de kamer. Toen ze met haar lap de wond raakte, was het alsof ze er een gloeiende pook tegenaan hield. Hij kreunde luidruchtig, terwijl zijn handen zich aan het bed vastklampten. De tranen sprongen in zijn ogen. Elise trok haar hand terug.

'*O Santa Madre de Dio*,' zei hij toen hij weer in staat was een woord uit te brengen.

'Het spijt me.'

Nadat hij weer tot rust was gekomen, ging ze door met het schoonmaken van zijn borst en zijn wond, maar ze deed het buitengewoon behoedzaam. Tibor balde zijn handen tot vuisten. Zijn tanden klemde hij vast opeen.

'Houd je maar aan mijn kleren vast als dat helpt,' zei ze.

Tibor bracht zijn hand naar haar bovenbeen, waar haar japon wat was gebundeld, en greep de plooien van de stof vast. Hij kon haar dij onder de stof voelen als ze zich bewoog. Het leek haar niet te storen. Met de van jenever doordrenkte lap maakte ze haar handen en de naald schoon. Vervolgens begon ze te naaien. Daarvoor moest Tibor plat op zijn rug gaan liggen. Ze boog zich over hem heen en alleen haar mutsje voorkwam dat haar blonde haar op zijn borst viel. De steek met de naald deed al minder pijn, wat waarschijnlijk aan de borovicka lag. Hij keek naar haar terwijl ze aan het werk was. Ze was geconcentreerd bezig en beet tijdens het naaien onwillekeurig op haar onderlip.

'Mag ik iets zeggen?' vroeg Tibor.

'Zolang je maar stil blijft liggen.'

'Waar heb je dat geleerd?'

'Een paar dingen heeft mijn moeder me geleerd. De rest heb ik op de kloosterschool geleerd. Maar daar moest ik wel linnen en wol naaien... en geen vlees en huid.'

'Waar wonen je ouders nu?'

'In de hemel,' zei Elise. 'Ze zijn gestorven toen ik nog een kind was en ik ben opgegroeid bij mijn peter en meter.'

'En ben je nog niet getrouwd?'

'Nee. Ik wacht nog.'

'Maar je wilt vast wel gauw zelf een gezin stichten, nietwaar?'

Elise zuchtte. Ze hield haar ogen strak op de wond gericht. Nadat het even stil was geweest, zei ze: 'Natuurlijk.' En even later vroeg ze: 'En jij?'

Tibor tilde zijn hoofd wat op en keek naar haar, maar blijkbaar had ze die vraag niet gesteld om de spot met hem te drijven. 'Ik zou me niets mooiers kunnen voorstellen.'

'Sinds wanneer ben je al van huis weg?'

'Sinds mijn veertiende.'

'Waarom moest je daar weg?'

'Dat kwam door mijn ouders zelf,' antwoordde hij met een verdrietige glimlach.

Hij vertelde haar dat zijn vader en zijn moeder wel nooit van hem hadden gehouden maar hem wel hadden gedoogd – er restten genoeg gezonde broertjes en zusjes aan wie ze hun liefde konden schenken – totdat de kwaadaardige achterklap in het dorp hen ertoe had aangezet hem van hun erf te verjagen. Hij beschreef haar hoe hij was rondgetrokken door Oostenrijk, Bohemen, Silezië en Pruisen, hij vertelde over zijn belevenissen tijdens de oorlog, de tijd die hij in het klooster had doorgebracht en de jaren daarna, toen hij met schaken zijn brood had verdiend. Af en toe moest hij even stoppen als een van de steken erg veel pijn deed.

'Waarom ben je niet opnieuw in een klooster gegaan?' vroeg ze.

'Omdat ik me daar altijd te gering voor heb gevoeld.'

'Bedoel je dat de abt misschien iets tegen een kleine monnik zou hebben?'

'Ik bedoelde niet mijn lichaam maar mijn ziel.'

Elise keek hem indringend aan. Ze opende haar mond om een opmerking te maken maar kon de juiste woorden niet vinden. Vervolgens wijdde ze zich weer aan het hechten van de wond.

'En hoe komt het dat je zo goed kunt schaken?'

'Dat weet ik niet. Ik weet het werkelijk niet. Maar ik geloof... dat God ieder van ons op een bepaald gebied gezegend heeft met perfectie. We kunnen slechts hopen dat we er op een goede dag achterkomen op welk gebied we perfect zijn. Waarom kan ik zo goed schaken? Waarom kan Jakob dood hout tot leven wekken? Waarom ben jij zo'n beeldschone vrouw?'

Elise antwoordde niet. Ze greep naar de schaar en knipte de draad dicht bij zijn huid af. Tibor ging moeizaam rechtop zitten en onderwierp zijn borst aan een minutieus onderzoek. Er lag nu een naad als de punt van een ster op de plaats waar de kogel zijn lichaam was binnengedrongen en deze hield de huid bijeen. Elise pakte een ongebruikte lap en wiste daarmee het zweet van haar gezicht.

'Je kunt je ons gesprek vast wel herinneren,' zei Tibor. 'Ben je van plan de bisschop op de hoogte te brengen? Moet ik nu op de vlucht slaan?'

Elise schudde haar hoofd. 'Je bent gewond. Je bent niet in staat om te reizen. Ik zal nog een poosje wachten.'

Tibor glimlachte. 'Ik ga morgen naar Kempelen om mijn geld op te eisen. Hij is me ruim tweehonderdvijftig gulden schuldig. Ik heb nog nooit van mijn leven zoveel geld bezeten en zo veel heb ik ook niet nodig. Jij krijgt daar honderd gulden van. Als dank voor datgene wat je voor me hebt gedaan en voor je eigen toekomst.'

'Dat neem ik niet aan.'

'Natuurlijk. Ik wist dat je dat zou zeggen.'

'Je bent dronken.'

'Ja. Maar dat verandert niets aan de zaak.'

Elise pakte een schone zwachtel en verbond daarmee zijn borst. 'Waar wil je naartoe?' vroeg ze.

'Dat weet ik niet. Ik ga gewoon maar lopen.'

Toen Elise klaar was, pakte ze zwijgend haar instrumenten en de vuile lappen bij elkaar. Daarna ging ze voor de laatste keer op de rand van het bed zitten.

'Laat de kaars maar branden. Dan is de lucht van de borovicka morgenvroeg verdwenen.'

'Ik hou van je,' zei Tibor onverwachts. 'Maria, de moeder Gods, is mijn getuige van de grote liefde die ik voor jou koester; hoezeer ik van je hou en hoezeer ik naar je verlang; zozeer dat ik het liefst een mes zou willen pakken en dat in mijn lijf zou willen stoten, alleen maar om weer door jouw handen te worden verzorgd.'

Daarna was het doodstil. Alleen het zachte geknetter van de kaars was te horen. Lange tijd vocht Elise ertegen, toen moest ze slikken. Tibor liet zich uitgeput weer tegen de muur zakken.

'Neem me niet kwalijk,' zei hij. 'Zeg alsjeblieft niets; vooral niet iets liefs. Ga maar. Ga maar, dan ga ik slapen en verder dromen.'

Elise stond op en pakte haar tas. Ze bekeek Tibor. Toen boog ze zich over hem heen, kuste hem op zijn bezwete voorhoofd en ging het vertrek uit. Hoe zachtjes ze ook wegsloop, Tibor kon elk van haar stappen tot in het trappenhuis horen. Buiten op de binnenplaats begon een lijster te zingen.

Het was niet goed dat ze hem had gekust. Ze had de aanvechting daartoe echter niet kunnen weerstaan toen ze hem daar zo op bed zag liggen; klein en verzwakt, dronken, levensgevaarlijk gewond en onsterfelijk verliefd. Klaarblijkelijk dacht hij dat ze een heilige was. Honderd gulden wilde hij haar betalen, wat een waanzin! Uitgerekend haar – de helft van zijn vermogen! – de vrouw die hem van het begin tot het einde voorloog en die hem later ooit aan de vijand zou uitleveren. Zijn goedgelovige inborst, zijn hardnekkige godsvrucht in weerwil van alle zware beproevingen die hij had moeten doorstaan, wekten haar oprechte woede. Ze was inmiddels bij de Lorenzer Poort aangekomen en sloeg af, de Hospitaalstraat in. Boven de gevels floten de eerste vogels. Preßburg was toch maar een dorp. In Wenen liepen ook nu nog, of al weer, mensen op straat. In de straten van Preßburg hadden daarentegen rond deze tijd vogels, vossen, hazen en ratten het rijk alleen. Elise was van plan zich op haar kamer om te kleden en dan naar huize Kempelen terug te keren om haar dagelijkse werkzaamheden te verrichten alsof er niets was gebeurd.

Zo snel was het tij dus al weer gekeerd. Tibors onthulling voor zijn vertrek naar Wenen was voor haar een groot succes geweest. Opeens had ze Kempelen en Knaus in haar macht. Maar nu was de Turk terug uit Wenen en uit wat ze van de ongewoon zwijgzame Jakob te weten was gekomen, concludeerde ze dat de demonstratie bij de keizerin op een mislukking was uitgelopen. Kempelen had ze amper gezien en als ze hem al tegenkwam, zei hij alleen het hoogstnodige tegen haar. Wat zou Knaus nu besluiten? Kon ze, moest ze nu uit Preßburg vertrekken? Dat wilde ze graag. Jakob die zijn blijmoedigheid had verloren en Kempelen wiens eigenwaan was omgeslagen in melancholie: aan dergelijk gezelschap had ze echt geen behoefte. Ze wilde naar Wenen terug, haar ruwe dienstbodekleding uittrekken en in zijde en brokaat gekleed weer aan het hof verschijnen.

Als ze er wat dieper over nadacht, was haar aan Knaus en zijn kornuiten ook weinig gelegen. En ze wilde Tibor niet in de steek laten. Hij stelde vertrouwen in haar, hij hield zelfs van haar en hoewel ze natuurlijk niet van hem hield en nooit van hem zou kunnen houden, voelde ze zich verantwoordelijk voor hem, hoe ze zich daar ook tegen verzette.

Ze voelde de behoefte om een andere kant op te lopen, naar de Donau te gaan en daar in het bedauwde gras te gaan liggen kijken hoe de sterren verbleekten en de vissen in de ochtend aan het dartelen waren. Ze was haar leven beu. Ze wist dat ze met een ander soort leven – het leven dat ze tegenover de dwerg had voorgewend – evenmin gelukkig zou zijn geweest, maar op dit moment wilde ze dat ze een dergelijk leven had geleid. Ze zou liever een ongelukkige dienstbode zijn dan een ongelukkige maîtresse, een ongelukkige spionne.

Het kind in haar buik bewoog. Ze bleef op de verlaten straat staan wachten totdat het voorbij was.

Even na zessen kwam Elise weer bij huize Kempelen aan. Ze had op de boerenmarkt broodjes en halvemaantjes, verse eieren en melk gekocht. Nadat ze haar aankopen in de keuken had gezet, haalde ze hout van de binnenplaats. Hoewel het zacht weer was, rilde ze van de kou en ze bleef een poosje op haar hurken naast het open fornuis zitten om zich aan het vuur te warmen. Toen zette ze water op voor de koffie. In de tussentijd maalde ze de koffiebonen en deed ze het maalsel in de kan. Ze pakte boter en honing uit de kast, zette die naast het brood op een dienblad en sneed vervolgens de ham. Toen het water aan de kook was, draaide ze zich om naar het fornuis. In de deuropening stond Wolfgang von Kempelen, gekleed in hemd, pantalon en hoge rijlaarzen. Met zijn armen over elkaar stond hij tegen de deurpost geleund. Hij glimlachte. Elise schrok en bracht instinctief haar hand naar haar borst.

'Goedemorgen,' zei hij zachtjes, alsof er overal in huis mensen lagen te slapen die hij niet voortijdig wilde wekken. 'Het was niet mijn be-

doeling je te laten schrikken, maar je was zo druk bezig dat ik je ook niet bij je werk wilde storen. Ga maar gewoon door.'
Elise haalde diep adem. 'Hoe lang staat u daar al?'
'Een eeuwigheid,' antwoordde Kempelen. 'Het water kookt.'
Elise pakte het water van de kookplaat en goot het op de gemalen koffie, die er sissend in wegzakte.
'Je ziet er moe uit. Heb je slecht geslapen?'
Elise knikte maar hield haar ogen op de kan gericht. Ze zou hetzelfde van hem hebben kunnen zeggen, want te oordelen naar de donkere wallen onder zijn ogen had hij de hele nacht geen oog dichtgedaan – hoewel er geen licht had gebrand in zijn slaapkamer. Daar had ze zich van vergewist voordat ze naar Tibor was gegaan. Desondanks maakte hij een opgeruimde indruk; de neerslachtigheid waaraan ze hem de vorige dag nog ten prooi had gezien, was op een wonderbaarlijke manier verdwenen.
'Arme Elise. Ik verg wel erg veel van je, nietwaar?'
'Dat valt wel mee.'
'Je zult het weer gemakkelijker krijgen. Ik ben van plan eerdaags mijn lieve Anna Maria te vragen met Teréz terug te komen uit Gomba. Dan zijn we niet meer onder ons en heb jij wellicht wat minder werk te doen. De koffie ruikt overigens heerlijk.'
'Dankuwel, mijnheer.'
'Kan ik je ergens mee helpen?'
'Nee, dank u wel, ik ben bijna klaar.'
'Je mag trouwens vanmiddag wel vrij nemen.'
'Hartelijk dank, mijnheer.' Elise zette de koffie op het dienblad en schonk de melk in een kannetje. 'Hoe was het in Wenen?' vroeg ze.
'O, fantastisch,' antwoordde hij en zei nogmaals, met zijn ogen op het plafond gericht: 'Ja, het was echt fantastisch in Wenen. De volgende keer nemen we je mee.'
Elise liep naar de kast om een kop en schotel voor hem te pakken. Ze moest op haar tenen gaan staan om erbij te kunnen.
Kempelen kwam de keuken binnen. 'Wacht maar even.' Hij pakte het serviesgoed voor haar uit de kast en zette het op het dienblad. Toen keek hij haar aan. Hij raakte met de vingers van zijn rechterhand haar kin aan, tilde die wat op, liet zijn hand toen over haar wang tot aan haar oor glijden en kuste haar. Elise had haar mond al open en liet hem open tijdens de kus. Ze sloot haar ogen. Hij beroerde haar lippen

met zijn tong. Toen bracht hij ook zijn linkerhand naar haar hoofd. Ze stonden nu zo dicht bij elkaar dat haar borsten zijn hemd raakten en beiden merkten dat de ander sneller begon te ademen. Ze trok haar buik in om te voorkomen dat hij de welving voelde. Haar handen hield ze in de lucht, want ze kon Kempelen niet aanraken en ze kon ze ook niet langs haar lichaam laten zakken. Knaus kuste begerig en vochtig, Jakob had, al zijn opschepperij ten spijt, slechts als een schooljongen gekust. Maar Kempelen niet: als de omstandigheden anders waren geweest, zou Elise van die kus hebben genoten. Nu begreep ze waarom barones Jesenák naar hem had verlangd.

Toen ging Kempelen wat naar achteren, maar hij hield haar hoofd nog steeds in zijn handen en bleef haar aankijken. Hij klemde zijn lippen stevig opeen, alsof hij ergens over nadacht. De spanning werd gebroken door een glimlach. Hij liet haar los, streek met de vingers van zijn linkerhand nog een haarlok achter haar oor, knikte, pakte het dienblad waarop zijn ontbijt stond en liep zonder verder nog een woord te zeggen de keuken uit. Elise hoorde hoe hij met grote stappen de trap op liep naar zijn werkkamer. Onwillekeurig likte ze over haar kille lippen.

's Middags klopte Kempelen op de deur van Tibors kamer en zonder naar binnen te gaan verzocht hij de dwerg naar zijn werkkamer te komen zodra hij daar even tijd voor had. Tibor kleedde zich aan en liep door de verlaten werkplaats naar de kamer van Kempelen. De spraakmachine stond in een hoek op de grond, overdekt met een laken tegen het stof. Het gipsen model van het menselijk hoofd had Kempelen met de doorgezaagde kant tegen de muur gezet, zodat het leek alsof een hoofd voor de helft in de muur was ingemetseld. Op de schrijftafel lagen tal van paperassen: brieven, aantekeningen, krantenartikelen en een kalender, allemaal buitengewoon zorgvuldig geordend. Op een aparte tafel stond een dienblad met brood, twee koppen en een kan koffie; de sterke koffiegeur hing in de hele kamer.

Kempelen had zijn fauteuil met de leuning naar het raam geschoven en zat met zijn benen over elkaar. Op zijn schoot had hij een tekenbord, waarop een nog niet voltooide tekening van de geopende schaakmachine was gespannen. Kempelen leek goedgehumeurd. Zijn gespannen houding sinds de dood van Ibolya, de narigheden met baron Andrássy en de Kerk en vooral de mislukking op Schönbrunn scheen geheel van hem afgevallen te zijn. Hij zag er jaren jonger uit, geheel in tegenstelling tot Tibor: uit hem scheen alle levenskracht geweken te zijn, hij was bezweet en zijn gezicht was getekend door de doorstane pijn van de afgelopen dagen. De buitensporige hoeveelheid borovicka had hem hoofdpijn bezorgd en hij was misselijk. Sinds vanmorgen had hij geen hap door zijn keel kunnen krijgen maar des te meer water gedronken.

'Je lijkt wat opgeknapt te zijn,' zei Kempelen desondanks. Hij legde zijn tekenbord, schets en grafietpotlood op tafel en schoof een stoel voor hem aan. 'Gaat het wat beter met je?'

'Een beetje.'

'Het doet me genoegen dat te horen. Wil je een kop koffie? Of liever een glas wijn of likeur?'

'Koffie graag.'

Kempelen schonk koffie voor Tibor in en gaf hem het kopje. Nadat hij voor zichzelf ook een kop had ingeschonken en weer was gaan zitten, zei hij: 'Ik wil met je over de toekomst praten.'

Tibor knikte. De koffie was heerlijk, stimulerend en verzadigend tegelijk.

'Ik wil burgemeester Windisch vragen om nog eens persoonlijk naar de schaakmachine te komen kijken en er vervolgens een artikel over te schrijven. Dit wordt in koper gegraveerd.' Hij klopte op het tekenbord. 'Ik zou het graag zelf doen, mij ontbreekt alleen de tijd... De *Preßburger Zeitung* wordt tot ver buiten de grenzen van de stad gelezen, en een verslag over de Turk zou voor het periodiek van Windisch een prachtig onderwerp en voor ons gratis reclame zijn.' Kempelen hield een exemplaar van de *Mercure de France* omhoog dat hij kort tevoren uit Parijs had ontvangen. 'Als er zelfs in het verre Parijs over de machine wordt gesproken, dan zal dat vast ook hier het geval zijn.'

Tibor zette zijn koffiekopje neer, maar nog voor hij iets kon zeggen, ging Kempelen al weer verder.

'Ik wil nog een grote demonstratie geven zoals destijds in paleis Grassalkowitsj, alleen deze keer voor burgers. Misschien huur ik het Italiaanse theater wel af. Of we gaan naar het eiland Engerau en presenteren de Turk dan heel toepasselijk in het Turkse paviljoen daar. En dan krijgt elke bezoeker een kopje mokka en een tabakspijp. Zou dat niet prachtig zijn? De wekelijkse demonstraties hier in huis moeten uiteraard ook voortgang vinden. De zomer loopt langzamerhand ten einde, het wordt weer koud en donker; dan krijgen de mensen weer zin in *divertissements* en dan is de Turk precies wat ze zoeken. Een met een waas van geheimzinnigheid omhulde, wellicht zelfs vervloekte machine in kaarslicht, terwijl buiten de wind door de straten giert – dan zullen ze allemaal wat dichter bij elkaar kruipen. Anna Maria komt binnenkort terug van ons zomerverblijf, dan zoeken we een tweede dienstbode om de stormloop van bezoekers aan te kunnen. Ik ben voornemens de machine in de toekomst ook de paardensprong te laten uitvoeren. Je weet wel: het paard springt beurtelings naar alle vierenzestig velden zonder ooit twee keer op hetzelfde veld te komen, een leuk aardigheidje. En we moeten op reis gaan! Het wordt tijd dat we in Wenen niet alleen voor de keizerin spelen – hoewel ik nog altijd van plan ben bij haar op een revanche aan te dringen – maar ook voor de goegemeente. En dan zullen we eens kijken welke reisdoelen er verder nog in aanmerking komen. Ofen, Marburg... Salzburg, Innsbruck, München, Praag misschien... Ik ben ervan overtuigd dat ze de Turk overal een hartelijk welkom zullen bereiden. Gekroonde hoofden en geleerden zullen zich verdringen om onze presentaties te kunnen bijwonen. Ik zal de beroemdste mensen en de beste schakers van Europa op het altaar van de Turk aan jou offeren!'

Tibor zweeg.

'Wat vind je ervan?' vroeg Kempelen.

'Ik dacht dat u had gezegd... dat Wenen het laatste optreden van de machine zou zijn.'

Kempelen was verbluft of deed althans alsof dat het geval was. 'Dat heb ik nooit gezegd. Wanneer zou ik dat gezegd moeten hebben? En trouwens, waarom dan?'

'Ik dacht... vanwege uw tegenstanders. En omdat u die andere machine wilt construeren.'

'Het ene sluit het andere niet uit. En wat onze kwelgeesten betreft: Batthyány staat niet boven hertog Albert en Baron Andrássy heeft met die noodlottige overval hopelijk genoeg stoom afgeblazen.'

'We hebben van de keizerin verloren.'

'Nou en? Hebben je andere nederlagen ons minder bezoekers opgeleverd? Geenszins! Integendeel zelfs: zodra de Turk eens een keer een zwakte liet zien, kwamen ze daarna in drommen! De keizerin is in de ogen van haar onderdanen een halfgodin; dat uitgerekend zij van de

Turk wint, zal niemand verbazen. Hetgeen overigens niet betekent,' zei Kempelen met een knipoog, 'dat je voortaan mag verliezen.'

Tibor deed alsof hij een slok van zijn koffie nam, hoewel het kopje allang leeg was op de zwarte drab op de bodem na. Hij moest nadenken.

'Ik moet vooral Joseph zien te overtuigen,' ging Kempelen voort, 'want op een dag in de niet al te verre toekomst zal de keizerin verscheiden zijn en dan ben ik afhankelijk van zijn gunst. Hoe eerder ik hem ervan overtuig dat de Turk toch absoluut een wonder is en geen nutteloos stuk automatisch speelgoed, hoe beter. Nog afgezien van het feit dat het tijd wordt dat we die gebochelde Knaus vanwege zijn betweterigheid een lesje leren.'

'Ik kan niet spelen,' zei Tibor.

'Waarom niet?'

'Ik kan mijn arm nog steeds niet behoorlijk bewegen. Ik wil niet dat er nog eens zoiets gebeurt als in Wenen.'

'Dat is gebeurd omdat je in het donker moest schaken en niet vanwege je verwonding.'

'Maar toch bestaat het gevaar.'

Kempelen knikte. 'Zeker, zeker. Daar heb je gelijk in.' Hij zat even te peinzen. 'Ik zal zo gauw mogelijk een arts laten komen. Hij moet de wond verzorgen, hechten, als dat nodig mocht zijn, dan ben je nog sneller weer gezond en paraat.'

'Nee,' protesteerde Tibor en trok onwillekeurig de kraag van zijn hemd wat omhoog, hoewel de zwarte hechting door het vernieuwde verband aan het oog onttrokken was. 'Hebt u niet gezegd dat een arts...'

'Geen angst. Ik ken een arts die ik kan vertrouwen.'

'Ik heb geen arts nodig.'

'Doe nou niet zo onnozel, Tibor. Natuurlijk moet er een arts naar je kijken. Ik heb me daar veel te lang tegen verzet, probeer nu niet opeens me dat weer uit het hoofd te praten.' Kempelen nam zijn pen uit de inktpot en schreef dit bij op een lange lijst aantekeningen. 'Natuurlijk zullen we pas weer met de demonstraties beginnen wanneer jij geheel en al genezen bent.' Hij keek op van zijn lijst. 'Heb je verder nog wensen?'

'Kan ik mijn loon krijgen?'

Kempelen liet zijn pen zakken. 'Waarom wil je dat? Vertrouw je me niet?'

'Jawel, maar...'

'Wat is dan de reden?' Kempelen zette zijn pen in de inktpot terug. 'Als je me vertrouwt, is er geen enkele reden waarom ik je je loon zou uitbetalen. Je kunt het toch niet uitgeven en het geld is bij mij even veilig als bij elke depositobank. Tenzij... tenzij je Preßburg zonder mijn medeweten zou willen verlaten. Maar in dat geval peins ik er niet over om je daar dan ook nog geld voor mee te geven.'

Kempelen wierp Tibor een indringende blik toe. Die was opeens klaarwakker. Zijn misselijkheid en hoofdpijn waren als sneeuw voor de zon verdwenen en zelfs zijn wond deed geen pijn meer.

Tibor zette zijn koffiekopje op de schrijftafel voor zich neer en zei: 'Ja. Ik wil weg uit Preßburg. Ik wil de Turk niet meer bedienen. Ik ben u dankbaar voor alles wat u voor mij hebt gedaan maar ik wil ontslag nemen voordat er nog meer onheil gebeurt.'

Kempelen bleef een ogenblik lang roerloos zitten, toen vouwde hij zijn handen als in gebed. Hij hield zijn ogen strak op Tibor gericht maar knipperde merkwaardig vaak met zijn ogen, alsof er een stofje in was gekomen.

'Wil je meer loon?' vroeg hij ten slotte.

'Nee. Ik wil helemaal geen loon meer.'

'Ik begrijp het. Je wilt er dus werkelijk mee ophouden.' Tibor knikte. 'Kun je me uitleggen waarom?'

'Ik kan deze manier van leven niet meer verdragen. Wanneer ik niet in de machine opgesloten zit, zit ik opgesloten in mijn kamer. Ik waardeer uw gezelschap en dat van Jakob, maar ik wil weer naar buiten, weer onder de mensen komen.'

'De mensen daarbuiten drijven de spot met je en minachten je. Ben je dat nu al vergeten?'

'Nee. Maar zelfs aan hun afwijzing geef ik inmiddels de voorkeur boven hun afwezigheid.'

'Misschien kunnen we er iets op vinden, je ergens anders huisvesten... waar je meer bewegingsvrijheid geniet.'

'Dat is niet voldoende. Ik wil ook niet meer met die machine schaken. Ik kan ermee leven dat ik een ding aanstuur dat door mijn Kerk wordt verketterd, ik kan met mijn angst voor Andrássy leven, maar ik kan niet leven met mijn schuldgevoel over het feit dat ik iemand heb gedood.' Tibor keek naar Kempelens schets van de machine. 'Telkens als ik de Turk zie, ook nu, moet ik eraan denken dat ik de barones heb gedood, en dat kan ik niet verdragen.'

Een ogenblik lang leek het erop alsof Kempelen dat wilde tegenspreken. Toen zei hij: 'We hadden een afspraak.'

'Indien u van mening bent dat ik in strijd met onze afspraak handel, kunt u een deel van mijn loon inhouden,' wierp Tibor tegen. 'Hou twintig, vijftig, honderd gulden in, geef me voor mijn part net genoeg om een week te eten te hebben. Maar ik moet gaan. Het spijt me. Ik wil hier per se weg. Ik weet dat ik te gronde ga als ik hier blijf.'

'Je gaat te gronde als je me in de steek laat! Ik heb je in Venetië uit de loden kerkers bevrijd. Je was ziek, bont en blauw geslagen en in lompen gehuld die naar brandewijn stonken, in een cel zonder licht, op water en brood. Wil je daarnaar terug? Dit huis is dan misschien een kooi, maar het is wel een gouden kooi, waarin het je aan niets ontbreekt.'

'Ik zal nooit meer zo eindigen als in Venetië, moge God me bijstaan. En wanneer het toch op een mislukking mocht uitlopen, dan is dat de laatste mislukking van mijn leven geweest.'

'Heb je koorts?'

'Ik zou u dit allemaal al eerder hebben verteld wanneer ik niet vurig had gehoopt dat u mij na Wenen zou laten gaan.'

'Je weet dat ik zonder jou niet door kan gaan.'

'Ga op zoek naar een andere schaker. Ik zal u helpen zoeken, ik zal hem inwerken. Gaat u op zoek naar iemand anders zoals ik.'

'Er bestaat niemand anders zoals jij. Jij bent uniek.'

Tibor wierp een blik op de tafel, waarop her en der de ambitieuze plannen van Kempelen lagen. 'Het spijt me. Ik moet gaan.'

Kempelen haalde diep adem en leunde toen met zijn armen over elkaar achterover in zijn stoel. 'Mij spijt het eveneens. Want ik moet het je verbieden.'

'Met permissie, signore, dat kunt u me niet verbieden. Ik ben een vrij man.'

'Je hebt gelijk, ik kan het je niet verbieden,' erkende Kempelen. 'Maar ik zou je wel kunnen bedreigen.'

'Waarmee?'

Kempelen glimlachte droevig. 'Tibor, Tibor. Laat het niet zover komen dat ik je moet bedreigen. Omwille van onze vriendschap.'

'Waarmee wilt u mij bedreigen?'

'Tibor, we willen onze relatie toch niet vergiftigen, wel? Wat zou er in dit huis een droefgeestige atmosfeer ontstaan als we zouden moeten samenwerken terwijl we elkaar niet meer konden uitstaan?'

'Waarmee wilt u mij bedreigen?' hield Tibor hardnekkig vol.

'Goed,' zuchtte Kempelen. 'Dat ik je de gendarmerie op je dak zal sturen als je mocht deserteren, dat ik hun vertel dat je eerst de eer van Ibolya barones Jesenák hebt geschonden en haar vervolgens hebt vermoord.'

'Het was een ongeluk!' riep Tibor.

'Niet in mijn versie van het verhaal.'

Tibor sprong op van zijn stoel. 'Dan zal ik beweren dat ze nog helemaal niet dood was toen u haar van het balkon duwde!'

'En stel het geval dat jij die schandalige leugen zou kunnen vertellen zonder rood aan te lopen – wie denk je dat ze eerder zouden geloven? Een Oostenrijks-Hongaarse baron en hoge ambtenaar aan het koninklijk hof... of een Italiaanse dwerg, wiens laatst bekende verblijfplaats de gevangenis in de stad Venetië was?'

Tibor bleef hem het antwoord schuldig. Hij hijgde zo dat zijn rechterlong pijnlijk tegen de wond drukte.

'Aan jou de keuze,' zei Kempelen. 'Ik of de galg. Je kunt de rest van je leven comfortabel in de machine slijten – ook al is dat als gevangene, als jij dat zo ervaart – of je kunt vrij zijn. Vrij en dood.'

'Krijg ik een ander onderkomen?'

'Nee. Nu niet meer. Dat aanbod had je zojuist moeten aannemen; nu geldt het niet meer. Ik weet dat je uit Preßburg wilt vluchten, dus blijf je hier in huis, waar ik toezicht op je kan houden. En mocht je desondanks plannen smeden om te vluchten, weet dan dat de streek rondom Preßburg dichtbevolkt is. Er zijn geen wouden of bergen waar je je zou kunnen verstoppen. Je hebt geen geld en er is niemand die je zou kunnen helpen. En je postuur kun je niet verdoezelen. De gendarmes zouden je binnen een dag te pakken hebben.'

Tibor wilde Kempelen naar de keel vliegen of liever nog de afgedekte spraakmachine zo lang in elkaar stampen tot het onvoltooide wonder in stukken lag. Maar als hij zijn lichaam zijn gang liet gaan, liep dat altijd uit op een catastrofe. Door zich stevig aan de rand van de schrijftafel vast te grijpen wist hij zijn woede in bedwang te houden.

'*Sei il diavolo,*' siste hij.

'*Non è vero,* Tibor. Ik wilde niet dreigen, dat heb ik je gezegd, maar jij wilde niet luisteren. Je hebt me geen andere mogelijkheid gelaten. En hoewel je me nu vermoedelijk haat, ben jij me nog steeds dierbaar. Het feit dat ik in weerwil van deze onverkwikkelijke ruzie een arts zal laten komen is het bewijs daarvoor.'

De beide mannen zwegen. Kempelen stond op en liep op gepaste afstand langs Tibor om de deur naar de werkplaats te openen. 'Laten we een einde maken aan dit onzalige gesprek,' stelde hij voor, 'voordat er nog meer woorden vallen die afbreuk doen aan onze vriendschap.' Tibor verliet de werkkamer. Zodra Kempelen de deur achter hem had gesloten, welden er tranen van woede in Tibors ogen op. Even dacht hij erover de deur naar het trappenhuis te nemen, met niets anders dan de kleren die hij aan had huize Kempelen te verlaten en gewoon de Donaustraat uit te lopen totdat hij de stad achter zich had gelaten, een paar uur lang te genieten van de straatweg en de hemel daarboven tot de bereden gendarmerie hem zou inhalen, in de kerker zou werpen en hem op het schavot zou brengen. Toen opende hij toch de deur links die naar zijn kamer leidde. Als een uitlaatklep voor zijn woede begon hij de oude zwachtels te verscheuren. Hij wou maar dat Elise de afgelopen nacht twee in plaats van één fles borovicka voor hem had meegebracht.

CALENDULA OFFICINALIS, CHAMOMILLA, SALVIA OFFICINALIS. Kempelens ogen vlogen over de namen die in een minutieus handschrift op de aardewerken, porseleinen en donkere glazen potten waren aangebracht. VERBENA BASTATA, CANNABIS SATIVA, JASMINUM OFFICINALE, URTICA URENS, RHEUM, CHINA OFFICINALIS. Het was onmogelijk de potten waarin de medicamenten zaten zo stevig af te sluiten dat de geur niet vanbuiten te ruiken was; de gedroogde bladeren, bloesems en vruchten, de tot poeder gemalen wortels en boomschors, de fijngestampte mineralen en geneeskrachtige aarde, de tincturen en extracten, geneeskrachtige drankjes, oliën, vistraan en de alcohol vermengden zich tot één enorme, overweldigende odeur. Apotheek De Rode Kreeft rook alsof iemand er een gerecht had klaargemaakt dat uit louter kruiden bestond. Het was geen aangename lucht. Rond Stegmüller hing altijd de geur van zijn apotheek en daarom verkeerden de mensen niet graag samen met hem in een kleine ruimte. Hij rook naar geneesmiddelen, maar omdat alleen zieken geneesmiddelen gebruikten, rook hij nu juist naar ziekte. Stegmüller was daar vaak op gewezen, maar zelfs rozenwater en zoetig ruikende parfums waren niet in staat de geur van de officina te camoufleren. De kakofonie van geuren werd er alleen maar door versterkt. GINSENG, LYCOPODIUM CLAVATUM, CAMPHORA, AMMONIUM CARBONICUM, AMMONIUM CAUSTICUM.

Kempelen opende uitgerekend de glazen pot met salmiakgeest en rook eraan. De bijtende geur verdreef zijn vermoeidheid volledig maar sloeg hem wel op zijn nuchtere maag.

Toen liep hij om de massieve toonbank heen naar het schap waar de mineralen werden bewaard: ZINCUM METALLICUM, MERCURIUS SOLUBILIS, SULPHUR. Eén verdieping hoger hoorde hij Stegmüller rommelen. Het was nog vroeg in de ochtend. Kempelen had de apotheker met klem verzocht hem te woord te staan voordat zijn personeel De Rode Kreeft binnen zou komen. De luiken voor de vensters waren nog gesloten en de apotheek met zijn zwarthouten meubilair werd door slechts twee olielampen verlicht. SILICEA, ALUMINA. Het schap naast de geneeskrachtige aarde was van een afsluitbaar glazen deurtje voorzien en de potten die daarachter stonden, waren een stuk kleiner: ACONITUM NAPELLUS, DIGITALIS PURPUREA, EQUISETUM ARVENSE, ATROPA BELLADONNA. Kempelen stak zijn vingernagel onder het glazen deurtje en trok eraan. Het deurtje was niet afgesloten. Met een beschaafd piepje ging het open. In de vitrine was nauwelijks iets te ruiken. CONIUM MACULATUM, HYOSCYAMUS NIGER. Boven Kempelens hoofd kraakte een plank. Blijkbaar had Stegmüller wat meer tijd nodig om te vinden wat hij zocht. Kempelen pakte een bruin buikflesje met het opschrift ARSENICUM ALBUM. Het was afgesloten met een kurk, waar rode zegellak overheen gegoten was. Kempelen hield het flesje tegen het licht van een olielamp en liet het op meel lijkende poeder van de ene naar de andere kant schuiven.

Achter hem kwam Stegmüller de trap af. Met een snelle beweging zette Kempelen het arsenicum in de vitrine terug en sloot het glazen deurtje. Hij had zijn vingers nog op het kozijn toen Stegmüller de apotheek binnenkwam en deed net alsof hij alleen wat stof van het hout had geveegd,

'Ik had de kruithoorn ergens anders neergelegd,' legde Stegmüller uit. De apotheker legde de kruithoorn, een zakje met loden kogels en zijn in foedraal gehulde pistool op de toonbank. Hoewel Stegmüller onmogelijk sterker naar geneesmiddelen kon ruiken dan zijn apotheek, had Kempelen de indruk dat de geur sterker was geworden nu hij weer naast hem stond. Hij nam de voorlader uit de tas en bekeek hem.

'Die heeft me goede diensten bewezen,' zei Stegmüller. 'Op een keer, in het Boheemse Woud zijn we...'

'Kun je me even een lamp brengen? Het is hier zo donker.'

'Ik kan de luiken wel opendoen. Het zal inmiddels wel schemeren.'
'Nee, liever een lamp, Georg.'
Stegmüller glimlachte. 'Gottfried. Georg is verleden tijd.'
'Natuurlijk, Gottfried.'
Stegmüller kwam aanlopen met twee olielampen en legde Kempelen uit hoe het wapen functioneerde. 'Heb je zelf geen wapen? Je bent per slot van rekening al eens naar het woeste Transsylvanië gereisd.'
'Ik heb een pistool. Een mooi maar onbruikbaar ding. Tot nu toe hebben altijd andere mensen voor me geschoten. "Als men met het zwaard omgaat, zal men erdoor sterven". Dat is een beginsel waar ik prima mee uit de voeten kan.'
'Alleen heeft baron Andrássy blijkbaar andere beginselen dan wij.'
'Ja.'
Kempelen spande de haan en liet hem weer terugschieten.
'Als je wat zou willen oefenen,' zei de apotheker, 'ik ken wel een terrein in Theben waar we niet worden gestoord.'
'Ik ben nog steeds niet van plan akkoord te gaan met een duel met Andrássy. Maar wanneer hij nog een keer op mij of mijn eigendommen mikt, wil ik niet met lege handen staan.'
'Hou het maar totdat je het niet meer nodig hebt.'
'Dankjewel.'
'En nu die dwerg van je. Waar zit die verwonding precies? En hoe is zijn toestand?'
Terwijl Kempelen hem antwoord gaf, legde Stegmüller instrumenten, geneesmiddelen en zwachtels op de toonbank en deed alles vervolgens in een tas.
'Je had me in Wenen al moeten laten komen,' vond hij toen Kempelen klaar was. 'Zoiets kan echt helemaal verkeerd aflopen.'
Kempelen stopte het pistool in het foedraal terug. 'Heb je Jakob een paar keer geschaduwd, zoals we hadden afgesproken?'
'Ja. Maar hij is ongevaarlijk. Hij zit voortdurend ergens in de kroeg, maar dat zal je niet erg interesseren. Voor een jood zuipt hij erg veel, vind je niet? En hij mag van de wet toch helemaal geen wijn drinken?'
'En mijn dienstbode?'
'De knappe Elise? Die kan ik nergens op betrappen. Op de markt brengt ze het hoofd van de jonge kerels op hol... maar vermoedelijk wacht ze op een prins of baron op het witte paard.' Stegmüller

grijnsde naar Kempelen maar deze reageerde niet. 'Ze is een keer op het postkantoor geweest maar daar heeft ze niets naartoe gebracht en ook niets afgehaald.'

'Vermoedelijk verwacht ze post van haar tante. Of van haar peet-ouders in Ödenburg.'

'Heeft ze iets met die jood van je?'

'Vast en zeker niet. Ze is bijna even rooms als Tibor en dus zal ze hem zo veel mogelijk uit de weg gaan. Bedankt voor je hulp.'

Stegmüller legde zijn hand op die van Kempelen. 'Jouw vriendschap is voldoende dank voor me, Wolfgang,' zei hij. 'Dat, en mijn spoedige toelating als leerling in vrijmetselaarsloge *Zur Reinheit*.'

Stegmüller hing zijn tas om zijn schouders. Kempelen pakte het pistool, de kruithoorn en de loden kogels.

'En je weet het,' zei Kempelen, 'geen woord hierover, tegen niemand.'

'Anders slikt de dappere apotheker zijn eigen vergif,' zei Stegmüller ter aanvulling en tikte daarbij met zijn knokkels op de ruit van de vi-trine, waar hij tussen andere giftige geneesmiddelen het arsenicum bewaarde.

Elise herkende hem onmiddellijk, de zogenaamde franciscaner mon-nik die ze tot aan de apotheek bij de Michaelstoren was gevolgd en die Kempelen nu als dokter Jungjahr aan haar voorstelde. Jungjahr – oftewel Gottfried heer von Rotenstein, want ze was erachter gekomen hoe hij in werkelijkheid heette – begroette haar met een handkus. Kempelen vroeg haar koffie te zetten. Hij bejegende haar alsof er de dag tevoren niets was gebeurd. De mannen namen hun koffie zelf mee naar de werkplaats en Kempelen verzocht Elise hen de komende uren niet te storen.

Tibor herkende in Stegmüller echter niet zijn biechtvader van des-tijds. De apotheker liet zich door Kempelen een krukje brengen en ging naast het bed van Tibor zitten, terwijl de baron bij Tibors tafel bleef staan en het hele tafereel in ogenschouw nam. Ook tegenover Tibor gedroeg Kempelen zich alsof er niets tussen hen was voorgeval-len, alsof ze geen onenigheid hadden gehad. Hij groette Tibor even vriendelijk als Stegmüller en zei met nadruk dat hij er een stuk beter uitzag. Stegmüller verzocht Tibor zijn hemd uit te trekken. Het ver-raste hem dat er een zwarte naad als een netje op de wond lag en met een vragend gezicht keek hij naar Kempelen.

'Wie heeft dat gehecht?' vroeg Kempelen.

'Ikzelf,' antwoordde Tibor en deed zijn uiterste best geen koppigheid in zijn woorden te laten doorklinken.

Stegmüller onderzocht zowel de wond als de hechting en knikte waarderend. 'Dat is goed gedaan. Primitief maar goed. Waar hebt u dat geleerd?'

'Tijdens de oorlog.'

'De wond is ontstoken geweest maar de infectie is al weer op zijn retour,' zei Stegmüller meer tegen Kempelen dan tegen Tibor. 'Er valt hier voor mij dus niet zo veel meer te doen.'

'Waarom heb je me dat niet gezegd?' vroeg Kempelen op aanmerkelijk strengere toon.

'Ik heb niet gezegd dat ik een arts nodig had,' antwoordde Tibor. 'Ik heb alleen maar gezegd dat ik niet kan spelen.'

Kempelen knikte Stegmüller toe, waarop deze de randen van de wond opnieuw schoonmaakte, er een zalfje op aanbracht en er een nieuwe zwachtel omheen deed. Tibor keek goed toe terwijl de zogenaamde arts aan het werk was terwijl Kempelen hem weer observeerde. Ze spraken geen van beiden een woord meer en het zou stil in de kamer zijn geweest als Stegmüller niet in zichzelf had gepraat.

De Gulden Roos

Vanachter het raampje van zijn kamer zag Tibor de vogels vliegen. Naar hun kreten te oordelen waren het ganzen. Wanneer hij zijn handen als schelpen achter zijn oren hield en zijn ogen sloot, kon hij ze zelfs horen klapwieken. Ze vlogen in een zo perfect wigvormige formatie dat je er een liniaal langs zou kunnen leggen. Elke vogel leek op exact dezelfde afstand tot zijn voorganger te vliegen en wanneer de voorste vogel met zijn vleugels sloeg, leek die beweging zich als een golf in beide rijen te herhalen. Misschien had Descartes inderdaad gelijk en was God een zo virtuoze machinebouwer dat deze dieren niets anders waren dan machines, perpetua mobilia, aangedreven door springveren en voortbewogen door tandwielen – want geen mens, zelfs niet de beste soldaat op het exercitieveld, was tot een dergelijke perfectie in staat. Zijn verstand zou de mens altijd beletten zo volmaakt te zijn. Deze vogels waren wel even dom als een uurwerk maar ook even volmaakt. Tibor dacht aan de mechanische eend van de Franse machinebouwer waar hij wel eens afbeeldingen van had gezien. Ze kon lopen, haver oppikken en verteren, maar vliegen kon ze niet, want haar veren waren van zwaar ijzer en niet van licht hoorn gemaakt. Zou de eend van De Vaucanson het erg vinden dat hij in de herfst niet mee naar het zuiden kon vliegen met zijn soortgenoten van vlees en bloed? Toen Tibor opnieuw naar de lucht keek, waren de in formatie vliegende ganzen verdwenen en zag hij niets anders dan de grijze hemel.

Het weer was binnen een dag helemaal omgeslagen. De broeierige hitte had plaatsgemaakt voor kil, regenachtig weer. Het leek wel of het na augustus meteen oktober was geworden, alsof september zomaar was overgeslagen. Tibors stemming was al even snel omgeslagen. Zijn gelukgevoel vanwege de ontmoeting met Elise – de parallellen in hun levensverhaal, de vertrouwde manier waarop ze hem bejegende, maar vooral haar liefderijke zorg en haar kus daarna – had slechts een halve dag aangehouden. Tijdens de twee dagen na zijn geschil met Kempelen had zich een apathie van hem meester gemaakt die hij nooit eerder had gekend. Hele dagen lag hij werkeloos op zijn bed, zonder echter te slapen; en wanneer hij toch iets moest doen, bijvoorbeeld drinken, eten of zijn gevoeg doen, deed hij het werktuiglijk, zoals ook zijn wond werktuiglijk, zonder zijn toedoen, genas. Hij had geen zin om aan zijn uurwerk, dat open op tafel lag, te werken. Af en toe pakte hij een boek maar dat had geen enkele zin, want hij las de regels zonder dat tot hem doordrong wat hij eigenlijk las. Zelfs denken viel hem zwaar. Hij moest zich er gewoonweg toe dwingen.

Tijdens de weinige momenten dat hij echt wakker was, wist hij echter dat zijn verlamde gevoel niet van lange duur zou zijn. Vermoedelijk waren zijn lichaam en zijn geest energie aan het opdoen voor datgene wat zou komen. Wat dat was, wist Tibor niet. Hij zou zich er maar door laten verrassen, net als iedereen.

Kempelen verzocht Jakob en Tibor de schaakmachine volledig te repareren, zowel de schade die het gevolg was van Andrássy's overval als de schade die was ontstaan door Tibors noodgreep in de oranjerie. Kempelen zelf was de hele dag in de thesaurie en had aangekondigd dat hij daarna meteen door zou gaan naar een zitting van zijn vrijmetselaarsloge. Tibor was blij met zijn afwezigheid. De dwerg had intussen voldoende kennis van fijnmechanica om Jakob bij de reparatie met raad en daad te kunnen bijstaan. Na enkele uren bracht Jakob een nieuw stuk wortelhoutfineer aan op het paneel van het deurtje waar de kogel doorheen was gegaan, en daarmee was het werk klaar.

'Wat ben je stil,' merkte Jakob op, hoewel hij zelf de hele ochtend nog zwijgzamer was geweest. 'Wij zijn al een hele tijd niet meer de hort op geweest. Ik heb al in geen eeuwigheid meer een fatsoenlijke kater gehad. Laten we er vanavond maar weer eens eentje gaan vatten, wat vind je daarvan?'

'Dan is Kempelen thuis.'

'We krijgen je op de een of andere manier wel uit huis gesmokkeld zonder dat hij het in de gaten heeft. Kom, dan leggen we het allebei met een meisje aan, ik met een jodin, jij met een katholiek meisje; ik met een Sara en jij met een Maria.'

'Nee,' zei Tibor. 'Ik heb geen zin.'

'Maak dat de kat wijs. Het is je verboden, dat is het gewoon.'

'Jakob, ik heb er echt geen zin in.'

'Je bent bang voor Kempelen,' zei Jakob en gaf Tibor onnadenkend een por tegen zijn rechterschouder, op zijn zwachtel. 'Hij zet jou met dat verhaal over Ibolya onder druk, dat had ik kunnen voorzien. Oppervlakkig bezien is haar dood nadelig voor hem geweest – de vragen van de papen, die razende Hongaar – maar in werkelijkheid heeft hij er profijt van. Want doordat jij er schuld aan hebt, kan hij jou in zijn macht houden zolang het hem uitkomt.'

'Wat klets je nou weer een onzin,' wierp Tibor knorrig tegen en begon het gereedschap op te bergen.

Maar Jakob was niet te stuiten. De jood sprak met stemverheffing verder. 'Na de première van de Turk was hij van jou afhankelijk, nu is het precies andersom. Ibolya's dood kwam hem goed van pas. Jullie zijn net de Preßburgse zusters. Heb ik je al eens over de Preßburgse zusters verteld? Dat is echt een krankzinnig relaas.'

'Het interesseert me niet.'

'Ze zijn allebei al tientallen jaren dood. Het waren tweelingzusters, die vanaf hun geboorte met de ruggen aan elkaar vastgegroeid waren; het leek wel of er in de moederschoot een potje lijm was leeggelopen. Ze kwamen terecht in het Ursulinenklooster. Tot uit Passau kwamen geleerden de aan elkaar gegroeide kinderen onderzoeken, maar geen van de artsen durfde ze van elkaar los te snijden. Ze waren gedoemd tot in de eeuwigheid aan elkaar vast te zitten. Het tweetal groeide dus op en de ene was groter en sterker dan de andere. Vooral toen ze nog jong waren, hadden ze heel dikwijls ruzie. En wanneer ze het er niet over eens konden worden waar ze heen zouden gaan, zette de grootste gewoon een hoge rug op, zodat de voeten van de kleinste de grond niet meer raakten, vertrok en nam haar tierende zuster gewoon mee. Jullie zijn nu ook zo tot elkaar veroordeeld, Kempelen en jij.' Tibor ging zwijgend door met opruimen terwijl Jakob peinzend naar het plafond staarde. 'Wat is er eigenlijk van die twee geworden? Volgens mij... is de kleinste gestorven en nog geen dag later was ook de grootste dood. Of was het nou andersom? Jammer eigenlijk, want anders zouden we ze vanavond mee uit kunnen nemen; dan neem ik jou ook op mijn rug en dan krijg jij de kleinste en ik de grootste... Nou ja, hoe dan ook, begrijp je waar ik op uit ben?'

Tibor stond bij de werktafel met zijn rug naar Jakob en gaf geen antwoord. Jakob pakte een blokje hout dat na de reparatie was overgebleven en gooide het Tibor naar zijn hoofd.

'Hé, Alberich, zeg eens iets tegen me.'

Tibor keerde zich langzaam om en wreef over de achterkant van zijn hoofd, waar het blokje hem had geraakt.

'Ga je nu weg bij Kempelen om met mij mee naar de Roos te gaan?'

'Voor jou is altijd alles zo simpel,' zei Tibor. 'Voor jou is alles slechts één grote grap. Vrouwen en wijn en er leuk uitzien, dat is alles wat jou interesseert. Het is goed mogelijk dat ik binnenkort dood ben, maar dat schijnt jou koud te laten.'

'Helemaal niet! Want als jij binnenkort dood bent, is het des te belangrijker dat je nu nog van het leven geniet!' Tibor draaide zich weer om maar Jakob ging door. 'Verdorie, jij denkt zo veel aan morgen dat je het hier en nu helemaal uit het oog verliest. Je bent nu zelfs al bezig met zorgen voor je leven na de dood. Wat zal dat een ontgoocheling zijn als je sterft – en dat zal nog lang duren, dat zweer ik je – en erachter komt dat er helemaal geen leven na de dood is en dat al je moeite vergeefs is geweest en je al die tijd hebt verkwist.'

'Nog één spottend woord over mijn geloof en ik ga naar mijn kamer.'

'Moet dat een dreigement voorstellen? "Dan ga ik naar mijn kamer"? Mijn hemel! Daar maak je me echt bang mee. Ga alsjeblieft niet naar je kamer, ik smeek het je! Wat hebben jouw geloof en die luisterrijke moeder Gods van je ooit voor je gedaan behalve jou je leven lang treiteren en je uiteindelijk in deze ellendige penarie brengen?'

Tibor deed wat hij had aangekondigd en stond op om naar zijn kamer te gaan. Maar Jakob liep van de andere kant van de werkplaats naar de deur en ging ervoor staan, zodat Tibor er niet langs kon.

'Weet je aan wie je me doet denken?' vroeg Jakob.

'Dat interesseert me niet.'

'Raad eens.'

'Het interesseert me niet! Laat me erdoor.'

'Je doet me denken aan de Tibor die ik hier driekwart jaar geleden op deze zelfde plek heb leren kennen: een kleine, bange zuurpruim, die niet tegen een grapje kan en die zich met zijn katholieke handjes en voetjes tegen alles verzet wat het leven op de een of andere manier de moeite waard maakt.'

'En jij, jij doet me denken aan die oppervlakkige, zelfzuchtige jood, die zich niets aan de gevoelens van anderen gelegen laat liggen en die zijn

medemensen met zijn onbeduidende gezwets op de zenuwen werkt!
Laat me erdoor.'
Jakob deed een stap opzij en liet Tibor door.
'Voor de laatste keer,' zei Jakob, 'gaan we vanavond wat drinken?'
'Nee.'
'Dan vraag ik Elise mee.'
Tibor had de deur al bijna achter zich gesloten. Nu draaide hij zich met
een ruk om. 'Dat doe je niet.'
Verbaasd over Tibors felle reactie trok Jakob een van zijn wenkbrau-
wen op. 'Hola,' zei hij. 'Jaloers?'
'Zoek maar een ander liefje, er zijn er genoeg in de stad,' zei Tibor. 'Zij
verdient wel wat beters.'
'O ja, verdient ze wat beters? En dat zou... jíj dan zijn?'
'Jij in elk geval niet.'
'Heb je daar met haar over gesproken? Ontmoeten jullie elkaar soms
in het geniep?'
'Nee,' loog Tibor.
'Dan zou je dat misschien eens moeten doen. Ik weet dat Kempelen
het verboden heeft. Maar ik vind haar aanwezigheid zeer, zeer stimulerend.' Jakob trok een genietend gezicht. 'Echt een stuk stimuleren-
der dan wanneer je alleen maar vanuit je raampje met open mond toe-
kijkt hoe ze de was ophangt. Dan zou je overigens ook ontdekken dat
ze misschien niet helemaal beantwoordt aan het beeld dat jij van haar
schijnt te hebben. En verder ruikt ze verrukkelijk.'
Tibor bracht daar niets tegenin. Hij greep naar de deurklink.
'Ga je mee als zij ook meegaat?' vroeg Jakob voor de laatste keer. 'Alleen wij drieën. En dan kussen we haar op haar rechter- en haar lin-
kerwang, met de stad aan onze voeten, een vrolijk, dronken klavertje
drie: een kleintje, een schoonheid en een jood?'
Jakob kon zijn hand nog net van de deurpost wegtrekken voor Tibor
de deur met een klap achter zich dichttrok. Nog geruime tijd lag het
spotlachje op zijn gezicht. Toen Jakob zich erop betrapte dat hij stond
te grijnzen hoewel er verder niemand in het vertrek was en vooral
zonder dat die grijnslach ook maar enigszins met zijn stemming over-
eenkwam, ontspanden zijn gelaatstrekken zich. Hij stelde zich niet tevreden met het gezelschap van de Turk, nam zijn frak en verliet de
werkplaats en het huis.
Zijn benen droegen hem sneller dan nodig was naar de Michaelsstraat,

zodat zijn hoofd ondanks het koele weer verhit aanvoelde toen hij voor het kasteel stond waarin de Koninklijke Thesaurie was gevestigd. Hij keek naar het timpaan met het rijkswapen van Hongarije en daarboven de beide witte beelden van Vrouwe Justitia en de Wet. Toen ging hij naar binnen. Bij de portier maakte hij zich bekend als medewerker van thesaurieambtenaar Von Kempelen. Er werd een commies met een korte pruik naar Kempelens kabinet gestuurd. Even later keerde deze terug en verzocht Jakob hem te volgen. Via witmarmeren trappen, die met een rode loper waren bedekt, klommen ze naar de derde, de bovenste verdieping. Alle mannen die ze onderweg tegenkwamen, groetten hen beleefd en waren zo chic gekleed dat Jakob zich geneerde voor zijn simpele frak en zijn linnen pantalon. Via een gang kwamen ze bij Kempelens kabinet. De commies klopte aan en Kempelen verzocht hen binnen te komen.

'Jakob,' zei hij verheugd en kwam achter zijn schrijftafel vandaan. 'Wat een aangename verrassing!' Hij schudde zijn assistent de hand alsof hij hem wekenlang niet had gezien. 'Jan, wil je ons limonade brengen? Mijn assistent ziet er dorstig uit.'

De commies maakte een buiging, liep achterwaarts het kabinet uit en deed de deur achter zich dicht. Nu pas verdween de glimlach van Kempelens gezicht.

'Wat is er gebeurd? Tibor?'

Jakob schudde het hoofd. 'Ik wil u spreken.'

'Nu? Hier?'

'U kent me toch. Ik ben nu eenmaal impulsief. Ik wil er niet mee rond blijven lopen.'

Kempelen bood Jakob een stoel aan de andere kant van zijn schrijftafel aan. De werkkamer was luxueus ingericht, met meubilair in Franse stijl. Door de hoge vensters was de toren van het raadhuis te zien. Elk plekje van de muren waartegen geen kasten met ordners stonden, was behangen met landkaarten van het Banaat en van Hongarije.

'Wat is er dan?'

'Misschien heeft het toch wel met Tibor te maken,' erkende Jakob. 'Hij wil niet meer schaken. Hij is doodmoe en gekwetst. We moeten hem laten gaan voordat hij van ellende omkomt.'

'Je medeleven siert je, maar Tibor is uitstekend in staat voor zichzelf op te komen,' lijkt mij. 'En we zijn het er samen over eens geworden dat we doorgaan.'

De commies kwam binnen met een dienblad waarop een karaf limonade en twee glazen stonden.

'Eigenlijk zou ik je champagne moeten aanbieden,' vond Kempelen. 'Je bent namelijk haast op de dag af een jaar geleden bij mij in de werkplaats begonnen. Wat vliegt de tijd!'

Kempelen schonk zelf de limonade in en de commies liet hen beiden alleen. Kempelen gaf Jakob een van de glazen. 'Op het afgelopen jaar, en op het volgende!'

'Blijf ik dan nog een jaar bij u in dienst?' vroeg Jakob.

'Zeker! Waarom niet?'

'Omdat ik me begin te vervelen. Ik ben een heleboel – beeldhouwer, machinebouwer, klokkenmaker – maar geen kermisklant. De afgelopen maanden heb ik alleen de Turk van hot naar her geduwd, het pseudo-mechaniek opgewonden en met een gewichtig gezicht een kistje vervoerd dat slechts gereedschap bevat. Zojuist, toen ik de machine aan het repareren was, merkte ik hoezeer ik mijn werk mis.'

'Wil je meer loon?'

'Iedereen wil loonsverhoging. Maar vooral wil ik nieuwe taken krijgen. Laat me nog een androïde construeren. Laten we in plaats van de Turk een andere mensengestalte bouwen. Of laat me een androïde bouwen voor uw spraakmachine.'

'Nee. De spraakmachine heeft zo'n dwaze pop niet nodig. Die moet niet door de vorm schitteren maar door haar capaciteiten.'

'Indien u geen werk voor me hebt... dan zal ik ernaar op zoek moeten gaan. Al was het alleen maar om aan die grafstemming te ontsnappen die er momenteel in het huis heerst.'

'Waar wil je dan heen?'

Jakob haalde zijn schouders op. 'Naar Ofen... naar Praag terug... naar Krakau of München...'

'Je vergeet Wenen.'

'Goed dan: of naar Wenen.'

Een grijze duif streek op de richel voor een van de vensters neer, begon te koeren, draaide zijn kopje om en keek door het raam naar binnen. Het gekoer verstomde. Met schokkerige bewegingen van zijn kop sloeg hij de beide mannen gade. Opeens vloog hij weer op, alsof hij ergens door was opgeschrikt.

'De klokkenmakers in Wenen,' verklaarde Kempelen, 'en in het bijzonder Friedrich Knaus voor het geval je op hem doelt, zullen jou niet in dienst nemen omdat je zo'n begenadigd ambachtsman bent maar omdat je bij mij in dienst bent geweest. Ze zullen je willen ontfutselen hoe de Turk functioneert.'

'Ik zal mijn mond houden. Ik ben loyaal.'

'Ze zullen je veel geld bieden.'

'Ik ben niet omkoopbaar.'

'Maak mij en jezelf niets wijs. Ieder mens is te koop. Het hangt uitsluitend van het bedrag af.'

'Ik beloof u dat ik u loyaal zal zijn. Tibor is mijn vriend. Hem verraad ik niet. Wat ik weet neem ik mee in mijn graf. Maar meer dan mijn erewoord kan ik u niet geven.'

Kempelen zuchtte. Hij legde zijn arm op de schrijftafel, de open handpalm naar boven gericht. 'Jakob, ik heb je nodig.'

'Maar niet als verhuizer. Daar heb ik echt geen plezier meer in.'

'Dat... plezier waarover je nu spreekt, is verdwenen precies op de dag waarop je je plichten hebt verzaakt en barones Jesenák na de demonstratie ongehinderd tot de machine kon doordringen.'

Jakob staarde naar het plafond. 'U bent dus van plan me dat eeuwig te blijven nadragen.'

'Omdat ik de gevolgen daarvan eeuwig zal blijven ondervinden. Jij bent medeplichtig aan haar dood. En dus ga je ons ook helpen met het opruimen van de brokken die jij veroorzaakt hebt.'

'Graag. Dolgraag! Maar niet door met die nepmachine het hele land door te reizen!' riep Jakob terwijl hij overeind ging zitten.

Kempelen bracht zijn wijsvinger eerst naar zijn lippen en wees er vervolgens mee naar de deur, om Jakob duidelijk te maken dat hij zachter moest spreken.

'Laten we ermee ophouden en van de roem genieten,' ging Jakob op zachtere toon door. 'Het is immers slechts een kwestie van tijd voordat Tibor wordt ontdekt. Iemand hoeft zich maar te verstoppen en ons bij het afbreken gade te slaan. Of iemand koopt uw personeel om. Of die krankzinnige Hongaar lost nog een schot en jaagt Tibor een kogel door zijn hoofd. Of iemand roept *Brand!* en iedereen, met inbegrip van Tibor, vlucht de zaal uit... Er kan zo veel gebeuren, er zijn zoveel dingen die mis kunnen gaan. Lang kan dit boerenbedrog niet meer duren.'

'Wat dat betreft ben ik een andere mening toegedaan.'

Jakob keek naar de toren van het raadhuis. De klok sloeg vijf en hij wachtte tot na de laatste toon. 'In dat geval ga ik weg uit Preßburg, hoezeer ik dat ook betreur,' zei hij.

'Wil je me daarmee soms afpersen?'

Jakob schudde zijn hoofd. Toen stond hij op. 'De machine is helemaal gerepareerd. Voor het optreden in het Italiaanse theater hebt u nog ruim voldoende tijd om een opvolger voor mij te vinden, als u al zo iemand nodig hebt. En wanneer u daar prijs op stelt, ben ik ook graag bereid die man in te werken. Het loon dat ik nog tegoed heb, wil ik graag voor het einde van deze week uitbetaald krijgen. Ik vond het bijzonder prettig het afgelopen jaar bij u in dienst te zijn, mijnheer Von Kempelen. En hartelijk dank voor de limonade.'

Ook Kempelen stond nu met gefronste wenkbrauwen op. 'Laat je Tibor dan zomaar in de steek? Nu hij gewond is en niemand anders heeft dan jou? Tibor, die altijd kon rekenen op jouw vriendschap en zorg? Kun je dat met je geweten in overeenstemming brengen?'

'Slechts met moeite. Maar indien dat uw ultieme poging is om me bij u te houden, dan is dat voor mij des te meer een bevestiging dat mijn beslissing om ontslag te nemen, juist is,' bracht Jakob daar tegenin en verliet na een lichte buiging het kabinet.

Met snelle passen liep Jakob van de Koninklijke Thesaurie naar de Michaelstoren, niet de kant op waar hij heen wilde. Maar hij wilde zo snel mogelijk uit het zicht van het gebouw van de thesaurie zien te komen, voor het geval Kempelen hem vanuit het raam zou nakijken. Hij sloeg de Sneeuwwitstraat in en pas daar, te midden van de burgers die van hun werk naar huis liepen of zich voor de herbergen verdrongen, vertraagde hij zijn pas. Jakob bleef voor de etalage van Habermayers tabakswinkel staan kijken, niet omdat de uitgestalde pijpen hem zo interesseerden, maar omdat hij moest nadenken over wat hij zojuist had gedaan en wat hij nu verder zou gaan doen. Hij had geen zin om nu alleen te zijn, maar het was nog te vroeg om naar de taveerne te gaan. Dus keerde hij terug naar de Donaustraat, in de hoop daar Elise nog aan te treffen. Iemand moest hem er toch voor belonen dat hij zo heldhaftig ontslag had genomen, en als hij inderdaad nog maar enkele dagen in Preßburg zou blijven, was nu de tijd gekomen om opnieuw met Elise het bed te delen. De eerste keer was een geweldige ervaring geweest. Ze was veel terughoudender geweest dan Constanze, maar misschien was het daarom juist zo'n geweldige ervaring voor hem geweest. Dat en het vermoeden dat hij wel eens haar eerste minnaar geweest kon zijn.

Elise was niet meer in huize Kempelen. Het huis stond grijs en verlaten in de opkomende avondschemering. Met de getraliede en dichtgemetselde ramen en de gesloten luiken leek het wel een verlaten bastion. Tibor en de Turk waren nu als enigen thuis en de een was al even zwijgzaam als de ander. Jakob wilde zich nu echter niet neerleggen bij het feit dat Elise er niet was – uiteindelijk had hij zich sinds zijn vertrek bij de thesaurie voortdurend voor ogen gehaald hoe het zou zijn om haar uit te kleden en de liefde met haar te bedrijven – dus richtte hij zijn schreden naar de Hospitaalstraat, waar ze woonde.

De acht kamers in het huis aan de Hospitaalstraat werden uitsluitend verhuurd aan dienstboden van de lage adel en de burgerij. Jakob was er al een keer geweest en hij had ervan genoten, want de meeste dienstboden die hier woonden, waren nog jonger dan Elise en Jakob had hen hartelijk gegroet en gehoord hoe ze achter zijn rug giechelden. De weduwe Gschweng zwaaide de scepter in het huis. Het was een echte helleveeg, die erop stond dat er in huis orde en zedigheid heersten en die de naam had dat ze strenge straffen uitdeelde in geval van herenbezoek. Maar Jakob zag het als een uitdaging om langs haar naar binnen te glippen en zowel toen als nu slaagde hij daar gemakkelijk in. Hij klopte op Elise's deur op de eerste verdieping en ze deed open. Ze reageerde nog verraster dan Kempelen – gewoonweg ontdaan. Jakob glimlachte.

'Wat kom je hier doen?' siste ze. 'Verdwijn voordat dat oude wijf je hier vindt!'

'Mag ik binnenkomen?'

'Geen sprake van!'

'Dan ga ik hier met mijn achterste op de trap zitten,' zei Jakob en voegde de daad bij het woord, 'en dan blijf ik gewoon wachten totdat jij me binnenlaat, in de hoop dat je van gedachten verandert voordat die helleveeg van een weduwe de trap opkomt.' Hij begon zo luid te zingen dat het door het kleine trappenhuis galmde.

Het beste bier van heel de stad schenkt Margret bij de stadspoort,
De mond geniet van 't kost'lijk nat terwijl Margret je aanspoort.
Staat voor de deur een lindeboom, schenkt zij mij lief een koele
droom...

Elise zuchtte en deed de deur helemaal open. Jakob sprong op, ging de kamer in en terwijl Elise nog bezig was de deur dicht te doen en de sleutel om te draaien, trok hij zijn frak uit.

'Wat moet dat?' vroeg ze. 'Wat kom je doen?'

'Ik kom voor jou,' zei hij, 'enkel en alleen voor jou, Elise.'

'Heb je je verstand verloren?'

'Ja. Zodra ik jou maar zie.'

Jakob bracht zijn hand naar haar nek en streelde de donshaartjes daar. Elise kronkelde uit zijn hand weg. 'Toe nou, niet doen,' zei ze iets vriendelijker.

'Waarom niet? Is dat niet fijn?'

'Ik moet aan het werk.'

'Nietwaar. En ik ook niet. Laten we vanavond iets gezelligs doen.'

'Je maakt me bang.'

Jakob kwam een stap dichterbij en kuste haar. Door haar kleren heen voelde ze dat zijn lid stijf geworden was. Omdat ze zijn kus niet beantwoordde, liet Jakob haar uit zichzelf los.

'Kus me,' zei hij.

'Nee. Nu moet je echt gaan, Jakob.'

Hij liet zich op haar bed vallen. 'Je hebt gezegd dat je me zou kussen als ik je het geheim van de schaakmachine zou verklappen. Ik zal het je verklappen. Maar dan moet je me wel kussen. Dat hebben we afgesproken.'

'Je hebt me tot twee keer toe iets op de mouw gespeld en nu interesseert het me niet meer.'

'Deze keer zeg ik de waarheid. Kijk me aan.'

Ze keek hem niet aan. 'Het laat me koud, Jakob.'

'Kijk me aan!' Ze bleef met afgewend gezicht staan. 'In de schaakmachine... zit een dwerg! Een piepkleine maar heel slimme dwerg bestuurt de machine van binnenuit. En dat is de waarheid, zo waarlijk helpe mij God almachtig. Mijn God en die van jou. Als je wilt, laat ik je die dwerg zien.'

Elise bleef zwijgen.

'Geef me een kus,' zei Jakob. Hij glimlachte nog steeds maar de lach in zijn stem was verdwenen.

'Beloof je dat je dan weggaat?'

'Ja.'

Ze kwam naar het bed. Hij richtte zijn hoofd naar haar op. Ze kuste hem en deed dat deze keer meteen zoals Jakob het graag wilde. Daarna hield hij haar stevig in zijn armen.

'Wil je Kempelen soms hebben?' vroeg hij.

Elise kneep haar ogen tot spleetjes alsof ze de vraag niet goed had verstaan. 'Je had beloofd dat je zou gaan.'

'Nog één vraag: wil je Kempelen?'

'Nee.'

'Ik ben niet gek, Elise. Ik doorzie de mensen. Hem. Jou. Je hebt je de laatste tijd ten doel gesteld hem in liefde voor jou te laten ontbranden. En dan sta ik natuurlijk in de weg.'

'Laat mijn arm los.'

'Het is niets nieuws. Hoeveel weledelgeboren heren hebben niet een verhouding met een knappe dienstbode omdat hun echtgenote een onaantrekkelijke feeks is geworden.'

'Je kletst.'

'Waarom heeft hij Anna Maria dan naar Gomba verbannen en haar al maandenlang niet opgezocht? En waarom tref ik jou op de dag van haar vertrek schijnheilig huilend in de keuken aan?'

Jakob trok haar ruw aan haar arm naar zich toe op het bed en legde een hand op haar buik voordat ze hem dat kon verhinderen; op de buik die licht opbolde onder haar ruimvallende jurk. Ze voelde de druk van zijn vingers op de buikwand en voelde hoe de ledematen van haar ongeboren kindje onder die druk opzij weken. 'En van wie verwacht je dan een kind als het niet van hem is?'

Elise verbleekte. Nu stribbelde ze niet meer tegen.

'Wat verwacht je daar nu van?' vroeg Jakob. 'Denk je nu in ernst dat hij bij zijn vrouw weg zal gaan en dat jij dan de nieuwe mevrouw Von Kempelen zult worden? Of wil je de rest van je leven als zijn maîtresse slijten, als bijzit in vaste dienst, als moeder van zijn bastaard, in de hoop dat hij je nog een paar jaar begeerlijk zal vinden en de huur voor je betaalt? Overigens – niet dat ik je daarmee angst wil aanjagen of dat het er iets mee te maken heeft – is zijn vorige minnares nu voer voor de wormen op het St.-Johanniskerkhof.' Jakob stond op. Ze had nog steeds geen woord gezegd en zei ook nu niets. 'Maar daar heb je vermoedelijk in de verste verte niet aan gedacht. Je hebt alleen maar gedacht: beter een thesaurier van adel dan een besneden houtsnijder zonder stamboom. Je bent heel mooi, Elise, maar ook wel heel dom.'

'Eruit,' zei Elise.

Jakob nam zijn frak van de haak. 'Verdorie, ik zou niet eens blijven als je me dat zou vragen.'

Buitengekomen sloeg Jakob zijn kraag hoog op tegen de regen, totdat hij merkte dat het nog steeds niet regende, hoewel het er al de hele dag naar uitzag. Binnen een paar uur had hij schoon schip gemaakt met Tibor, Kempelen en Elise en hij voelde zich opgelucht en afschuwelijk tegelijk. Hij hoefde alleen de Hospitaalstraat maar uit te lopen en zou dan rechtstreeks op de Vismarkt uitkomen – want het was de hoogste tijd om zich in De Gulden Roos te gaan bedrinken totdat Constanze hem eruit zou zetten. En hij was van plan om haar, als zij dat wilde en hij tegen die tijd niet te dronken was, daarna mee naar zijn huis te nemen en met haar datgene te doen wat hij veel liever met Elise zou hebben gedaan. Hij begon weer te zingen.

Laatst vond ik op een nacht geen rust, verdrietig lag 'k te woelen,
'k liep naar de linde schuldbewust, o smart 'k wil u niet voelen!
De maan scheen vol geheimenis, Margret sta op, zij komt gewis,
Margret van bij de stadspoort!

De dag daarop, een donderdag, kwam Jakob niet zoals afgesproken opdagen om te kijken of de schaakmachine weer naar behoren functioneerde. Kempelen gaf Tibor vrij en zei dat ze de test later zouden doen. Jakob had de avond tevoren vermoedelijk te veel bekers St.-Georger had gedronken. Kempelen zelf zag er ook oververmoeid uit. Hij was pas 's avonds laat van een vergadering van de vrijmetselaarsloge thuisgekomen.

Ook vrijdags kwam Jakob niet opdagen in de werkplaats. 's Middags klopte Tibor op de deur van Kempelens werkkamer om er met hem over te spreken. Kempelen had zijn rijlaarzen aan. Hij was nog bleker dan de dag daarvoor. Op de tafel lag een pistool in een foedraal met kruit en loden kogels ernaast. Tibor verzocht Kempelen een bode naar Jakobs woning in de Jodensteeg te sturen of er zelf naartoe te gaan voor het geval Jakob ziek was of anderszins op hulp aangewezen. Kempelen zuchtte en verzocht Tibor te gaan zitten.

'Ik vrees dat hij daar niet meer is.'

'Hoe bedoelt u?'

'Weet je dat hij met de gedachte heeft gespeeld om uit de stad te vertrekken?'

'Maar niet halsoverkop.'

'Weet je dat ooit bij iemand als Jakob? Ik ben zelf ook verbaasd want eigenlijk wilde hij zijn loon nog opstrijken. Anderzijds hoor je dikwijls dat joden met weinig bagage op reis gaan.'

'Ik geloof niet dat hij weg is.'

'Tibor, ik vind het ook erg. Maar ik denk dat we er allebei maar aan moeten wennen. Hij verlangde vurig naar ander werk. Als hij volgende week nog niet terug is, ga ik op zoek naar een vervanger.'

Tibor gaf geen antwoord. Neerslachtig keek hij naar een landkaart van de omgeving van Preßburg en wilde maar dat een speld op het papier hem duidelijk zou maken waar Jakob zich momenteel bevond.

'Ik ga uit rijden,' zei Kempelen.

'Waarheen?'

'Nergens heen. Ik heb gewoon behoefte aan wat frisse lucht en wat bomen en akkers om me heen.' En alsof hij zich nader wilde verklaren voegde hij eraan toe: 'Het wordt herfst.'

Kempelen stond op en gespte de pistooltas om. Toen hij Tibors ogen vragend op het wapen gericht zag, glimlachte hij. 'Mocht ik baron Andrássy tegenkomen, dan ben ik van plan wraak te nemen voor zijn aanval.'

Vanuit zijn kamer keek Tibor toe hoe Kempelen zijn zwarte paard zadelde. Toen liep hij naar de vensters van de werkplaats en keek hoe Kempelen in volle galop in de richting van de stadsmuren reed. Tibor wachtte een kwartier, toen pakte hij zijn sleutels en ging de trap af naar de begane grond. Hij trof Elise in de bijkeuken aan, waar ze bezig was met de was. Zijn hart kromp pijnlijk ineen toen hij haar zag en de vingers waarmee hij de sleutelbos vasthield, werden vochtig.

'Tibor.' Ze glimlachte opgelucht en liet het wasgoed uit haar handen in de wasmand vallen. Heel even bleef ze zwijgend staan, vervolgens knielde ze neer en omhelsde hem. Hij deed zijn ogen dicht, snoof haar geur diep in zijn neus en hoopte maar dat ze niet zou horen dat hij zo snoof. Hij wilde haar omhelzing beantwoorden, maar liet zijn armen als verlamd langs zijn lichaam hangen.

'Het spijt me,' zei ze toen ze hem weer had losgelaten, 'maar ik moest je gewoon even omhelzen.'

Tibor knikte. Ze stond weer op, zodat hij omhoog moest kijken om haar in het gezicht te kunnen zien.

'Ik maak me zorgen om Jakob,' zei Tibor. 'Weet jij soms waar hij is?'

Ze schudde haar hoofd. 'Woensdag heb ik hem voor het laatst gezien,

toen hij de werkplaats uitging. Misschien is hij uit Preßburg wegge-
gaan.'
'Ik ga hem zoeken.'
'Goed,' zei ze. 'Hoe gaat het met je wond?'
'Die geneest wel. Je bent echt met zorg te werk gegaan. Ik heb tegen de
dokter gezegd dat ik de wond zelf had gehecht en hij vond dat het erg
goed gedaan was.'
'Tibor... dat was geen arts.'
'Wat?'
'Dat was de apotheker van De Rode Kreeft, Gottfried von Rotenstein.
En diezelfde man... heeft zich destijds, na de dood van de barones, ook
voor monnik uitgegeven. Zijn pij was het enige echte aan hem.'
'Hoe weet je dat?'
'Ik heb hem gezien. Kempelen heeft je wat voorgelogen.'
'Ja,' zei Tibor zacht. 'Wie weet hoe vaak hij dat al heeft gedaan. Mis-
schien zelfs nog vaker dan ik hem.'
Ze zwegen beiden, totdat Tibor in beweging kwam. 'Ik moet weg.'
'Wees voorzichtig.'
Uit zijn kast nam Tibor de steltschoenen en de frak, om wat groter te
en niet op te vallen in de stegen.

Tibor klopte aan maar er volgde geen reactie. Met behulp van de sleutel,
die als altijd onder de dakpan lag, verschafte hij zich toegang tot Jakobs
woning. Hij had gehoopt hem daar slapend aan te treffen ofwel in een kamer te komen waarin alleen nog het meubilair stond en verder niets
meer. Al zijn hoop bleek echter ijdel te zijn: het bed was leeg en onopge-
maakt, en op de tafel, de stoelen en de vloer heerste nog steeds de vertrouwde wanorde van schetsen, half afgemaakte sculpturen, gereedschap en aangebroken levensmiddelen – brood, vleeswaren, appels en
een fles wijn. Jakob was er niet maar hij was evenmin definitief vertrokken. Tibor verliet de woning en legde de sleutel weer terug. Toen hij de
smalle trap af liep, drukten zijn steltschoenen weer pijnlijk op zijn voeten.
Ook bij de oude joodse uitdrager kwam Tibor geen stap verder. Hij
had Jakob dagen geleden voor het laatst gezien maar beloofde naar
hem uit te kijken. Tibor bedankte vriendelijk voor Krakauers aanbod
om in de warme uitdragerij een borrel met hem te drinken of een partij schaak te komen spelen.

Hij herinnerde zich dat Jakob van plan was geweest naar De Gulden Roos te gaan, dus liep hij naar de Vismarkt. De herberg was nog dicht, maar de kale waard liet hem binnen. De beide schenkmeiden waren de tafels aan het schoonmaken. De roodharige Constanze herkende Tibor. Ze vroeg de waard of ze haar werkzaamheden even mocht onderbreken en ging met Tibor aan het hoektafeltje zitten waar hij destijds ook met Jakob had gezeten.

Jakob was inderdaad in De Gulden Roos geweest. Hij had urenlang zitten drinken en was ver na middernacht uit de herberg vertrokken. 'Alleen, behoorlijk dronken en met een tulband op zijn hoofd.'

'Met een tulband op?' vroeg Tibor.

Constanze glimlachte. 'Het is een echte potsenmaker. O, u had er bij moeten zijn!'

Jakob was slechtgehumeurd geweest toen hij De Gulden Roos binnenkwam en had de eerste twee glazen St.-Georger helemaal alleen leeggedronken, hoewel de herberg vol vissers, soldaten en handwerkslieden zat; enkele van de gasten kende hij zelfs. Een hoedenmakersgezel had Jakob in het oog gekregen en hem uitgenodigd bij hem aan tafel te komen zitten, waar nog een heleboel andere gezellen en leerlingen uit de zuidelijke buurten van de stad zaten. Ze wilden dat Jakob hun over de 'wonderbaarlijke Turk' vertelde en daarin had Jakob toegestemd op voorwaarde dat ze die avond de rest van zijn vertering zouden betalen. Toen had hij verteld – over de faam van de Turk, over diens partij tegen burgemeester Windisch en tegen de keizerin – en met elke zin en elke slok wijn was zijn stemming erop vooruitgegaan. Een stotterende bakkersleerling, wiens patroon een van de demonstraties in huize Kempelen had bijgewoond, had verteld dat vooral de glazen ogen van de Turk niet van echt te onderscheiden waren maar daar was Jakob tegenin gegaan. De ogen waren helemaal niet van glas, had hij gezegd, het waren inderdaad echte ogen, want met glazen ogen kon zelfs de meest geavanceerde machine niets zien. Verleden jaar, toen de woedende bevolking van een gehucht in de buurt van Sankt Peter in de Kleine Karpaten twee leden van een bende rovers en bloedschenders op een kruispunt aan een eik hadden opgeknoopt, hadden Kempelen en hij, aldus Jakob, de ogen van de gehangenen uit de oogkassen gehaald voordat hongerige kraaien ze zouden uitpikken. Die ogen hadden ze vervolgens in een suikeroplossing geglazuurd om te voorkomen dat ze vorm en kleur zouden verliezen. Daarna hadden ze ze in het hoofd van de Turk gedrukt. De ene helft van de toehoorders was bang geworden en gruwde bij het horen van dit verhaal, de andere helft had het geamuseerd aangehoord en Jakob was doorgegaan en had beschreven hoe hij en Kempelen 's nachts gewapend met lantaarns en schoppen over de begraafplaats hadden rondgezworven om een passende linkerhand voor de Turk te zoeken. Ze hadden echter niets geschikts kunnen vinden – met uitzondering van enkele botten, waar ze de schaakstukken van hadden gesneden. De rode stukken hadden ze met hun eigen bloed gekleurd. Uiteindelijk had Kempelen de ontbrekende hand gekocht van een scherprechter, die deze de dag tevoren had afgehakt bij een recidiverende dief. De ogen en de hand hadden ze met behulp van het dierlijk magnetisme leven ingeblazen. Maar alle overige onderdelen van de Turk, zo had Jakob zijn gehoor tot slot verzekerd, waren gewoon uit hout gesneden.

Toen de mysterieuze dood van barones Jesenák ter sprake kwam, had Jakob aangeboden het voorval na te spelen. Algauw had hij een mantel gevonden die als kaftan dienst kon doen. Als tulband hadden ze een theedoek om Jakobs hoofd gewikkeld en met een stuk houtskool uit de haard hadden ze een snor op zijn bovenlip getekend. Zijn bril had Jakob afgezet. De gezellen hadden alle kroezen en bekers van de tafel voor Jakob gehaald en er in plaats daarvan een schaakbord op gezet, hem een kussen en een pijp in de handen gedrukt en zo had Jakob de Turk nagedaan. Intussen stond hij in de Roos in het middelpunt van de belangstelling. Ook Constanze, haar collega en de waard zelf hadden hun werk onderbroken en lieten zich nu door hem amuseren. Jakob had enkele zetten gedaan en daarbij een karikatuur van de gebaren van de androïde ten beste gegeven: de stijve houding, de houterige, machinale bewegingen, de rollende ogen. Met een zwaar oosters accent en verwrongen grammaticale constructies had hij de gasten van de herberg uitgescholden, gedreigd hun kinderen op te vreten en hun vrouwen te ontvoeren en ze in zijn harem zo gelukkig te maken dat hun kreten van verrukking tot in Oostenrijk te horen zouden zijn. Een daverend gelach was door de hele herberg gegaan.

Toen had de namaakturk dadelbrandewijn en vijgen besteld om zijn machinale maag te vullen en de waard had hem op kosten van het huis tokayer gebracht. Jakob had een slok genomen en deze onmiddellijk weer uitgespuugd, in het gezicht van een van de leerlingen, en gezegd dat het geen wonder was dat de *giaurs* geen verstand hadden van vechten, als ze net als vrouwen van dat zoetige reukwater dronken. Door de omstanders was daar protest tegen aangetekend. Een huzaar riep dat ze de Turken onlangs uit Hongarije hadden verdreven en hen binnenkort met een schop tegen hun achterste helemaal van het continent zouden verdrijven. Het publiek had geapplaudisseerd maar Jakob had een schaakstuk gepakt en het de soldaat naar zijn hoofd gegooid – en vervolgens had hij onder luid gejuich een waar bombardement op alle gasten afgevuurd, totdat zijn tweeëndertig projectielen allemaal verschoten waren. Daarna eiste hij een offer. De andere schenkmeid was tijdig weggekropen en had achter de rug van de waard dekking gezocht, zodat de stijve vinger van de Turk nu naar Constanze wees. Ook zij was van plan geweest om weg te rennen maar verscheidene gezellen pakten haar beet en tilden haar in weerwil van al haar geschreeuw en gespartel op het offeraltaar van de Turk. Jakob was haar gaan betasten, voelde aan haar hoofd, stak zijn hand naar haar borsten en dijen uit en betastte ze ononderbroken met houterige bewegingen en met een zo starre mimiek dat de toeschouwers de tranen in hun ogen hadden van het lachen. Constanze had beurtelings gegiecheld en gekrijst. Toen had Jakob haar gekust en een ogenblik lang had Constanze zich kunnen ontspannen. Het werd iets rustiger en enkele gasten hadden ontroerd 'oh' gezegd, een van hen zei zelfs: 'Hij is verliefd.'

'Barones heeft gesmaakt goed,' had de Turk-Jakob verklaard, 'maar nu, ik moet vernietigen.' Hij had zijn handen om de nek van Constanze gelegd en gedaan alsof hij haar wurgde. Constanze had het spel meegespeeld, luid gereuteld en niet meer gegiecheld. En toen Jakob 'Dame schaak!' had gebruld, had ze haar ogen verdraaid en zich met haar tong in haar mondhoek slap op de tafel laten vallen. Jakob had haar oogleden dichtgedrukt en gezegd: 'Barones mat.' Na deze voorstelling was er een oorverdovend applaus losgebarsten en Jakob en Constanze waren de helden van de avond. De rest van de avond werd Jakob vrijgehouden en kreeg hij veel meer drank voorgezet dan hij op kon – en beslist meer dan hij kon verdragen.

'De tulband hield hij op en de snor van houtskool had hij ook nog toen hij wegging,' vertelde Constanze. 'Hij vertrok hier 's avonds laat als een laveloze Turk.'

Tibor bedankte de schenkmeid voor haar relaas, hoewel hij er niets mee was opgeschoten. Constanze beloofde dat ze Jakob – als die een dezer dagen terug mocht komen – zou laten weten dat 'mijnheer Neumann' naar hem had gevraagd.

Voor de pestzuil bleef Tibor even staan nadenken. Zelfs wanneer Jakob stomdronken in een portiek of ergens in de struiken in elkaar was gezakt, zou hij zijn roes nu toch allang uitgeslapen moeten hebben. Kempelen zou voor het donker wel van zijn ritje terug zijn en Tibor moest zorgen dat hij voordien in de Donaustraat terug was. Dat Krakauer en Constanze beloofd hadden Jakob te waarschuwen vond hij echter niet voldoende – en dus besloot Tibor nogmaals naar de Jodensteeg te gaan om in Jakobs woning een briefje voor hem achter te laten.

Tibors hoop dat Jakob intussen thuisgekomen zou zijn, bleek ijdel. Toen hij een onbeschreven stuk papier zocht waarop hij zijn boodschap kon schrijven, vond Tibor op de vloer een houtskooltekening van een vrouw en hij zag onmiddellijk dat het Elise was. Hij ging heel even op een stoel zitten om het portret te bekijken. Jakob was geen grandioze kunstenaar, het model zelf was grandioos. Hij zou Jakob vragen of hij de tekening mocht hebben. Toen viel zijn blik op een nog niet voltooide buste van licht taxushout vlak bij het venster. Opnieuw herkende Tibor Elise daarin en Jakob had haar zo natuurgetrouw uitgebeeld dat hij zelfs kleine onvolkomenheden, zoals haar rechtermondhoek die iets hoger stond dan de linker en het litteken op haar voorhoofd, niet had weggelaten. Zou Elise model hebben gestaan? Misschien zelfs hier? Naakt misschien?

Het gezicht leek al klaar te zijn maar de haren waren nog maar rudimentair gesneden. Achter in de houten kop stak een guts. Tibor trok deze eruit. Er bleef een lelijk, halvemaanvormig gat achter. Tibor hoopte dat die wond zou verdwijnen wanneer Jakob haar haren zou snijden.

De buste op zijn sokkel bevond zich op dezelfde hoogte als Tibors gezicht. Met zijn vingers streek Tibor over het hout, tekende de lijnen van haar gezicht na, de mond, de neus, de ogen en de wenkbrauwen daarboven. Vervolgens hield hij zijn vingertoppen op haar lippen. Hij kon voelen hoe het hout geleidelijk zijn lichaamswarmte overnam. Hij nam het gezicht in beide handen, sloot zijn ogen en drukte zijn lippen op de houten mond, stevig genoeg om de warmte van het hout waar te nemen maar niet zo stevig dat hij voelde hoe hard het hout was.

De deur naar het trappenhuis werd geopend. Van pure schrik stootte Tibor de buste om. Hij hoorde stappen in de hal, toen ging de voordeur van Jakobs woning open. Tibor vroeg zich af of Jakob nog steeds zijn tulband op zou hebben en betrapte zich erop dat dit een onzinnige gedachte was – en inderdaad had Jakob geen tulband meer op toen hij de kamer binnenkwam. Maar het was Jakob ook niet. Het was Kempelen.

De beide mannen keken elkaar aan. Kempelen knipperde met zijn ogen want niet alleen was hij verrast Tibor hier aan te treffen, maar ook het feit dat deze met zijn steltschoenen ten minste een kop groter was, verbaasde hem. In zijn hand had Kempelen verscheidene lopers, die hij echter niet nodig had gehad omdat Tibor de deur had opengelaten. Kempelens haar was verwaaid en de rit had kleur op zijn gezicht gebracht.

Tibor zette de buste weer overeind, maar zo dat Elise's gezicht van Kempelen was afgewend.

'Aha,' zei Kempelen.

'Ik was ongerust over Jakob,' legde Tibor uit. 'Ik ben naar hem op zoek gegaan.'

'Ja.' Kempelen kwam de kamer binnen en deed de deur achter zich dicht.

Tibor schudde zijn hoofd.

'Je bent gegroeid,' zei Kempelen en wees daarbij op Tibors verlengde benen.

'Ik wil op straat niet opvallen.'

'Ja. Inventief.'

'Ik wil alleen maar een briefje voor Jakob achterlaten, dan ga ik weer.'

'Nee. Je vertrekt nu meteen,' zei Kempelen. 'Ik zal dat briefje wel schrijven. Tenzij... je hem iets anders wilt meedelen dan ik.'

Tibor keek Kempelen strak aan en schudde toen heel langzaam zijn hoofd.

'Goed. Loop snel, ga niet de stad door en ga via de achterdeur het huis in. Je brengt jezelf in gevaar maar als je behendig te werk gaat, heeft niemand het in de gaten'

Kempelen keek hoe Tibor geoefend op zijn steltschoenen liep. 'Indrukwekkend. Is dit je eerste uitstapje?'

'Ja,' zei Tibor.

'We zullen er thuis wel verder over praten.'

Tibor vertrok. Kempelen wachtte een minuut. Toen schoof hij de leuning van de stoel onder de deurklink om deze af te grendelen. Hij trok zijn frak uit, legde hem samen met de lopers op de stoel en begon de kamer minutieus te doorzoeken. Hij bekeek elke brief, elke schets, elke krant, al het gereedschap, zelfs alle kledingstukken en de met kaarsenwas bedekte menora. Alles wat hij had onderzocht, legde hij op het bed, zodat de kamer er van minuut tot minuut opgeruimder ging uitzien. De kleren liet hij in de kast hangen maar hij doorzocht alle laden, draaide de lege laden om en bekeek ook de onderkant.

In de binnenzak van de lichtgele justaucorps, die Jakob voor het laatst op Schönbrunn had gedragen, vond Kempelen een opgevouwen briefje. Hij maakte het open en las de drie regels hardop voor. 'Jakob Wachsberger, écrit à Vienne, le 14e août 1770.'

Kempelen fronste zijn wenkbrauwen. Le 14e août 1770. Dat was de dag waarop ze tegen de keizerin hadden geschaakt. Kempelen las de woorden opnieuw. Alle letters stonden op exact dezelfde afstand van elkaar en de letters leken erg op elkaar. Elk van de zes letters e was tot in detail identiek aan de andere vijf.

'Dit is niet het handschrift van Jakob,' zei hij in zichzelf. 'Zo precies... zo machinaal...' Hij keek in de verte en stelde toen uitdrukkingsloos vast: 'De schrijvende machine.'

Hij vouwde het briefje weer op en stopte het in de zak van zijn frak. Terwijl hij dat deed, viel zijn blik op de buste. Hij draaide hem om en keek in de dode ogen van wit taxushout.

Nog geen kwartier later bond hij zijn paard vast in de Hospitaalstraat voor het dienstbodelogement van de weduwe Gschweng, waar ook Elise een kamer had. De weduwe hield hem in het trappenhuis tegen en wees er met klem op dat bezoek in het algemeen en herenbezoek in het bijzonder in haar huis verboden was. Maar Kempelen legde uit wie hij was, namelijk Elise's broodheer, en dat hij onmiddellijk naar haar kamer moest om iets op te halen, dat zij hem dat had gevraagd. Met een sceptische uitdrukking op haar gezicht ging de weduwe hem voor naar Elise's kamer en maakte de deur open. Ze wilde mee naar binnen, maar Kempelen duwde haar vastberaden de gang weer op. Ze protesteerde totdat Kempelen haar op duidelijk strengere toon dreigde dat hij met de burgemeester over haar zou spreken als ze zo tekeer bleef gaan en de deur pal voor haar neus dichtsloeg.

Even grondig als Kempelen de kamer van Jakob had doorzocht, snuffelde hij nu ook Elise's kamer door; het enige verschil was dat hij alle voorwerpen weer op hun plaats teruglegde om zijn bezoek te verbergen. Tegen de achterwand van de spiegel vond hij uiteindelijk wat hij zocht: daar had ze drie brieven zonder couvert in de lijst gestoken. Het handschrift leek vaag op dat van de Alles Schrijvende Wondermachine maar het was overduidelijk van een menselijke hand. De brieven waren niet gedateerd en ook de namen van de geadresseerde en de afzender ontbraken.

Chérie,
Krijg wel tijdingen uit P. maar niet van jou, uitsluitend over de triomftocht van de machine. Het is intussen bijna drie maanden geleden. Indien het inderdaad een machine mocht zijn, wees dan niet bang, keer terug en vertel het me. (Maar waarom zou hij je dan verbieden in zijn werkplaats te komen?) Mocht je je doel niet via de begeerten van de mannen kunnen bereiken, verschaf je dan met geweld toegang. En mocht hij je ontdekken: het ergste wat er zou kunnen gebeuren is dat hij je afwijst.
Mocht je echter talmen omdat het je wel bevalt twee heren te dienen en zo je zakken te vullen voor de tijd daarna, dan waarschuw ik je: dan hou ik mijn florijnen zelf en één woord van mij en je hebt afgedaan aan het hof.

Aan het papier merkte Kempelen dat zijn handen beefden, maar hij las ook de tweede brief.

Ma chère,
Dank voor je berichtje. Je bent dus al aardig gewend. Ga achter die jonge vent aan. Hij kon à Schönbrunn zijn ogen al niet van de demoiselles afhouden en als hij net zo is als ik op die leeftijd (of op de mijne), zal hij je tout à fait willen verslinden. Daarna vlug terug naar mij & ik zal dusdanig revanche nemen op K. dat hij het zijn leven lang niet meer vergeet. Tu me manques, chérie & onze débauches & alle andere vrouwen smaken laf in vergelijking met jou. Ik kus je bolle kontje, mijn hartendiefje, en lik je schattige paradijsappeltjes.
Frédérique
Postscriptum: je kunt deze brief en alle andere brieven maar het beste vernietigen. Alleen al vanwege mijn obscene uitspraken!

[277]

Kempelen liet de beide brieven op het tafeltje vallen en vouwde de derde brief open.

G.

Je zult inmiddels het nieuws uit Wenen wel hebben vernomen. Heb me tout le jour over hem verkneukeld. Het was zo kostelijk. Aangezien je inspanningen tot op heden nog zonder succes zijn gebleven, ga ik er niet van uit dat jouw verblijf in P. voor mij nog van enige waarde is. Wellicht heb ik te hoge verwachtingen van je gehad. Ik zal je alleen nog deze maand je salaire betalen. Mocht je de T. toch nog op enig moment doorzien, dan ben ik bereid je in de toekomst de helft van de toegezegde beloning te betalen.

Baisers et cetera.

Kempelen eigende zich de eerste brief toe, vouwde de beide andere dicht en stopte ze in de lijst terug. De weduwe klopte aan de deur en vroeg naar hem.

'Ga weg! Ik ben zo klaar,' riep hij en zij gaf gevolg aan zijn bevel.

Hij wilde de spiegel weer aan de spijker hangen maar omdat zijn handen nog steeds beefden, slaagde hij daar niet meteen in. De hele tijd zag hij zijn eigen gezicht voor zich weerspiegeld; vaal, bezweet, met verwarde haren en een onbeschaafd openhangende halsboord tegen de hitte. Hoe hij ook met de spiegel manoeuvreerde, hij bleef niet hangen; Kempelen haalde de spiegel weer helemaal van de muur om zich ervan te vergewissen dat de spijker echt nog in de muur zat. Uiteindelijk vond hij het haakje en liet hij de lijst los. Een kleine medaille, die aan een kettinkje over de bovenhoek van de spiegel hing, stootte tegen het spiegelglas. Kempelen keek hoe het kleinood dubbel voor zijn ogen bungelde, in het echt en in spiegelbeeld, en toen herkende hij de bekraste beeltenis van Maria. Het was Tibors amulet. Het was het amulet dat Tibor vroeger altijd om had maar de laatste tijd niet meer. Omdat hij het niet meer had. Omdat het hier was, bij Elise.

Onderweg naar buiten legde Kempelen de weduwe uit dat hij haar van alles zou aandoen als ze Elise ooit zou vertellen dat hij in haar kamer was geweest en dat hij haar eveneens van alles zou aandoen als ze iemand zou vertellen dat hij had gedreigd haar van alles aan te doen. Toen ze vervolgens bijna het bewustzijn verloor, hield hij in plaats van reukzout een gulden onder haar neus en toen kwam ze weer tot zichzelf.

'Maria, heilige moeder Gods, verhoor ons gebed. Sla uw mantel beschermend om Jakob heen, waar hij ook moge zijn, begeleid hem op zijn reizen en breng hem veilig naar zijn plaats van bestemming. En help ook ons om onze moeilijkheden in deze tijd te overwinnen, o glorierijke en gebenedijde maagd. Leid ons naar uw zoon, beveel ons aan in de genade van uw zoon, bid voor ons opdat wij de belofte van Christus waardig worden. Amen.'

'Amen,' herhaalde Elise.

'Misschien viert hij ergens de sabbat,' zei Tibor nadat hij was opgestaan en het stof van zijn knieën had geklopt.

Opnieuw waren ze samen in de werkplaats. Kempelen was die ochtend naar het kasteel gereden, waar hij aan een vergadering deelnam die door hertog Albert bijeengeroepen was en die zeker tot in de avond zou duren.

'Maar misschien is hij ook wel weg,' zei Elise. 'En ik vind... dat jij hem moet volgen.'

'Waarheen?'

'Dat is om het even. Je moet in ieder geval uit Preßburg weg.'

'Dat is riskant.'

'Dat doet er niet toe. Als je wilt, ga ik met je mee. Ik zal je helpen om je te verstoppen. Ik heb kennissen die ons kunnen helpen. Ik kan je niet beloven dat het lukt, maar als ik er niet in geloofde, zou ik het je niet voorstellen. '

Tibor hield zijn hoofd schuin op de manier waarop een hondje dat doet. 'Waarom wil je me helpen?'

'Omdat... je hulp nodig hebt.'

'Dat is voor jou geen reden. Is het medelijden of wat zit erachter? Waarom doe je dit allemaal?'

Terwijl Elise nog naar woorden zocht, werd de porte-brisée die toegang gaf tot de werkplaats met zoveel kracht opengestoten dat de panelen tegen de muren aan vlogen. In de gang daarachter stond Wolfgang von Kempelen, in dezelfde kleding waarin hij een uur eerder vertrokken was.

'Precies, Elise,' zei hij op harde toon, 'waarom doe je dit allemaal? Uit christelijke naastenliefde? Of moet hij je ervoor betalen?' Met grote passen kwam hij de werkplaats binnen. Tibor kon zijn ogen niet van hem afhouden. 'Het spijt me dat ik jullie knusse tête-à-tête moet verstoren voordat jullie echt nader tot elkaar gekomen zijn. En Tibor, ik

[279]

garandeer je dat dat nog slechts een kwestie van tijd zou zijn geweest. En ik kan je ook vertellen waarom ze het allemaal doet.' Hij pakte een brief uit zijn justaucorps en hield die voor Tibors neus. 'Ze doet het omdat ze in werkelijkheid geen naïeve dienstbode uit Ödenburg is, maar een spionne uit Wenen, van alle markten thuis, die door niemand minder dan Friedrich Knaus, werktuigbouwkundige aan het hof van Hare Majesteit en de onverzoenlijkste vijand van de schaakmachine, naar ons toe is gestuurd! Hij heeft je toch gelast de brieven te vernietigen!'

Tibor had nog geen woord kunnen lezen toen Kempelen de brief weer weggriste en met zijn vlakke hand op het tafeltje van de schaakturk sloeg. Zijn bewegingen waren opeens merkwaardig traag geworden, alsof er stroop door zijn aderen vloeide. Elise was spierwit weggetrokken en wierp een steelse blik op de deur, alsof ze met de gedachte speelde uit de werkplaats weg te vluchten.

'Knaus, die zijn knappe spionne aanmoedigt om alle middelen aan te wenden die haar geschikt lijken, maar vooral haar fysieke vaardigheden in te zetten.' Kempelen liep op Elise af. Ze deinsde een stap achteruit. 'Je had letterlijk je handen vol aan die drie mannen hier in huis. Mij heeft ze haar borsten en haar lippen aangeboden. En wat heb jij in haar armen allemaal mogen beleven, Tibor? Heeft ze zich voor jou van haar kleren ontdaan? Heeft ze onderzocht of bepaalde lichaamsdelen van je groeien als ze maar op de juiste wijze worden bewerkt? Heb je bij haar datgene mogen voltooien waaraan je bij Ibolya bent begonnen? En is dat de reden waarom je haar je Mariamedaille hebt geschonken?' Kempelen greep naar de ketting om Elise's hals, maar ze ontweek hem. Tibor kon nog steeds geen woord uitbrengen. 'Ik durf me niet eens voor te stellen wat je met onze Jakob hebt uitgehaald, die immers al voor jouw komst een echte libertijn was. Het staat wel vast dat je hem hebt gekust dat je je aan hem hebt gegeven. Een voorschotje voor zijn verraad; de rest strijkt hij momenteel bij Knaus in klinkende munt op.'

'Ik heb geen idee waar Jakob is,' zei Elise.

'Denk je soms dat ik ook maar een woord geloof van wat je zegt?'

'Ik heb geen bericht uit Wenen gehad. Bij alles wat me heilig is, ik heb niets van doen met het feit dat Jakob verdwenen is.'

'Bij alles wat je heilig is? En wat mag dat dan wel zijn? Geld? Hou toch op met het uithangen van de godvruchtige dienstbode. Onder die laag vernis ben je een valse, ordinaire hoer en ik zal je laten boeten voor je geniepige streken!'

Kempelen pakte Elise bij haar onderarm en ze gilde het uit, meer van schrik dan van pijn. Onmiddellijk schoot Tibors linkerarm uit, en op dezelfde manier waarop Kempelen Elise in zijn greep had, hield hij nu Kempelens arm stevig vast.

'Laat haar los,' zei Tibor.

'Ben je gek geworden? Wat moet dat?'

'Laat haar los!'

Maar in plaats van zijn greep te verslappen verstevigde Kempelen deze. Nu deed hij Elise echt pijn. Met haar vrije hand deed ze vergeefse pogingen om zijn vingers los te wrikken. Ook Tibor verstevigde zijn greep. Kempelen trachtte hem van zich af te schudden,

'Wil je haar nu ook nog verdedigen?' schreeuwde hij. 'Ze stort ons allebei in het verderf, begrijp dat toch!'

Tibor reageerde niet. Zijn kaken waren even vast opeengeklemd als de hand waarmee hij Kempelen vasthield. Geen van drieën verzette ook maar een stap, alleen de vloerplanken kraakten onder hun voeten. Uiteindelijk duwde Kempelen Elise van zich af en wrikte zich los uit Tibors greep. Beiden, zowel Kempelen als Elise, wreven over hun arm. Kempelen stond Tibor met wijd opengesperde ogen aan te kijken.

'Wat heeft ze in godsnaam met je uitgehaald dat je geen onderscheid meer kunt maken tussen vriend en vijand?'

'We gaan uit Preßburg weg.'

'Wat?'

'We verlaten de stad.'

'We? Heeft ze je behekst?'

'Je moet maar een andere schaker zoeken.'

'Wat bezielt jou? Er is geen ander! Daar hebben we toch al over gesproken!'

'Bouw de machine dan zo om dat er ook iemand van normaal postuur in past.'

'Dat is onmogelijk.'

'Hou er dan mee op. Dat is hoe dan ook beter.'

'Ik kan er niet mee ophouden! Wat zullen de mensen dan zeggen?'

'Vertel hun dat je je met andere projecten wilt gaan bezighouden. Dat je er genoeg van hebt.'

Kempelen fatsoeneerde zijn justaucorps, die door het geworstel in wanorde was geraakt. 'Vlucht maar, Tibor, dan zullen we eens zien hoe ver je komt voordat ze je te pakken krijgen en in het gevang gooien.'

Tibor wees op de schaakmachine. 'Mijn cel zal groter zijn dan die daar.'

'Cel?' Kempelen barstte in lachen uit. 'Ik zou maar geen valse verwachtingen koesteren als ik jou was. Ze zullen je als een laaghartige misdadiger ophangen.'

'Voordat het zover is, zal ik een bekentenis afleggen.'

'Niemand zal je geloven.'

'En als ze dat wel doen?' vroeg Tibor terwijl hij het hoofd hief. 'Durf je dat risico aan? Dat ze aan mijn verhaal geloof hechten, dat je als de bedrieger wordt ontmaskerd die het heeft gewaagd de keizerlijke familie en het hele rijk om de tuin te leiden? Dan zal je roem in schande en ongenade verkeren, dan zullen ze je verjagen en dan kan je aansluiten bij het uitschot van ongewenste sujetten die je tot nu toe naar het Banaat hebt gedeporteerd. En daar kan je dan op een boerderij of in een mijn opnieuw beginnen.'

Kempelen schudde langzaam zijn hoofd en zei zacht: 'Is dat wat je wilt? Is dat je dank? Ik heb je uit de kerker en de ellende gehaald, je voor je werk betaald, een arts voor je laten komen... ik heb je een nieuw thuis geschonken, zelfs mijn vriendschap... en nu behandel je me zo? Noem jij jezelf een christenmens terwijl je mij en mijn gezin in het verderf wilt storten? De kleine Teréz?'

'Wanneer u mij op het schavot brengt, hebt u niet anders verdiend. Het alternatief is echter dat wij beiden het geheim bewaren en dat geen van ons enig nadeel ondervindt. Ik geef u mijn erewoord.'

'Ja, jij misschien... maar zij?' Kempelen wees op Elise, die de woordenwisseling zwijgend had gevolgd.

Ze keek van Kempelen naar Tibor en weer terug. Ze slikte. 'Ik beloof dat ik mijn mond zal houden.'

Kempelen tikte met een vinger op de brief op het schaaktafeltje. 'Je hebt bijna een halfjaar lang je best gedaan om mij aan de vijand te verraden. Knaus betaalt je vermoedelijk een vermogen. Waarom zou jij je mond houden? Waarom zou ik moeten geloven dat je dat doet? En zelfs als dat zo zou zijn: zodra jullie beiden in Wenen komen en ik geen demonstraties meer geef met de Turk, zal Knaus daar zo zijn conclusies uit trekken. Ik ben reddeloos verloren, hoe dan ook.'

'U bent degene die de machine hebt bedacht en vervaardigd. U was degene die de keizerin beloofde haar verbaasd te zullen doen staan,' zei Tibor.

Kempelen weersprak dit niet.

'Ik wil morgen mijn geld hebben,' vervolgde Tibor. 'Ik wil datgene hebben wat mij toekomt en ik zal 's nachts de stad verlaten. Ik beloof dat ik niet naar Wenen zal gaan.'

Kempelen staarde Tibor aan maar met een nietszeggende blik. Het was duidelijk dat hij met zijn gedachten al elders was. Zonder een woord te zeggen vertrok hij. Zelfs zijn stappen in het trappenhuis klonken moedeloos.

'Tibor, dat was... heel goed,' zei Elise. 'Ik weet niet wat hij me anders zou hebben aangedaan. Ik was doodsbang.'

Tibor beantwoordde haar glimlach niet. Hij nam de brief van Knaus van het tafeltje en nam hem mee naar zijn kamer.

Toen zij het vertrek binnenkwam, zat hij de brief op bed voor de derde keer te lezen. In plaats van alleen zijn ogen te bewegen draaide hij bij elke regel zijn hele hoofd van links naar rechts. Ze deed de deur achter zich dicht en leunde er met haar armen kruislings voor haar borst tegenaan.

'Zou het verschil hebben gemaakt wanneer ik jou had verteld dat ik voor hem werk? En niet voor de Kerk?'

Hij keek op van de brief. 'Je kunt me nu maar het beste alles vertellen.'

'Je zult niet alles willen weten.'

'Je komt niet uit het klooster.'

Elise schudde haar hoofd.

'Wie ben je dan wel, Elise?' vroeg Tibor. 'Als dat tenminste je echte naam is.'

'Ik ben als Elise geboren. Maar sinds een paar jaar sta ik aan het hof bekend als Galatée.'

'... aan het hof? Ben jij een... prinses?'

'Nee. Ik ben een maîtresse. Een courtisane.'

Tibor kromp van schrik zo ineen dat hij de brief, die hij nog steeds met beide handen vasthield, scheurde. Bijna had hij zich hiervoor verontschuldigd. 'Van Knaus?' vroeg hij met wijd opengesperde ogen.

'Van Knaus... en van anderen. Maar het zijn wel allemaal voorname heren. Knaus wilde dat ik naar Preßburg zou gaan. Maar ik heb het niet vanwege het geld gedaan.'

'Waarom dan wel?'

'Hij heeft me gechanteerd.'

'Waarmee?'

'Ik ben zwanger.'

Tibor woelde met beide handen door zijn haar en hield zijn hoofd vervolgens met zijn handen vast alsof hij wilde voorkomen dat het uit elkaar zou barsten.

'Als hij dat overal zou hebben rondgebazuind, zou ik aan het hof volkomen uit de gratie zijn geweest. Dan zou ik me daar later niet meer kunnen vertonen. En voor het kind kan ik het geld goed gebruiken.'

'En heeft Knaus dan tegen je gezegd dat jij ons...'

Elise knikte.

'Heb je je door Jakob laten beslapen?'

Na enige aarzeling knikte Elise opnieuw.

'En door Kempelen?'

'Nee. We hebben... elkaar slechts eenmaal gekust. Wil je wat water...?'

'Van wie is het kind? Van Knaus?'

'Dat weet ik niet.'

'Dat weet je... hoe kun je nou niet...? O, mijn god.'

'Misschien is het van Knaus, maar... het zou ook van de keizer in eigen persoon kunnen zijn, stel je voor! Een kind van de keizer!'

Elise straalde en legde een hand op haar buik. Tibor staarde ernaar. Een slok water zou nu inderdaad zeer welkom zijn geweest. Op dat ogenblik kwam ze bij de deur vandaan en deed een stap in zijn richting.

'Laten we niet meer praten, Tibor.' Hij schudde zijn hoofd en dat gebaar interpreteerde ze ten onrechte als instemming. 'Je hebt me zojuist verdedigd. Het wordt tijd dat ik je voor je heldhaftigheid beloon.'

Ze strikte haar mutsje los, nam het van haar hoofd en liet het met een krachteloos gebaar uit haar hand vallen. Vervolgens schudde ze haar haren los en onmiddellijk was ze nog veel knapper dan eerst. Zonder haar ogen van hem af te wenden maakte ze de veters van haar keurslijf los en trok dit geroutineerd en zonder haast uit. Het was te zien hoe haar borsten een beetje naar beneden zakten. Ze liet haar keurs naast haar mutsje op de grond vallen. Slechts een wit kleed bedekte haar bovenlichaam nog. Ze pakte het bij de kraag vast en liet het van haar schouder glijden. Tibor hield zijn adem in. Hij keek naar haar ontblote schouder, de ronding van haar bovenarm, de glans van haar witte, smetteloze huid, de lichte schaduw onder haar sleutelbeen; het volmaakte landschap van haar lichaam met zijn heuvels en dalen, met zijn glooiingen en vlakten. Ze was nog mooier dan hij zich in zijn stoutste dromen had voorgesteld. En nu zou ze hem toebehoren. Een huivering ging over zijn rug.

Nu trok ze ook haar andere arm uit het kleed en met beide handen trok ze het tot aan haar heupen naar beneden, ontblootte haar borsten, de welving van haar taille en haar buik, waaraan inmiddels goed te zien was dat ze zwanger was maar die daardoor alleen nog maar mooier werd. Ze haalde diep adem en ging op haar knieën voor Tibor zitten. Hij had zich nog steeds niet verroerd. Ze strekte haar naakte arm naar hem uit, nam zijn linkerhand in de hare, streelde deze met haar vingers en bracht hem naar haar mond. Met gesloten ogen kuste ze de rug van zijn hand en vervolgens zijn vingers. Iedere ademtocht voelde hij, en ook de warmte van haar huid. Toen draaide ze zijn hand om en kuste zijn vingers op de plaats waar ze de handpalm raakten. Met haar tong ging ze over de aderen van zijn pols. Nu was het zijn beurt om zijn ogen te sluiten. Zijn hele arm beefde. Toen hij zijn ogen weer opsloeg, wierp ze hem een veelbelovende blik toe. Langzaam, tergend langzaam bracht ze zijn hand naar haar borst, tot hij haar harde tepel aan de binnenkant van zijn hand voelde. Zijn siddering kwam tot bedaren toen zijn vingers zich om haar borst sloten. Vol verrukking sloot ze haar ogen, legde haar hoofd in haar nek en begon luid te kreunen.

Tibor kwam bij zinnen. Het gekreun was al even onecht als alles hier, het feit dat ze zich aan hem aanbood en haar pose. Het was geen echte wellust die ze voelde, het was veeleer in scène gezette wellust, perfect gespeeld door een hoer die op die wijze al tal van mannen het gevoel had gegeven dat ze van hun aanrakingen genoot, dat ze allen, stuk voor stuk, onvergelijkelijk waren. Het was niet Elise die Tibor zojuist had gekust, maar Galatée, een vrouw die hij niet kende en ook niet wilde leren kennen. Tibor werd van walging vervuld. Haar warme huid was weerzinwekkend, evenals haar naaktheid en haar tong, en hij trok zijn hand terug alsof hij zich aan een vlam had gebrand. Onmiddellijk verdween zijn opwinding. Hij voelde de dringende behoefte om zijn hand te wassen, waaraan haar weerzinwekkende speeksel kleefde.

'Wat is er?' vroeg ze.

'Ik ben de keizer niet.'

Hij wees naar de medaille die tussen haar kin en haar borsten lag. 'Geef me mijn medaille terug.'

Een hele poos reageerde ze niet. Ze knipperde slechts ongelovig met haar ogen. Toen bracht ze haar handen, naar haar nek om het slotje van de halsketting open te maken. Terwijl ze dat deed, merkte ze opeens dat ze nog steeds naakt was en ze trok vol schaamte het kleed weer over haar borsten en schouders voordat ze het kettinkje afdeed en aan hem gaf. Ze bleef op haar knieën zitten.

'Het is waarschijnlijk maar het beste dat we elkaar niet meer zien,' zei Tibor. 'Vaarwel dan, Elise. Ik wens je veel geluk, jou en je kind. Ik smeek je: hou je aan het woord dat je Kempelen hebt gegeven. Hij heeft beslist fouten gemaakt en is grof geweest tegen ons, maar in wezen is hij een goed mens, die datgene waar hij zo bang voor is, niet heeft verdiend.' Tibor kwam van het bed af, raapte haar keurslijf en haar mutsje op en gaf ze haar aan. 'Ik ben bereid jou zwijggeld te betalen. Ik weet niet wat Knaus je betaalt – vermoedelijk aanzienlijk meer – maar ik kan je veertig, misschien vijfenveertig soevereinen betalen. De rest heb ik zelf nodig.'

'Nee.' Haar stem klonk nu zwak en broos. 'Ik hoef geen geld te hebben.'

'Omdat je je daardoor meer verplicht zou voelen dan door je erewoord?'

Tibor wachtte op een antwoord maar ze zei niets. Hij deed de deur open. Ze begreep wat hij met dat gebaar bedoelde, stond op en keek voor de laatste keer naar hem omlaag. Toen ze de kamer verliet, struikelde ze over de drempel. Tibor sloot de deur achter haar.

Ze was weg maar haar geur hing nog in het vertrek. Dus zette Tibor het raam open om de kille herfstlucht binnen te laten. Toen spreidde hij zijn bezittingen op zijn bed uit en begon de belangrijkste spullen in te pakken voor de reis: zijn kleren, het reisschaakbord, het door Jakob gesneden schaakstuk en het gereedschap dat hij had mogen houden.

Sommerein

Aan de oever van de Donau, in de omgeving van Sommerein, ligt een man; zijn ene arm en schouder en zijn hoofd op de modderige oever van de rivier, de rest van zijn lichaam in het water, dat hier vrij ondiep is. De golfjes wiegen hem onophoudelijk. Zijn mond en ogen zijn geopend. Zijn huid is bleekgroen verkleurd en opgezwollen en er ligt een fijn, wasachtig waas overheen, zodat je bijna zou denken dat er een wassen beeld ligt. Op de hand die in het water ligt, laat de huid al los, en wel in zijn geheel – zoals het vel van een slang die gegroeid is en nu vervelt – als een doorschijnende handschoen. Zijn kleren zijn doordrenkt en lijken in het water gewichtloos te zijn. Het lichaam van de man is bevolkt: op de onbedekte huid zetten vliegen hun eitjes af en de eerste maden komen al uit. Op hun beurt dienen ze als voedsel voor de grotere rovers, de mieren en kevers die vanaf het land op dit menselijke schiereiland zijn gekropen of geland, en de kikkers die door het riet zijn komen aanzwemmen. Dieren die bang zijn voor de vleeseters nemen de wijk naar de plooien in de kleding en verstoppen zich daar in donkere, vochtige holtes van huid en linnen. Onder het wateroppervlak zijn de opgewonden watermijten en de beweeglijke pieren aan het eten. Visjes cirkelen om het lijk en doen zich tegoed aan de loslatende huid of aan de aaseters zelf en in het open water liggen roofvissen op de loer om hen op hun beurt te verschalken. Het punt waar al deze schepsels elkaar treffen, als het ware de drinkplaats van dit eiland zowel boven als onder water, is een snijwond door de borst van de man, een vingerlengte breed. Op deze plek heeft een sabel het lichaam doorstoken, horizontaal om te voorkomen dat hij tussen de ribben zou blijven steken. Het hemd is ook doorsneden, net als het vlees daaronder. Het riverwater heeft het bloed echter allang uit de stof gespoeld. Hier in de wond ligt het malse rode vlees onbeschut klaar voor consumptie en op deze plek zullen ratten, marters en vossen ooit als eerste hun tanden in het lijk zetten wanneer ze de geur hebben opgevangen.

Een raaf, die lang boven het menselijke eiland heeft rondgecirkeld, landt nu op het met slijk bedekte voorhoofd, op de opgezwollen huid. Deze scheurt onder zijn klauwen open. De kevers kruipen aan land of vliegen weg, de kikkers plonzen weg tussen het riet, de vissen vluchten onder een steen of duiken weg naar dieper water. Maar de vogel heeft trek in een ander maaltje. Met zijn snavel wipt hij het metalen brilmontuur van de neus van de man en laat het achteloos in het water plonzen, waar het terstond wegzinkt. Dan begint hij de koude oogbollen uit hun holtes te pikken. Hoewel hij na elke hap argwanend om zich heen kijkt, zal hij tot aan het einde van zijn maaltijd niet worden gestoord. Op de bovenlip van het lijk zijn nog vaag houtskoolstrepen te zien. Ze zien eruit als een snor naar Turks model.

Maandagmorgen kreeg Kempelen een briefje overhandigd waarop stond dat burgemeester Windisch hem verzocht voor een dringende aangelegenheid naar het raadhuis te komen. Een uur nadat Kempelen zich had geschoren en aangekleed werd hij het kantoor van de burgemeester binnengelaten. Windisch stond op vanachter zijn schrijftafel en stuurde zijn secretaris weg. Hij glimlachte treurig.

'Wolfgang, dierbare vriend! Wat ben je bleek.' Ze schudden elkaar de hand en gingen zitten. 'Ik heb al mijn afspraken laten verzetten. Ik wilde het je persoonlijk vertellen. Als ik had gekund, zou ik ook wel naar de Donaustraat zijn gekomen.'

'Wat is er gebeurd?'

Windisch pakte een bril die op de schrijftafel lag en gaf die aan Kempelen. 'Gisteren hebben ze je assistent gevonden. In de buurt van Sommerein.'

'Heeft hij iets uitgehaald? Waar is hij nu?'

'Het spijt me, ik heb me onhandig uitgedrukt: hij is dood. Ze hebben zijn lijk uit de Donau gehaald. Zijn lichaam ligt opgebaard in het lijkenhuis van het hospitaal en ik heb rabbi Barba ingelicht.'

Kempelen draaide de bril tussen zijn vingers rond. De bril was schoner dan hij hem ooit had gezien toen Jakob hem nog op had.

'Ze willen hem morgen al begraven. De joodse gemeente zal daarvoor zorgdragen. Hun geloof zegt dat er ten hoogste drie dagen mogen verstrijken tussen de dood en de uitvaart, maar dat kan al niet meer.'

'Is hij... verdronken?'

'Nee. Hij was al dood toen hij in het water werd gegooid. Of hij zou in ieder geval snel aan zijn verwondingen zijn gestorven.'

Windisch schoof het rapport van de gendarmerie over de schrijftafel naar Kempelen toe. Jakobs bovenlichaam was met een sabel van rug tot borst doorboord. Het wapen was maar ternauwernood langs het hart gegaan maar had wel de long geraakt. De steek was zo krachtig geweest dat de sabel zelfs het hemd aan de voorzijde had stukgereten. Bovendien was de lip van het lijk ingescheurd, onder zijn ene oor was de huid opengebarsten en hij had een blauw oog – het gevolg van een paar harde klappen. Een afschuwelijk detail was dat beide ogen ontbraken. Blijkbaar waren ze door een roofvogel uitgepikt.

'Ik wil mijn innige deelneming uitspreken. Ik weet hoezeer je op hem gesteld was, ook al had je het soms moeilijk met hem.'

'Wie... wie heeft het gedaan?'

'Dat weten we niet. En ik denk niet dat we dat ooit te weten zullen komen. Hij is beroofd, zijn beurs, die hij voordien in De Gulden Roos nog bij zich had, is spoorloos. Maar het zou ook best kunnen dat die uit zijn zak gevallen is toen hij in de rivier werd gegooid. En roofmoord? Als je iemand wilt beroven, hoef je hem toch alleen maar neer te slaan of, als je het heel grondig wilt doen, een mes in zijn rug te steken. Daarvoor hoef je hem toch niet van voor tot achter te doorboren. Niemand mag dit weten, anders heb ik weer dagen werk om al die bijgelovige gruwelsprookjes over geesten en golems te weerleggen! Misschien heeft Jakob het in beschonken toestand met de verkeerde mensen aan de stok gekregen. Zijn andere verwondingen pleiten voor die versie. Hoe betreurenswaardig het ook is, het zou niet de eerste keer zijn dat een jood op grond van vuige haatgevoelens is doodgeslagen.'

Kempelen schoof Windisch het rapport weer toe en deze borg het in een map op.

'Je hoeft daar vandaag natuurlijk nog geen beslissing over te nemen, maar ik neem aan dat je de eerstvolgende demonstratie van de Turk wel zult afgelasten. Wolfgang?'

Kempelen keek op. Hij had niet geluisterd. 'Neem me niet kwalijk, wat zei je?'

'De demonstratie? In het Italiaanse theater?'

'Nee, nee. Die gaat natuurlijk door.'

'Maar... je assistent?'

'Ik vind wel een vervanger.'

Windisch boog het hoofd en bekeek Kempelen. Toen krabde hij aan zijn nek. 'Wolfgang, moet ik me zorgen maken?'

'Waarover?'

'Je ziet eruit alsof je dagenlang geen oog hebt dichtgedaan... je hebt geen bediende meer en Anna Maria zit al weken in jullie zomerverblijf op het platteland... en die krankzinnige Andrássy heeft nu zelfs de meester van de loge geschreven of hij je wil sommeren zijn uitdaging tot een duel aan te nemen. Ik heb Andrássy gewaarschuwd dat ik ere-zaken in mijn stad niet ongewroken zal laten, maar hij is niet voor rede vatbaar.'

'Hij komt wel tot bedaren.'

'Daar zou ik niet voetstoots van uitgaan. Die Magyaren! Hoe gedistin-geerd ze zich ook voordoen, in elk van hen leeft nog steeds een bloed-dorstige Attila de Hun. En wat heb je eigenlijk voor met die Stegmül-ler? Waarom zouden we een aartsgek als hij tot de loge toelaten?'

'Karl. Hij is een onschadelijke hansworst.'

'Hij is een hansworst, daar heb je volkomen gelijk in, en juist daarom kun je zijn gezelschap beter mijden voordat hij jou aansteekt.'

Kempelen knikte en bracht het gesprek op iets anders. 'Ben je nog van plan dat boek over de schaakturk te schrijven?'

'Zodra ik daar tijd voor heb.'

Bij het afscheid omhelsden de beide mannen elkaar. Kempelen nam Jakobs bril mee. Toen hij weer op het plein voor het raadhuis stond, stopte hij hem in zijn zak. Hij ging niet naar de Donaustraat terug, maar liep naar de Kapittelstraat in de schaduw van de dom, waar zijn broer woonde. Toen hij aankwam, besteeg Nepomuk net zijn paard, om naar zijn werk te rijden, in de burcht. Toen Kempelen hem echter vertelde wat er de afgelopen dagen allemaal was voorgevallen, gelastte Nepomuk zijn staljongen om zijn paard weer af te zadelen. Hij vroeg zijn broer hem te voet naar de burchtheuvel te begeleiden.

Toen ze de stad achter zich hadden gelaten en de trap naar de burcht beklommen, zei Nepomuk ernstig: 'Je zit tot over je oren in de ellen-de.'

'Jij denkt dus niet dat Tibor en zij hun mond houden?'

'*Merde*, nee! Hoe kom je daar nou bij? Hij is geslepen van aard, daar heb ik je al voor gewaarschuwd, en zij is omkoopbaar. Allebei zullen ze hun mond opendoen zodra iemand hun genoeg biedt.'

'Wat moet ik doen?'

'Vraag je me dat nu? Waarom vraag je me dat nu? Je hebt me al tientallen jaren lang niet om advies gevraagd, waarom doe je dat nu opeens wel? Waarom heb je dat niet gedaan voordat je de keizerin meer beloofde dan je waar kunt maken? Dan had ik het je afgeraden en hadden we dit gesprek niet hoeven voeren.'

'Wil je me nu kleineren? Waarom ben je dan niet blij? Je bent immers altijd jaloers geweest op mijn succes.'

'Nee. Nee, ik ben hier niet blij mee.'

'Geef je me nu advies of wil je me enkel berispen?'

'Welaan. Over dat meisje maak ik me geen zorgen. Als ze omkoopbaar is, hoef je haar alleen maar meer geld te bieden dan die Zwaab. En hopen dat zij dezelfde normen hanteert als andere mensen van haar slag. Maar het zal niet goedkoop zijn, want je moet haar zo veel geven dat ze zelfs niet op het idee komt om je voor de tweede keer te verraden. De dwerg is een ernstiger geval.'

'Hoezo?'

'Omdat hij heel anders in elkaar zit dan wij en ik niet geloof dat het met zijn moraal best gesteld is.'

'Het is een christen. Hij gelooft gewoonweg blindelings.'

'Dat laat hij je althans geloven.'

'Als ik hem niet met geld tot zwijgen kan brengen...'

'En, wie is verder nog op de hoogte van het bedrog rond jouw Turk?' vroeg Nepomuk. Hij begon op zijn vingers te tellen. 'Jij, ik, Anna Maria, die idiote apotheker: wij houden sowieso onze mond. Jouw zogenaamde dienstbode kun je omkopen. Je jood en Ibolya zijn dood en hebben het geheim meegenomen in hun graf. De dwerg...' Nepomuk stopte met tellen, maakte een luchtig gebaar en zweeg.

Kempelen bleef staan. 'Bedoel je dat ik hem moet vermoorden?'

'Ik heb niets gezegd.'

'Dat ben ik niet van plan.'

'Hij is niet te goeder trouw. Hij verdient het, na alles wat je voor hem hebt gedaan.'

'Nee. Dat kan ik niet doen.'

'In dat geval moet je overal op voorbereid zijn.'

'Ik ben niet in staat iemand te vermoorden.'

'We hebben het hier nog steeds over een dwerg, Wolf. Een misbaksel, een speling van de natuur. Wie weet, misschien zou je hem er zelfs een dienst mee bewijzen, wanneer hij werkelijk alle vertrouwen in de wereld verloren heeft zoals jij beweert. Wellicht heeft hij tot nu toe alleen nog niet de hand aan zichzelf geslagen omdat hij bang is voor het hellevuur dat zelfmoordenaars te wachten staat.'

'Ik doe het niet,' sprak Kempelen hoofdschuddend tegen.

Zwijgend liepen de beide broers verder. Voor hen verhief zich de plompe burcht. Kempelen keek links van zich langs de helling naar beneden en zag de wijk Zuckermandel liggen: de netten en de visserboten die met de kiel naar boven lagen, de binnenplaats met de zonderlinge bustes van beeldhouwer Messerschmidt, de huiden op de droogrekken en de open kuipen van de leerlooiers. De kreten van de mannen en het lawaai van hun werktuigen kon hij niet horen, maar de stank van het looizuur drong tot op de heuvel tot hen door.

'Wil je me helpen?' vroeg Kempelen.

Nepomuk lachte even droogjes. 'Nee. Ik ben directeur van de griffie van de hertog. Nee, je zult het zonder mijn hulp moeten stellen. Want mocht het mislukken, dan zal het voor mij als jouw broer al moeilijk genoeg zijn om schone handen te houden. Ik peins er niet over om ook nog mezelf in de narigheid te brengen.'

Bij de Sigmundspoort scheidden zich de wegen van de gebroeders Kempelen. Nepomuk ging de burcht binnen, Wolfgang keerde naar de Donaustraat terug, na een omweg langs zijn depositobank en De Rode Kreeft.

In Kempelens werkkamer hing een landkaart van Midden-Europa. Van de Franse Atlantische kust tot aan de Zwarte Zee, van het Deense koninkrijk tot Rome waren alle landen nauwkeurig met een fijn stippellijntje ingetekend en met verschillende tinten tekeninkt ingekleurd. Tibor vroeg zich af wie had besloten welke kleur elk land moest hebben. Waarom was Pruisen op alle landkaarten die hij tot nu toe had gezien altijd blauw gekleurd? Waarom was Frankrijk violet en Engeland geel? Waarom was het Habsburgse rijk lichtrood en niet donkerrood? Was de republiek Venetië groen omdat er weilanden waren of omdat ze aan de Adriatische Zee lag? Was het Ottomaanse rijk bruin omdat de Turken een donkere huidskleur hadden of omdat ze zo van koffie en tabak hielden? De kaart was twee keer dubbelgevouwen geweest en precies op het snijpunt van de twee vouwen lag Wenen en rechts daarvan Preßburg. In welke richting Tibor ook zou gaan, als hij uit Oostenrijk weg wilde zou hij te paard ten minste vijf dagen of te voet nog eens zo veel tijd nodig hebben om de dichtstbijzijnde grens te bereiken. De dichtstbijzijnde grens was die naar Silezië; en naar Pruisen wilde hij absoluut niet meer terugkeren.

Saksen had hij gezien en hij vond het er niet prettig. Polen lag inge-klemd tussen Pruisen, Rusland en Oostenrijk en was alleen al om die reden geen aantrekkelijke optie. Moest hij naar Beieren gaan? Of toch maar terug naar de republiek Venetië, in de hoop dat het hem er de derde keer beter zou vergaan? Of zou hij, nu de winter voor de deur stond, de wijk nemen naar het zuiden, naar Toscane, Sicilië, de Kerke-lijke Staat; in Obra had hij het naar zijn zin gehad; misschien moest hij nogmaals bij een klooster aankloppen en vragen of hij daar mocht blijven. Wat was er verder nog mogelijk? Duitsland en de verdeelde Nederlanden zagen er op de landkaart uit als een lappendeken, een chaotische verzameling hertogdommen, vorstendommen en keurvor-stendommen, graafschappen, bisdommen en aartsbisdommen en vrije rijkssteden. Sommige waren zo klein dat er op de landkaart niet ge-noeg plaats was om de naam te vermelden. Eigenlijk zouden ze alle-maal tot vierkanten omgevormd moeten worden, zodat er een bont schaakspel ontstond. Tibor zou niet naar Duitsland gaan. Hij had er niet veel zin in om de rest van zijn leven als hofnar met belletjes aan zijn enkels aan de voeten van een onbetekenende landgraaf te slijten. Frankrijk daarentegen was één groot ongedeeld gebied, met Parijs als een dikke zwarte spin midden in het web. Frankrijk was Parijs. Uitein-delijk zou hij onvermijdelijk in Parijs terechtkomen, dat wist hij, ook al had hij een enorme hekel aan grote steden. Zodra hij Frankrijk bin-nenkwam, zou hij als in een trechter in volle vaart naar Parijs glijden en daar zou hij dan ofwel aan lagerwal raken of als klokkenluider ein-digen. De landkaart hield bij de Pools-Russische grens op, maar als de tsarina kinderen opat zou hij op zekere dag wellicht ook met een appel tussen zijn tanden op haar dis eindigen. In Spanje hadden ze alle joden verbrand en het was onaannemelijk dat mensen die tot dergelijke gru-welen in staat waren, gastvrij voor dwergen zouden zijn. Engels sprak hij niet en alleen al de overtocht over Het Kanaal weerhield hem ervan naar Engeland te gaan. Dat gold evenzeer voor de Engelse koloniën, die bovendien onophoudelijk in oorlog waren en waar uit Afrika ge-deporteerde negers als slaaf werden gehouden. Er schenen in Afrika negerstammen te bestaan die niet meer dan vijf voet groot waren.

Dat was echter nog aanzienlijk langer dan hijzelf. Jakob had hem over de memoires van een Ierse priester verteld die ooit schipbreuk had geleden en op een eiland was aangespoeld dat Lilliput heette; de bewoners reikten slechts tot zijn enkels. Misschien moest hij zijn angst voor water te boven zien te komen, de zee op gaan en dat eiland zoeken – en als eenoog in het rijk der blinden koning van het kleine volk worden.

Tibors blik was van de landkaart over de muur gegleden; als de kaart tot de deur had gereikt, waar zich de Grote Oceaan met zijn eilanden moest bevinden, zou hij de hele wereld omspannen. De deur ging open en Kempelen kwam binnen.

Ze gingen zitten. Kempelen maakte een opgeruimde indruk – gelukkig zou te veel gezegd zijn – en nam tegenover Tibor volstrekt geen vijandige houding aan. Hij had een lederen beurs bij zich en schudde deze op de schrijftafel leeg: tweehonderdzestig gulden, Tibors loon na aftrek van wat kostenpostjes; het bedrag was verdeeld in veertig gouden soevereinen en twintig gulden. Uit de lade van zijn schrijftafel nam Kempelen een papier waarop hij alle posten had genoteerd, zodat Tibor zich ervan kon overtuigen dat alles in de haak was. Toen Tibor al dat geld weer in de beurs stopte en voelde hoe zwaar deze was, vond hij dat hij wel een rover leek. Maar dit geld kwam hem toe.

Tibor informeerde naar Elise. Kempelen was bij haar geweest en had ook haar haar loon betaald – en daarnaast een meer dan royaal bedrag aan zwijggeld.

'Ze houdt haar mond wel,' zei Tibor zonder dat zelf echt te geloven.

'Hopelijk wel. Als ze dat niet doet, ga ik achter haar aan om haar ter verantwoording te roepen en dat heb ik haar ook duidelijk gezegd. Ze vroeg ook hoe het met jou was.'

'Wat hebt u haar gezegd?'

'Ik heb gezegd dat ze ook verraad aan jou heeft gepleegd en dat ik me niet kan voorstellen dat je haar ooit nog wilt zien. Was dat correct?'

'Ja,' zei Tibor. 'Ik haat haar.'

'Begrijpelijk,' zei Kempelen. 'Waar wil je nu heen?'

'In noordelijke richting,' loog Tibor.

Kempelen knikte en trommelde met zijn vingers op het tafelblad. 'Er is nog iets wat ik je moet vertellen voor je afscheid neemt. Ik ben niet goed in dit soort dingen... en daarom zal ik het kort houden, in de hoop dat je niet te erg schrikt. Jakob is dood.'

Jakob is dood. Natuurlijk was Jakob dood.

Terwijl Kempelen beschreef waar en in welke toestand ze Jakobs lijk hadden gevonden, begreep Tibor hoe ijdel zijn hoop was geweest om Jakob nog ooit in levenden lijve terug te zien.

De jood had geen afscheid genomen, hij had zijn loon niet opgeëist, hij had geen bagage meegenomen, zelfs niet zijn gereedschapsriem. Jakob was dood en Tibors gebeden hadden daar niets aan kunnen veranderen. Achter Tibors rug stond Kempelens galadegen zoals altijd tegen de muur. Tibor zou hem graag uit de schede hebben getrokken om te zien of er geronnen bloed aan kleefde, en wanneer dat het geval was, zou hij Kempelen met diezelfde degen hebben onthoofd. Toen Kempelen hem vroeg of hij nog vandaag wilde vertrekken, knikte Tibor.

'Dat begrijp ik,' zei Kempelen. 'Het is jammer dat je Jakobs begrafenis niet kunt bijwonen, daar zou hij ongetwijfeld blij mee zijn geweest. Ik ga er natuurlijk wel heen. Ik neem aan dat ik daar de enige goj zal zijn. Hij wordt op het kerkhof aan de Jodensteeg ter aarde besteld.'

Tibor dacht erover na.

'Je mag hier gerust nog een nacht blijven,' bood Kempelen aan. 'Of je neemt een kamer in een logement, als je niet meer in gezelschap van de Turk of van mij wilt verkeren. Ik zal je niet tegenhouden. Dat is achter de rug. Je bent vrij.'

Ja, inderdaad, zo voelde eenzaamheid aan. Dit gevoel had Tibor zijn leven lang gehad en hij had het nooit als erg storend ervaren. Maar nu, nadat hij van de vruchten van de dagelijkse omgang met anderen had gegeten, nadat zijn honger was opgewekt, nadat hij had genoten van de vriendschap van drie mensen – van wie er een zijn onderdrukker was geworden, een ander hem had gebruikt en verraden en de laatste hem door moord was ontvallen – leed hij eronder. Zonder zijn steltschoenen ging hij de straat op, met zijn 'katholieke handjes en voetjes', zoals Jakob ze had genoemd. Zonder zijn steltschoenen maakte hij weliswaar niet zulke grote passen maar schoot hij wel sneller op. Het interesseerde hem niet of de mensen hem aangaapten of niet. Hij moest dringend naar een kerk om voor Jakobs onsterfelijke ziel te bidden. De laatste keer had hij Jakob en diens religie beledigd en de deur in zijn gezicht dichtgeslagen, terwijl Jakob niets anders had gezegd dan de waarheid. En een paar uur later was hij tussen zijn moordenaars doodgebloed en als een stuk vuil in de vieze, koude Donau gegooid. Tibor moest onwillekeurig aan de Venetiaan denken.

Rustte er misschien een vloek op hem – zoals de vloek van de Turk waar heel Preßburg destijds over sprak – dat alle mensen met wie hij te maken kreeg, moesten sterven? Hoefde hij hen alleen maar aan te raken om de dood te laten komen? Zou dit lot dan op zekere dag ook Elise onverhoeds treffen?

Doelbewust beklom hij de treden van de kerk van de Heilige Verlosser en liep rechtstreeks naar het wijwatervat. Toen hij zijn vingers in het koele water hield, viel hem iets op: er was iets veranderd in deze kerk. Met zijn hand nog steeds in het wijwater keek Tibor om zich heen, maar hij kon niet ontdekken wat er veranderd was. Zowel de kerkbanken en het altaar als de witte muren met de goudkleurige ornamenten waren hetzelfde als de laatste keer dat Tibor hier was geweest. Enkele mensen zaten in de banken te bidden of voor de biechtstoel te wachten. Toen pas besefte Tibor dat niet de kerk maar hijzelf was veranderd. Hij keek naar Maria met het kind maar ze kwam hem nu niet meer verleidelijk voor. Het was maar een beeld, een levenloze pop, net als de Turk. Wat kwam de rozenkrans die hij dag in dag uit op zijn schaakbord had gebeden hem nu opeens armzalig voor. Zijn gebeden hadden niet kunnen voorkomen dat hij verliefd was geworden op een zwangere hoer die hem om de tuin leidde. Maria had Jakob niet beschermd. Dit was niet de juiste plaats om voor zijn zielenheil te bidden.

Toen hij de kerk uitkwam, riep iemand: 'Hé, Blaaskaak!'

Tibor bleef staan. Op de treden, in de schaduw van het portaal zat Walther, precies zoals destijds met Pasen toen Tibor had gebiecht; zijn bedelnap stond voor hem. Tibor had hem niet gezien toen hij bij de kerk aankwam.

'Hé, Blaaskaak!' riep Walther opnieuw.

Tibor kon hem negeren en doorlopen of weer de kerk binnengaan, maar zijn kameraad had hem herkend. Dus ging hij naar hem toe.

'Goedendag, Walther,' zei hij.

'Sapristi, ben je een geest? Dacht dat ze je in Torgau hadden afgeslacht!' Walther greep Tibor bij zijn arm en kneep erin om zich ervan te vergewissen dat hij geen geest was.

'Dat dacht ik ook van jou.'

Walther lachte en klopte op de stomp van zijn geamputeerde been. 'Dat zouen ze wel hebben gewild, die Pruisische vetzakken. Maar ze moesten het doen met mijn poot. Die dient nou als mest voor de akkers in Saksen. En wat vin je van mijn tronie? Daar jaag ik de kinderen schrik mee in hun donder als ze een lange neus naar me trekken.' Walther draaide zijn gezicht vol littekens naar hem toe, trok een lelijk gezicht en lachte. 'En wat drijft jou naar Preßdurp? Sapristi, mot je nou es kijken!' zei hij en trok aan Tibors groene frak. 'Wat ben jij een chic kereltje geworden! Die frak, die hoed – ik zou er goud voor geven om ook zo *à la mode* door de straten te kunnen flaneren!'

Tibor vertelde hoe het hem na de slag bij Torgau was vergaan en verzon een verhaal om zijn aanwezigheid in Preßburg te verklaren. 'Maar ik vertrek binnenkort weer.'

'Mooi zo, mooi zo. Heb je niet een paar groschen voor een oude vriend en trouwe kameraad?' vroeg Walther en gaf zijn bedelnap een zet zodat de kreuzers die erin lagen, tegen elkaar rammelden. 'De zaken lopen tegenwoordig meer dan belabberd en de winter staat voor de deur.'

Tibor knikte en greep naar zijn volle beurs. Hoe vlugger hij bij Walther weg kon, hoe beter. Maar toen hij de lederen riem van zijn geldbuidel losmaakte, kreeg hij een idee.

'Zeg Walther, wil je een paar gulden verdienen?'

Walther ging rechtop zitten. 'Laat horen.'

'Ik heb voor mijn reis een paard nodig. Jij hebt verstand van paarden. Weet jij misschien waar je er een kunt kopen?'

'Natuurlijk! *Dragonders zijn geen mens, geen dier, als zandhaas rijden ze 'n Arabier!*'

'Koop dan een paard voor me, een zadel en zadeltassen. En proviand voor een week. Ik moet het morgenavond hebben.'

'Een paard met alles erop en eraan? Dat zal niet goedkoop zijn, kleintje.'

'Dat kan me niet schelen. Ken je het St.-Nikolaikerkje tussen de burchtheuvel en de jodenwijk? Daar treffen we elkaar twee uur na zonsondergang op het kerkhof. Je krijgt van mij twee soevereinen voor je hulp en nog wat extra als je er een goed handeltje van maakt. Wat vind je daarvan?'

'Volgens mij zit er 'n luchie aan – maar dat dondert niks. Deksels, ik ben je man! Woensdag sta ik op de godsakker van Sint Nikolai met de teugels van de snelste knol in mijn hand die er sinds Bucephalus heeft bestaan!'

Tibor pakte een handvol munten uit zijn beurs. 'Kan ik je vertrouwen, Walther?'

'Vin ik geen stijl dat je dat vraagt, maar ik kan je mijn woord als soldaat en kameraad geven.' Walther knipoogde met zijn rechteroog in de verbrande helft van zijn gezicht maar het vlees was daar dusdanig vervormd dat hij het nauwelijks dicht kon doen. 'Als je mijn erewoord als dragonder niet genoeg vindt, kijk maar: heb nog maar één of beter gezegd drie benen,' zei hij en aaide liefkozend over zijn beide krukken, die naast hem op de treden lagen, 'maar je krijgt me sowieso te pakken eer de haan driemaal kraait.'

Tibor gaf Walther de munten en deze liet ze behendig onder zijn mantel verdwijnen. 'God zegene je, kleine,' zei Walther. 'Hiermee help je een man die gestruikeld is weer op de been. Of althans op één been, verdomme!'

De beide kameraden gaven elkaar een hand. Tibor moest zich bedwingen om niet nog een keer om te kijken voor hij in de richting van het grote plein verdween.

Tibor was verrast toen hij zag hoezeer de synagoge op een kerk leek: ook deze bestond uit een middenschip en twee zijbeuken. Op pilaren met rondbogen rustte een oksaal, waar net als in het middenschip rijen donkere banken stonden. Een kansel ontbrak. In plaats daarvan bevond zich midden in de ruimte een platform met een lege lessenaar erop. Eromheen was een lage balustrade aangebracht en van twee kanten af leidden treden naar het platform. Erboven hing een zware kroonkandelaar. De banken waren zo neergezet dat je van alle vier de kanten op het platform kon kijken. In de apsis aan de oostzijde bevond zich geen altaar en geen kruis, maar een schrijn, waarvan de inhoud echter achter een roodfluwelen voorhang verborgen was. Op de rand van het baldakijn daarboven stonden twee gouden leeuwen, die een soort wapelschild in hun klauwen hielden. Ook de schrijn was omgeven door een balustrade en door een kring van kaarsenstandaards. Links ervan stond een kaarsenstandaard met zeven kaarsen, zo een als Tibor die ook al in een kleiner formaat in Jakobs woning en bij Krakauer had gezien. De ramen van de synagoge waren niet gekleurd zoals de glas-in-loodramen in een kerk, maar de synagoge was vanbinnen blauw met goud geschilderd met veel versieringen: allerlei patronen en sierranden en telkens weer de davidster. Wat geheel ontbrak waren schilderingen of beelden van personen. Met uitzondering van de beide leeuwen zag Tibor niets wat op een levend wezen leek.

Hadden de joden geen heiligen? Waar waren Abraham, Isaak, Mozes en huns gelijken?

Tibor nam zijn steek af en fatsoeneerde zijn haar. Naast hem bij de ingang stond een waterbekken. Hij wilde er zijn vingers in dopen maar bedacht zich. Was hij in alle ernst van plan zijn voorhoofd met joods wijwater te bevochtigen? Misschien was het wel helemaal geen wijwater? Was Jakob maar bij hem geweest om hem alles uit te leggen.

Hij liep het middenschip door, luisterde naar de echo die zijn stappen veroorzaakten, passeerde het oksaal en liep naar de verhulde schrijn. Nu pas zag hij de afbeelding van de twee stenen tafelen met de tien geboden op de voorhang. De inscriptie daarop was echter in het Hebreeuws. Tibor legde zijn handen op de balustrade en knielde neer. Hij bad. Zijn gebed was tot niemand gericht, noch tot de God van de christenen, noch tot die van de joden; hij liet alle gebedformules die hij zijn leven lang telkens had uitgesproken, voor wat ze waren. Het moest een gebed alleen voor Jakob zijn. Het was goed dat er geen orgel speelde en er geen gelovige aanwezig was, zodat hij zich helemaal op zijn gebed kon concentreren. Algauw vielen de eerste tranen op zijn gevouwen handen en op de stenen vloer en op zeker moment besefte hij dat hij niet meer alleen uit medelijden met Jakob huilde maar om zichzelf, omdat hij Jakob en nog een heleboel meer had verloren.

Het was al donker toen Tibor in de wijk Zuckermandel kwam. Hij had zijn geld geïnd en Walther zou hem een paard en proviand bezorgen. Nu moest hij alleen nog aan een wapen zien te komen. Andrássy had op hem geschoten. Kempelen had een pistool aangeschaft. Jakob zou misschien nog leven als hij een wapen had gehad. Tibor was van plan zijn huid duur te verkopen in het geval er iemand achter hem aan zou komen.

Er brandde licht bij de beeldhouwer. Tibor klopte op de lage huisdeur, ook al was dat misschien een veel te bescheiden geste voor een geest van het magnetisme.

'Messerschmidt is niet thuis!' klonk het van binnenuit. Het was echter onmiskenbaar zijn stem.

Tibor klopte niet opnieuw aan. In plaats daarvan bracht hij zijn handen als een trechter voor zijn mond en riep met een lage stem: 'Wee, wee! Ik ben de geest van het magnetisme!'

Alle geluiden in het huis verstomden en kort daarna werden aan de binnenkant van de deur enkele grendels weggeschoven. Messerschmidt opende de deur en keek naar Tibor, die zo streng mogelijk probeerde te kijken.

'Neem me niet kwalijk, geest,' zei hij, 'ik was niet op je komst bedacht.'

De beeldhouwer verzocht Tibor binnen te komen. Tibor had tevoren zorgvuldig bedacht wat hij zou gaan zeggen en Messerschmidt hoorde hem braaf aan. Hij, Tibor, de geest van het magnetisme, was de afgelopen weken verscheidene keren de strijd aangegaan met de geest der proporties, maar telkens had die de benen genomen. Nu had hij een pistool nodig om de boze geest met behulp van kruit en loden kogels zonder meer overhoop te schieten. Messerschmidt zat onophoudelijk te knikken en toen Tibor klaar was met zijn verhaal, haalde de krankzinnige beeldhouwer terstond een pistool, kogels en een kruithoorn uit de aangrenzende kamer. Tibor keek intussen om zich heen. Er was in de werkplaats niet veel veranderd. Momenteel werkte de kunstenaar aan een crucifix. Er was iets aan de Christusfiguur dat Tibor merkwaardig voorkwam en toen hij wat beter keek, zag hij dat de Heiland een vilten muts op zijn hoofd had en in de Hongaarse nationale klederdracht gekleed was. Toen Messerschmidt terugkeerde, legde hij uit dat een boer een 'Hongaarse Christus' bij hem had besteld en dat hij nu dus ook een Hongaarse Christus met alles erop en eraan kreeg. Tibor wilde het pistool contant betalen maar Messerschmidt zette zo grote ogen op toen de vermeende geest naar zijn beurs greep, dat Tibor er maar van afzag. Bij het afscheid wenste Messerschmidt hem veel geluk bij de jacht.

In de buik van de Turk

Toen Tibor laat in de avond terugkeerde, brandde er in het huis aan de Donaustraat geen licht meer. Kempelen had voor de deur van zijn kamer een dienblad met zijn avondmaal neergezet: brood, worst, uien en een kwart liter rode malvezij. Onder het eten onderzocht Tibor hoe het pistool werkte en toen hij klaar was met eten laadde hij het: uit het kruithoorntje schudde hij wat buskruit in de pan en de loop van het pistool, stampte het met de laadstok aan, stopte de kogel erin en drukte ook deze vast aan. De haan spande hij niet maar hij legde het pistool naast zijn bed. Hij was van plan geweest zich er nog van te vergewissen dat alles klaar lag wat hij op zijn reis wilde meenemen – de volgende morgen wilde hij vroeg vertrekken en na de begrafenis niet meer terugkeren naar huize Kempelen – maar onverwacht overviel hem een dusdanig loodzware vermoeidheid dat hij op zijn bed neerviel zonder zich uit te kleden of de kaars te doven. Hij viel in een diepe, droomloze slaap.

Toen hij weer ontwaakte, was het buiten nog donker. Zijn hoofd bonsde, zijn ledematen voelden zwaar aan en het kostte hem de allergrootste moeite zijn ogen open te houden. Hij hoorde iets aan de deur krabben; was het een dier of maakte het nog deel uit van zijn droom? Tibor kreunde. Kort daarna ging de deur open, hoewel hij deze op slot had gedaan, en in het kaarslicht drongen twee gedaanten zijn kamer binnen. 'Padre?' vroeg Tibor, hoewel hij eigenlijk wel wist dat hij geen priester en geen arts voor zich had maar een apotheker. De andere man was Kempelen. Tibor wilde opstaan en wegvluchten, maar toen hij uit zijn bed kwam, viel hij meteen op de vloer, zo zwaar voelden zijn ledematen aan. Samen draaiden ze hem op zijn buik om zijn handen op zijn rug te kunnen vastbinden. Ze spraken met elkaar maar Tibor kon hen niet verstaan. Hun aanrakingen schudden hem uiteindelijk wakker uit zijn lethargie. Hij trok zijn handen weg en sloeg de apotheker in diens gezicht; hij trapte met zijn voeten naar Kempelen en wist ook hun tweede aanval af te weren, toen trok hij zich op aan zijn bed en ging wankelend staan, waarbij hij houvast zocht tegen de muur achter zich. De gekruisigde Christus kwam los van zijn spijker en plofte op de vloer neer. Tibor gooide een kroes naar zijn aanvallers; ze bukten op tijd en de kroes sloeg tegen de muur kapot. Tibor wilde zijn pistool grijpen dat naast zijn bed lag, maar hij kreeg alleen het beddenlaken te pakken. De apotheker deed twee stappen achterwaarts en pakte iets uit een tas, terwijl Kempelen met uitgestrekte hand naar Tibor toe liep en iets tegen hem zei, maar alsof hij een hond was, hoorde Tibor slechts telkens opnieuw zijn naam, meer kon hij niet verstaan. De apotheker draaide zich weer om. Hij had nu een lap in zijn hand en hield een tweede lap voor zijn mond. Kempelen sprong naar voren om Tibor te pakken. Tibor reageerde niet snel genoeg, zodat ze allebei op de grond vielen. Tibor duwde Kempelen van zich af maar deze gaf hem met zijn vuist een stomp op zijn borst, precies op de plaats waar de schotwond zat, en Tibor kromp ineen van pijn. Een seconde later drukte de apotheker de vochtige lap in zijn gezicht. Instinctief deed Tibor zijn mond dicht en haalde adem door zijn neus. Het rook naar urine. Hij bleef spartelen en zag nog dat Kempelen zijn gezicht afwendde en zijn neus in de binnenkant van zijn elleboog begroef. Toen ademde Tibor opnieuw in en de pijn verdween. Zijn ledematen ontspanden zich, hij kreeg het aangenaam warm en hij viel weer in slaap.

Stegmüller gooide de lap in Tibors lampetkom en schonk er water overheen, evenals over zijn eigen hand. Kempelen zette het raam open. 'Hoe lang denk je dat hij blijft slapen?' vroeg hij.
'Niet lang,' zei Stegmüller. 'Hij is wel klein van stuk maar hij heeft een taai gestel.' Hij tilde het lege wijnglas op. 'Kijk maar. Hij heeft een vol glas leeggedronken en toch is hij bij bewustzijn gekomen. Terwijl ik er nog wel een buitengewoon hoge dosis in had gedaan.'
'Laten we maar een plekje met frissere lucht opzoeken.'
Ze droegen de bewusteloze dwerg de werkplaats in. Daar bond Kempelen Tibors handen en voeten met henneptouw op zijn rug vast en knevelde hem. Hij keek naar de klok aan de muur. Het was iets over vieren. 'En nu?' vroeg Stegmüller met zijn ogen op het roerloze, geboeide lichaam gevestigd.

'Nu,' zei Kempelen en liet dat woord een hele poos in de lucht hangen, 'nu gaan we een einde aan zijn leven maken.'

Stegmüller schrok en schudde vol ongeloof zijn hoofd. 'Nee.'

'Wat had je dan gedacht?'

'Ik dacht... dat je hem op de een of andere manier... wilde bestraffen... of hem het land uit wilde zien te krijgen...'

'Heb je het arsenicum meegebracht?'

'Ja.'

'Nou dan. Waar zou je arsenicum nou anders voor willen gebruiken dan om iemand te doden?'

'Ik weet niet...'

'Hoe sneller we te werk gaan, des te gemakkelijker.' Kempelen stak zijn hand uit.

Langzaam pakte Stegmüller het bruine flesje uit de binnenzak van zijn frak en legde het in Kempelens handpalm.

'Hoe moet je het toedienen?' vroeg Kempelen.

'Oraal... maar dan moet je een heel hoge dosis gebruiken en dan duurt het een paar uur... of je zorgt dat het rechtstreeks in de bloedbaan komt door de huid open te krabben of een ader open te snijden.'

'Dan werkt het snel?'

'Bliksemsnel.'

'Dan doen we het op die manier. Heb je een scalpel bij je?'

Stegmüller schudde ontkennend zijn hoofd. Kempelen liep naar zijn werktafel en pakte een kleine guts. Die overhandigde hij aan de apotheker.

'Wat moet ik daarmee?' vroeg Stegmüller.

'Datgene wat je me zojuist hebt uitgelegd.'

'Ik?'

'Daar heb jij immers meer verstand van dan ik.'

'Nee...'

'Je hebt hem toch genezen!'

'Dat is iets heel anders dan hem... Nee. Het spijt me, dat kan ik niet doen.'

'Niemand zal er ooit achterkomen.'

'Dat is het niet... ik...' Met zijn blik op de guts zocht Stegmüller naar de juiste woorden.

'Georg, verman je een beetje.'

'Gottfried.'

'Georg, Gottfried, dat is mij om het even; doe het nu eindelijk!'
Stegmüller keek Kempelen recht in de ogen. 'Nee. In godsnaam, nee, nee en nogmaals nee; ik doe het niet. Je mag het vergif houden, ik heb je verteld hoe het moet en dan kun je het zelf doen als jij er niet voor terugschrikt, maar ik ben niet van plan iemand te vermoorden.'
'De loge...'
Stegmüller stak zijn handen omhoog. 'Geen loge, niets ter wereld is me dat waard. Al zouden ze me ervoor tot hertog slaan. Mijn zielenheil is me meer waard.' Stegmüller legde de guts weer neer. 'Ik ga nu weg.'
'Blijf hier!'
Stegmüller deed al enkele stappen naar achteren. 'Nee. Ik wil geen getuige van deze bloeddorstige daad zijn.'
'Blijf hier, lafaard!'
'Maak me maar voor lafaard uit. Ik verwijt je niets en zal dat ook in de toekomst niet doen. Maar ik ben honderd keer liever een lafaard dan een moordenaar.'
Stegmüller keerde zich om en verdween in het trappenhuis. Kempelen hoorde hem naar beneden rennen, hij viel bijna over zijn eigen voeten. Toen was het weer stil in huis.
Kempelen opende zijn vuist en het flesje kwam tevoorschijn. Opnieuw pakte hij de guts en ging met beide, het vergif en de guts, op zijn knieën naast Tibor zitten. De handen van de dwerg lagen kruislings op zijn rug; zijn rechterhand lag boven. Kempelen schoof het touw een eindje naar boven om Tibors pols bloot te leggen. Er lagen drie blauwe aderen onder de huid. Kempelen verbrak de verzegeling waarmee de kurk op het flesje was bevestigd en verwijderde de kurk. Toen het flesje open was, zette hij het weer neer. Vervolgens nam hij de guts en drukte het snijvlak eerst op één en vervolgens op alle drie de aderen. Hij trok het gutsje weer weg, legde twee vingers op de aderen en hoewel hij beefde, kon hij Tibors polsslag voelen. Nu zag hij ook hoe Tibors rug bij elke ademtocht omhoog en weer omlaag ging. Opnieuw bracht hij het gutsje naar Tibors pols. Hij drukte het snijvlak stevig op de aderen en nam het vervolgens weer weg. Er kwam geen druppel bloed tevoorschijn. De guts had niet eens een sneetje in de huid gemaakt. Op de pols was slechts een dun wit streepje te zien, dat door de druk op de huid was veroorzaakt. Had hij niet hard genoeg gedrukt of was het snijvlak te stomp? Hij onderzocht de hand op-

nieuw. De hand waarmee Tibor de arm van de schaakturk had aangestuurd. Het witte streepje was verdwenen. Kempelen sloeg zijn handen voor zijn gezicht en zuchtte.

Hij opende de bergruimte waar de machine stond, zette de deurtjes
van de machine open en tilde de geboeide Tibor erin, op de plek waar
hij het laatste halfjaar had gezeten. Vervolgens deed hij alle deurtjes
van het tafeltje op slot, schoof de machine met de voorzijde tegen de
muur en vergrendelde de wieltjes. Toen hij de deur van het kamertje
sloot, werd het donker om de Turk. Kempelen vergrendelde de deur
en legde ten slotte nog een balk dwars over de deur en de deurpost.
Hij legde de guts weer op zijn plaats, borg het ongebruikte arsenicum
in zijn schrijftafel op, blies de kaars uit en sloot het raam in Tibors kamer. Daarna liep hij naar de keuken om koffie voor zichzelf te zetten.
De lampetkom waarin de lap met het bedwelmende middel lag, nam
hij mee. Buiten was het gaan regenen.

Donker, aardedonker en stil, aardedonker en doodstil was het toen
Tibor weer bij bewustzijn kwam. Aanvankelijk was hij bang dat het
vergif dat hij had ingeademd zijn gezichtsvermogen en zijn gehoor
had beschadigd, maar toen kreeg hij in de gaten dat een van daglicht
verstoken stilte hem omringde. Hij had nog steeds een vochtige lap
voor zijn mond, maar dat was slechts een knevel waar behalve de lucht
van zijn eigen speeksel geen geur aan zat. Zijn mond was droog. Hij
had zo'n erge dorst dat het slikken pijn deed. Hij voelde textiel onder
zich en bij zijn achterhoofd; en aan de manier waarop zijn gekreun
door de nabije wanden werd weerkaatst, merkte hij dat hij in een kist
zat. Een doodkist. Ze hadden hem levend begraven. Een ogenblik lang
werd hij door mateloze angst bevangen, maar toen rook hij metaal en
olie, een vertrouwde geur, en wist hij dat hij zich niet in een doodkist
maar veeleer in de met vilt beklede binnenzijde van de schaakmachine
bevond.

Zijn handen waren geboeid en verdoofd, evenals zijn voeten. Hij kon
zich amper verroeren. De laatste keer dat hij wakker was geweest, had
hij gegeten. Wat er sindsdien was gebeurd, kwam hem voor als een
droom. Vast stond alleen dat Kempelen hem met behulp van de apotheker te lijf was gegaan en hem had bedwelmd. Tibor had geen flauw
idee hoe laat het nu was. Sinds ze hem hadden overmeesterd kon er
een uur verstreken zijn of een dag. Zo goed en zo kwaad als het ging

met zijn knevel zette hij het op een schreeuwen en begon met zijn geboeide voeten tegen de tegenoverliggende wand te trappen, maar algauw raakte de zuurstof in het tafeltje op, werd het heet en werd zijn
dorst nog ondraaglijker. Wanneer de Turk nog steeds in de bergruimte stond – en dat was waarschijnlijk inderdaad het geval – zou
er bovendien niemand zijn die hem kon horen.

Tibor moest zich eerst uit zijn boeien zien te bevrijden. Hij draaide
zijn handen en trachtte ze uit de touwen los te trekken, maar dat had
geen zin: de touwen zaten te strak en hij kon niet bij de knoop. Alleen
een mes kon uitkomst bieden. Hij bewoog zijn verdoofde, koude vingers en dacht intussen na. Wat had hij bij zich dat uitkomst zou kunnen bieden? Niets. Zijn zakken waren leeg. Wat bevond er zich in de
machine? Een kaars, maar niets om hem aan te steken. Een schaakspel
en het mechaniek. Het mechaniek: met de tandwielen. Hij dacht terug
aan zijn laatste demonstratie in Schönbrunn, toen hij zijn arm aan de
puntige tanden van een van de raderen had verwond. Misschien kon
hij van een van de tandwielen gebruikmaken om zijn boeien door te
snijden. Hij draaide zijn hoofd naar rechts, waar het raderwerk zich
in het donker bevond. Omdat hij precies wist waar de diverse raderen
zich bevonden, probeerde hij zich te herinneren welk daarvan het
laagst zat. Hij ging met zijn rug naar het mechaniek zitten, tastte
met zijn vingers naar het tandwiel dat hij zocht en bracht zijn boeien
ernaartoe. Vervolgens maakte hij met zijn handen voor- en achter-
waartse bewegingen. Hij had niet het gevoel dat het ook maar iets uit-
haalde. Integendeel, zijn handen gleden verscheidene keren weg en hij
kwam met zijn handen en bovenarmen in het aandrijfwerk terecht. De
tanden reten zijn huid tot bloedens toe open. Maar toen hij gewend
was geraakt aan de merkwaardige houding waarin hij zat en de juiste
techniek had gevonden, had hij meer succes: als een zaag sneed het
metaal door de hennep. Algauw kwam een van de touwen los, toen
een tweede en nadat het derde doorgesneden was, gingen de overige
vanzelf los. Hij wreef zich over zijn gewonde polsen en verwijderde
de knevel en de touwen om zijn voeten.

Natuurlijk waren alle deurtjes op slot en Tibor had geen sleutel. Omdat hij niets kon zien, klopte hij tegen alle vier de wanden en concludeerde uit de klank dat Kempelen het tafeltje in een hoek geschoven
had. Zodoende was het onmogelijk het tafelblad weg te schuiven. De
enig mogelijke uitweg was het deurtje aan de achterzijde, pal naast

hem. Tibor duwde zijn schouder met kracht tegen het hout en zette zich schrap. Het hout kraakte wel, maar zowel het deurtje als het slot bood weerstand. Tibor wist hoe dik de wanden van het tafeltje waren en hij besefte ook dat het voor hem onmogelijk was om ze open te breken. Misschien zou het schaakbord voor de druk wijken. Hij kroop naar het midden van het tafeltje, ging op zijn rug liggen en drukte met zijn voeten tegen de onderkant van het schaakbord. Hij had geen schoenen aan en bezeerde zijn voeten aan de koppen van de nagels met de metalen plaatjes; daarom moest hij deze eerst met zijn hand platduwen. Vervolgens drukte hij zijn voeten met zoveel kracht tegen het schaakbord dat het zweet op zijn voorhoofd stond. Het marmer gaf echter niet mee. De schaakmachine was stevig gebouwd, om te voorkomen dat nieuwsgierigen er een blik in zouden kunnen werpen. Alleen kracht zou niet voldoende zijn om zichzelf te bevrijden.

Hij had een sleutel nodig en aangezien hij die niet had, moest hij er een maken. Hij kroop terug, stak zijn ene hand in het raderwerk en brak een van de metalen staven boven de cilinder af. Die trok hij naar zich toe. Toen begon hij het metaal te verbuigen en probeerde zich daarbij te herinneren hoe de sleutel eruitzag. Omdat hij geen tang had, moest hij zijn vingers als werktuig gebruiken en omdat hij niets zag, moest hij helemaal op gevoel werken. Hij nam zijn toevlucht tot een van de schaakstukken en draaide het ijzerdraad om de kop ervan. Deze loper stak hij in het slot. Nu begon het eigenlijke werk: telkens moest hij de sleutel weer uit het slot halen om het draad een beetje te verbuigen, af en toe maar een minuscuul stukje. Ruim een uur later kreeg hij de grendel te pakken en liet deze met een zacht geluid terugglijden. Het deurtje was open en hij kroop uit het tafeltje.

Hoewel Tibor dat niet had verwacht, was het in de bergruimte nagenoeg even donker en bedompt als in de machine. Er was slechts een smal streepje licht te zien onder de deur vanuit de werkplaats: het moest dus dag zijn. Natuurlijk was ook deze deur afgesloten. Hij had ook daarvoor een loper kunnen maken, maar hij wist dat de deur ook nog aan de buitenkant vergrendeld was en die grendel zou hij niet open kunnen krijgen.

Op de tast ging hij naar de schaakmachine terug en raakte de rechterarm van de androïde aan, het hout en de kaftan met de bontrand. Het koude hout gaf onder druk van Tibors hand niet mee. Hij liet zijn handen over de stijve arm van de Turk naar boven glijden, via de schouders en de nek naar het gezicht. Met zijn vingers streek hij over de kin, de mond en de neus tot aan de ogen. Hij raakte de glazen oogappel met de top van zijn duim aan. Het glas voelde kouder aan dan de rest van de Turk. Het was te donker om het gezicht van de Turk te kunnen onderscheiden. Tibor vergrootte de druk van zijn duim op het oog. In de houten schedel van de Turk knerpte er iets. Ten slotte brak de oogkas en werd het oog naar achter in de lege schedel gedrukt. Als een knikker viel het door het holle lichaam naar beneden, raakte houten ribben en kabels en bleef uiteindelijk aan de oogzenuw hangen.

De schaakturk zou nooit meer schaken. Het ingedrukte oog was de roep van de strijdhoorn, de doek die de edelvrouwe aan het begin van een toernooi laat vallen, het eerste schot van een veldslag. Als Tibor moest sterven, dan zou hij die vervloekte machine met zich mee de dood in sleuren. Hij draaide de rechterarm van de androïde op diens rug. De houten botten versplinterden en sprongen stuk, de zijden kaftan scheurde van boven tot onder. Hij trok de arm uit de schouder van de Turk en brak hem over zijn knie als was het brandhout. De overblijfselen smeet hij in de hoek. Daarna brak hij de linkerarm doormidden; door de ranke pantograaf waaruit deze bestond, brak deze veel gemakkelijker, bijna als de holle botten van een vogel. Tibor draaide de hand die de schaakstukken had verzet, de hand met het buitengewoon verfijnde mechanisme, waarvan de vervaardiging zoveel tijd had gevergd, uit zijn gewricht en gooide hem op de grond en daar vermorzelde hij hem onder zijn hielen. Hij rukte de armloze androïde de kaftan en het hemd van het lijf, zodat hij ontbloot in het donker zat. Met beide handen greep Tibor de houten ribben en brak ze in tweeën, zonder acht te slaan op de splinters die zijn huid binnendrongen. Met twee handen rukte hij de kabels uit het lijf en voor de laatste keer knikte de Turk als een dolleman, maar er was niemand meer tegen wie hij 'schaakmat' kon zeggen. Dit was zijn eigen eindspel. Tibor rukte het hoofd van het lijf, draaide de nek van de Turk zo lang om totdat die brak. Hij sloeg de tulband met fez en al van het haarloze houten kapsel en drukte het tweede oog met zoveel kracht in dat het door de schedel en via de open hals uit de androïde viel en over de vloer rolde. Tibor pakte het blinde hoofd en sloeg het gezicht zo lang tegen de muur, telkens en telkens opnieuw, totdat de kalk van de muren brokkelde en het gelaat van de Turk één grote brij was van papier-maché, houtsplinters, verf en kunstmatige snorharen. Tibor zou het maar al te graag hebben willen zien.

Achteloos liet hij het hoofd vallen en keerde zich weer om naar het tafeltje. Op het hout zou hij geen vat kunnen krijgen, maar wel op het valse, huichelachtige mechaniek. Hij brak de balk die ooit de ruggengraat van de androïde was van de taboeret af en rammeide er tandraderen en cilinders mee. Tingelend weerklonk er een verwrongen melodie, alsof iemand tegen een klavichord had geschopt. Tibor pookte net zo lang in de wond tot de tandwielen uit hun houders braken en de kam boven de cilinder aan diggelen ging. Hij zou er goudgeld voor hebben gegeven als hij wat olie en een vuur had gehad om de in stukken gehakte restanten van de machine voor eeuwig in de as te leggen en het raderwerk in smerige, trage druppels gesmolten metaal te veranderen.

De nacht was verstreken en de ochtend was aangebroken en Kempelen had aan zijn tafel urenlang roerloos zitten nadenken hoe hij Tibor, die achter de wand geboeid en wel in de machine lag, zou moeten doden. Hij had geen oplossing gevonden. Toen was Tibor bij bewustzijn gekomen en had tegen het hout geschopt; en hoewel het gedempte gebons nauwelijks te horen was, kon Kempelen er niet tegen. Hij kon zich niet concentreren. Dus kleedde hij zich aan en reed door de motregen naar de thesaurie om daar ongestoord verder te peinzen. Het was nog zo vroeg in de ochtend dat hij de eerste ambtenaar was voor wie de portier de deuren opende. Hij droeg zijn commies op geen bezoekers bij hem binnen te laten. Vervolgens nam hij aan zijn schrijftafel plaats – precies zoals hij voordien in zijn eigen werkkamer had gezeten – staarde in het niets en probeerde logisch na te denken. Daar slaagde hij ook hier niet in. Toen de klokken van het raadhuis negen uur sloegen, schoot hem te binnen dat hij op Jakobs uitvaart werd verwacht. Een uur later gooide Wolfgang von Kempelen op de joodse begraafplaats drie scheppen aarde op de kist van zijn voormalige assistent en legde diens bril erop.
'Stof zijt gij en tot stof zult gij wederkeren,' zei hij daarbij, zoals ook de zes joden voor hem hadden gedaan: Jakobs hospita, de uitdrager Krakauer, twee leden van de joodse gemeente, een leviet van de synagoge en de doodgraver.
Kempelen was er tijdens de hele ceremonie niet met zijn hoofd bij geweest en had er geen woord van gehoord. De hele begrafenis was als een droom langs hem heen gegaan. Jakobs graf was smal en lag aan de

rand van het kerkhof, onder een linde pal naast een muur in de schaduw van een huis. Het was een sobere grafsteen. Kempelen dacht eraan terug hoe Jakob onlangs had gezworen het geheim van de schaakmachine mee in zijn graf te nemen. Hij had woord gehouden: hier lagen ze nu allebei.

Voor de poorten van de begraafplaats stond János baron Andrássy hem verrassend genoeg op te wachten. Hij droeg geen uniform maar had zoals altijd wel zijn sabel en zijn pistool bij zich en glimlachte vermoeid. 'Ik had al gehoopt u hier aan te zullen treffen,' zei hij. 'Is het niet droevig dat we elkaar zo dikwijls op begraafplaatsen tegenkomen?'

Kempelen was abrupt blijven stilstaan. Andrássy's aanblik had hem uit zijn apathie gehaald. 'Een begraafplaats is en blijft een uitermate ongepaste plaats voor een erezaak, waarde baron. Ik kan slechts hopen dat dat niet de reden is waarom u hier bent, want mijn hoofd staat er nu nog minder naar dan ooit tevoren.'

'Ik ben niet voornemens met u te duelleren,' antwoordde Andrássy, 'noch heden noch morgen noch te eniger tijd. Ik herroep mijn uitdaging.'

Kempelen knipperde met zijn ogen. 'Vanwaar deze meningsverandering?'

'Ik heb inmiddels een soort genoegdoening verkregen, al was het niet geheel en al op de wijze die ik had gewenst. Ik ben degene geweest die uw jood heeft gedood.'

Kempelen was met stomheid geslagen.

'Laten we samen een stukje oplopen,' zei Andrássy en gebaarde daarbij naar het einde van de Jodensteeg. 'Ik ben gaarne bereid u alles te vertellen indien u het wenst te horen – maar niet in de jodenwijk.'

Terwijl ze samen langs de oever van de Donau stroomafwaarts liepen, vertelde Andrássy dat hij zich in de nacht waarin Jakob was gestorven in zijn kazerne voor de poorten van de stad had bevonden. Hij stond net op het punt naar bed te gaan toen een soldaat van zijn regiment bij hem werd binnengelaten, die zojuist uit de stad was komen rijden. De huzaar had verteld dat de assistent van de heer Von Kempelen in taveerne De Gulden Roos op de Vismarkt verkleed als schaakmachine de moord op barones Jesenák zaliger had nagespeeld – onder grote bijval van de aanwezige gasten – en dat hij, de huzaar, het als zijn plicht beschouwde de luitenant daarvan in kennis te stellen. Andrássy had onmiddellijk opdracht gegeven zijn paard te zadelen en zijn korporaal te halen en was vervolgens samen met Dessewffy naar de visserswijk vertrokken. Ze hadden bijna een vol uur in de schaduw van een huis staan wachten en waren Kempelens assistent toen gevolgd in de richting van de jodenwijk. Hij was stomdronken, had nog steeds de uitdossing van de Turk aan en hij zong een Jiddisch liedje waarvan behalve de naam 'Ibolya' niets te verstaan was. Voor de St.-Martinuskathedraal hadden Andrássy en Dessewffy hem ingehaald en hem aangesproken. Andrássy was voordien niet van plan geweest de jood te doden, maar het lied en de onbeschaamde uitdossing hadden hem reeds in een zodanige woede doen ontsteken dat hij Jakob, toen deze hem had begroet met de woorden: 'Zo, weer op pad om een paar meubelstukken neer te schieten?' met zijn vuist een dreun op zijn voorhoofd had gegeven. Jakob was gevallen. Terwijl hij nog op de grond lag, had Andrássy zijn dolman, kolbak, sabel en zijn foedraal met pistolen aan zijn metgezel gegeven en de jood uitgedaagd tot een vuistgevecht van man tegen man – zonder rekening te houden met stand of religie. De assistent was weer overeind gekrabbeld, had zijn bril afgezet en zijn vuisten gebald naar voren gestoken. Andrássy had hem gevraagd of hij gereed was voor de strijd en nauwelijks had de assistent geknikt of hij had alweer een vuistslag te pakken. Het was geen eerlijk gevecht geweest. De eerste klap en vooral de rijkelijk genuttigde alcohol hadden ervoor gezorgd dat Jakob nauwelijks tot vechten in staat was. Andrássy had zijn trage vuistslagen gemakkelijk kunnen ontwijken; eenmaal had de assistent na een zwaaistoot geheel en al zijn evenwicht verloren en was gestruikeld. Desondanks had de jood genoeg eergevoel gehad om niet op te geven en tot het bittere einde te blijven vechten. Een vuistslag vol op zijn oor had er uiteindelijk toe geleid dat hij languit op de straatstenen terechtkwam. De tulband was van zijn hoofd gevallen.

Andrássy had zich over hem heen gebogen en hem de vraag gesteld die hem al zo lang kwelde: 'Wie heeft mijn zuster gedood? Zeg het me, jood, is het de Turk geweest?'

Jakob had de tijd genomen voordat hij antwoord gaf. Eerst had hij rustig het bloed van zijn lippen gelikt. Vervolgens had hij met toonloze stem iets gezegd. Andrássy had zijn hoofd wat dichter bij Jakobs geschonden gezicht gebracht om de jood te kunnen verstaan. Maar in plaats van antwoord te geven had Jakob zijn knie opeens met zoveel kracht behendig tussen de benen van de argeloze Andrássy geramd dat het de huzaar groen en geel voor de ogen was geworden en hij bijna het bewustzijn had verloren; krimpend van de pijn was hij naast de assistent tegen de vlakte gegaan. Al die tijd was Dessewffy niet tussenbeide gekomen, zoals de luitenant hem vooraf had gelast. Jakob was overeind gekomen, had in alle rust zijn bril weer opgezet, op de neergevallen baron gespuugd en gezegd: 'Inderdaad, de Turk heeft je zuster op zijn geweten. Niemand anders dan jullie Hongaren is zo stom om serieus in sprookjes te geloven.'

Vervolgens was Jakob waggelend verder gelopen in de richting van de jodenwijk. Andrássy was met een van pijn vertrokken gezicht overeind gekomen, razend van woede, had zijn sabel uit de schede getrokken die Dessewffy vasthield en was ermee op Jakob afgerend. Hij had zo snel gelopen dat de kling het lichaam van de assistent had doorboord alsof het een stuk fruit was. Zo hadden ze daar gestaan: Andrássy geschrokken van wat hij had gedaan en Jakob, die het bebloede stuk staal dat uit zijn borst naar buiten stak nog met een ongelovig gezicht betast had. Hij was echter dood voordat hij een kreet had kunnen slaken en zo was hij van de sabel van de huzaar op de grond gegleden.

'We hebben zijn lichaam in de Donau gegooid en niemand heeft dat gezien,' zei Andrássy tot slot. 'Ik schaam me voor wat ik heb gedaan. Het was beslist een slecht mens maar een dergelijke dood heeft hij niet verdiend. Dat was niet de stijl van een edelman.' Andrássy bleef staan en reikte Kempelen zijn hand. 'Daarom trek ik mijn uitdaging in. U bent van onze erezaak bevrijd. In deze kwestie is voldoende bloed gevloeid.'

Kempelen nam de hand die naar hem werd uitgestoken en zei: 'Ja.'

'Bid voor uw jood, want ik zal dat zeker niet doen.' Andrássy bracht zijn hand ten afscheid naar zijn hoed. 'Vaarwel dan.'

De baron was al enkele passen in de richting van de stad teruggegaan toen Kempelen hem terugriep.

'Wat valt er tussen ons nog te bespreken?' vroeg Andrássy vanaf de plaats waar hij stond.

Kempelen liep naar hem toe. 'Ik wil u een aanbod doen,' zei hij op zachte toon. 'Wanneer ik u zeg wie de moordenaar van uw zuster is, zoals u al zo lang vurig verlangt te weten... geeft u mij dan uw woord als man van eer dat u dit geheim zult bewaren zolang u leeft?'

Andrássy kneep zijn ogen tot spleetjes, verder bleef zijn gelaat als ver-

steend. 'Dat geheim wil ik wel bewaren, ja... het geheim wel; maar niet degene die het onderwerp van dat geheim is. Dat zweer ik bij God en al zijn heiligen!'
'Dat verlang ik ook niet van u,' antwoordde Kempelen.

Toen Andrássy – met een geladen pistool in zijn linkerhand – de kleine bergruimte opende met de laatste van de sleutels die Kempelen hem had meegegeven, vertoonde zich voor zijn ogen een wonderlijk tafereel: daar stond het schaaktafeltje; uit het mechaniek stak een balk. Van de Turk waren nog slechts de benen over, die stevig op de taboeret gemonteerd waren. De brokstukken van de rest van het lijf waren over de hele ruimte verspreid. De muur was op diverse plaatsen ingeslagen en door de gaten in de kalk was het metselwerk te zien. Op de vloer lag een oog. Het leek wel of er een bom was ingeslagen, die de schaker in duizend stukken had gereten.
Midden in de chaos zat een mens van klein postuur, een dwerg, met zijn rug tegen de muur. Hij knipperde met zijn ogen toen het licht vanuit de werkplaats op hem viel en bracht zijn hand omhoog om zijn ogen tegen het licht te beschermen. Zijn voorhoofd was bezweet en op dat zweet kleefden splinters, stukjes verf en stof. Toen de ogen van de dwerg aan het plotselinge licht gewend waren, scheen hij Andrássy te herkennen en hij glimlachte. Andrássy richtte zijn pistool op hem en gebaarde hem te gaan staan.
'Ben jij degene die mijn zuster heeft gedood?'
Tibor knikte. 'Het was niet mijn bedoeling,' zei hij, maar omdat hij zo'n droge keel had, klonk zijn stem zo schor dat hij nauwelijks te verstaan was.
'Heb je haar lastiggevallen voordat ze stierf? Heb je haar onzedig betast of gekust?'
'Betast.'
'Daar zul je voor moeten boeten. Ik ga je doden. Nu.'
Tibor knikte opnieuw. Hij was te zeer verzwakt om zich te kunnen verzetten of te vluchten, maar dat wilde hij ook niet meer. Als het dan toch moest gebeuren, dan maar door Andrássy. Nu zou deze datgene voltooien waarmee hij op de weg naar Wenen was begonnen.
'Heb je nog een wens voordat je gaat?'
Niet in staat om een woord uit te brengen wees Tibor naar een kroes water die op een van de werktafels stond. Andrássy knikte. Tibor

pakte de kroes. De eerste slok was nog pijnlijk. Vervolgens dronk hij gretig de hele kroes leeg en zette hem weer neer. 'Dank u wel.'

'Ga op je knieën zitten,' beval Andrássy en toen Tibor met zijn gezicht naar hem toegewend neerknielde: 'Andersom.'

Tibor keerde de baron zijn rug toe. Andrássy legde zijn pistool op de tafel.

'Hebt u mijn vriend gedood?'

'Dat was ook niet mijn bedoeling,' antwoordde Andrássy. 'Vertel hem dat maar in het geval je hem tegen mocht komen.'

Tibor hoorde hoe Andrássy zijn sabel trok en deze ter voorbereiding op de dodelijke slag in zijn hand wiegeld. Tibor legde zijn hoofd op zijn borst, vouwde zijn handen en bad.

'Wees gegroet, Maria, vol van genade, de Heer zij met u. Gij zijt de gezegende onder de vrouwen en gezegend is Jezus, de vrucht van uw schoot. Heilige Maria, moeder van God, bid voor ons zondaars in het uur van onze dood. Amen.'

'Amen,' sprak Andrássy. Toen hief hij zijn sabel met beide handen in de lucht. Tibor sloot zijn ogen.

Er weerklonken voetstappen die niet van Andrássy waren. Het pistool werd weer gepakt. Andrássy draaide zich met een ruk om. De haan van het pistool werd gespannen. Nu deed Tibor zijn ogen open en draaide zich om. Bij de deur stond Elise, in reiskleding, het pistool stevig in haar hand. Ze hield het op de Hongaar gericht. Omdat ze geen enkele moeite meer deed om haar zwangerschap verborgen te houden, was haar ronde buik goed te zien. Andrássy liet zijn sabel zakken. Niemand zei een woord.

Ten slotte deed Andrássy een pas voorwaarts en stak zijn hand uit. 'Geef me dat pistool.'

Maar in plaats van terug te deinzen kwam ook Elise naar voren en hield het pistool nog wat hoger, zodat Andrássy in de loop kon kijken. 'Ik schiet je dood,' schreeuwde ze met overslaande stem. 'Godverdomme, ik schiet je dood! Omlaag met die sabel!'

Andrássy keek naar Tibor, toen weer naar Elise en eindelijk legde hij de sabel op de vloer.

'En nu op je knieën!'

Andrássy gehoorzaamde niet. 'U maakt me niet dood.'

'Dat doe ik wel als je niet onmiddellijk op je knieën gaat!' schreeuwde Elise en deed weer een stap in zijn richting.

Andrássy ging op zijn knieën zitten.

Tibor pakte de sabel.

'En nu?' vroeg Elise. Er biggelden tranen uit haar ooghoeken.

'Dat weet ik niet,' zei Tibor.

Een tijdlang keken de drie elkaar beurtelings aan, want geen van drieën wisten ze wat te doen.

Tibor wachtte tot Andrássy naar Elise keek en sloeg hem toen met het gevest van de sabel in zijn nek. Andrássy kantelde voorover maar kreunde nog, zodat Tibor opnieuw toesloeg. Toen stootte hij de kling van de sabel in een spleet tussen twee vloerplanken en boog de greep om totdat hij brak. De greep gooide hij van zich af. Elise hield het pistool nog steeds op de bewusteloze man gericht.

'We zullen hem niet doden,' zei Tibor.

Met trillende vingers ontspande Elise de haan weer. Zodra ze dat had gedaan, begon ze luid te snikken. Het pistool viel uit haar handen. Haar knieën knikten. Tibor stond klaar om haar val te breken. Ze stond nu onbedaarlijk te huilen en klemde zich aan zijn hemd vast. Hij sloeg een arm om haar heen en legde zijn andere hand op haar achterhoofd. Hij ademde in. Ze rook zoals ze altijd had geroken.

'*Piano,*' mompelde hij, en: '*Tranquillo*', want hij kon opeens niet meer op de juiste Duitse woorden komen.

Ze duwde hem van zich af en keek met rood omrande ogen op. 'Je hebt het recht niet om mij te verachten! Jij zou immers beter moeten weten! Jij weet toch hoe het is om jezelf voor geld te moeten verkopen! Ik heb mijn lichaam verkocht, jij je hersens: wat is het verschil? Wat maakt jou tot een beter mens dan ik? Omdat ik tegen je gelogen heb? Jij hebt niet anders gedaan. Jij hebt gelogen en bedrogen met je machine en je bent geen haar beter, alleen omdat je bidt! Je hebt het recht niet me te verachten!' En iets minder overtuigd voegde ze eraan toe: 'Ik wil niet dat je me veracht.'

Tibor zweeg. Hij nam haar hoofd in zijn handen en kuste haar op haar voorhoofd. 'Laten we gaan.'

Ze stonden beiden op. Tibor raapte Andrássy's pistool op. Elise droogde haar tranen.

'Waar is Kempelen?' vroeg hij.

'Dat weet ik niet. Hier niet. Alle deuren stonden open maar ik heb hem niet gezien.'

'Ik krijg vanavond een paard.'

'Wil je zo lang wachten?'

'Ja. Te voet kom ik niet snel genoeg vooruit.'

'En waar wil je dan wachten? Voor het geval Andrássy hier wegkomt en zijn soldaten op je afstuurt.'

Tibor dacht na. 'Het liefst bij Jakob. Het paard wordt daar vlakbij afgeleverd. Ik pak mijn spullen.'

Terwijl Elise Andrássy de bergruimte in sleepte en hem daar opsloot zoals Tibor daar voordien opgesloten had gezeten, stouwde Tibor zijn spullen in een ransel: zijn reisschaakbord, zijn geld, de pistolen van Messerschmidt en Andrássy en het schaakstuk dat Jakob voor hem had gesneden. Toen trok hij zijn frak aan, zette zijn steek op en vertrok voorgoed uit zijn kamer en huize Kempelen. Kempelen zelf was nergens te bespeuren, ook in de Donaustraat niet. Desondanks liepen ze via een omweg, over de Groenmarkt en de Kolenmarkt, naar de Jodensteeg en controleerden meer dan eens of ze niet gevolgd werden. Ze zeiden geen woord.

De sleutel van Jakobs woning lag nog steeds onder de dakpan en de woning zelf was nog niet leeggeruimd. Jakobs kleren en papieren lagen op keurige stapeltjes op het bed zoals Kempelen ze had neergelegd. Elise bekeek de buste van taxushout die Jakob van haar had gemaakt en Tibor bekeek de beide Elises.

Kort daarna hoorden ze de traptreden kraken. Iemand kwam naar boven en klopte op de deur. Tibor greep een van de pistolen en vroeg wie daar was.

'Mijnheer Neumann?' vroeg de stem achter de deur. 'Bent u daar, mijnheer Neumann? Ik ben het, Krakauer, Aaron.'

Tibor verborg beide pistolen onder het beddenlaken en liet de uitdrager binnen.

'Sjalom, mijnheer Neumann,' zei Krakauer, 'ik meende zeker te weten u te hebben gezien, en die beeldschone jongejuffrouw.'

'We blijven hier maar eventjes,' legde Tibor uit. 'We vertrekken zo meteen.'

Krakauer knikte. 'Jakob hebben ze daarstraks begraven. Ik had u al gemist.'

'Ik was van plan te komen maar ik ben door iemand opgehouden.'

'Dat is jammer. Het was niet de vloek van de Turk, hè?'

'Wat?'

'De slager zei dat de vloek van de Turk de oorzaak is van Jakobs dood, zoals hij ook de barones heeft gedood en die onderwijzer uit Marien-thal, omdat Jakob zo brutaal was om de schaker in een herberg na te apen.'

'Nee. Nee, het was niet de Turk.' Tibor dacht eraan hoe hij de Turk had achtergelaten: onherkenbaar vernield. 'En als het toch de Turk was, dan heeft hij ervoor geboet.'

Krakauer legde zijn handen kruislings over elkaar. 'Kan ik nog iets voor u doen, mijnheer Neumann? Of voor de jongejuffrouw? Een bo-rovicka?'

'Nee, dank u wel,' zei Tibor. 'Maar vertelt u alstublieft aan niemand dat wij hier zijn. Per slot van rekening is dit onze woning niet.'

'Daar kunt u van op aan. Nu dan, vaarwel en goede reis. Moge de Al-machtige met u zijn.'

'Hartelijk dank, mijnheer Krakauer.' Tibor deed de deur achter de oude jood dicht. Het was vroeg in de middag.

Tot het avond werd spraken ze nauwelijks een woord. Elise lag met haar gezicht van Tibor afgewend op het bed te slapen. Zelfs als ze even wakker werd, veinsde ze te slapen. Ze schaamde zich voor het feit dat ze in de werkplaats buiten zichzelf was geraakt en ze was bang voor de toekomst. Wat verlangde ze ernaar dat Tibor bij haar kwam zitten en althans zijn hand op haar rug zou leggen. Maar Tibor kwam niet naar haar toe. Hij waste het zweet van zijn lijf, trok schone kleren aan en at iets. Toen onderwierp hij Jakobs nalatenschap aan een nader onder-zoek. Het gereedschap pakte hij bij elkaar in zeemleer en borg het in zijn ransel: Jakob zou hebben gewild dat hij het kreeg. Toen het don-ker werd, trok Tibor de gordijnen dicht en ontstak de zevenarmige kandelaar.

'Het wordt tijd,' stelde hij ten slotte vast, trok zijn groene frak aan en zette zijn steek op.

Elise kwam overeind en trok vlug haar schoenen aan. 'Waar gaan we heen als we het paard hebben?'

'De stad uit en dan...'

Tibor hield midden in de zin op. Achter de deur hadden ze allebei een traptrede horen kraken. En toen nog een. Tibor greep met elke hand een pistool, maar omdat hij de haan van de twee pistolen zo onmoge-lijk kon spannen, wierp hij er Elise een toe. Het geladen wapen richtte hij op de deur. Elise kwam nog wat verder overeind op het bed, alsof ze opeens een vlot was geworden op een woelige zee. De enige geluiden die nu nog te horen waren, waren de krakende planken aan weerskanten van de deur.

Toen werd de deur opengetrapt, met zoveel kracht dat het oude slot zelfs een deel van de deurpost meesleurde en de deur daarna scheef in de scharnieren bleef hangen. In de deuropening stond Andrássy, en nog voordat hij Tibor had gezien was de loop van het pistool in zijn hand al op diens hoofd gericht. Achter Andrássy stond niemand minder dan Kempelen, eveneens gewapend met een pistool. Tibor had het gevoel dat hij hem in geen eeuwigheid had gezien. In weerwil van Tibors wapen kwam Andrássy de kamer binnen en Kempelen volgde hem en richtte zijn pistool eveneens op Tibor. Toen ook Elise, die nog steeds op het bed zat, de haan van haar wapen spande, richtte Kempelen even op haar maar vervolgens toch weer op Tibor, in twijfel over de vraag wie de grootste bedreiging vormde – of wie van beiden hij het liefst dood zou zien. Tibor deed een stap opzij om beter op Kempelen te kunnen schieten, waarop Kempelen definitief op hem aanlegde. Elise richtte haar pistool vervolgens op Kempelen. Enkel Andrássy's pistool bleef voortdurend op Tibor gericht. Dit merkwaardige ballet voltrok zich binnen enkele seconden, volstrekt geluidloos en als het ware op een geciviliseerde manier, alsof ze tevoren hadden afgesproken dat niemand zou schieten zolang nog niet alles keurig gearrangeerd was.

Ook nu wist Andrássy zijn aristocratische glimlach niet te onderdrukken. 'Wat een fataal evenwicht.'

Tibor hoorde niet wat de baron zei. Hij keek Kempelen recht in de ogen. De zwarte loop van zijn pistool lag er als een derde oog onder. Wat er de komende minuten ook zou gebeuren, dit zou de laatste keer zijn dat de beide mannen tegenover elkaar stonden. Kempelen wekte de indruk Tibor niet te willen aankijken maar diens blik ook niet te kunnen ontwijken, alsof Tibor hem had gehypnotiseerd en behekst, alsof hij het konijntje was en Tibor de slang. Kempelen klemde zijn vingers onophoudelijk opnieuw om het wapen vast, alsof het uit zijn hand dreigde te glippen. Hij deed Tibor denken aan een van de patiënten van de magnetiseur in Wenen, die kronkelend uit zijn eigen lichaam had proberen te ontsnappen. Tibors blik verstarde, hij keek nog steeds naar Kempelen maar hield zijn ogen strak op een punt achter hem gevestigd, alsof hij dwars door de schedel van de baron kon kijken.

Het leek of het allemaal op een gelijkspel zou gaan uitlopen: wanneer hij op Kempelen schoot, zou Kempelen op hem schieten en dan zouden ze beiden verloren hebben. Zelfs wanneer ze beiden mis zouden schieten of wanneer hun buskruit niet tot ontbranding zou komen, zouden de beide anderen hun kogels afvuren; Andrássy op hem, de dame op Kempelen. De dame stond strategisch gezien op de gunstigste plaats, want het paard had haar zijn rug toegekeerd. Het 'en garde' was niet voor haar bedoeld en vanaf het veld waar zij stond, kon ze zowel hem als de vijandelijke koning slaan. Naar voren kon Tibor niet, want daar versperden zijn tegenstanders hem de weg. Rechts van hem stond een tafel, links van hem bevond zich een muur. Achter hem hing een gordijn, en daarachter bevonden zich een raam en een deur die op het dak van het aangrenzende huis uitkwam, maar die deur zat op slot en voordat Tibor hem open had, zouden de beide anderen hem allang overmeesterd hebben. Als er nou nog maar een stuk van zijn kleur bij zou komen, al was het maar een pion, een Krakauer, dan zou de zaak er heel anders voorstaan. Maar zoals het er nu voorstond, zat er niets anders op dan zich op te offeren om daarmee te waarborgen dat althans de dame zich in veiligheid kon brengen.

'Vlucht, Tibor,' zei Elise.

Of de dame offerde zich voor hem op. De beide mannen negeerden Elise's oproep, maar Tibor zag hoe Elise de arm waarin ze haar wapen hield omhoog stak en de trekker overhaalde. Bij het horen van de klap van de haan tegen de pan van het pistool draaiden Kempelen en Andrássy zich met een ruk om, en toen het kruit in de loop explodeerde en de kogel in het lage plafond insloeg, had Tibor de menora al gegrepen en deze naar Andrássy gegooid. De kaarsen doofden onmiddellijk. Andrássy was geraakt en slaakte een kreet. Het werd donker, maar Tibor had geleerd zich in de duisternis te bewegen. Hij gooide de tafel om en versperde zijn achtervolgers daarmee de doorgang. Iemand struikelde. Hij hoorde Elise kreunen. Er viel iets op de grond. Tibor liet zijn pistool vallen. Daar had hij nu toch niets meer aan.

Met zijn schouder naar voren stormde Tibor op de smalle deur af met het gordijn ervoor. Deze brak los uit de vermolmde scharnieren, viel op het aangrenzende dak, gleed ratelend over de dakpannen naar beneden en bleef in een dakgoot hangen. Tibor viel achter de deur aan, smakte op de dakpannen neer, die niet bijster meegaven, en klampte zich meteen aan de nok vast. Er viel een schot in Jakobs woning en de kogel floot ver over Tibors hoofd heen. Kempelen riep: 'Achter hem aan!' Een kreet van Elise, toen een kletsende klap. Omdat het gordijn achter Tibor weer was dichtgevallen, kon hij niet zien wat daarbinnen gebeurde. Schrijlings kroop hij verder over de dakpannen, die nog nat en koud waren omdat het pas geregend had, tot hij het volgende dak bereikte, dat plat genoeg was om er rechtop overheen te kunnen lopen. Tibor zocht in het licht van de maanloze nacht naar mogelijkheden om weer naar beneden te komen, maar die waren hier niet: aan de ene kant lag het plaveisel van de Jodensteeg, aan de andere kant de begraafplaats. Hij moest verder, in de hoop dat hij snel op een buitentrap zou stuiten, of door het raam van een onbekende woning naar binnen zou kunnen klimmen. Toen hij zich omdraaide, zag hij Andrássy in de deurpost naar buiten kijken. De baron hief zijn pistool en richtte op Tibor, maar de afstand was te groot. Zonder het pistool weer in het foedraal weg te bergen sprong de huzaar van de drempel van de deur op het dak en liep feilloos als een koorddanser over de nok, waar Tibor op handen en voeten overheen was gekropen. Tibor rende door en sprong op het volgende huis; inmiddels had hij alle voorzichtigheid uit het oog verloren. Of hij nu door een kogel het leven liet of door een val op de keien was uiteindelijk om het even.

De vlucht over de daken had alle kenmerken van een achtervolging door kreupelhout: schoorstenen stonden hem in de weg, dakgoten leken wel stevig maar bleken hem soms nauwelijks houvast te bieden, dakpannen en balken kraakten en braken onder zijn voeten af, in de duisternis regende het mortel en scherven, mos en vochtig gebladerte. Andrássy nam een andere weg dan Tibor – de ongeordende massa daken bood daar alle gelegenheid toe – blijkbaar in de hoop hem op die manier de pas te kunnen afsnijden. Aan Tibors voeten doemde opeens een binnenplaats op, een vierkant zwart gat; hoe diep het was, was niet te zien, het leek een bodemloze put. Hier en daar hingen op verschillende hoogten wel een paar olielampen, maar die verlichtten hun omgeving niet en waren slechts puntjes in de duisternis, zoals dwaallichten, en nergens kon Tibor een ladder of een trap ontwaren die naar beneden leidde. Hij overwoog of hij om hulp zou schreeuwen maar er was geen mens te zien, noch in de huizen noch op straat.

Terwijl Tibor over de volgende nok kroop, vuurde Andrássy zijn pistool op hem af. De loden kogel sloeg pal naast Tibor in en de rode scherven sprongen alle kanten op. Tibor klom door en hield zich aan een schoorsteen vast teneinde om zich heen te kunnen kijken. Andrássy was nog maar één huis bij hem vandaan en was in het donker bezig zijn wapen opnieuw te laden. Aan de hoogvlakte van daken zou gauw een einde komen want deze werd doorsneden door een diepe afgrond, een smalle steeg, de avondnevel dreef op het plaveisel. Tibor zat in de val.

'Deze keer volgt er geen remise, schaakspeler,' riep Andrássy.

Tibor zocht dekking achter een schoorsteen alvorens te antwoorden. 'Nee.'

'Wil je vechten?'

'Niet meer.'

'Dat is jammer.' Andrássy lispelde omdat hij de laadstok tussen zijn tanden had. 'Want je hebt beslist ridderlijke karaktertrekken, die ik werkelijk waardeer. Alleen ontbeer je de juiste opvoeding: *par exemple*, het was een grove fout van je om mijn sabel doormidden te breken. Daarmee heb je mijn eer gekrenkt.'

'Dan smeek ik u op uw eer, baron,' antwoordde Tibor, 'doe die vrouw niets. Ze wilde me slechts helpen. En ze is in gezegende omstandigheden. Laat u haar en haar kind leven.'

'Geen zorgen. Nooit van mijn leven zou ik een vrouw ook maar een haar krenken.' Andrássy borg buskruit en kogels weg en spande de haan. 'In tegenstelling tot jou, zou ik eraan toe willen voegen.'

Meer hoefde Tibor niet te weten. Aan zijn linkerzijde, waar het dak eindigde, lag de joodse begraafplaats; daar stond een lindeboom die zijn takken omhoog stak. Als Tibor een voldoende grote sprong maakte, zou hij wellicht een van de takken kunnen vastgrijpen – en zo niet, dan zou hij ironisch genoeg vlak bij zijn vriend sterven. Alleen al bij die gedachte kreeg hij het zweet in zijn handen. Hij wreef ze aan zijn broek droog en rende vervolgens het dak af. Andrássy schoot niet, ofwel omdat Tibor een bewegend doelwit was of eenvoudigweg omdat hij overdonderd was door diens levensgevaarlijke manoeuvre.

Met één voet zette Tibor zich van de dakgoot af, en strekte in de lucht zijn armen naar voren. Onder hem lag de begraafplaats, die nu helemaal door de nevel bedekt was. De opstijgende mistflarden deden hem denken aan de damp die uit de onderwereld opstijgt. Twijgen en vochtig gebladerte sloegen in zijn gezicht maar hij dwong zichzelf zijn ogen open te houden. Hij kreeg een tak te pakken, maar deze was te dun. Onder Tibors gewicht boog hij door en brak af. Tibor had echter tijdig een tweede, sterkere tak weten te grijpen en deze hield hem. On-middellijk keek hij omhoog naar het dak, maar door het gebladerte kon hij Andrássy niet meer ontwaren. Voorlopig was hij veilig. Snel begon hij, meer op de tast dan op het zicht, langs de stam naar beneden te klimmen. Overal om hem heen drupte regenwater, en de herfstblade-ren, die door zijn bewegingen loskwamen van hun twijgen, dwarrelden naar beneden. Het laatste stuk liet hij zich vallen, nadat hij in de nevel een opening tussen de dicht opeenstaande grafstenen had ontdekt. Als een kat kwam hij op handen en voeten terecht. Zijn oude wond deed pijn. Alles wat hij nog bij zich had, was zijn geld, de kleren die hij aan had en de hoed op zijn hoofd. Nu moest hij zorgen dat hij tijdig bij Wal-ther was, voordat Andrássy de straat op ging om hem te zoeken. Door de doolhof van graven liep hij naar het portaal. Kiezelsteentjes vielen van de zijkanten van de grafstenen waar iemand ze op had neergelegd. Toen Tibor van de omheining van de begraafplaats op de straatstenen was gesprongen, zette hij het op een rennen, eerst in noordelijke rich-ting om weg te komen uit de Jodensteeg en toen via de Nikolaistraat in de richting van de kerk. Aan de linkerkant van de straat stonden hui-zen, rechts een muur waarachter het St.-Nikolaikerkje met het kerk-hof. De kerk stond op de helling van de burchtheuvel, een aantal voe-ten boven het straatniveau. De muur was op een plaats onderbroken, een brede trap leidde daar naar boven. Op de onderste trede zat Wal-ther. Toen hij Tibor zag aankomen, stond hij met behulp van zijn kruk-ken op. Tibor zuchtte diep van opluchting toen hij zijn kameraad op de afgesproken plek terugzag.

'Heergodsakkerloot, waar bleef je?' siste Walther. 'Ik begon al in de rats te zitten; wat ben je laat!'

'Weet ik,' zei Tibor buiten adem.

'Je hebt een halve boomkruin op je kop.' Walther plukte een paar lin-debladeren van Tibors steek. 'Heb ik daarstraks niet een schot ge-hoord?'

'Heb je het paard? Ik heb erge haast.'

'Zeker, zeker. Ik heb die knol aan de kapel vastgebonden, waar alleen de duivel hem zou stelen. 't Is een mooi beest, Blaaskaak.'

'Duizendmaal dank, Walther.'

'Ça, ça, één keer is voldoende, hou de rest van die dank maar, want alleen van die duizend kreuzer van jou raakt mijn maag een beetje ge-vuld. Kom maar mee!'

Behendig schommelend op zijn krukken ging Walter hem voor naar het St.-Nikolaikerkje en Tibor volgde.

Echter, vanaf de andere kant van de Nikolaistraat naderde Andrássy. Hij had een dakraam ingeslagen en had via de lege woning en het trappenhuis weer op straat weten te komen. Hij was de jodenwijk in tegengestelde richting uitgelopen en naderde nu vanaf de kant van de Donau.

In het handgemeen dat was ontstaan nadat Elise het schot had afgevuurd en Tibor de kaarsen had gedoofd, had Elise Andrássy met alle kracht die in haar was vastgehouden om hem te beletten achter Tibor aan te gaan. Omdat de baron er niet in was geslaagd zich uit haar omhelzing te bevrijden, had hij haar zo onbeheerst van zich afgeduwd dat ze het bewustzijn verloor. Kempelen had van dat alles nauwelijks iets gemerkt. Hij had het gordijn opzij geslagen en gezien hoe Andrássy de dwerg over de daken achtervolgde, en pas nadat hij de kaarsen met behulp van een vuursteen, staal en tondel weer had ontstoken, zag hij dat Elise in zwijm op de grond lag. Hij voelde haar pols en tilde haar op het bed. Niet wetend wat met haar te doen zette hij eerst de tafel weer overeind. Tibors geladen pistool lag eronder.

Kempelen had amechtig door de kleine woning gelopen, op zijn nagels gebeten en verscheidene keren krachteloos tegen het metselwerk gestompt voordat hij na een lange innerlijke strijd eindelijk had besloten het pistool op te rapen. Hij ging naast Elise op het bed zitten, heel voorzichtig om te voorkomen dat ze wakker zou worden, erop gebrand haar nooit meer aan te raken. Hij zag uitsluitend haar achterhoofd. Met de rug van zijn hand veegde hij de tranen uit zijn ogen, vervolgens greep hij een kussen en drukte dat rond het pistool om de knal te dempen. Toen hij de loop tegen haar hoofd zette, kreunde hij. Zijn vinger spande zich om de trekker. Hij wendde zijn hoofd van dit tafereel af – en keek in de ogen van Andrássy, die in de deuropening stond. Hij had hem niet horen terugkeren. Andrássy hield zijn pistool op hem gericht.

'Leg onmiddellijk uw wapen neer,' zei Andrássy op niet mis te verstane toon, 'anders bent u de volgende die vanavond het leven laat.'

Kempelen gaf terstond gevolg aan het bevel. Hij liet zijn pistool vallen zoals een kind een verboden stuk speelgoed. Andrássy knikte en borg zijn wapen weer in het foedraal. In zijn linkerhand had hij Tibors geldbuidel en diens steek. Beide voorwerpen wierp hij Kempelen toe en vervolgens liet hij zich vermoeid op de enige stoel neervallen; zijn militaire houding had hij geheel laten varen. Hij legde zijn hoofd in zijn nek, sloot zijn ogen en zuchtte. Het zweet parelde op zijn huid. Kempelen onderzocht ondertussen de beide voorwerpen die Andrássy mee teruggebracht had. De beurs was nogal wat geldstukken lichter dan twee dagen geleden maar voelde nog steeds zwaar aan. Tibors hoed kwam hem voor als een zonderlinge trofee maar toen hij zijn hand in de rand ervan legde, voelde hij dat deze enigszins vochtig was en toen hij zijn hand terugtrok, waren zijn vingertoppen bedekt met bloed en witte korreltjes. Daar, op de achterkant van de steek, zat een gaatje, nauwelijks groter dan een speldenknop, en het vilt eromheen was donkerrood van het bloed. Onmiddellijk veegde Kempelen zijn vingers af aan het beddenlaken. Vervolgens hield hij de hoed vlak bij de kaars en het licht dat in de binnenkant viel, werd door het bloed weerkaatst. In het bloed zaten zwarte haren, botsplinters en een witte geleiachtige substantie die niets anders kon zijn dan hersenweefsel. Vol walging liet Kempelen de hoed vallen.

'Gedraag u in godsnaam niet zo huichelachtig,' vermaande Andrássy hem. 'U wenste hem dood en de dood is nu eenmaal een smerige aangelegenheid. Denkt u soms dat mijn zuster een fraai schouwspel bood toen ik haar op het terras voor het paleis vond?'

'Hij is dus dood?'

'Ja.'

'Waar is zijn lijk?'

'Onderweg naar Theben.'

'Pardon?'

Andrássy was de verlaten straten doorgerend op zoek naar de dwerg, woedend op zichzelf en over het feit dat de moordenaar van zijn zuster hem nu al voor de tweede keer ontkomen was. Hij was om de jodenwijk heen gelopen en in de Nikolaistraat had hij hoefgetrappel gehoord. Tibor was in galop in de nevel op hem af komen rijden, zijn kleine lijf in de kleine frak diep over het zadel gebogen. Andrássy had op Tibors hoofd gericht en de trekker overgehaald. De kracht waarmee de kogel insloeg, had zijn lichaam plat op de rug van het paard geworpen en van daaraf was het als een zak zand opzij gekanteld en van het zadel gegleden, maar hij was met zijn voet in de stijgbeugel blijven hangen. Andrássy was snel opzij gesprongen. Het paard was niet blijven staan maar door de knal eerder nog aangevuurd, zodat hij het lijk over het plaveisel met zich meegesleurd had. Daarbij waren de hoed en enkele stappen later de geldbuidel losgeraakt. Vervolgens waren paard en ruiter in de nacht verdwenen en had Andrássy de beide voorwerpen opgeraapt.

'U hebt er verstandig aan gedaan het duel met mij uit de weg te gaan,' zei Andrássy, 'want u zou ik even trefzeker een kogel door uw hersens hebben gejaagd.'

De klok van het raadhuis sloeg drie uur. Kempelen huiverde bij het horen van de klank.

Andrássy streek met zijn hand door zijn haar. 'Die arme drommel. Het paard wekte de indruk voor eeuwig te zullen doordraven. Ergens op de weg naar Theben zal zijn voet losraken uit de stijgbeugel of zullen de riemen scheuren en dan ligt hij met een gat in zijn hoofd langs de straat in het stof.'

Kempelen zei niets. Hij bleef maar naar Tibors hoed staren. Andrássy stond op en steunde daarbij als een oude man met beide handen op de stoel. 'Laten we maar gaan. Misschien is er toch nog een jood die in de gaten heeft dat hier pistolen zijn afgegaan en geen donderslagen en heeft hij de gendarmerie geroepen.'

Kempelen wees op Elise. 'Zij... zij zal tegen u getuigen.'

'Dan nog. Zet het maar uit uw hoofd, baron. Deze vrouw blijft in leven. Ze draagt een kind in haar schoot.'

'Pardon?'

'U hebt het goed verstaan. Ze is zwanger. En zij staat onder mijn persoonlijke bescherming. Ik heb mijn erewoord gegeven en daaraan heb ik mij tot nu toe altijd gehouden.'

Kempelen knikte. Hij nam Tibors beurs nogmaals op, woog deze even in zijn hand en legde hem vervolgens naast het hoofd van Elise op het bed. Tibors doorboorde steek wilde hij meenemen, maar Andrássy raadde hem dat af. 'Het is wel een afschuwelijke aanblik, maar dan weet ze tenminste dat ze hem niet meer hoeft te zoeken, dat ze eerder voor hem moet bidden.'

Dus raapte Kempelen alleen de pistolen bij elkaar. Ten slotte doofde hij de laatste drie nog brandende kaarsen van de menora en ging achter Andrássy aan de woning uit.

Toen de beide mannen de winkel van Krakauer passeerden, kwam de handelaar naar buiten om zijn loon op te strijken voor het feit dat hij

Kempelen zoals afgesproken had gewaarschuwd dat de dwerg en zijn metgezellin zich in Jakobs woning verstopt hielden. Eenmaal buiten gehoorsafstand van de uitdrager siste Andrássy 'joden' en spoog vol walging op de straatstenen.

Bij de ingang van de jodenwijk namen János baron Andrássy en Wolfgang baron von Kempelen voor de laatste maal afscheid van elkaar. 'U moet me beloven dat de Turk nooit meer zal schaken zolang ik leef,' zei Andrássy op gebiedende toon.

'U hebt mijn schaakmachine gezien: de dwerg heeft hem vernietigd. Er is nauwelijks iets van over. Ik beloof het u.'

Andrássy keerde naar zijn kazerne terug. Kempelen zadelde nog diezelfde nacht zijn paard en reed ondanks de duisternis naar Gomba naar zijn vrouw en zijn kind.

Toen Elise haar ogen opende, kwam de zon stralend op boven de daken van de stad. Toen ze de lederen buidel met Tibors loon voor zich zag, wist ze al meteen dat hij niet meer in leven was.

De doorboorde hoed op de verder lege tafel bevestigde dit slechts. Ze liet zich achterover op het bed neervallen, huiverde in tranen en wilde maar dat Kempelen had voltooid waarvoor hij gekomen was, dat ze nooit meer ontwaakt was – althans niet in deze wereld.

Neuenburg: ochtend

'Hoe komt het dan dat je nog leeft?' vroeg Kempelen. 'Of ben je soms een spook of een dubbelganger? Of een machine waarop de kogel geen vat heeft kunnen krijgen en was die hoed dus vochtig van de olie?'

Tibor volgde Walther naar de trap van de kerk en daar stond inderdaad een stevig paard aan een boom gebonden. Het draaide zich om naar de beide mannen toen het Walthers krukken klepperend hoorde naderen. Zijn adem vormde wolkjes voor zijn neusgaten.

'C'est ça,' zei Walther trots.

Tibor nam zijn steek in zijn hand en liep naar het paard toe. Alle haast viel van hem af. Hij streelde de warme flanken van het dier. 'Perfect.'

'Ik heb de proviand in de zadeltassen gestopt. Kijk maar na.'

'Ik ben ervan overtuigd dat het er allemaal is.'

'Toe nou, kijk er nou effe in.'

Tibor lachte en maakte de riem van de zadeltas los. Hij moest op zijn tenen gaan staan om erin te kunnen kijken. In de tas zaten een groot rond brood, kaas en een paar appels.

Een van Walthers krukken viel met een klap op de grond. Vanuit zijn ooghoek nam Tibor een snelle beweging waar en toen kwam er iets hards met zo'n kracht op zijn hoofd neer dat hij dacht dat zijn schedel in duizend stukjes uiteenspatte.

Toen hij weer bijkwam – althans zijn zintuigen, want zijn lichaam voelde nog steeds verdoofd en dood aan – lag hij op zijn buik op de grond; Walther zat op zijn knieën naast hem onhandig aan zijn frak te trekken. Tibors gezicht werd in het koude grind gedrukt en vanaf zijn kruin stroomde warm bloed in zijn haar. Vlak bij zich zag hij de hoeven van het paard.

Walther sprak in zichzelf. 'Kleren maken de man, Blaaskaak, maar zonder die kleren ben je gewoon weer een gebochelde gnoom, een doodgewone laarzenpoetser. Dacht je soms dat je meer was als ik, alleen omdat je een chic pakkie an hebt? En Walther, die zijn been kwijt is en die voor de kerk moet bedelen voor een kom soep, springt als de eerste de beste rothond op zogauw je een paar gulden voor zijn voeten gooit! Maar nu zijn de rollen weer omgedraaid. Nou draag ik jouw kleren en die chique hoed van je. Nu is Walther degene die rijk is en een paard heeft en nu ben jij de invalide en nog een onnozele hals bovendien.' Walther had eindelijk de frak van Tibors armen getrokken, maar binnenstebuiten. Nu draaide hij de mouwen weer zoals ze hoorden en trok de kleine jas zelf aan. De naden scheurden toen hij zich strekte. 'Vervloekt! Te korte mouwen en krap in het kruis, maar *très élégant*. Duizendmaal dank.'

Tibor sloot zijn ogen weer. Hij kon ze slechts met moeite openhouden en Walther mocht niet zien dat hij weer bij bewustzijn was. Hij hoorde hoe Walther de volle geldbeurs in zijn hand woog. Toen hoorde hij zijn knerpende voetstappen op het grind. Hij maakte het touw los waarmee het paard vastgebonden was, stopte zijn krukken in de zadeltassen en hees zich puffend in het zadel.

'We zien mekaar in de hel, Blaaskaak,' siste de kameraad ten afscheid. Met een spottend gebaar van hoogachting nam hij de steek even af en spuugde op Tibors rug. 'Na jou.'

Walther klakte met zijn tong en het paard draafde met hem weg. Tibor opende zijn ogen nog een laatste keer om zich ervan te vergewissen dat Walther inderdaad weg was. Toen omgaf de nacht hem eindelijk. Hij was ervan overtuigd dat hij weer wakker zou worden, dat noch de klap met de kruk, noch de nachtelijke koude noch Andrássy hem zou doden. Het dodelijke schot dat Andrássy op Walther afvuurde, hoorde hij al niet meer.

Een vrouw die het graf van haar ouders wilde verzorgen, ontdekte hem 's morgens. Ze schudde Tibor wakker en bood haar hulp aan. Hij bedankte haar vriendelijk maar ging niet op haar aanbod in. Hij kon lopen, dat was het belangrijkste. Om het geronnen bloed op zijn hoofd en zijn hemd zou hij zich later wel bekommeren. Bibberend van de kou en met krachteloze passen keerde hij naar de Jodensteeg terug en deed alsof hij de geschrokken blikken van de passanten niet zag. Toen hij Jakobs verwoeste woning binnenkwam, zat Elise nog steeds te huilen en toen hij op tafel zijn steek zag liggen en naast het bed zijn beurs, begreep hij ook waarom. Elise verstomde toen ze Tibor ontwaarde, om vervolgens opnieuw in tranen uit te barsten, nog onbeheerster dan voordien maar met een glimlach om haar lippen. Ze sloot hem in haar armen en huilde. Ze legde haar hand op zijn gewonde hoofd en wiegde hem als een kind en Tibor sloot zijn oogleden over zijn vochtige ogen en dacht dat hij opnieuw in zwijm zou vallen.

Tibor wreef in zijn ogen. Hij was moe. Het zou spoedig dag worden. Johann was ondertussen wakker geworden, had een deken gezocht en was daarmee opnieuw voor het langzaam dovende haardvuur gaan liggen.

'Natuurlijk haat je me,' zei Kempelen, 'en je hebt nooit begrepen waarom ik deed wat ik deed of je bent ervan overtuigd dat jij anders zou hebben gehandeld dan ik. Maar is het niet zo dat je nu een heel gelukkig leven leidt? En zonder mij zou je hier nu niet zijn. Ik verwacht echt niet dat je me daarvoor bedankt, maar hou het wel in je achterhoofd.'

'Mijn leven is niet zo gelukkig.'

'Waarom niet? Je hebt een geslaagde carrière als klokkenmaker, je bent een geaccepteerd lid van deze maatschappij, je hebt een thuis, vrienden...'

'Maar er gaat geen dag voorbij of ik denk eraan terug dat ik Ibolya Jesenák heb gedood. In de schaakmachine. En 's nachts beleef ik dat in mijn dromen opnieuw. Geen gebed en geen biecht heeft me daarvan kunnen verlossen en de tijd evenmin. Dat schuldgevoel heeft me dertien jaar lang achtervolgd en dat zal eeuwig zo blijven.'

'Dat begrijp ik.'

'Daar geloof ik niets van.' Tibor stond op. 'Ik ga nu naar bed. Het is de hoogste tijd. We zien elkaar over een paar uur terug voor het eindspel.'

Kempelen stak zijn hand op. 'Wacht.'

'Pardon?'

Kempelen wreef zich over zijn voorhoofd. 'Wacht even alsjeblieft.'

'Overweeg je soms om nu te voltooien wat Andrássy niet is gelukt?'

'Verdorie, nee. Wacht gewoon nog even.'

Tibor wachtte maar ging niet opnieuw zitten. Eindelijk keek Kempelen op. Zijn ogen straalden nu iets anders uit. 'Ik wil je een voorstel voor een transactie doen.'

'Een soortgelijke transactie als de onbeschrijfelijke manier waarop je het met Andrássy op een akkoordje hebt gegooid?'

Kempelen sloeg geen acht op deze kritische opmerking. 'Als ik ervoor zorg dat dat schuldgevoel waarover je sprak... de dood van Ibolya, als ik ervoor zorg dat je van dat schuldgevoel af komt... ben je dan bereid van de Turk te verliezen?'

Tibor wendde zijn gezicht af. Hij had zijn wenkbrauwen gefronst. 'Hoe kun jij die schuld nu van me afnemen?'

'Ben je bereid te doen wat ik van je vraag?'

'Wat bedoel je met die vraag? Ibolya Jesenák is dood en niets ter wereld kan haar meer tot leven wekken. Niemand kan die schuld van me afnemen.'

'Tibor, neem nou eens aan dat ik dat wel kan. Ik bied jou je zielenrust aan. Zou je bereid zijn in ruil daarvoor de partij te verliezen?'

'Ja.'

Kempelen haalde diep adem.

'Wat heb je me dan te vertellen?' vroeg Tibor.

'Luister goed: net zomin als Andrássy jou heeft gedood, maar in plaats daarvan je kameraad,' zei hij langzaam en sprak elk woord met nadruk uit, 'zo ben jij ook niet degene die Ibolya om het leven heeft gebracht.'

Tibor ging weer zitten.

'Herinner je je dat ik Ibolya bij Grassalkowitsj na haar val tegen het tafeltje op het schaaktafeltje heb getild om haar daar te onderzoeken? Ik heb haar pols gevoeld... en die klopte nog. Ik heb tegen je gelogen. Ze was niet dood. Ze was alleen maar bewusteloos.'

Tibor schudde zijn hoofd. 'Nee.'

'Dat zweer ik je. Ze zou aan haar val niets hebben overgehouden. Jij hebt veel ergere dingen moeten verduren en jij leeft. Jij hebt Ibolya niet gedood.'

'Maar dan...' Tibor staarde Kempelen met wijd opengesperde ogen aan. '*Madre de Dio*... Ze leefde dus nog toen je haar van het balkon...?'

'Ja.'

'Jíj hebt haar dus om het leven gebracht?'

'Ja.'

'Maar... waarom dan?'

'Is dat niet overduidelijk? Ik zou je kunnen vertellen dat ik het heb gedaan om jou te beschermen – maar we hebben elkaar de hele nacht niet belogen en daarom wil ik daar nu ook niet mee beginnen.' Hij schraapte zijn keel. 'Heel eenvoudig, ik heb het gedaan omdat Ibolya ons anders zou hebben verraden. Je hebt gehoord wat ze zei. Het zou mijn einde hebben betekend.'

'Ze hield van je!'

'Ze verveelde zich,' zei de Hongaar en wendde zijn ogen af. 'Ja, ja, veracht mij maar. In dat opzicht heb ik bij jou immers toch al niets meer te verliezen.'

'Waarom... heb je me destijds niet de waarheid gezegd?' Kempelen maakte een nietszeggend gebaar, maar Tibor gaf zelf het antwoord op zijn vraag: 'Om mij de schuld in de schoenen te schuiven als het bedrog uitgekomen zou zijn...'

'Tibor...'

'... en om mij met mijn angst voor de galg... voor eeuwig aan de machine en aan jou vast te kluisteren.'

'Je overdrijft.'

Tibor keek naar de grond. Toen deed hij onverhoeds – als een roofdier – een uitval naar de andere kant van de tafel en greep Kempelen bij zijn kraag. Deze viel met stoel en al achterover. Tibor lag boven op Kempelen en had hem bij zijn strot vast. Zijn rechterhand had hij tot een vuist gebald en zijn spieren waren gespannen, klaar om met kracht op Kempelens gezicht in te stompen. Kempelen zag de vuist trillen van ingehouden kracht en de vingers spierwit worden. Hij verroerde zich niet. Tibor hijgde met halfopen mond.

Johann was wakker geworden van het lawaai. Slaapdronken stond hij op en kwam naar het tweetal toe. 'Mijnheer von Kempelen?'

'Alles in orde, Johann,' zei Kempelen met verwrongen stem, want Tibor kneep nog steeds zijn keel dicht. 'Blijf waar je bent.'

Tibor sloeg geen acht op de assistent. Hij kon nog steeds niet besluiten of hij toe zou slaan of niet; zijn vuist was nog steeds gebald.

'Mijn god, mijnheer Neumann! Doet u hem alstublieft niets aan!' smeekte Johann op huilerige toon. 'Het is immers maar een spelletje! Ik ben best bereid te verliezen als u zo graag wilt winnen.'

Tibor knikte. Zijn gelaatstrekken ontspanden zich, vervolgens ook zijn vuist en hij verslapte zijn greep om Kempelens keel. Hij deed een stap achterwaarts.

'Nee,' zei hij tegen Johann, 'nee, mijnheer Allgaier, dat zal niet nodig zijn. Neemt u me alstublieft niet kwalijk dat ik zo ruw uw slaap heb verstoord.'

Tibor keerde zich van Johann naar Kempelen, die nog steeds op de grond lag. Toen draaide hij zich opnieuw om. 'Welterusten, mijne heren. We zien elkaar over een paar uur terug in gezelschap van de schaakturk.'

Gottfried Neumann streed nog elf zetten voort, maar door een onhandige tactische manoeuvre belandde zijn koning in een hoek waaruit geen ontsnappen mogelijk was. En daar zette Kempelens schaakmachine hem mat. Het publiek applaudisseerde. De voorzitter van de schaaksociëteit zei: 'Op geen enkel moment heeft hij echt de kans gehad om te winnen – hoe zou dat ook kunnen als je tegen een machine speelt! – maar hij heeft verbazend knap geschaakt.'

Carmaux schudde spijtig zijn hoofd en zei telkens opnieuw: 'Wat jammer, mijn god, wat verschrikkelijk jammer nou toch.' Toen stond hij op en trok zijn beurs. 'Het wordt nu wel tijd om zoals beloofd de collectezak te laten rondgaan.'

Tibor, die nog steeds zat, keek Kempelen streng aan – een blik die de toeschouwers ontging – en in reactie daarop sprak de Hongaarse werktuigbouwkundige: 'Nee, messieurs, ik verzoek u, geen geld. Vergeet u alstublieft wat we gisteren zijn overeengekomen. U hebt al entreegeld betaald en het is voor mij voldoende beloning dat ik deze prachtige partij heb kunnen meemaken.'

Opnieuw barstte er een applaus los voor die edelmoedigheid. 'Wat een opmerkelijke man,' zei Carmaux. Alleen Kempelens assistent Anton keek verbouwereerd.

Nu pas stond Tibor op van zijn stoel en zei tegen een jongen die zowel nu als de voorgaande dag op de tweede rij had gezeten: 'Kom, Jakob, we gaan.'

Als hij stond was de jongen nu al groter dan de dwerg. Kempelens mond viel open van verbazing. Het kind was blond, had een lichte huid en was uitzonderlijk mooi. Boven zijn rechtermondhoek had hij een levervlekje. Tibor draaide zich niet meer om, maar de jongen keek over zijn schouder en weerstond Kempelens blik totdat hij in de massa toeschouwers verdwenen was.

'Waarom heb je niet gewonnen?' vroeg Jakob zijn vader, toen ze in hun koets terugreden naar La Chaux-de-Fonds.
'Omdat mijn tegenstander beter was dan ik.'
Jakob schudde zijn hoofd. 'Ik snap niets van schaken maar ik kon aan je zien dat je je best niet meer deed. Alsof je er geen zin meer in had.'
Tibor glimlachte en gaf de jongen een aai over zijn bol. 'Wat ben je toch een pienter kereltje! Je hebt natuurlijk gelijk, ik heb mijn best niet gedaan. Ik heb die ander laten winnen. Maar ik zou hoe dan ook

hebben verloren, neem dat van me aan. Ik had het nog wel een poosje kunnen uitstellen en misschien had ik remise kunnen maken. Maar mijn tegenstander was beter.'

'De Turk.'

'Ja, de Turk.'

'Toch heb je het geweldig gedaan. Iedereen klapte! Ik ga het meteen aan mama vertellen.'

Het bleef een poosje stil. Er stond geen wind en de nachtelijke sneeuw was gesmolten maar het was nog steeds bitter koud. Jakob keek naar het landschap en toen naar zijn vader.

'Zit je aan de machine te denken?' vroeg hij.

'Nee. Nee hoor,' antwoordde Tibor. 'Nee, ik zat net aan je moeder te denken, je echte moeder.'

'Elise?'

'Ja. Het is treurig dat ze niet meer voor je heeft betekend.'

'Ze had toch bij ons kunnen blijven.'

Tibor zuchtte. 'Ze kon het in La Chaux-de-Fonds gewoon niet uithouden. Een leven als moeder in een Zwitsers dorp was niets voor haar. Ze wilde meer. Ik heb haar beloofd dat ik voor je zou zorgen en dus is ze naar Parijs vertrokken om daar haar geluk te zoeken. De zomer nadat jij geboren bent.'

'Heeft ze het gevonden? Haar geluk?'

'Nee, ik geloof van niet. Vier jaar later kwam ze terug, toen ik allang met mama getrouwd was.'

'En ze was ziek toen ze weer naar ons toe kwam.'

'Precies. Ze zei dat ze bij ons van haar ziekte wilde herstellen. Maar vermoedelijk wist ze zelf dat ze niet meer beter zou worden. Ze wilde alleen jou nog eens zien. En mij. Want nadat ze had gedaan waarvoor ze was gekomen, ging het allemaal heel snel. Kun je je de dag nog herinneren waarop we haar naar het kerkhof hebben gebracht?'

Jakob knikte. Na even te hebben gezwegen, vroeg hij: 'Heb je van haar gehouden?'

'Ja,' zei Tibor en enkele ademtochten later vervolgde hij: 'Ja, ik heb veel van haar gehouden.'

'Evenveel als van mama?'

'Dat kun je niet met elkaar vergelijken.'

'En heeft zij ook van jou gehouden?'

Tibor sloeg zijn ogen neer en schudde zijn hoofd. 'Nee. Niet echt, vrees ik.'

'Waarom niet?'

'Dat weet ik niet.'

'Omdat je zo klein bent?'

'Misschien. Maar misschien ook niet. Weet je, Jakob, kort voor ze stierf, heeft ze me iets verklapt. Ze zei dat ze verdrietig was dat ze nooit zo van iemand had kunnen houden, niet zoals ik van iemand hou, bedoelde ze, en ze vertelde me dat ze daarom soms jaloers op me was – vooral op momenten waarop ze me met mama samen zag.' Tibor keek Jakob recht in zijn ogen. 'En toen zei ze: "Ik heb nooit werkelijk ervaren wat liefde is, maar ik weet dat ik bij niemand die ik ooit heb ontmoet, dichter bij dat gevoel ben geweest dan bij jou."'

Jakob durfde daar geen antwoord op te geven. Hij was dankbaar dat zijn vader hem zonder een woord te zeggen de teugels overhandigde en hij zich op het mennen van de paarden kon concentreren, terwijl zijn vader het landschap in zich opnam, zoals hijzelf eerder had gedaan.

Zur Reinheit

Op de avond van 2 oktober 1770 werd Gottfried heer von Rotenstein tijdens een plechtige ceremonie als leerling in de Preßburgse vrijmetse-laarsloge *Zur Reinheit* ingewijd. Tijdens het facultatieve deel van de avond dat aansluitend aan de plechtigheid plaatsvond, verdrongen ver-scheidene broeders zich rond hertog Albert, die vertelde dat hij meende nu eindelijk een oplossing te hebben gevonden voor het probleem van de watervoorziening in de burcht van Preßburg. Het plan om een put te slaan in de rots was eeuwenlang onuitvoerbaar gebleken en het werd zo langzamerhand ondoenlijk om het water met een molen naar de burcht omhoog te pompen. Er moest dus een Engelse machine komen die het water met behulp van stoomkracht omhoog transporteerde naar de burcht. Nu zocht de hertog een bouwkundige die dit kon aanleggen.

Wolfgang von Kempelen vroeg het woord. 'Ik verzoek u, *mon duc,* om mij die taak toe te vertrouwen.'

Albert trok een wenkbrauw op. 'U, Kempelen?'

'Ik heb de brug over de Donau aangelegd en in het Banaat een stoom-machine gebouwd voor het uitgraven van een kanaal.'

'Ik twijfel niet aan uw talenten, integendeel zelfs,' verklaarde Albert, 'maar ik had de indruk dat uw tijd volledig in beslag genomen werd door uw ongelooflijke schaakspeler.'

'Niet meer, hertog. Ik heb hem gedemonteerd. De Turk zal niet meer schaken. Hij kan niet meer schaken.'

In het groepje weerklonk een duidelijk gemompel. Er rees protest, ook bij de hertog; de aanwezigen smeekten Kempelen om op zijn besluit terug te komen en de machine – die uitermate wonderbaarlijke uitvin-ding, die elke vergelijking met alles wat in deze eeuw was uitgevon-den, met glans doorstond – weer in elkaar te zetten en aan het volk te vertonen. Nepomuk von Kempelen en Rotenstein waren de enigen die er zwijgend bij stonden.

Kempelen stak zijn handen omhoog om het tumult tot bedaren te brengen. 'Messieurs, door de faam van de schaakmachine heb ik overdag en 's nachts geen rust meer. Datgene wat ik geschapen heb, is me de baas geworden en ik ben niet van plan tot het einde van mijn leven als een soort kermisbaas de machine te demonstreren. Ik wil weer vrij zijn. Ik wil nieuwe dingen tot stand brengen, nieuwe machines en uitvindingen, waarvan de faam wellicht, als alles goed gaat, de roem van de schaakturk ooit nog zal overtreffen.'

En zo werd het besluit van Wolfgang von Kempelen geaccepteerd. Achter zijn rug werd echter het vermoeden uitgesproken dat zijn verklaring slechts een rookgordijn was en dat zijn besluit om de machine te demonteren eerder was ingegeven door de beide mysterieuze sterfgevallen. Datzelfde jaar nog begon men onder supervisie van Kempelen aan de bouw van een door stoom aangedreven waterpompinstallatie en geleidelijk raakte de schakende Turk, die Preßburg en Wenen, het Habsburgse rijk en Europa bijna een jaar lang verstomd had doen staan, in de vergetelheid.

De brug over de Vöckla

Even voordat de straatweg via een boogbrug het kleine maar snelstromende riviertje de Vöckla oversteekt, ongeveer halverwege Linz en Salzburg, is een paar stappen van de kant van de weg een klein houten Maria-altaartje tegen een boom gespijkerd. Daar stond Tibor nu voor. Hij verwijderde de dorre herfstbladeren die de wind om de voeten van de madonna had gelegd en ging op zijn tenen staan om een spinnenweb onder de zoldering van de schrijn weg te vegen.

De kleuren van het Mariabeeld waren verbleekt, op het eens blauwe gewaad begon groen mos te groeien, haar arm was donker gekleurd omdat er door het lekke dakje een gestage stroom regendruppels op viel en op haar lichaam had een houtworm zijn sporen nagelaten. Dat alles had echter geen afbreuk gedaan aan haar lieflijke glimlach. Tibor keek naar haar als naar een oude bekende en dacht terug aan de woorden die hij vroeger tot haar placht te richten. Hij pakte de Mariamedaille uit Reipzig uit zijn broekzak en hing het kettinkje over het kruis. Een andere reiziger moest het maar meenemen als hij wilde. Tibor had er geen behoefte meer aan. Hij wachtte totdat de medaille stil hing, drukte een afscheidskus op zijn vingers en streelde de voeten van Maria er even mee; vervolgens liep hij terug naar de weg.

Op de bok van de koets met het tweespan, waaraan hij in Hainburg het grootste deel van zijn loon had besteed, zat Elise. Ze zat naar het water van de Vöckla te kijken, omdat ze Tibors gesprekje met Maria niet had willen storen. Haar linkerhand rustte op haar ronde buik, die door haar japon heen aanvoelde als de warme onderkant van een ketel.

'Nu zijn we gauw in Salzburg,' riep Tibor vanaf de weg en ze draaide zich naar hem om.

'En? Wou je me daar soms laten uitstappen en alleen verdergaan?'

'Je kind?'

'Dat komt desnoods ook wel in een schuur ter wereld of ergens onderweg.'

'Dit zijn de laatste warme dagen. Het gaat kouder worden, misschien gaat het zelfs sneeuwen.'

'Ben je soms van plan je van mij te ontdoen? Ben ik een last voor je?'

Tibor stond nu naast de koets. Hij keek omhoog naar haar, hield zijn ene hand voor zijn ogen om ze tegen de zon te beschutten, en schudde zijn hoofd.

'Hou dan op met dat gebazel en stap in, malle dwerg, anders ga ik zonder jou verder.'

Tibor glimlachte en hees zich op de bok van de koets terwijl zij de teugels vastpakte en de paarden aanspoorde.

Toen de wielen van de koets krakend over de stenen brug reden, greep Tibor in zijn ransel en haalde het reisschaakbord waarop hij in Venetië voor de eerste keer tegen Kempelen had geschaakt, onder zijn gereedschap uit. Met een nonchalant gebaar gooide hij het over de brugleuning – het gebeurde zo snel dat Elise het niet kon beletten – en keek het niet eens na.

Het schaakspel kwam op een rots terecht en de twee helften braken van elkaar los. Tweeëndertig velden bleven op de steen liggen, de andere tweeëndertig gleden het water in. De schaakstukken waren eruit gesprongen: een van de lopers belandde tussen de bladeren van een ridderspoor, een dame raakte tussen twee stenen bekneld, een toren bleef aan het schaakbord hangen. De meeste stukken waren echter in het riviertje terechtgekomen of rolden er in en werden door het witschuimende water meegevoerd. Pionnen, hogere stukken en in rood en wit geklede koninklijke hoogheden begonnen aan een woeste reis over stokken en stenen, werden nu eens in draaikolken naar beneden gezogen, dan weer onzacht op een rots geworpen en algauw van elkaar gescheiden; hun vilten voeten doorweekt, hun houten hoofden naar boven: de manen van een paard, een kroon, de muts van een raadsheer, een rij kantelen. De onstuimige Vöckla voerde ze mee naar haar oudere zuster de Ager, die weer in de Traun uitmondde; en de Traun voerde ze mee naar de grote moeder Donau, die hen minder onstuimig maar even voortvarend langs Wenen, Preßburg, Ofen en Pest, door Hongarije, het Banaat en Walachije op zekere dag uiteindelijk naar de Zwarte Zee zou brengen.

Epiloog: Philadelphia

In de zomer van 1783 stelt Wolfgang von Kempelen zijn schaak-machine in Parijs tentoon. In het najaar steekt hij Het Kanaal over en blijft een jaar in Londen. De buitengewoon succesvolle tournee brengt hem vervolgens naar Amsterdam en daarna naar Karlsruhe, Frankfurt, Gotha, Leipzig, Dresden en Berlijn. In Sanssouci moeten Frederik II en zijn hofhouding het afleggen tegen de schakende Turk. In januari 1785 keert Kempelen van zijn reis van bijna twee jaar terug naar Preßburg en stopt met de demonstraties. De machine wordt weer in zijn kamertje in de Donaustraat weggeborgen en zal daar de eerst-volgende twintig jaar blijven staan.

Als gevolg van de partijen die overal in Europa met de schaakmachine zijn gespeeld en de publicatie van Karl Gottlieb Windisch' *Briefe über den Schachspieler des Herrn von Kempelen* ziet in Duitsland, Frank-rijk en Engeland een reeks artikelen het licht, waarin wordt getracht het spel van de machine te beschrijven en te doorgronden. Johann Philipp Ostertag vermoedt dat er in de Turk bovennatuurlijke krach-ten werkzaam zijn. Carl Friedrich Hindenburg en Johann Jacob Ebert sluiten de metafysica als drijvende kracht uit maar zijn desondanks van mening dat de Turk werkelijk een machine is: zij denken dat de androïde met behulp van elektrische of magnetische straling wordt aangestuurd.

De sceptici zijn echter in de meerderheid: noch Henri Decremps noch Philip Thicknesse, Johann Lorenz Böckmann of Friedrich Nicolai laat zich door Kempelens bedrog in de luren leggen, al blijft het ook in hun verhandelingen bij hypotheses: geen van hen weet het bedrog overtui-gend op te helderen. Pas als Joseph Friedrich baron zu Racknitz een ko-pie van de schaakmachine construeerd, wordt aangetoond dat het moge-lijk is om iemand in het schaaktafeltje te verstoppen – in 1789, wanneer het origineel allang weer onder het stof zit.

Kempelen reageert niet op de beschuldigingen. Hij houdt zich al weer bezig met zijn werk als thesaurier. Hij heeft met name tot taak de verhuizing van de overheidsorganen van Preßburg naar Ofen of Boeda te regelen: van de oude naar de nieuwe hoofdstad van Hongarije. Maar evenals vroeger blijft er voldoende tijd over om machines te ontwerpen. Nadat hij nog voor zijn tournee door Europa een verstelbaar gezondheidsbed voor de zwaarlijvige keizerin en een schrijfmachine voor de blinde zangeres Maria Theresia Paradis heeft bedacht en vervaardigd, ontwerpt hij na zijn tocht door Europa de waterwerken en cascaden van de Neptunusfontein in het park van Schönbrunn. Hij heeft de leiding over de bouw van een Hongaars theater in de burcht in Ofen. In 1789 vraagt hij patent aan op zijn ontwerp van een stoommachine die molens, walserijen, grofsmederijen en houtzagerijen van energie voorziet. Zijn laatste ambitieuze project, het ontwerp van een kanaal van Ofen naar Fiume, een waterweg die de Donau met de Adriatische Zee moet verbinden, wordt nooit uitgevoerd.

Hij steekt echter vooral energie in zijn sprekende machine, die uiteindelijk in staat is korte, maar perfect verstaanbare zinnen in het Frans, Italiaans en Latijn uit te spreken: 'Ma femme est mon amie.' 'Je vous aime de tout mon cœur.' En dat geheel zonder menselijk ingrijpen, hoewel geïnsinueerd wordt dat hij buikspreekt. In 1791 publiceert Kempelen zijn boek Mechanismus der menschlichen Sprache nebst der Beschreibung seiner sprechenden Maschine, dat tal van afbeeldingen van de spraakmachine bevat en dat een van de grondslagen van de fonetica zal gaan vormen. Tot slot probeert Kempelen naam te maken als beeldend kunstenaar, dichter en dramaturg. Het door hem geschreven toneelstuk Andromeda en Perseus wordt echter slechts eenmaal opgevoerd.

In 1789 gaat Kempelen met pensioen. Kort voor zijn dood ontneemt keizer Franz II hem zijn pensioen, omdat Kempelen te kennen geeft de ideeën van de Franse Revolutie te omarmen. Op 26 maart 1804 overlijdt Johann Wolfgang baron von Kempelen in de leeftijd van zeventig jaar, in zijn huis in Wenen. Zijn laatste rustplaats bevindt zich op het Andreaskerkhof in zijn geboortestad Preßburg. Op zijn grafsteen is een epigram van Horatius aangebracht: NON OMNIS MORIAR – ik sterf niet geheel.

In de zomer van het daaropvolgende jaar sterft in La Chaux-de-Fonds klokkenmaker Gottfried Neumann, van wie geen van de medeburgers weet dat hij in werkelijkheid Tibor Scardanelli heet. Tot op het laatst vervaardigt hij zijn gewilde *tableaux animés*, waarbij hij zich nooit laat meesleuren door de ambitie van zijn vakgenoten om almaar grotere, duurdere en extravagantere uurwerken te vervaardigen. Neumanns bewegende schilderijen stellen voornamelijk historische veldslagen voor en scènes uit de mythologie en de pastorale poëzie. Aanvankelijk brengen ze nog geen klanken voort, maar later bouwt hij er een mechaniek in dat zijn schilderijen met muziek en geluiden opluistert.

Na de Franse Revolutie begint Neumann geleidelijk aan andere motieven uit te beelden, alledaagse tafereeltjes evenals bijbelse voorstellingen: Adam en Eva die in de Hof van Eden door de slang in verzoeking worden gebracht en door de aartsengel Gabriël worden verdreven. De geboorte van Jezus in de kribbe in Bethlehem, inclusief de reizende ster en de aankomst van de drie koningen op de klanken van *Er is een roos ontsprongen*. Zijn laatste werk – alsof hij zijn naderende dood voorvoelde – is de tenhemelopneming van Christus: de Heiland stijgt ten hemel, de donkere wolken boven zijn hoofd openen zich en op een zonnestraal zweven de engelen des Heren naar beneden om Christus in hun midden op te nemen.

Gottfried Neumann wordt in aanwezigheid van zijn vrouw Sophia, zijn drie kinderen, evenveel kleinkinderen en bijna honderd burgers van de stad ten grave gedragen. Zijn doodkist is die van een volgroeide man. In de herinnering van enkele burgers leeft Neumann voort als de man die er bijna in was geslaagd de legendarische schaakturk te verslaan. Niemand, zelfs zijn eigen vrouw niet, weet dat hij ooit het brein van de Turk is geweest.

Hoewel Neumann tal van beeltenissen heeft gecreëerd, is er geen afbeelding van hemzelf bewaard gebleven, niet eens een silhouet. Zijn nagedachtenis leeft echter voort in een dubbelganger: wanneer Pierre Jaquet-Droz en diens zoon Henri-Louis hun schrijvende machine vervaardigen, modelleren ze hun androïde naar Neumann. De schrijver met de gedrongen ledematen is geen jongetje, zoals menigeen denkt, maar het volmaakte evenbeeld van Gottfried Neumann.

De schaakturk wordt na het overlijden van Kempelen door diens zoon Karl voor tienduizend franc verkocht aan de keizerlijk-koninklijke hofmachinebouwer Johann Nepomuk Mälzel, de uitvinder van de metronoom. Wanneer Napoleon Bonaparte in 1809 de stad Wenen inneemt, spreekt hij de wens uit tegen de schaakmachine te spelen; Mälzel regelt een bijeenkomst in paleis Schönbrunn. De Franse keizer heeft de naam een uitstekend schaker te zijn, maar hij verliest zijn eerste twee partijen tegen de Turk respectievelijk Johann Allgaier. Tijdens zijn derde partij speelt de Corsicaan herhaaldelijk vals, waarna de woedende androïde met zijn onderarm alle stukken van het bord vaagt – tot grote hilariteit van Bonaparte.

In 1817 gaat Mälzel met de Turk nogmaals op tournee door Europa: evenals Kempelen voor hem trekt hij door Parijs en Londen en door tal van Engelse en Schotse steden. De belangstelling voor de Turk is onveranderd groot. De schaakmachine is echter niet het enige succes van Mälzel. Zijn curiositeitenverzameling omvat ook zijn eigen uitvindingen: een mechanische trompettist, een kleine mechanische koorddanseres, een geautomatiseerde maquette van de stad Moskou waarop de grote brand van 1812 is uitgebeeld, en een klein mechanisch orkest dat een speciaal voor dat orkest gecomponeerde ouverture van Beethoven speelt.

Wanneer de bezoekersaantallen in Europa teruglopen, vertrekt Mälzel naar de Nieuwe Wereld en vanaf 1826 stelt hij zijn kunstwerken tentoon in New York, Boston, Philadelphia, Baltimore, Cincinnati, Providence, Washington, Charleston, Pittsburgh, Louisville en New Orleans. In Richmond behoort Edgar Allan Poe tot de bezoekers en in zijn essay *Maelzel's Chess-Player* doet hij uiterst nauwkeurig als een detective uit de doeken waarom de Turk geen machine kan zijn. De schaker is inmiddels ook in staat whist, een kaartspel, te spelen.

Na Johann Baptist Allgaier huurt Mälzel tijdens zijn tournee ter plaatse de inheemse schaaktalenten in. In Parijs zijn dat drie stamgasten van schaakcafé De la Régence, in Engeland de jonge William Lewis en Peter Unger Williams, in Schotland de Fransman Jacques-François Mouret. Een jaar later is Mouret ook de eerste die het geheim van de schaakmachine publiek maakt. In Amerika wordt de Turk voor het eerst bediend door een vrouw.

Het laatste brein van de Turk is de Elzasser Wilhelm Schlumberger. Wanneer Schlumberger in 1838 met Mälzel en de Turk naar Havanna reist, valt hij daar ten prooi aan de gele koorts. En ook Mälzel keert niet meer terug naar de Verenigde Staten. Hij overlijdt tijdens de overtocht vanuit Cuba. Hij krijgt een zeemansgraf in de Atlantische Oceaan.

De schaakturk is weer een wees. Hij vindt een nieuw tehuis in Peale's Chinese Museum in Philadelphia, een curiositeitenkabinet. Maar niemand heeft meer de behoefte de van zijn betovering ontdane schaakmachine te gaan bekijken. Het is nog slechts een antiquiteit, het Trojaanse paard van de barok, een relict uit een allang voorbije tijd.

In de nacht van 5 juli 1854 breekt er brand uit in het Chinese Museum. De androïde kan niet vluchten. De vlammen verzengen het tafeltje, het raderwerk, heel de kunstmens: zijn spieren van metaaldraad, zijn houten ledematen, zijn glazen ogen. De schaakturk sterft in zijn vierentachtigste levensjaar, vijftig jaar en honderd dagen na zijn schepper.

Opmerkingen van de auteur

Terwijl er betrekkelijk veel documentatie te vinden is over de demonstraties van de schaakmachine in de negentiende eeuw, is er over zijn begin veel minder bekend. Men heeft nooit kunnen achterhalen waar en op welke datum in 1770 de schaakturk zijn première heeft beleefd en hoeveel demonstraties er daarna hebben plaatsgevonden voordat de machine voor het eerst tijdelijk werd opgeslagen. Evenmin is bekend wie de eerste schaker was die Kempelen inhuurde om de getrukeerde schaakmachine te bedienen. (De Duitse uitdrukkingen 'getürkt' en 'einen Türken bauen'[1] vinden hun oorsprong werkelijk in Kempelens schaakturk.)

Daarom heb ik me de vrijheid gepermitteerd om mijn eigen verhaal rondom de schaakmachine te bedenken, dat hopelijk naadloos aansluit bij alles wat er momenteel over Wolfgang von Kempelens loopbaan, zijn gezin en zijn contacten in Preßburg (de huidige Slowaakse hoofdstad Bratislava) bekend is. Ik heb me daarbij bediend van tal van bekende en onbekende personen uit het Habsburgse keizerrijk, zoals Friedrich Knaus, Franz Anton Mesmer, Gottfried von Rotenstein, Franz Xaver Messerschmidt, Johann Baptist Allgaier en de Hongaarse adel in Preßburg. De personages Tibor, Elise, Jakob en broer en zus Andrássy zijn aan mijn eigen fantasie ontsproten.

En ten slotte wil ik iets zeggen om de reputatie van Wolfgang von Kempelen te redden: ook de moord op Ibolya Jesenák is een verzinsel. De historische figuur Kempelen was weliswaar ambitieus maar beslist niet bereid om voor zijn carrière over lijken te gaan. Zijn tijdgenoten schetsen hem als een sympathiek, bescheiden en veelzijdig getalen-

---

1 Het Duitse woord 'türken' betekent faken, trukeren en 'einen Türken bauen' staat voor: iemand een rad voor ogen draaien (opmerking van de vertaler).

teerd mens – los van het feit dat zijn schaakturk slechts een goochel-truc was. In onze tijd is een dergelijke coulance tegenover weten-schappelijk bedrog moeilijk te begrijpen, maar in de achttiende eeuw waren de grenzen tussen wetenschap en vermaak nog niet scherp af-gebakend, en Kempelen was – evenals de magnetiseurs in die tijd – eerder een wetenschappelijk entertainer dan een brutale bedrieger. Volgens Karl Gottlieb Windisch is de schaakmachine een vorm van misleiding, 'maar wel een vorm van misleiding die de menselijke geest tot eer strekt'. En Kempelen zelf is, aldus Windisch, 'de eerste die uiterst bescheiden erkent dat de belangrijkste verdienste van de ma-chine niets anders is dan misleiding, maar wel een heel nieuwe vorm van misleiding'. Desondanks heeft Kempelen er alles voor over gehad om geheim te houden dat er bedrog in het spel was; en dat geheim kon pas na zijn dood definitief worden ontsluierd.

Mocht u door dit boek geïnteresseerd zijn geraakt in de lotgevallen van de schaakmachine – met name in de periode na de aankoop door Johann Nepomuk Mälzel tot de verbranding in Philadelphia – dan kan ik u twee populair-wetenschappelijke boeken aanbevelen die enke-le jaren geleden zijn gepubliceerd: Gerald M. Levitts *The Turk, Chess Automaton* (McFarland 2000) en Tom Standages *De mechanische Turk, de lotgevallen van de beroemde achttiende-eeuwse schaakma-chine* (Arbeiderspers 2004). Het boek van Levitt is uitvoeriger en rijk geïllustreerd en in de bijlagen zijn de oorspronkelijke teksten van Win-disch, Poe en anderen opgenomen en zijn ook tal van partijen beschre-ven die de schaakmachine heeft gespeeld. Het boek van Standage daar-entegen is onderhoudender en legt een link naar de toekomst: de partijen van wereldkampioen Garry Kasparov tegen schaakcomputer Deep Blue worden er bijvoorbeeld ook in behandeld. Kasparov leed zijn eerste nederlaag tegen Deep Blue, in 1996, overigens in Philadel-phia, de stad waar anderhalve eeuw tevoren de Turk was verbrand.
Van de schaakmachine van Kempelen bestaan enkele kopieën. De laatst gemaakte kopie (die uitstekend functioneert) staat – in zijn hoe-danigheid als indirecte stamvader van de computer en van kunstma-tige intelligentie – sinds 2004 in het Heinz Nixdorf MuseumsForum in Paderborn in gezelschap van raderuurwerken, rekenmachines, ech-te machines en echte schaakcomputers. De Turk wordt in Paderborn af en toe 'bemenst' gedemonstreerd.

Het Technisch Museum in Wenen beschikt over een virtuele, driedimensionale schaakcomputer in de gedaante van de Turk, die de bezoekers inwijdt in het geheim van de schaakmachine en hen uitnodigt een partij te spelen. Daar staat overigens ook de indrukwekkende Alles Schrijvende Wondermachine van Friedrich Knaus uit 1760. In het Deutsche Museum in München staat Wolfgang von Kempelens spraakmachine, maar de stem weigert steeds vaker dienst. Kopieën van de spraakmachine bevinden zich in de Academie van Wetenschappen in Boedapest en in de Universiteit voor Toegepaste Kunst in Wenen.

De drie machines uit de werkplaats van vader en zoon Jaquet-Droz ten slotte – de schrijvende, tekenende en orgelspelende androïden die tussen 1768 en 1774 zijn vervaardigd – zijn tentoongesteld in het Musée d'Art et d'Histoire van Neuchâtel (Neuenburg). De mechanische mensen functioneren nog even goed als op de eerste dag van hun bestaan en demonstreren elke eerste zondag van de maand publiekelijk hun vaardigheden.

Mijn dank gaat uit naar dr. Stefan Stein van het Heinz Nixdorf MuseumsForum, die mij de mogelijkheid heeft gegeven in het inwendige van de schaakturk te kijken, en naar Achim 'Inside' Schwarzmann (Paderborn) – het brein van de machine en de opvolger van Tibor, Allgaier en de anderen.

Voor hun deskundige bijdragen op schaakgebied dank ik prof. dr. Ernst Strouhal, dr. Brigitte Felderer, Alice Reininger, prof. dr. Andrea Seidler (Wenen), Siegfried Schoenle (Kassel), Swea Starke (Berlijn) en dr. Silke Berdux (München).

En niet in de laatste plaats gaat mijn grote dank uit naar Uschi Keil, Ulrike Weis en Donat F. Keusch vanwege hun nimmer aflatende steun bij het schrijven van deze geschiedenis.

Lees ook van Karakter Uitgevers B.V.

Philipp Vandenberg

Het Sixtijnse geheim

Een merkwaardige ontdekking bij de restauratie van de Sixtijnse kapel verontrust de gemoederen: een aantal afbeeldingen is van lettercodes voorzien, waarvan in eerste instantie de betekenis onduidelijk is. Maar al gauw lijken ze te verwijzen naar een oeroude samenzwering, die zijn schaduw zelfs nog over het heden werpt.

Tijdens zijn speurtocht naar een verklaring stuit kardinaal Jellinek in de geheime archieven van het Vaticaan op een document met een vernietigend geheim dat de leer van de katholieke kerk op zijn grondvesten doet trillen. Hebben we hier te maken met een late wraakoefening van Michelangelo ten opzichte van Gods vertegenwoordiger op aarde?

ISBN 90 6112 363 1

Philipp Vandenberg

Het Golgotha-dossier

Als de 46-jarige Arnold Schlesinger een levertransplantatie ondergaat, is dat voor professor Gregor Gropius, hoofdchirurg in het ziekenhuis van de Goethe-universiteit te München, eigenlijk een routineoperatie. Maar als kort daarna de patiënt sterft en aan het licht komt dat het donororgaan vergiftigd was, wordt duidelijk dat er opzet in het spel is. Maar is deze daad tegen de patiënt of tegen de chirurg gericht?

Gropius wordt direct uit zijn functie ontheven en er wordt een grootscheeps onderzoek gestart. Geheime diensten aan beide zijden van de Atlantische Oceaan buigen zich over gecodeerde berichten van een internationale organisatie die letterlijk over lijken gaat. De orgaanmaffia? Dan komt aan het licht dat het gevaar wel eens uit een heel andere hoek zou kunnen komen.

ISBN 90 6112 045 4

www.karakteruitgevers.nl/vandenberg

Jörg Kastner

Het blauw van Rembrandt

Amsterdam, 1669. De jonge schilder Cornelis Suythof, een groot bewonderaar van de meesterschilder Rembrandt, werkt als bewaker in het rasphuis, de gevangenis te Amsterdam. Dan wordt de stad opgeschrikt door een aantal raadselachtige moorden.
Cornelis ontdekt dat op het moment van deze moorden hetzelfde schilderij in de nabijheid van de moordenaars was; een schilderij in de stijl van Rembrandt, maar met gebruik van een indringende kleur blauw die Rembrandt zelf nooit zou gebruiken. En wanneer dit 'dodelijke doek' vervolgens op mysterieuze wijze verdwijnt, besluit Cornelis in de leer te gaan bij de oude, verbitterde meester.

In een labyrint van broeierige samenzweringen, prostitutie en mysterieuze verdwijningen, met als middelpunt het blauwe schilderij dat de bezitters ervan tot dodelijke en irrationele razernij drijft, ziet Cornelis zich voor de schijnbaar onmogelijke taak dit dodelijke raadsel op te lossen.

ISBN 90 6112 384 4

Jörg Kastner

Het Mozart-mysterie

MET GRATIS AUDIO-CD MET HOOGTEPUNTEN UIT
DIE ZAUBERFLÖTE VAN MOZART

Op mysterieuze wijze komt een jonge sopraan tijdens de repetities van Mozarts opera *Die Zauberflöte* in het Wenen van de 18e eeuw terecht. Want door onverklaarbare omstandigheden verliest zij het bewustzijn en komt ze weer bij in het jaar 1791 in het lichaam van hoedenmaakster Luise Heuler. Kort daarop is ze getuige van een moord op een jonge vrouw en wil het toeval dat ze Mozart zelf tegenkomt, samen met de theaterdirecteur Emanuel Schikaneder. Vanaf het eerste moment voelen Luise en Mozart zich tot elkaar aangetrokken.

Dan komt Luise op het spoor van een samenzwering van Vrijmetselaars rond Mozarts meesterwerk *Die Zauberflöte*. Twee rivaliserende Geheime Loges bestrijden elkaar op leven en dood. Steeds verder dringt zij tot de geheimen van dit Vrijmetselaarsconflict door, waar ook Mozart zelf deel van uitmaakt.

ISBN 90 6112 195 7

www.karakteruitgevers.nl/kastner

ANDREAS ESCHBACH

Het Messias-mysterie

Bij archeologische opgravingen in Israël doet Stephen Foxx, lid van de New Yorkse *Explorer's Society*, een sensationele ontdekking. In een graf van 2000 jaar oud vindt hij voorwerpen en documenten die blijkens de datering even oud zijn als het skelet in het graf, maar waarop teksten staan die uit de moderne tijd komen... Hoe is het mogelijk dat er berichten uit het heden op een plek uit de tijd van onze Messias terecht zijn gekomen?

ISBN 90 6112 043 8

ANDREAS ESCHBACH

De erfenis van Fontanelli

John Salvatore Fontanelli is een arme sloeber, totdat hij een ongelooflijke erfenis in zijn schoot geworpen krijgt: een vermogen dat een verre voorvader in de 15^e eeuw nagelaten heeft en dat door samengestelde rente in 500 jaar tot een biljoen dollar is uitgegroeid.
Het testament bevat echter een raadselachtige profetie: de erfgenaam van dit vermogen, zo voorspelt het, zal ooit de mensheid haar 'verloren toekomst' teruggeven.

ISBN 90 6112 014 4

ANDREAS ESCHBACH

De Nobelprijs

Op de luchthaven van Milaan stort een vliegtuig neer met aan boord drie leden van het comité voor de Nobelprijs voor geneeskunde. Vlak vóór de stemming krijgt professor Hans-Olof Andersson, eveneens lid van het comité, bezoek van een onbekende die hem veel geld biedt om op een bepaalde kandidaat te stemmen; een aanbod dat hij verontwaardigd afwijst. Kort daarop wordt zijn dochter Kristina ontvoerd met als doel de keuze van Andersson te beïnvloeden...

ISBN 90 6112 055 1

www.karakteruitgevers.nl/eschbach